증례중심

모체태아의학

Case-Based Maternal Fetal Medicine

대한모체태아의학회
KOREAN SOCIETY OF MATERNAL FETAL MEDICINE

모체태아의학

첫째판 1쇄 인쇄 | 2020년 7월 31일
첫째판 1쇄 발행 | 2020년 8월 14일

저   자   대한모체태아의학회
발 행 인   장주연
출 판 기 획   최준호
책 임 편 집   한성의
편집디자인   인지혜
표지디자인   김재욱
일 러 스 트   김명곤
발 행 처   군자출판사
         등록 제4-139호(1991.6.24)
         (10881) 파주출판단지 경기도 파주시 회동길 338(서패동 474-1)
         Tel. (031)943-1888   Fax. (031)955-9545
         홈페이지 | www.koonja.co.kr

ISBN 979-11-5955-591-6

정가 100,000원

머리말

안녕하십니까?

'아이를 가진 어머니'와 '모체의 태속에서 자라고 있는 아이'를 위해 연구하고 모자건강 증진을 위해 의료 발전에 앞장서고 있는 우리 대한모체태아의학회가 창립된 지 사반세기가 넘어 26주년을 맞이하였습니다.

그동안에 국제적인 위상과 학문적 발전은 괄목할 만한 성장을 하여 명실공히 이 분야 대표 전문학회로 자리 잡았지만 학회 고유 상표가 될 만한 교과서가 없었던 것이 아쉬웠습니다. 이미 산과학 책은 대한산부인과학회 주관으로 6판까지 발행되어서 갈증이 부족했던 것 같습니다. 이에 따라 기존 서술형 형식에서 벗어나 실제 진료에 도움이 될 만한 증례 중심의 진단과 치료에 무게가 더 실린 책을 만들어 보았습니다. 산부인과 개원의뿐만 아니라 의과대학생, 전공의, 전임의 등이 공부할 때 미처 접하지 못했던 상황을 풀이 형식으로 알려줌으로써 더욱 가치가 있을 것으로 사료됩니다. 전반적으로 딱딱한 나열식 기술에서 벗어나 실제 경험했던 예를 혈액검사, 초음파 소견 및 태아심박동 감시 장치 자료 등 검사 결과를 토대로 문헌 고찰과 함께 흥미롭게 만든 것이 차별화된 큰 장점입니다.

첫판을 내면서 증례 풀이식 내용이나 전달에 어색하고 미흡한 점이 많겠지만 대한모체태아의학을 사랑하는 전국 의과대학 교수님들이 사명감으로 만들었다는 점을 널리 이해하시고 너그러이 받아주시길 바라며, 앞으로 2판, 3판을 거듭하며 더 훌륭하고 알찬 증례 교과서가 되도록 격려해 주시기 바랍니다.

'시작은 미약하나 그 끝은 창대하리라'

끝으로 출판에 처음부터 끝까지 애써주신 군자출판사 여러분과 집필에 총책임을 맡아 힘써주신 오민정 교수님과 간사 조금준 교수님, 단원 책임자 여러분과 바쁘신 중에도 집필을 흔쾌히 맡아주신 교수님들께 감사드리며, 실무 담당으로 매우 힘써주신 김종운 총무이사에게도 특별히 수고의 말씀을 올립니다.

대한모체태아의학의 무궁한 발전을 기원합니다. 감사합니다.

2020년 8월
대한모체태아의학회 회장 김 윤 하

집필진 | 가나다순

임상진료지침위원

곽동욱	아주의대	성원준	경북의대	이준호	연세의대
권한성	건국의대	오민정	고려의대	조금준	고려의대
길기철	가톨릭의대	이미영	울산의대	조현진	인제의대
박현수	동국의대	이승미	서울의대	한유정	차의과학대

검토위원

고현선	가톨릭의대	오수영	성균관의대	정진훈	울산의대
김윤숙	순천향의대	위정하	가톨릭의대	조해중	원광의대
박미혜	이화의대	정영미	서울의대	최석주	성균관의대
설현주	경희의대	정영주	전북의대	최성진	연세원주의대
신재은	가톨릭의대				

감수위원

김사진	가톨릭의대	박용원	연세의대	신종철	가톨릭의대
김종인	계명의대	박윤기	영남의대	이근영	한림의대
노정래	성균관의대	박인양	가톨릭의대	이필량	울산의대

강혜심	제주의대	박지권	경상의대	이미영	울산의대
곽동욱	아주의대	박지윤	서울의대	이민아	충남의대
권자영	연세의대	박지은	경상의대	이세진	강원의대
권하양	연세의대	박찬욱	서울의대	이수정	울산의대
권한성	건국의대	박현수	동국의대	이승미	서울의대
길기철	가톨릭의대	박희진	차의과학대	이영주	부산의대
김리나	울산의대	배진곤	계명의대	이정헌	전북의대
김문영	차의과학대	배진영	대구가톨릭의대	전종관	서울의대
김미선	차의과학대	부혜연	차의과학대	정영주	전북의대
김민아	연세의대	서용수	인제의대	정윤지	연세의대
김석영	가천의대	성원준	경북의대	조금준	고려의대
김수현	차의과학대	성지희	성균관의대	조연경	차의과학대
김승철	부산의대	손가현	한림의대	차동현	차의과학대
김연희	가톨릭의대	송지은	한림의대	최규연	순천향의대
김영남	인제의대	심소현	차의과학대	최상준	조선의대
김영주	이화의대	심순섭	제주의대	최세경	가톨릭의대
김영한	연세의대	안기훈	고려의대	최수란	인하의대
김용범	서울의대	안태규	강원의대	한유정	차의과학대
김윤하	전남의대	양승우	건국의대	한정열	인제의대
김종운	전남의대	양정인	아주의대	호정규	한양의대
김해중	고려의대	오경준	서울의대	홍성연	대구가톨릭의대
김호연	고려의대	오민정	고려의대	홍수빈	서울의대
김희선	인제의대	원혜성	울산의대	홍순철	고려의대
나성훈	강원의대	이경아	이화의대	홍준석	서울의대
류현미	차의과학대	이경진	차의과학대	황종윤	강원의대
문종수	한림의대	이귀세라	가톨릭의대	황한성	건국의대
박교훈	서울의대	이동형	부산의대		
박중신	서울의대	이마리아	서울의대		

목차

목차

목차

Chapter 01

산전진단과 상담

모체태아의학

01

산전진단과 상담

류현미(차의과학대)
부혜연(차의과학대)
한유정(차의과학대)

01

Maternal-fetal medicine

고령임신부의 산전진단과 상담(기본)

36세 임신부가 임신 12주 때 시행한 임신 제1삼분기 정밀초음파검사에서 목덜미투명대(nuchal translucency) 두께가 1.3 mm로 정상소견을 보였다.

질문 1-1. 다운증후군 선별검사에 대해서 어떻게 상담을 해야 할까?

해설 1-1. 과거에는 고령임신의 경우, 임신부의 나이만으로 침습적진단검사를 우선적으로 권유하였다. 그러나 산전선별검사의 정확도가 향상되면서 현재는 임신부의 나이만으로 태아의 다운증후군 위험도를 평가하여 침습적진단검사를 권유하지는 않는다. 모든 임신부는 나이와 관계없이 산전선별검사, 산전진단검사 및 검사를 하지 않는 것까지 설명을 듣고 자율적으로 선택하여야 한다. 임신부에게 산전선별검사와 산전진단검사의 차이점뿐만 아니라, 산전선별검사의 종류에 따른 검사의 정확도 및 양성예측률이 다름을 설명해주어야 한다.

질문 1-2. 위의 임신부는 상담 후 통합선별검사(integrated test)를 선택하였다. 통합선별검사 결과 다운증후군 고위험군(1:100)이었다. 추가 검사에 대해서 어떻게 상담을 해야 할까?

해설 1-2. 우선 임신부에게 선별검사 고위험군 결과가 염색체 이상의 태아를 의미하지 않는다는 것을 분명히 한다. 통합선별검사의 경우 양성예측률이 5% 정도 됨을 설명하고 태아DNA선별검사 또는 양수천자술을 추가로 할 수 있다고 설명한다. 그러나 태아DNA선별검사는 다운증후군에 대하여 높은 민감도와 특이도를 보이지만, 확진검사가 아니고 태아DNA선별검사에서 저위험군으로 나오더라도 잔존 위험은 2% 정도 있을 수 있음을 설명한다. 또한 태아DNA선별검사에서 고위험군으로 나온 경우 양수천자술을 시행해서 태아 염색체 결과를 확인해야 하므로 태아 염색체 이상의 진단이 늦어질 수 있는 한계점도 설명한다. 양수천자술은 태아의 염색체를 직접 검사하여 염색체 이상을 확진할 수 있는 시술이지만, 드물게 유산, 출혈, 감염 같은 합병증이 동반될 수 있고, 시술 후 2주 내 태아 유산율이 0.1–0.3% 정도 있음을 설명한다.

질문 1-3. 위의 임신부가 추가검사로 태아DNA선별검사를 선택해서 저위험군 결과를 확인하였다. 그러나 임신 제2삼분기 정밀초음파검사에서 활로사징(tetralogy of fallot)이 의심되었다. 이와 관련하여 어떠한 검사를 추가적으로 고려해야 하는가?

해설 1-3. 태아DNA선별검사는 주로 13, 18, 21번 세염색체와 성염색체 이상에 대해서 검사를 하는 것으로 모든 염색체에 대한 검사를 하지는 않는다. 따라서 태아DNA선별검사가 저위험군으로 나와도 정밀초음파검사에서 태아의 주요 기형이 확인되면 침습적진단검사를 통한 태아 염색체 검사에 대한 상담이 이루어져야 한다. 그리고 활로사징은 22번 염색체의 미세결실로 인해 발생하는 디죠지증후군(Digeorge syndrome)에서 흔히 관찰되는 심장병이기 때문에 이를 확인하기 위해 FISH검사나 염색체 마이크로어레이검사(chromosomal microarray)도 추가로 고려해 볼 수 있겠다.

02 증가된 태아목덜미투명대의 상담(기본)

31세 임신부가 임신 12주 2일에 시행한 임신 제1삼분기 정밀초음파검사에서 목덜미투명대(nuchal translucency) 두께가 4.1 mm로 증가하면서 태아 림프물주머니(cystic hygroma) 소견을 보였다. 그 외 초음파상 이상소견은 보이지 않았다.

질문 2-1. 다운증후군 선별검사에 대한 상담을 어떻게 해야 할까?

해설 2-1. 태아 목덜미투명대 증가는 다운증후군과 같은 염색체 이상 외에도 선천성 심장기형 같은 태아 기형, 다양한 유전 증후군과 연관이 있는 것으로 잘 알려져 있다. 2016년 미국 산부인과의사협회에서는 목덜미투명대가 3.0 mm 이상이거나 99 백분위수 이상으로 증가되어 있으면, 태아DNA선별검사나 융모막융모생검을 할 것을 권고하고 있다. 그러나 본 증례처럼 태아 림프물주머니 소견이 보이는 경우에는 태아염색체 이상의 빈도가 약 50% 정도까지 보고되기도 한다. 따라서 2016년 미국산부인과의사협회에서도 태아 림프물주머니 소견이 보이는 경우에는 융모막융모생검을 하여 태아 염색체를 확인할 것을 권고하고 있다. 참고로 태아 목덜미투명대 두께에 따른 염색체 이상 빈도는 표 1-1과 같다.

표 1-1 태아 목덜미투명대 두께에 따른 염색체 이상 빈도

목덜미투명대 두께 (mm)	태아 수(%)	비정상 핵형	염색체 이상 종류				
			다운증후군	에드워드증후군	파타우증후군	터너증후군	기타
3.5-4.4	217 (42.2)	43 (19.8)	31 (72.1)	7 (16.3)	1 (2.3)	0 (0)	4 (9.3)
4.5-5.4	94 (18.3)	30 (33.0)	18 (58.0)	7 (22.6)	2 (6.7)	1 (3.3)	2 (6.7)
5.5-6.4	69 (13.4)	35 (50.7)	13 (37.1)	18 (51.4)	2 (5.7)	1 (2.9)	1 (2.9)
≥6.5	134 (26.1)	90 (67.2)	19 (21.1)	33 (36.7)	3 (3.3)	24 (26.7)	11 (12.2)
총	514	198 (38.5)	81 (40.9)	65 (32.8)	8 (4.0)	6 (13.1)	18 (9.1)

질문 2-2. 위의 임신부는 융모막생검을 하여 정상 태아 염색체를 확인하였다. 이후 추가검사와 임신 예후에 대하여 어떻게 상담을 해야 할까?

해설 2-2. 태아 목덜미투명대 두께가 증가된 경우, 태아 염색체가 정상이어도 선천성 심장기형, 횡격막탈장 같은 태아기형 동반이 유의하게 증가하므로 임신 제2삼분기 정밀초음파검사와 태아 심장초음파검사를 시행하여야 한다. 2019년 대한모체태아의학회에서는 이러한 경우 태아 염색체 검사로 발견되지 않는 다양한 유전질환 가능성 및 불량한 주산기 위험이 존재함을 임신부에게 설명할 것을 권고하였다. 특히 태아 림프물주머니는 목덜미투명대만 두꺼운 경우에 비하여 태아 홀배수체는 5배, 심장기형은 12배, 주산기사망은 6배가 높은 것으로 보고되기도 하는 등 더 불량한 예후를 보인다.

03 Maternal-fetal medicine

쌍태임신부의 산전진단과 상담(기본)

42세 임신부가 임신 12주에 산전선별검사 상담을 위해 왔다. 임신부는 임신 7주에 시행한 초음파상 이융모막성 이양막성 쌍태임신이 확인되었다. 이전에 임신 초기에 2회 유산을 한 이후 이번 임신은 체외수정 시술을 통하여 임신하였다. 그 외 다른 과거력이나 치료력은 없었다. 금일 시행한 임신 제1삼분기 정밀초음파 결과는 정상이었다.

질문 3-1. 임신부와 보호자에게 산전선별검사에 대하여 상담 시, 단태임신과 비교하여 어떠한 내용이 추가되어야 할까?

해설 3-1. 쌍태임신에서도 단태임신에서와 마찬가지로 모든 임신부가 산전선별검사, 산전진단검사 및 검사를 하지 않는 것에 대해 설명을 듣고 자율적으로 선택할 수 있다. 하지만 쌍태임신에서는 어떤 선별검사도 단태임신에서만큼 정확하지 않다는 설명이 추가되어야 한다. 쌍태임신에서는 단태임신에 비해 태아 홀배수체 위험도 분석에 대한 데이터가 부족하고 모체혈청선별검사는 각각의 태아를 평가하는 것이 아니라 전체 임신에 대한 위험도를 평가하는 것으로 모든 모체혈청선별검사는 단태임신에 비해 정확성이 낮다. 태아 목덜미투명대와 모체혈청선별검사의 통합선별검사는 5%의 위양성율을 보이고, 단일융모막 쌍태임신에서 93%, 이융모막 쌍태임신에서 78%, 모든 쌍태임신에서 80%의 다운증후군을 진단할 수 있는 것으로 보고되기도 하였다. 태아DNA선별검사 또한 현재까지는 쌍태임신에서 그 의미가 제한적이다. 데이터 역시 단태임신에 비해 부족하고 민감도도 단태임신에 비해 높지 않은 편이다. 검사 결과 또한 각각의 태아의 위험도를 구분 할 수 없는 제한점이 있다. 따라서 쌍태임신에서 모체혈청선별검사 및 태아DNA선별검사가 단태임신에 비해 정확성이 낮음을 설명하는 내용이 선별검사 전후로 임신부에게 설명되어야 한다.

질문 3-2. 위 임신부와 보호자는 상담 후 침습적진단검사를 선택하였다. 이 임신부와 보호자에게 추가로 이루어져야 하는 상담에 어떠한 내용을 포함해야 할까?

해설 3-2. 쌍태임신에서 침습적진단검사로는 단태임신과 마찬가지로 융모막융모생검과 양수천자술을 고려할 수 있다. 융모막융모생검이 양수천자술에 비해 더 이른 임신 주수에 시행할 수 있다. 일반적으로, 쌍태임신에서 침습적진단검사에 따른 태아소실 위험성은 단태임신의 경우보다 높다. 침습적진단검사시 검사에 따른 합병증이 생길 가능성에 대한 설명이 우선 이루어져야 하며, 합병증으로는 태아손실 및 드물게 양막파수, 융모양막염, 바늘에 의한

손상, 질출혈 등이 있을 수 있다. 단태임신에서는 시술 관련 태아소실율이 약 0.1-0.3%로 보고되고 있으나, 쌍태에서는 약 1-2%로 단태임신에서보다 그 위험성이 높게 보고되고 있다. 따라서 침습적진단검사 시행 전에 합병증에 대한 충분한 설명이 이루어져야 한다. 쌍태 임신의 경우, 한쪽 태아에서만 염색체 이상 결과가 나온 경우 검사 후 상담에 어려움이 있을 수 있다.

질문 3-3. 위의 임신부의 혈액형은 Rh 음성 A형이었으며, 남편은 Rh 양성 B형이었다. 융모막 융모생검 시술 후 추가로 시행해야 할 처치는?

해설 3-3. Rh 음성 여성과 Rh 양성 남성 사이의 임신의 경우, 침습적진단검사 시행 후 72시간 내에 면역글로불린을 줄 것이 권고된다. 항D항체는 Rh 음성인 임신부가 Rh 양성 태아를 임신한 경우 태아–모체출혈(fetomaternal hemorrhage)에 의해 발생할 수 있다. 이러한 경우 1970년대 후반부터 임상진료지침으로 분만 후 임신부에게 반드시 항D 면역글로불린을 투여하도록 권고하고 있고, 이후 RhD 동종면역 질환으로 인한 태아 사망률이 낮아졌다. 양수천자술 등 침습적진단검사를 받은 임신부에 대한 연구에서도 3.4%에서 감작이 발견되었다고 보고되기도 하였다. 이에 침습적진단검사 시행 후에도 면역글로불린 투여가 강조되고 있다.

04 취약X증후군의 산전진단과 상담(심화)

28세 임신부가 임신 13주에 취약X증후군(fragile X syndrome) 보인자검사를 받았다. 검사 결과, 임신 15주에 삼염기핵산(CGG) 반복횟수가 35/66으로 전변이(premutation)로 진단받았다.

질문 4-1. 추가 검사에 대한 상담을 어떻게 진행해야 하나?

해설 4-1. 취약X증후군은 원인이 밝혀진 유전성 지능지체 중 가장 흔한 질환이다. X-연관열성유전방식으로 유전되나, 전형적 유전방식을 따르지 않으며 전변이 여성을 통해 세대를 거듭하면서 삼염기핵산 반복횟수가 비정상적으로 증폭이 되어 임상증상이 심해지고 뚜렷해지는 양상을 보인다. 전변이 여성의 삼염기핵산 반복횟수(전변이의 삼염기핵산 반복횟수 범위: 55-200)에 따라 완전변이(full mutation, 완전변이의 삼염기핵산 반복횟수 범위: >200)로 증폭되는 위험도는 다르며(표 1-2), 위의 임신부의 경우에 태아가 모체로부터 전변이가 있는

X 염색체를 물려 받은 경우에, 완전변이로 증폭될 위험도는 약 5.3%이다. 따라서 태아의 삼염기핵산 반복횟수를 확인하기 위해서는 양수검사를 시행하여 태아의 삼염기핵산 반복횟수를 확인할 수 있으며, 태아의 성별에 따라 임상증상의 정도가 다르게 나타나게 되므로 성별도 함께 확인한다. 태아의 삼염기핵산 반복횟수를 확인하기 위하여 융모막융모생검도 시행할 수 있다. 그러나 임신 10-12주까지는 태반세포에서 FMR1 유전자의 methylation이 완성되지 않아서, 양수검사가 추가로 필요할 수 있다.

표 1-2 전변이 여성의 삼염기핵산 반복횟수에 따른 다음 세대의 완전변이의 위험도

전변이 여성의 삼염기핵산 반복횟수 (Repeat size of maternal alleles)	다음 세대의 완전변이의 위험도 (Expansion to full mutations, %)
55-59	3.7
60-69	5.3
70-79	31.1
80-89	57.8
90-99	80.1
100-109	100
110-119	98.1
120-129	97.2
130-139	94.4
140-199	100

질문 4-2. 위의 임신부는 임신 16주에 양수검사를 시행하여 태아의 성별은 여자이고, 삼염기핵산 반복횟수가 30, >200으로 완전변이를 확인하였다. 예후에 대하여 어떻게 설명해야 하나?

해설 4-2. 완전변이의 남아의 경우에는 지능저하와 발달 장애, 자폐 등의 취약X증후군의 전형적인 임상증상이 나타나게 된다. 그러나 완전변이의 여아의 경우(heterozygous for FMR1 full mutation)에는 또 다른 X 염색체가 보충할 수 있는 가능성이 있으므로 취약X증후군의 임상증상이 모든 환아에게서 발현되는 것은 아니다. 일반적으로 완전변이의 여아는 약

50% 정도에서 취약 X증후군의 임상증상이 발현될 수 있다고 설명한다. 참고로 전변이의 경우에는 50세 이후에 손을 떠는 수전증이나 걸음을 잘 못 걷는 등의 노년기의 실조증/수전증(fragile X tremor/ataxia syndrome)이 나타날 수 있으며, 특히 전변이 여성의 경우는 40세 이전의 조기폐경의 위험도가 증가하게 된다.

질문 4-3. 위의 임신부의 경우, 다음 임신 준비에 대한 상담을 어떻게 해야 하나?

해설 4-3. 취약X증후군 전변이 여성은 취약X증후군에 이환되지 않은 정상적인 태아를 임신하기 위해 착상전유전검사(preimplantation genetic testing)를 받을 수 있다. 또한 가계 내에 다른 전변이 여성이 존재할 수 있으므로 가계도 분석 및 임신부의 자매나 사촌에 대한 유전 상담도 고려해야 한다.

05

모자이씨즘의 상담(심화)

35세 임신부가 임신 11주에 산전진단를 위해 왔다. 초음파상 이상 소견은 없었으나, 태아DNA선별검사를 실시하였고 결과는 성염색체 이상 고위험군이었다. 이에 임신 13주에 융모막융모생검을 실시하였고, 세포유전학적 검사상 45,X[4]/46,XX[20]의 모자이씨즘이 확인되었다.

질문 5-1. 이 결과에 대해 어떤 상담이 이루어져야 할까?

해설 5-1. 모자이씨즘(mosaicism)은 세포유전학적 검사에서 세포주(cell line)가 한 개 이상 발견되는 경우로 융모막융모생검 시 약 1% 정도에서 보고되고 있다. 모자이씨즘은 산전침습적진단검사 시 검체에 모체의 세포가 오염되면서 위양성으로 나타날 수도 있다. 융모막융모생검 시 산모의 탈락막과 융모막융모를 주의 깊게 분리함으로써 이러한 위양성 결과를 줄일 수 있다. 또한 융모막융모생검에서 모자이씨즘이 발견된 경우, 진성 태아 모자이씨즘과 태반에만 존재하는 태반국한성모자이씨즘(confined placental mosaicism)의 감별이 필요하므로 양수천자술이 권고된다. 양수천자술로 확인 시 대략 90%에서 모자이씨즘은 세포영양막에 국한되어 있는 태반국한성모자이씨즘으로 보고되기도 하였다. 따라서, 융모막융모생검에서 모자이씨즘이 확인된 경우, 배양시에만 존재하는 모자이시즘(culture artifact) 등으로 인한 위양성 및 태반국한성모자이씨즘의 가능성에 대한 상담이 이루어져야 하고 이후 양수천자술이 권유되어야 한다.

질문 5-2. 산모는 임신 16주에 양수천자술을 시행하였고 세포유전학적 검사상 정상염색체가 확인되었다. 이후의 추적관찰 과정에 대하여 산모에게 어떤 상담이 추가로 이루어져야 할까?

해설 5-2. 태반국한성모자이씨즘의 경우, 태아의 염색체는 정상이지만, 드물게 자궁내발육지연, 태반 기능이상으로 인한 태아사망 등의 임신 합병증과의 연관성이 보고되기도 하였다.

따라서 융모막융모생검 결과 모자이씨즘이 확인되는 경우, 태아가 정상일 수도 있지만 드물게 그렇지 못한 경우도 있으므로 이에 대한 정보와 추가검사 및 출산 전후 관찰 필요성에 대한 내용을 포함하는 유전상담이 이루어져야 한다.

참고 문헌

1. 대한모체태아의학회 산전진단위원회. 태아 염색체 선별검사와 진단 검사에 대한 대한모체태아의학회 임상진료지침. 1판. 서울: 제이플러스; 2019.

2. American College of Obstetricians and Gynecologists: Prenatal diagnostic testing for genetic disorders. Practice Bulletin No. 162. Obstet Gynecol 2016;127:e108-22.

3. American College of Obstetricians and Gynecologists: Screening for fetal aneuploidy. Practice Bulletin No.163. Obstet Gynecol 2016;127:e123-37.

4. Baffero GM, Somigliana E, Crovetto F, Paffoni A, Persico N, Guerneri S, et al. Confined placental mosaicism at chorionic villous sampling: risk factors and pregnancy outcome. Prenat Diagn 2012;32:1102-8.

5. Ghi T, Sotiriadis A, Calda P, Da Silva Costa F, Raine-Fenning N, Alfirevic Z, et al. International Society of Ultrasound in Obstetrics and Gynecology (ISUOG). ISUOG Practice Guidelines: invasive procedures for prenatal diagnosis. Ultrasound Obstet Gynecol 2016;48:256-68.

6. Goldberg JD, Wohlferd MM. Incidence and outcome of chromosomal mosaicism found at the time of chorionic villus sampling. Am J Obstet Gynecol 1997;176:1349-52.

7. Kwak DW, Boo HY, Chang EH, Ryu HM, Han YJ, Chung JH et al. Chromosomal Abnormalities in Korean Fetuses with Nuchal Translucency above the 99th Percentile. Perinatology 2019;30:78-82.

8. Malone FD, Ball RH, Nyberg DA, Comstock CH, Saade GR, Berkowitz RL et al. First-trimester septated cystic hygroma: prevalence, natural history, and pediatric outcome. Obstet Gynecol. 2005;106:288-94.

9. Murray JC, Karp LE, Williamson RA, Cheng EY, Luthy DA. Rh isoimmunization related to amniocentesis. Am J Med Genet 1983;16:527-534.

10. Nolin SL, Brown WT, Glicksman A, Houck GE Jr, Gargano AD, Sullivan A, Biancalana V, Bröndum-Nielsen K, Hjalgrim H, Holinski-Feder E, Kooy F, Longshore J, Macpherson J, Mandel JL, Matthijs G, Rousseau F, Steinbach P, Väisänen ML, von Koskull H, Sherman SL. Expansion of the fragile X CGG repeat in females with premutation or intermediate alleles. Am J Hum Genet 2003;72:454-64.

11. Norton ME, Jelliffe-Pawlowski LL, Currier RJ. Chromosome abnormalities detected by current prenatal screening and non invasive prenatal testing. Obstet Gynecol 2014;124:979-86.

12. Royal College of Obstetricians and Gynaecologists. The use of Anti-D Immunoglobulin for Rhesus D Prophylaxis. Green-top Guideline No. 22. London: RCOG, 2011.

13. Simonazzi G, Curti A, Farina A, Pilu G, Bovicelli L, Rizzo N. Amniocentesis and chorionic villus sampling in twin gestations: which is the best sampling technique? Am J Obstet Gynecol 2010;202:365.e1-5.

14. Society for Maternal-Fetal Medicine (SMFM), Norton ME, Biggio JR, Kuller JA, Blackwell SC. The role of ultrasound in women who undergo cell-free DNA screening. Am J Obstet Gynecol 2017;216:B2-7.

15. Wald NJ, Rish S. Prenatal screening for Down syndrome and neural tube defects in twin pregnancies. Prenat Diagn 2005;25:740-5.

16. Wapner RJ, Johnson A, Davis G, Urban A, Morgan P, Jackson L. Prenatal diagnosis in twin gestations: a comparison between second-trimester amniocentesis and first-trimester chorionic villus sampling. Obstet Gynecol 1993;82:49-56.

17. Wilson RD, Davies G, Gagnon A, Desilets V, Reid GJ, Summers A, et al. Genetics Committee of the Society

of Obstetricians and Gynaecologists of Canada. Amended Canadian guideline for prenatal diagnosis(2005) change to 2005-techniques for prenatal diagnosis. J Obstet Gynaecol Can 2005;27:1048-62.

chapter 02

기형학

모체태아의학

기형학

02

한정열(인제의대)
조연경(차의과학대)

Maternal-fetal medicine

01

감기약 복용(기본)

35세 임신 7주인 임신부가 2일째 38.1℃의 발열, 기침, 가래, 콧물 등의 감기증상이 지속되고 있다. 예전 같으면 이미 약을 복용했겠지만, 임신이라서 태아상태가 걱정되어 약을 처방받았지만 복용하고 있지 않다.

질문 1-1. 상기 상황에서 치료를 하지 않고 경과관찰만 하는 경우 우려되는 점은?

해설 1-1. 감기는 코 막힘, 콧물, 인후통, 기침, 미열, 두통 및 근육통 등을 보이는 바이러스에 의한 가벼운 상기도 질환이며 대개는 특별한 치료 없이 저절로 치유된다. 하지만 임신기간 동안 면역력이 저하되어 감기에 잘 걸리게 되고 그 중 심한 정도의 감염으로 진행되는 경우도 빈번하게 발생한다. 또한 약물이 태아에게 미칠지도 모를 부정적인 영향이 우려되어 오히려 치료를 꺼리는 경우가 많아서 질환의 경과는 더 악화되기도 한다.

발열은 감기의 대표적인 증상이면서, 동시에 태아에게도 심각한 영향을 미칠 수 있다. 38.3℃ 이상의 열이 24시간 이상 지속될 경우 무뇌아(anencephaly), 척추이분증(spina bifida) 같은 신경관결손증(neural tube defects)의 발생이 증가한다는 것은 널리 알려져 있다. 또한, 구개순(oral cleft), 복벽개열(gastroschisis), 신장, 심장, 사지기형 등의 증가도 보고되어 있다. 한편, 최근에는 임신 중 모체의 발열이 출생 후 주의력결핍행동장애(attention deficit/hyperactivity disorder, ADHD), 발달지연, 자폐증과도 연관성이 있다는 보고가 있다. 이런 이유로 임신부라고 해서 무조건 치료를 미루어선 안 되며, 질환의 상태를 정확히 평가하고 임신주수와 증상을 고려하여 적절한 약물을 비롯한 치료방법을 선택해서 임신부와 태아 모두의 건강을 최선의 상태로 유지하는 것이 중요하다.

질문 1-2. 그렇다면 이 경우에 안전하게 처방할 수 있는 약은 무엇인가?

해설 1-2. 감기에 우선적으로 쓰이는 약제로 해열진통제를 꼽을 수 있다. 대표적으로 아세트아미노펜(acetaminophen)과 이부프로펜(ibuprofen) 등이 여기에 속한다. 이 중에서 아세트아미노펜의 경우, 그 동안 임신 중 안전성에 대해서 많은 연구가 이루어져왔다. 임신 중 아세트아미노펜의 사용은 일부에서 소아기에 천식, 신경발달적 문제의 유발 등이 보고되고 있으나 일반적으로 제1삼분기에 노출된 경우에도 부정적인 영향을 증가시키지 않는다고 보여진다. 이런 이유로 임신기간 동안 해열 또는 진통제가 필요할 때 우선적으로 고려되고 있다. 이부프로펜(ibuprofen)은 비스테로이드성 항염증제제에 해당되며, 이는 선천성기형 관련하여 복벽결손이나 심장중격결손 등이 증가한다는 보고가 일부 있긴 하지만, 전반적으로 큰 연관관계가 없는 것으로 보고되고 있고, 반면 임신 초기 노출은 자연유산을 다소 증가시킨다고 알려져 있다. 또한, 임신 후반기에 장기간 사용은 태아 동맥관의 조기 폐쇄를 야기하여 폐동맥 고혈압을 유발할 수 있어 임신 제3삼분기에는 사용을 금해야 한다. 한편, 항인지질증후군(Anti-phospholipid syndrome)의 치료 또는 임신중독증의 예방을 위해 사용되는 저용량(81 mg/day)의 아스피린의 경우, 이 용량에서는 위와 같은 영향이 일반적인 경우와 비교해서 큰 차이가 없어 보여 필요한 경우에 한해 사용할 수 있다.

그 외 증상완화를 위해 흔하게 사용되는 진해제인 덱스트로메토르판(dextromethorphan), 많은 종합감기약에 포함되어 있는 거담제인 구아이페네신(guaifenesin), 그리고 항히스타민제인 디펜하이드라민(diphenhydramine)과 클로르페니라민(chlorpheniramine) 모두 오랜 시간 여러 연구에서 기형유발 증가와 분명한 연관관계는 없는 것으로 보여지고 있다. 반면에 흔하게 쓰이는 충혈완화제(decongestant)인 슈도에페드린(pseudoephedrine)과 페닐에프린(phenylephrine)과 관련해서는 임신 제1삼분기에 복용 시 복벽개열증, 소장폐쇄, 반안면왜소증(hemifacial microsomia)이 증가했다는 일부 연구가 있었다. 하지만 이후 여러 전향적 연구에서는 별다른 선천성기형발생의 증가를 보이고 있지 않기 때문에 필요한 경우 복용을 통해 도움을 받을 수 있다.

위와 같은 사항을 고려해 볼 때, 가벼운 감기 증상이라면 수 일 휴식을 취하면 호전되겠지만 심한 컨디션 악화를 초래하는 상황이고 게다가 발열도 동반된다면 더 심해지기 전에 아세트아미노펜을 복용하고 감기약으로 흔히 쓰이고 있는 몇 가지 일반의약품들의 단기간 사용에 대해서 너무 우려하지 말고 사용하는 것이 나을 수 있다.

하지만 무분별하게 또는 장기간 사용해서는 안 되며, 꼭 필요한 경우에 한해서 그리고 증상에 맞는 적절한 약을 선택해야 한다.

02

경과

상기 임신부는 고령임신이어서 임신 12주에 NIPT를 검사받았고 저위험군 결과를 받았으며 임신 20주에 시행한 정밀초음파에서 주요기형의 소견은 보이지 않았다. 이후 기간 동안 특이사항 없었으며 둔위서 임신 39주 0일에 3.1 kg의 건강한 남아를 제왕절개술 통해 분만하였다.

> **풍진 예방접종(기본)**
>
> 29세 미분만부로 임신반응검사 양성이 확인되어 병원에 내원하였고 이 때 초음파검사상 임신 6주로 확인되었다. 최근에 임신을 준비하면서 약 3주 전에 임신인지 모르고 풍진(MMR) 예방접종을 받았다고 한다.

질문 2-1. 이 임신부는 임신 6주에 임신사실을 알고 태아상태가 너무 걱정되어 유산을 고려하고 있다. 어떻게 상담할 것인가?

해설 2-1. 풍진백신은 생백신이지만 질병을 일으키는 풍진바이러스의 활동을 둔화시켜 사람의 몸 안에서 항체만을 만들어낼 수 있도록 하여 제조되는 백신으로, 바이러스가 살아있지만 매우 약화된 정도를 주입하는 것으로 풍진바이러스 감염과 동일시 할 수 없다. 이 경우처럼, 의도하지 않았으나 결과적으로 임신 후 접종하게 된 경우가 오랜시간 동안 적지 않았고 이런 경우의 예후에 대한 많은 역학적 연구결과가 보고되었는데, 대체적으로 임신 제1삼분기에 풍진예방접종한 경우 태아에게 별다른 부정적인 영향은 증가하지 않았다. 1977년부터 1988년까지 약 10여 년간의 미국 통계자료에서는 수정 후 3개월 이내에 접종한 그룹의 약 2%에서 무증상 감염의 혈청학적 소견이 보였을 뿐이며, 실질적으로 선천성풍진증후군이 발생된 적은 없었다고 보고하였다. 즉, 백신으로 인한 선천성풍진증후군발생의 위험은 통계학적 산출에 의해 0.5-2.6% 정도의 이론적 가능성이 있을 수 있다고 하지만 첫 20주 이내 실제 바이러스 감염과 관련한 선천성풍진증후군보다 훨씬 낮은 것은 분명하다.

생백신의 성격상 혹시 있을 수 있는 부작용을 고려하여 미국산부인과학회(ACOG)에서는 임신중 접종은 금하기를 권하고 있으며 미국질병예방통제센터는 임신 중 예방접종을 받았다고 해서 임신중절을 고려해서는 안 된다고 명시하고 있다.

질문 2-2. 이 임신부는 임신을 계획하면서 임신 중 풍진 감염의 예방을 위해 MMR 예방접종을 받았다. 임신 중 풍진에 감염 시 태아에게 어떠한 상황이 발생할 수 있기에 예방접종을 권하게 되는 것인가?

해설 2-2. 임신 중 풍진감염은 유산, 사산을 증가시킨다고 알려져 있으며 심장기형, 백내장, 청력소실 등의 기형을 발생시킬 수 있다. 이 경우를 선천성풍진증후군(congenital rubella syndrome, CRS)이라고 하며 임신 중 어느 시기에 감염되더라도 태아에게 이 증후군이 발생할 수 있으나 특히 제1삼분기 감염 시 그 위험이 더 높다. 임신 후반부에 감염된 경우의 가장 흔한 증상은 청력소실이며 그 외 기형, 성장지연 등은 매우 드물다. 이러한 염려로 인해 임신 초기에 모든 임신부들은 이에 대한 항체 여부에 대한 검사를 받고 있으며 검사 결과 항체가 없다 하더라도 임신 중에는 생백신이어서 예방접종을 할 수 없으며 임신전에 항체가 없는 것을 알게 되었을 경우 임신전 예방접종을 하기를 권하게 되는 것이다.

경과

상기 내용과 같이 상담 후 임신을 유지하기로 했고 통합선별검사(integrated test), 정밀초음파검사를 받았으며 모두 특이소견은 없었다. 임신 39주 5일에 양수과소증 소견을 보여 유도분만하였으며 2.8 kg의 남아를 분만하였고 아이의 건강상태는 양호하였다.

03

이온화방사선, 음주, 흡연(기본)

37세 미분만부로 무월경 3주 3일, 모임에서 와인 2잔을 마신 적 있으며 평소 거의 흡연을 하지 않으나 이 날, 1개피 흡연을 한 적 있다. 또한 무월경 6주 0일에 건강검진을 받는 과정에서 흉부 X-선 촬영검사를 받았다. 이로부터 2주 후 임신 사실을 알게 되면서 기형아 출산에 대한 두려움을 갖고 내원하였다.

질문 3-1. 음주, 흡연, 방사선 노출 등이 임신에 어떠한 영향을 미치는가?

해설 3-1. 위의 노출항목 3가지는 모두 주요기형유발물질에 포함된다. 각 물질들이 태아에게 미치는 영향을 대략적으로 아래에 기술하고자 한다.

1) 방사선 노출

이는 이온화방사선에 해당하며 수태아(conceptus)에게 미치는 영향은 크게 4가지로 구분할 수 있는데 성장지연, 선천성기형, 유산 또는 사산, 암발생을 유발할 수 있고 대략적으로 0.1 Gy 이상 노출되는 경우 이러한 일들이 발생할 수 있다. 임신 극초반에 노출된 경우, 주로 유산이 발생하며 이후 시기가 경과할수록, 기형발생, 성장지연 등이 발생할 수 있다. 주요장기 형성기에 방사선노출 시 구조적 기형이 발생할 수 있으며 중추신경계 외의 다른 기형이 발생하는 경우는 매우 드문 편이다.

2) 음주

임신 중 음주를 하는 경우 태아알콜스펙트럼장애(Fetal Alcohol Spectrum Disorders, FAS-Ds)가 발생할 수 있다. 이는 임신 중 임신부의 알코올 섭취로 인해 태아에게 발생할 수 있는 모든 질환을 포함하는 넓은 의미의 용어이며, 이 중 태아알코올증후군(Fetal Alcohol Syndrome)은 가장 심한 임상형태로 정신지체, 성장장애, 특징적인 얼굴기형 등을 보이는 질환을 말한다. 이외에 뇌구조의 변화, 뇌량무형성증, 심장, 골격계, 신장, 눈, 귀, 손가락, 구순구개열 등의 선천적 기형 및 시력, 청력장애 등 다양한 선천적 결손을 동반할 수 있다. 어느 정도의 음주가 이러한 영향을 나타내게 하는지에 대한 명확한 근거는 아직 밝혀져 있지 않지만 대체적으로 태아알코올증후군은 임신 전 기간을 통해서 80 ml/day 정도의 음주가 지속되는 경우에서 많이 보고되고 있다. 그러나 그보다 적은 양의 음주에서도 행동발달지연 등이 보고되었으며 일회성의 많은 양의 음주보다 만성적, 빈번한 폭음 등이 질병의 발생에 더 영향을 미칠 수 있다.

3) 흡연

임신 중 유산의 증가, 저체중아, 전치태반, 태반조기박리 등과 관련이 있으며 일부에서 구순구개열을 비롯한 다양한 기형발생의 증가를 보고하였다. 이 중에서 가장 대표적인 영향으로 자궁내 발육지연을 꼽을 수 있으며 흡연량과 발육지연의 정도는 비례하는 것으로 알려져 있다. 또한 간접흡연도 이와 같은 영향을 미칠 수 있고 임신 중 지속적인 흡연의 경우 출생 후 집중력저하 및 과잉행동장애(ADHD), 영아 돌연사 증후군(Sudden Unexpected Infant Death, SUID)을 포함한 신생아사망과 관련될 수 있는 것으로 알려져 있다.

질문 3-2. 위 항목들의 임신 중 영향을 고려하면서 이 산모에게 어떻게 상담할 것인가?

해설 3-2. 위에 언급하였듯이 3가지 요인은 주요기형유발물질이지만 동일한 요인에 노출되어도 노출시기에 따라 그 예후의 양상이 상당히 다양하기 때문에 이런 경우 항상 노출시기를 가장 먼저 고려해야 한다.

임신 4주 이전은 착상전기(preimplantation period)로, 이 시기는 환경적 인자에 의해서 세포손상이 크면 세포의 사멸(cell death)이 일어나지만 세포손상이 작다면 보상이 가능하여 정상적인 발달이 가능한 시기이다. 그러므로 이 시기를 'all or none' 시기라고 부르며 이 시기에 외부환경인자에 노출 시 유산 아니면 정상아를 출산할 수 있다.

음주와 흡연의 경우, 노출시기가 임신 4주 이전으로 노출시기 자체가 특정 영향을 미치기에 너무 이른 시기라는 것을 알 수 있다. 한편, 음주의 경우 태아알코올스펙트럼장애(FASD)를 유발하기 위한 최소한의 용량이 아직 밝혀져 있지 않아 적은 양이라고 해서 안심할 수는 없으나 이 시기에 설사 많은 양의 음주를 했다 하더라도 일회성이라면 그 영향은 크지 않을 것으로 보이며 FASD 발생의 위험은 높지 않을 것으로 추정된다.

흡연의 경우도 습관적인 흡연이 아니며 임신 극초반에 일회성 흡연이었고 주요장기형성기 이전인 것을 고려하면 유산 발생의 미미한 증가 외에 대표적으로 언급되는 기형발생이나 저체중아, 행동발달장애 등을 고려하기에는 노출시기, 노출용량, 일시적 흡연이라는 면에서 연관시키기에는 상당히 부족함이 있다.

이온화방사선의 경우 임신 4주 이전에는 유산을 일으킬 수 있으며, 구조적 선천성기형의 경우 기관형성기인 임신 4주부터 10주까지 발생할 수 있다. 그리고 정신지체와 관련하여서는 8주부터 15주까지가 민감한 시기라고 할 수 있겠다. 또한 암발생을 제외한 영향들은 노출 방사선량이 어느 정도를 넘어서면서 나타나는 등 일명 역치 용량이 존재하는데 이는 0.1 Gy 정도이다. 일반적인 진단적 방사선의 경우 0.05 Gy를 넘는 경우는 거의 없으며, 특히 흉부 X-선 검사의 경우 태아에게 노출되는 방사선양은 0.002 mGy에 불과하다. 즉, 이 경우에 있어서 방사선 노출 자체가 임신과 관련하여 걱정되는 요인이고 노출시기가 태아의 주요장기형성기에 속하는 임신 4-5주 이후이기는 하지만 노출용량이 특정 영향을 나타내기 위한 양에 못 이를 정도로 매우 미미한 정도이기 때문에 일반적인 경우에 비해 기형발생 등의 특이상황이 증가될 것으로 추정되지 않는다.

전체적으로, 임신 극초반에 이루어졌던 이러한 상황에 대해서 그 영향이 크지 않을 것임을 알리면서 정기적인 산전진찰과 더불어 남은 임신기간 동안 절대적인 금주, 금연 등을 적극적이고 강력하게 교육시켜야 한다.

경과

상기 내용과 같이 상담 후 임신을 유지하기로 하였으며 상기 내용과 관련해서는 양수검사가 꼭 요구되지는 않으나 임신부가 37세로 고령임신이며 임신 관련하여 전반적으로 불안해하여 양수검사를 시행하였고 정상염색체 결과를 확인하였다. 20주에 시행한 정밀초음파에서도 특이소견 없었으며 임신 40주 2일에 3.6 kg의 건강한 여아를 자연분만하였다.

04

Maternal-fetal medicine

이소트레티노인(심화)

32세, 미분만부로 2019년 6월 24일 무월경 8주 6일로 산부인과 외래에 내원하였으며, 마지막 생리시작일은 2019년 4월 23일이고 이전에 생리가 불규칙했다고 한다. 내원 후 질초음파 소견은 임신 8주 4일(CRL 2.02 cm, 171 bpm)소견을 보였다. 이 임신부는 여드름약인 이소티논을 2019년 6월 10일부터 13일까지 1T (10 mg)/day로 총 4T 복용한 적이 있어서 이 약물이 태아에 미치는 영향 및 기형발생 위험성에 관한 상담을 하고자 내원한 상태이다.

질문 4-1. 여드름약 이소티논은 성분이 무엇이며 태아에게 어떤 영향을 미칠 수 있는가?

해설 4-1. 여드름약인 이소티논의 성분은 이소트레티노인(isotretinoin ; 13-cis-retinoic acid)으로 미국에서 1982년 낭포성 난치성 여드름 치료를 위해 처음 승인되었고, 국내에서도 결절성 낭포성 여드름 치료를 위해 승인되고 시판되는 약물이다.

이 약물은 탈리도마이드(thalidomide) 이래 가장 심각한 기형유발약물로 알려져 있으며 이 약물에 의해 영향을 받아 기형 또는 기능적 이상이 발생하는 기관은 뇌, 안면, 구개, 심장, 척수, 귀, 흉선으로 알려져 있다.

이소트레티노인이 이들 기관에 특징적으로 영향을 주는 기전은 기관형성기(organogenesis)에 신경능세포(neural crest cells)가 신경능으로부터 두개, 안면, 심장, 흉선 등으로 정상적으로 이동하는 과정을 방해하는 것으로 추정하고 있다. 또한, Davis는 이소트레티노인과 그 대사물인 4-oxo-isotretinoin으로 처리된 신경능세포의 세포사멸, cytosolic calcium의 변화, 수포 형성으로 기형이 발생하는 것으로 설명하고 있다. 한편, 이소트레티노인과 그 대사물인 4-oxo-isotretinoin의 혈중 내 반감기는 각각 29시간과 22시간이며, 반감기가 특이하게 긴 경우는 1주일 정도로 보고되기도 한다.

이소트레티노인에 의한 주요기형발생률은 30%에 이르며, 30%는 기형이 없는 가운데도 지능저하(mental retardation) 그리고 60%에서 신경정신검사에서 불량한 결과를 나타낸 것으로 알려져 있다.

한편, 국내에서는 김 등의 보고에 의하면 2010년부터 2016년 사이에 650명의 임신부가 이소트레티노인에 노출되어 마더세이프 전문상담센터에서 상담한 것으로 나타났다. 적지 않은 임신부들이 이 약물에 노출되는 것은 다양한 복제약이 시판되고 있고, 처방적응증인 중증 여드름보다는 경증의 여드름 치료에도 많이 처방하고 있으며, 국내의 경우 비보험으로 약

80% 이상 처방하면서 연간 약 40만 건 정도로 상당히 많이 처방되고 있다는 점, 이와 함께 계획되지 않은 임신률이 약 50%에 달해 임신 중 노출이 많기 때문으로 추정된다. 그 외, 서구의 대부분의 나라들과 달리 국내에서는 이 약을 복용하는 동안 iPLEDGE 같은 임신예방프로그램의 부재도 이유가 된다. 하지만, 국내에서도 2019년 6월 이후 임신예방프로그램이 도입되었다. 국내에서 임신예방프로그램의 주요내용은 의사가 처방 시 환자에게 이 약물이 기형유발물질이라는 것을 알리고 환자에게 동의서를 서면으로 받는 것, 이 약물을 복용시 최소 2종류의 피임방법을 사용할 것, 그리고 약처방 전에 반드시 임신이 아닌 것을 확인하기 위한 임신반응검사를 시행할 것 등이다.

한편, 이 약물에 노출되는 경우 캐나다에서는 84%, 미국에서는 72%가 인공임신중절을 선택한 것으로 보고되었으며 국내에서도 임신 중 노출 시 약 50%에서 인공임신중절을 선택한 것으로 나타나고 있다.

질문 4-2. 임신 초기에 이소트레티노인에 노출된 임신부에게 상담 시 어떤 점들이 중요한가?

해설 4-2. 우선 주요 노출 약물인 이소트레티노인의 복용량과 임신관련 복용시기, 임신부의 나이, 임신력, 질병력, 유전질환가족력, 그리고 이소트레티노인 외 추가적인 약복용력, 음주, 흡연 및 방사선 등 다른 유해물질 노출력, 종합비타민 복용력에 관해 평가한다. 그 다음은 현재 정확한 임신주수를 알기 위해 초음파를 시행한다. 내원 당일인 2019년 6월 24일 질 초음파에서 배아는 CRL 2.02 cm, 태아심박수 171 bpm으로 임신 8주 4일로 다른 이상 소견은 보이지 않았다. 이소트레티노인에 노출된 시기는 임신 6주 4일~7주 0일까지이며 10 mg/day으로 총 40 mg 노출되었다. 이 노출시기는 기관형성기에 해당하며 이 약물 및 대사물의 반감기가 약 1일로, 1주일 정도는 혈중에 남아 있을 수 있어서 임신 8주에 발생하는 기관들에도 영향을 미칠 수 있다. 그리고 이 시기에 발생되는 기관들은 이 약물에 취약한 뇌, 심장 등이어서 이 약물에 의한 심장 등의 기형발생률은 어떤 노출이 없어도 발생할 수 있는 기본 주요기형발생률(baseline risk) 3%를 훨씬 넘는 최고 30%의 기형발생 위험이 있음과 지능저하 등 신경손상 가능성도 있음을 시사한다. 다만, 마더세이프 전문상담센터의 경험에 의하면 임신 중 상기 약물에 노출 후 주요 기형(major malformation) 출산아는 22명 중 1명(다합지증, polysyndactly)이 발생하였다. 또한, Schaefer 등도 임신 중 노출된 91명의 임신부 중 주요기형이 1건(심실중격결손증)이 발생하였으며, Zommerdijk 등도 51명 중 2건의 주요기형 발생을 보고하였다. 한편, 마더세이프 전문상담센터의 메타분석의 결과(unpublished)에 의하면 1982년 이래 2019년 7월까지 총 11개의 논문을 포함하여 분석 시 전체적으로 14%의 주요기형이 발생하는 것으로 나타났다(표 2-1).

임신을 유지하는 경우 이 약물 노출 관련하여 염색체검사는 필요하지 않지만 관련 기형을 진단하기 위한 정밀초음파가 필요할 것으로 보여지고 출산 후 아이의 기형 및 발달에 관한 신경학적 검사가 필요하다. 또한, 다음 임신 시에도 이 약물에 노출될 수 있기 때문에 계획임신의 중요성과 이소트레티노인 임신예방프로그램을 잘 따르고 이 약의 복용이 끝나고 최소 4주 이후에 임신하도록 권장한다.

경과

임신 20주, 정밀초음파에서 태아크기는 임신주수에 합당하였고, r/o right renal pelvis dilatation 5.6 mm 이외 특이소견은 없었다.

표 **2-1** Random-effect single-arm meta-analysis of major malformation prevalence in isotretinoin exposure of the 11 included studies(마더세이프상담센터 unpublished).

Study	Events	Total	Weighy	IV, Random, 95% CI	IV, Random, 95% CI
Lammer E.J., et al. 1985	9	35	14.50%	0.26 [0.12, 0.43]	
Dai W.S., et al. 1992	26	94	18.00%	0.28 [0.19, 0.38]	
Mitchell A.A., et al. 1995	6	32	13.00%	0.19 [0.07, 0.36]	
Cheetham T.C., et al. 2006	0	1	2.40%	0.00 [0.00, 0.98]	
Berard A., et al. 2007	1	9	4.90%	0.11 [0.00, 0.48]	
F. Garcia-Boumissen et al.2008	2	14	7.70%	0.14 [0.02, 0.43]	
Schaefer C., et al. 2010	1	18	5.10%	0.06 [0.00, 0.27]	
Shin J., et al. 2011	1	9	4.90%	0.11 [0.00, 0.48]	
Zomerdijk I.M., et al. 2014	2	50	8.30%	0.04 [0.00, 0.14]	
Henry D., et al. 2016	11	118	16.10%	0.09 [0.05, 0.16]	
Korean motherisk 2019	1	22	5.20%	0.05 [0.00, 0.23]	
Total (95% CI)		**402**	**100%**	**0.14 [0.09, 0.22]**	

Heterogeneity: Tau²=0.35; Chi²=22.84, df=10 (P=0.01); I²=56%

Residual heterogeneity: Tau²=NA; Chi²=4.29, df=9 (P=0.89); I²=0%

Test for subgroup differences: Chi²=18.54, df=1 (P<0.01)

0   0.2   0.4   0.6   0.8

05

우울증 & 항우울제(심화)

38세 다임신부로 임신전부터 불안장애가 있어 항불안제 등을 복용하던 중 임신을 확인하였으며, 이후 정신건강의학과에서 약복용중단을 권유받고 중단하였다. 약복용 중단 후 불안장애, 불면증이 더욱 심해져서 외래에 내원하기 2일전부터 임의로 다시 복용하기 시작했으며 이로 인해 태아기형이 발생할지 우려되어 임신 10주 2일에 상담을 위해 내원하였다.

LNMP : 2018.12.25, EDC : 2019. 10.1

임신력: G3 P1 AA1 L1(2.2 kg, NSVD, 건강)

키: 162 cm, 체중: 45.8 kg, BMI: 17 kg/m²

복용하였던 약물 :

 불안장애로 2016년 5월 말경부터 복용시작

 2018년 1월경~2019년 1월 27일 (~임신 4주 5일) 0.5T/1회/2일

  파록세틴(Paroxetine hydrochloride) 20 mg

  클로나제팜(Clonazepam) 0.5 mg

 2019.3.5~3.6(임신 10주 0일~10주 1일) 0.5T/1회/2일

  파록세틴(Paroxetine hydrochloride) 20 mg

  클로나제팜(Clonazepam) 0.5 mg

질문 5-1. 이 임신부가 복용한 파록세틴과 클로나제팜이 기형발생위험 등 태아에 부정적 영향을 일으킬 수 있는가?

해설 5-1. 복용약물들의 기형유발성을 알아보면,

첫째, 파록세틴은 우울증, 불안장애, 강박장애, 월경전불쾌장애, 공황장애를 치료하기 위해 사용되는 약물이다. 이 약물은 선택적세로토닌재흡수억제제(Selective serotonin reuptake inhibitors, SSRIs)로 국내에서는 산도스파록세틴정®, 파마파록세틴정®, 파록스정® 등 다양한 복제약이 시판되고 있다. 파록세틴은 토끼와 쥐를 통한 동물실험이 행해졌고 토끼에서 6 mg/kg/day, 쥐에서 50 mg/kg/day로 주입 후 결과를 보는 기형유발성여부 실험에서 선천성 기형발생은 증가되지 않았다. 반면, Human studies들에서는 가장 최근의 2016년 메타분석에 의하면 임신 제1삼분기 동안 파록세틴 사용시 주요기형과 심혈관기형의 증가를 보고하였

다. 이 연구에는 1966년부터 발표된 23개의 연구가 포함되었으며, 주요기형(OR 1.23, 95% CI 1.10, 1.38; n = 15 studies), 주요심장기형(OR 1.28, 95% CI 1.11, 1.47; n = 18 studies)의 증가를 보였다. 또한 임신말기에 이 약물을 사용 시 경증의 중추신경계, 운동기능, 호흡기 그리고 위장관과 관련한 일시적 신생아 증후군(Transient neonatal syndrome)이 발생할 수 있지만, 특별한 치료 없이도 수일 내 사라지며, 이외에도 호흡곤란증, 지속성폐고혈압 등이 신생아기에 발생할 수 있다.

둘째, 클로나제팜은 벤조다이아제핀계 약물에 속하며 이는 경련, 불안, 공황발작, 그리고 불면증에 사용된다. 국내에서 환인클로나제팜®, 리부트릴정®으로 시판되고 있다. 쥐 또는 토끼 등의 동물실험에서 선천성기형발생을 증가시키지 않았으며 노르웨이의 777,785명의 출생코호트에서 클로나제팜으로 단독 치료한 113명의 여성에서 기형발생은 증가되지 않는 것으로 보고되는 등(OR 0.65, 95% CI 0.16-2.62) 사람에게서도 선천성기형발생을 증가시키지 않는 것으로 보고되어 있지만 파록세틴 등의 선택적세로토닌재흡수억제제와 병용 시 혈중 내 파록세틴의 농도를 높이고 이로 인해 일시적 신생아증후군(transient neonatal syndrome)을 발생시키면서 경증의 호흡장애, 근긴장저하를 유발하기도 하였다.

질문 5-2. 임신 유지 시 산전관리는 어떻게 해야 하며 어떤 점을 주의해서 관리해야 하나?

해설 5-2. 상기 임신부의 경우 내원 당시 우울증, 불면증이 심각한 정신병(psychosis) 상태였으며 이는 의사의 권고에 반하여 항우울제 등의 약을 복용함으로써 태아의 기형발생에 대한 우려와 죄의식 그리고 우울증과 불안장애의 재발 및 악화결과로 보였으며 이와 관련해서 정신건강의학과와 협진이 필요한 상태이었다. 먼저, 복용한 약물들의 기형유발성과 관련하여 파록세틴은 주요기형 및 심혈관기형발생과 관련 있는 것으로 메타분석에서 나타나지만 기형발생 위험이 크지 않음을 설명하고 단, 임신중기 정밀초음파에서 주요기형 및 심장기형에 관한 스크리닝이 필요하다는 것을 주지시켜야 한다. 또한, 선택적세로토닌재흡수억제제를 임신 말기까지 복용시 신생아의 지속성폐고혈압이 1-2% 발생할 가능성이 있어서 출산시 신생아 집중치료실이 준비되어 있는 병원에서의 출산을 권해야 한다. 그리고 모유를 통해 소량 전해질 수 있어서 모유수유아에서 잠을 잘 못 잔다거나 불안정한 증상이 나타날 수 있지만, 한편 별다른 부작용이 나타나지 않았다는 보고들도 있고 상대적으로 다른 선택적세로토닌재흡수억제제들보다는 모유수유 동안 안전하다고 보고 있다.

클로나제팜의 경우 태아기형증가와 관련되지 않은 것으로 나타난다. 그러나 임신말기에 사용 시 신생아에서 파록세틴의 경우와 마찬가지로 과민성(jitteriness), 불안정(irritability), 구토와 경련이 유발될 수 있다. 하지만, 대부분 특별한 치료 없이도 수일 내 호전되며 모유수유시 이러한 증상은 완화될 수 있다. 반면, 클로나제팜도 소량이 모유로 전해져서 아기에게 약물이 축적되어 지나친 진정작용을 유발할 수 있다. 가능하면 모유수유기에는 피하고 다른 약물을 권하도록 한다. 만약, 불가피하게 사용해야 한다면 아기 상태를 주의 깊게 관찰해야 한다. 전체적으로 볼 때, 이 임신부의 경우 두 약물 모두 노출시기가 기관형성기초기에 노출되긴 하였으나 이들 약물로 인한 구조적 기형발생은 기본 위험률(baseline risk) 1-3%를 상회하지는 않을 것으로 보인다.

경과

이 임신부는 임신초기 방문 시 정신질환이 심하여 정신건강의학과에 입원하여 안정되었고 외래에서 산전관리 중에도 정신건강의학과와 협진을 통해 보다 안전한 에스시탈로프람(es-citalopram)을 주로 복용하면서, 간헐적으로 불면증이 있는 경우 알프라졸람(alprazolam)을 추가하였다. 산전검사에서 NIPT은 저위험군, 중기정밀초음파에서는 주요기형이 발견되지 않았으며 28주 이후 집근처의 산부인과 전문병원으로 옮긴 후 임신 36주 3일에 2.15 kg의 건강한 여아를 자연분만하였고 모유수유는 하지 않았다.

참고 문헌

1. Berard A, Iessa N, Chaabane S, Muanda FT, Boukris T, Zhao J-P. The risk of major cardiac malformations associated with paroxetine use during the first trimester of pregnancy: A systematic review and meta-analysis. Br J Clin Phamacol 2016;81:589-604.

2. Centers for Disease Control and Prevention. Guidelines for Vaccinating Pregnant Women. Page last updated October 3, 2017.

3. Chambers CD, Hernandez-Diaz S, Van Marter LJ Selective serotonin-reuptake inhibitors and risk of persistent pulmonary hypertension of the newborn N Engl J Med 2006;354:579-87.

4. Ergenoglu AM, Yeniel AO, Yildirim N, Kazandi M, Akercan F, Sagol S. Rubella vaccination during the preconception period or in pregnancy and perinatal and fetal outcomes. Turk J Pediatr. 2012;54:230-3.

5. Han JY, Nava-Ocampo, AA, Koren, G. Unintended pregnancies and exposure to potential human teratogens. Birth Defects Res A Clin Mol Teratol. 2005;73:245-8.

6. Jarrett D: Medical Management of Radiological Casualties Handbook, 1st edition, Armed Forces Radiobiology Research Institute, Bethesda, MD, 1999.

7. KIDS (The Korea Institute of Drug Safety and Risk Management). Will you promise me safe use of Isotretinoin?; KIDS: Anyang-si, Korea, 2018. Available online: https://www.drugsafe.or.kr/iwt/ds/ko/bbs/EgovBbs.do?

8. Kim NR, Yoon SR, Choi JS, Ahn HK, Lee SY, Hong DS, Yun JS, Hong SY, Kim YH, Han JY. Isotretinoin exposure in pregnant women in Korea. Obstet Gynecol Sci 2018;61:649-54.

9. Larroque B, Kaminski M, & Dehaene P: Moderate prenatal alcohol exposure and psychomotor development at preschool age. Am J Public Health 1995;85:1654-61.

10. Li D-K, Liu L, Odouli R: Exposure to non-steroidal anti-inflammatory drugs during pregnancy and risk of miscarriage: population based cohort study. BMJ 2003;327:368-70.

11. Liew Z, Ritz B, Rebordosa C, Lee P-C, Olsen J. Acetaminophen use during pregnancy, behavioral problems, and hyperkinetic disorders. JAMA Pediar 2014;168:313-20.

12. Misri S, Oberlander TF, Fairbrother N, et al. Relation between prenatal maternal mood and anxiety and neonatal health. Can J Psychiat 2004;49:684-89.

13. Shin J, Cheetham TC, Wong L, Niu F, Kass E, Yoshinaga MA, Sorel M, McCombs JS, Sidney S. The impact of the iPLEDGE program on isotretinoin fetal exposure in an integrated health care system. J Am AcadDermatol 2011;65:1117-25.

14. Yook JH, Han JY, Choi JS, Ahn HK, Lee SW, Kim MY, Ryu HM, Nava-Ocampo AA. Pregnancy outcomes and factors associated with voluntary pregnancy termination in women who had been treated for acne with isotretinoin. Clin Toxicol 2012;50:896-901.

15. Zhang K, Wang X. 2013. Maternal smoking and increased risk of sudden infant death syndrome: a meta-analysis. Legal Medicine 15:115-121.

hapter **03**

산과 유전학

모체태아의학

03

산과 유전학

차동현(차의과학대)
박희진(차의과학대)
심소현(차의과학대)

01　골격이형성증(기본)

산과력 0-0-0-0인 36세 재태 연령 16주 임신부의 초음파 계측 소견이다. 배우자의 나이는 37세이며 환자와 배우자 모두 가족력과 과거력에 특이 소견 없었다.

임신주수	BPD	HC	AC	FL	HUM	TIB	RAD
16주 5일	4.0 cm	14.0 cm	11.6 cm	1.7 cm	1.6 cm	1.29 cm	1.4 cm
	96.00%	63.46%	66.40%	2.31%	4.82%	17%	17.20%

질문 1-1. 추가 검사는?

해설 1-1. 태아의 양쪽 두정골 사이의 길이(biparietal diameter)는 주수에 비해 증가되고 사지의 길이는 짧아진 태아 기형 소견을 보였다. 태아 기형이 의심될때는 염색체 이상 확인을 위하여 양수검사를 시행한다. 핵형검사와 마이크로어레이 검사를 동시에 시행하거나 마이크로어레이 검사를 시행한다.

질문 1-2. 상기 환자의 핵형 검사와 마이크로어레이 검사 결과는 정상이었다. 환자는 임신 22주 정기검진에서 자궁내 태아 사망을 확인하였다. misoprostol 투약으로 임신을 종결하였다. 그림 3-1은 태아의 infantogram 사진이다. 사지의 길이는 심하게 단축되고 흉곽의 크기도 감소되어 있었다. 장골(iliac bone)의 크기도 매우 작고, 척추체(vertebral body)는 얇아져서 wafer-like vertebral bodies 소견을 보였다. 태아의 혈액을 채취하여 시행한 전장유전체분석으로 platyspondylic skeletal dysplasia, torrance type (PLSD-T)의 원인 유전자인 COL2A1 gene의 4,454번째 염기 G가 A로 치환되어 1,485번째 아미노산 cysteine이 tyrosine으로 치환될 것으로 예상되는 변이가 발견되었다. 상기 환자에서 추가 상담이 필요한 내용은?

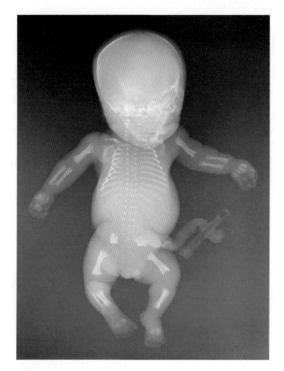

그림 3-1 태아의 Infantogram

해설 1-2. Platyspondylic lethal skeletal dysplasia (PLSDs)는 chondrodysplasia의 heterogeneous group으로 가장 흔한 형태는 thanatophoric dysplasia이다. COL2A1 gene의 heterozygote 4454G>A변이는 정상인에서 보고된 적이 없는 것으로 사산된 태아의 platyspondylic skeletal dysplasia, torrance type을 유발한 원인으로 볼 수 있다. 그러나 유전적 변이와 질환과의 연관성을 명확히 밝히기 위해 부모의 COL2A1 gene 검사를 시행하여 de novo variant 인지의 여부를 확인할 필요가 있다.

02

Maternal-fetal medicine

척수성 근위축증(기본)

산과력 1-0-0-1인 36세 제태 연령 16주 임신부가 유전상담을 위해서 왔다. 첫 아이는 생후 20개월이 될 때까지 앉기만 하고, 일어나서 걷지를 못하는 운동 발달 지연이 있었다. 첫 아이의 유전자 검사상 SMN 1 exon 7, exon 8 deletion (2copies) 확인되어 척수성 근위축증(spinal muscular atrophy, SMA)을 진단받았다.

질문 2-1. 필요한 검사는?

해설 2-1. 척수성 근위축증은 상염색체 열성 유전 질환으로 5q13에 위치한 SMN1 gene의 동형접합체 결실(Homozygous deletion)에 의해 발생한다. SMN gene은 SMN1의 telomere 와 SMN2의 centromere에 존재하는데 SMN1 gene에서 대부분의 SMN protein을 생산하고 SMN2 gene은 유전자의 염기서열 한 개가 C에서 T로 치환된 것을 제외하고는 SMN1 유전자와 동일하다. SMN2 gene에서 생산되는 단백질은 85% 정도는 기능을 못하고 분해되어 버리고 15% 정도만 정상적인 단백질 기능을 할 수 있다. 상기 환자의 첫아이는 SMN1 2copies 내의 exon7, exon 8 동형접합체 결실(Homozygous deletion)로 영아기에 운동발달 지연이 나타난 type 2 SMA로 진단할 수 있다. 따라서 양수검사로 태아의 SMN1의 deletion 을 확인해야 한다.

질문 2-2. 양수를 이용한 Multiplex Ligation-dependent Probe Amplification (MLPA) 결과에서 SMN1 gene의 exon 7과 8이 1 copy로 확인되어 보인자(carrier)로 진단되었다. 상기 태아의 출생 후 예후에 대하여 어떻게 상담하여야 할까?

해설 2-2. SMA는 상염색체 열성 질환이므로 보인자는 정상 표현형이다. 그러나 성인이 된 후 배우자도 보인자이면, 자녀가 이환 될 확률은 25%이다. 미국산부인과 의사회(ACOG)에 따르면 인구 중 보인자의 비율은 40-60명 중 1명이고, 6000명-10000명의 출생아당 1명이 SMA 환자일 정도로 높기 때문에, 임신을 준비 중인 여성 혹은 임신 중인 여성은 SMA의 보인자 여부를 확인하도록 권유하고 있을 정도이다. 따라서 보인자의 경우는 향후에 배우자도 SMA 보인자 선별검사를 시행하도록 한다.

질문 2-3. 상기 임신부에게 추가로 권유할 검사와 둘째 임신을 계획하고 있다면 추가로 필요한 상담은 무엇인가?

해설 2-3. SMA는 척수와 뇌간의 운동신경세포 손상으로 근육이 점차적으로 위축되는 신경근육계 상염색체 열성 유전질환이다. SMA 환자의 95%에서 SMN1 유전자의 Exon 7과 Exon8에 deletion을 가지고 있고, 약 2%는 de novo로 pathogenic variant가 발생하는 것으로 보고되어 있다. 따라서 상기 임신부와 남편의 SMN gene testing을 시행하여 둘 다 보인자라면 다음 임신 시 착상전 유전진단(preimplantation genetic diagnosis:PGD)으로 SMN 1 gene의 deletion이 없는 배아를 이식할 수 있다.

03

다발성 기형(기본)

산과력 2-0-1-0인 37세 제태 연령 21주 임신부가 태아 정밀 초음파에서 양측 신장의 수신증, 양측성 맥락막총낭종, 심실중격결손과 주먹쥔손(clenched hand)이 의심되었다. 임신 1,2분기 혈청학적 통합 선별검사는 정상 소견이었다.

질문 3-1. 시행할 검사는?

해설 3-1. 다발성 기형이 의심되므로 양수검사를 이용한 태아 염색체 검사가 필요하다. 핵형 검사뿐 아니라 마이크로어레이(CMA) 검사도 도움이 된다. 비정상초음파 소견을 보인 태아의 6%에서 핵형 분석이 정상이라도 마이크로어레이 결과가 비정상으로 보고되어 있다. 따라서 ACOG는 태아의 심장기형, 뇌기형, 구순열, 다발성 기형이 있을 때는 마이크로어레이 검사를 권고한다.

질문 3-2. 양수검사로 진단된 태아의 핵형은 46,XX,der (18)이고 마이크로어레이 검사상 18p11.32p11.31 (136227_3100353)x1의 결실(deletion)과 18q21.31q23 (54222717_77957375)의 중복을 보이는 소견이 확인되었다. 다음으로 진행할 검사는?

해설 3-2. der (18)이 부모에게서 유전된 것인지 확인하기 위해 산모와 배우자의 염색체검사를 시행한다.

질문 3-3. 산모와 배우자의 염색체검사를 시행하였다. 산모의 염색체는 정상이었고 남편의 결과는 다음과 같다(그림 3–2). 상담이 필요한 내용은?

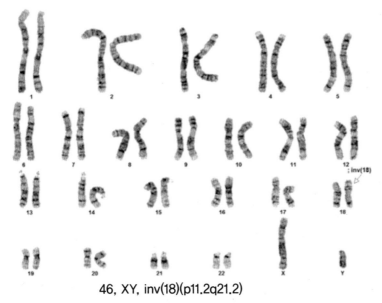

46, XY, inv(18)(p11.2q21.2)

그림 3-2 배우자의 염색체 결과

해설 3-3. 배우자는 18번 염색체의 동원체를 포함한 p11.2q21.2부분이 180도 회전하여 역위된 상태이지만 유전자의 결실이나 중복이 없는 상태이므로 표현형도 정상이다. 염색체 역위는 동원체를 포함하는지 여부에 따라 pericentric과 paracentric으로 구분되는데 일반인의 0.5-0.7%에서 발견된다. 부모 중 염색체 역위가 있을 경우 자녀는 5%에서 염색체 재조합으로 삼염색체(trisomy)나 일염색체(monosomy)가 될 수 있다. 재조합 염색체를 가질 경우 임상증상의 발현 정도는 염색체 역위의 위치나 길이에 따라 다양하다. 배우자는 정상 표현형이므로 balanced inversion 임을 알수있다. 태아는 마이크로어레이에서 유전물질의 결실과 중복이 복합적으로 나타나 부친의 역위 염색체가 재조합된 것으로 볼 수 있다.

04

반복유산(심화)

산과력 0-0-1-0인 28세 임신부가 자궁내 임신 6주에 자연유산 되었다. 1년 전 임신 8주에 자연 유산이 된 과거력이 있었다. 배우자의 나이는 35세이며, 특별한 병력은 없다.

질문 4-1. 유산의 원인을 알기 위해 시행할 검사는?

해설 4-1. 임신 12주까지 자연 유산의 50%는 태아의 염색체 이상이 동반되는 것으로 알려져 있고 임신 8주 이전에 자연 유산된 경우는 75%까지도 수정란의 염색체 이상과 관련이 있다는 보고도 있다. 따라서 임신 1분기 자연 유산이 반복된 여성에게 유산 조직으로 염색체 이상을 확인해 보도록 권유할 수 있다.

질문 4-2. 상기 환자는 자궁내막긁어냄술을 받으면서 유산 조직의 세포 유전학 검사를 진행하였고 결과는 다음과 같다(그림 3-3). 결과와 유산과의 상관 관계가 있는 것인가?

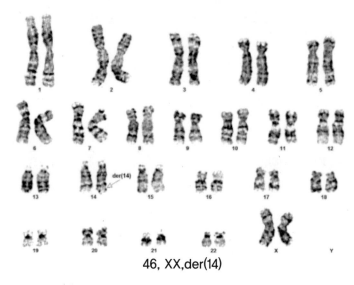

46, XX,der(14)

그림 3-3 유산조직의 염색체 결과

해설 4-2. 유산된 태아의 유전자는 14번 염색체 1개가 불균형 전좌(unbalanced translocation)에 의해 형성된 비정상 염색체(derivative chromosome 14)였다. 유전물질이 정상보다 증가된 불균형 전좌(unbalanced translocation)가 자연 유산의 원인이다.

질문 4-3. 상기 환자에게 추가로 권유할 검사와 세번째 임신을 계획하고 있다면 추가로 필요한 상담은 무엇인가?

해설 4-3. 상기 환자나 배우자 중 한 명이 반복유산의 원인이 되는 불균형전좌의 보인자일 수 있으므로, 부모의 염색체 검사를 추가로 시행한다.

05

Maternal-fetal medicine

로버트슨 전좌(심화)

산과력 0-0-2-0인 제태 연령 12주 임신부가 태아 염색체검사를 위해 왔다. 남편은 14
번과 21번 염색체 사이의 로버트슨 전좌(Robertsonian translocation)를 가지고 있다.
임신 전 착상전 유전자 진단(PGD)을 통해 trisomy가 아닌 것을 확인하고 임신 하였다.

질문 5-1. 시행할 검사는?

해설 5-1. 융모막 융모 생검(Chorionic Villus Sampling, CVS)을 통해 태아의 염색체 검사
를 시행한다.

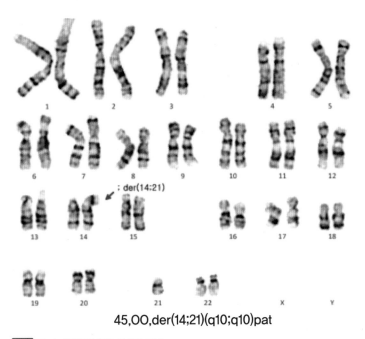

45,OO,der(14;21)(q10;q10)pat

그림 3-4 증례5의 태아 염색체 결과

질문 5-2. 그림 3-4는 융모막 융모 생검의 결과이다. 태아의 출산 후 예후에 관하여 어떻게
상담하여야 할까?

해설 5-2. 부계로부터 유전된 14번과 21번 염색체 사이의 로버트슨 전좌(Robertsonian
translocation)를 보이고, 부친과 같은 정상 표현형을 갖는다. 로버트슨 전좌는 끝겹매듭
(acrocentric) 염색체인 13, 14, 15, 21, 22 염색체 사이의 자리 옮김을 통해서 일어난다. 약

1,000명당 한 명의 비율로 발생하며 로버트슨 전좌 보인자(carrier)의 난자 혹은 정자가 수정되면 수정란의 6개 중 4개는 일염색체성(monosomy) 혹은 삼염색체성(trisomy)이 되기 때문에 임신 시 반복유산의 원인이 될 수 있다. 또한 다운증후군 환자의 4%는 로버트슨 전좌 보인자에게서 받은 파생(derivative) 유전자가 원인이 된다. 가장 흔한 로버트슨 전좌는 der (13;14)(q10;q10)으로 patau 증후군의 20%는 여기에서 기인한다. 따라서 착상전 유전자 진단으로 일염색체성(monosomy)혹은 삼염색체성(trisomy)이 아닌 것을 확인하고 임신을 시도하는 것이 도움이 될 것이다.

참고 문헌 ···

1. Committee on Genetics. Committee Opinion No. 691: Carrier Screening for Genetic Conditions. Obstet Gynecol. 2017;129:e41-e55.

2. Committee Opinion No. 682 Summary: Microarrays and Next-Generation Sequencing Technology: The Use of Advanced Genetic Diagnostic Tools in Obstetrics and Gynecology. Obstet Gynecol. 2016;128:1462-3.

3. Jieping Song, Xi li, Lei Sun, Shuqin Xu, Nian Liu, Yanyi Yao, Zhi Liu, Weipeng Wang, Han Rong, and Bo Wang. A family with Robertsonian translocation: a potential mechanism of speciation in humans. Mol Cytogenet. 2016;9:48.

4. Lefebvre S, Bürglen L, Reboullet S, Clermont O, Burlet P, Viollet L, Benichou B, Cruaud C, Millasseau P, Zeviani M. Identification and characterization of a spinal muscular atrophy-determining gene. Cell. 1995;80:155-65.

5. Pfeifer S, Fritz M, Goldberg J, McClure R, Thomas M, Widra E, Schattman G, Licht M, Collins J, Cedars M, Racowsk C, Davis O, Barnhart K, Gracia C, Catherino W, Rebar R, La Barbera A. Evaluation and treatment of recurrent pregnancy loss: a committee opinion. Fertil Steril. 2012;98:1103-11.

산전태아안녕평가

모체태아의학

04

산전태아안녕평가

박교훈(서울의대)
박지윤(서울의대)
홍수빈(서울의대)

Maternal-fetal medicine

01 산전태아안녕평가 임상적 적용(기본)

35세 임신부가 임신 32주에 정기 검진을 위해 내원하였다. 임신 26주경 임신성 당뇨병을 진단받고 식이 조절 및 운동으로 혈당 조절 중이다. 혈당은 식전 80 mg/dL, 식후 2시간 110 mg/dL 정도로 측정되며 다른 산전검사는 특이소견이 없었다. 외래 내원 당시 시행한 태아 예상체중은 1,700 g (50백분위수: 1,702 g) 이었고, 양수지수는 12 cm 이었다.

질문 1-1. 위 산모에게 앞으로 시행해야 할 산전태아안녕평가에 대해 설명하시오.

해설 1-1. 산전태아안녕평가의 목적은 자궁내 태아사망에 대한 위험도에 대해 평가하고 그것을 방지하는 데에 있다. 비수축검사의 음성예측도는 99.8%, 생물리학계수(biophysical profile, BPP)의 음성예측도는 99.9%로 산전태아안녕평가에서 정상소견이면 1주일 이내에 자궁내 태아사망이 발생할 확률이 매우 낮음을 의미한다. 산전태아안녕평가가 필요한 경우는 이러한 자궁내 태아사망이 발생할 수 있는 고위험 임신인 경우에 필요하고 해당되는 질환으로는 다음과 같다.

1) 모체 질환: 1형 당뇨병, 고혈압성 질환, 만성 신장병, 조절이 잘 되지 않은 갑상선기능항진증, 전신홍반루푸스, 청색증성 심장병, 항인지질항체증후군

2) 임신 관련 장애: 과숙임신, 임신성 고혈압, 자궁내 태아성장제한, 원인불명의 태아사망, 또는 재발성 요인에 의한 태아사망의 과거력, 태동 감소, 조기양막파수, 양수과소증, 양수과다증, 중등도 이상의 동종면역, 인슐린 사용을 하는 임신성 당뇨, 성장불일치 다태임신(discordant twins)

인슐린이 필요하지 않은 임신성 당뇨병의 경우에는 산전태아안녕평가를 더 한다거나 분만을 일찍 고려 할 필요가 없다. 그러나, 혈당조절이 잘 안 되는 경우 자궁내 태아사망의 가능성이 높아지기 때문에 산전태아안녕평가를 자주하는 것이 필요하다. 또한, 인슐린 치료를 하거나 혈당조절이 충분하게 되지 않는 경우에도 산전태아안녕평가를 하는 것이 필요하다. 언제부터 얼마나 자주 해야 되는가에 대해서 확실히 정해진 바는 없으나 미국산부인과학회에서는 32주부터 산전태아안녕평가를 시행하는 것을 권고하고 있다. 자궁내 태아사망의 위험도가 증가되는 다른 질환을 동반한다면 더 이전에 시행할 수 있다.

질문 1-2. 위 산모가 임신 36주경 태동이 감소하여 외래를 내원하였다. 40분간 시행한 비수축검사는 아래와 같았다(그림 4-1). 초음파 검사에서 태아 예상체중은 2,600 g (50 백분위수: 2,622 g) 양수지수는 13 cm이었다. 생물리학계수 검사에서 30분 동안 30초 이상 지속되는 호흡운동 0회, 몸통 혹은 사지의 구별된 움직임 3회, 사지를 뻗었다가 구부리는 운동 1회였고 최대양수수직깊이가 5 cm이었다. 이 경우 산모에게 필요한 처치는?

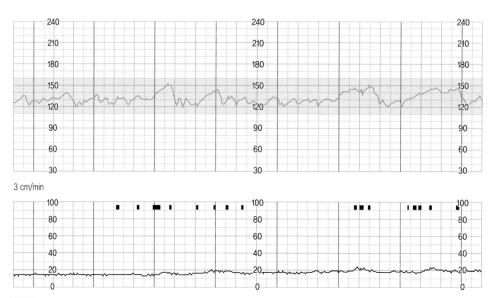

그림 4-1 산모의 임신 36주경 비수축검사

해설 1-2. 비수축검사에서 15초 동안 분당 15회 이상 태아 심박동이 상승하는 소견을 2회 이상 보여 반응성 결과를 보인다. 생물리학계수상 비수축검사, 태아운동, 태아 긴장성, 양수양은 각 2점이고, 태아호흡은 0점이다. 이에 생물리학계수점수 8점이며 양수과소증이 동반되지 않았기 때문에 태아가사상태라고 판단하지 않으며 1주일 후 태아안녕평가검사를 재검해 볼 수 있다.

질문 1-3. 위 산모가 임신 40주경 정기검진을 위해 외래를 내원하였다. 40분간 비수축검사 시행 시 아래와 같았다(그림 4-2). 생물리학계수는 30분 동안 30초 이상 지속되는 호흡운동 0회, 몸통 혹은 사지의 구별된 움직임 3회, 사지를 뻗었다가 구부리는 운동 1회였고 최대양수 수직깊이가 3 cm이었다. 초음파 검사상 태아 예상체중은 3,400 g (50 백분위수: 3,462 g) 양수지수는 10 cm이었다. 이 경우 산모에게 필요한 처치는?

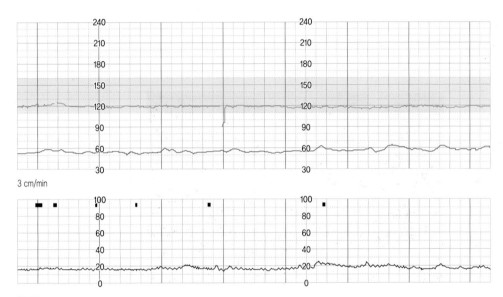

그림 4-2 산모의 임신 40주경 비수축검사

해설 1-3. 비수축검사에서 태아심박의 감속은 관찰되지 않으나, 가속이 없으며 심박동간 변이가 없어 무반응성으로 보인다. 또한 30초 이상 지속되는 호흡운동이 없어 태아의 곤란을 의심할 수 있다. 그러나, 수면상태의 경우에도 태아 호흡이 관찰되지 않을 수 있으며, 저산소증 외에도 저혈당증, 소리의 자극, 흡연, 양수검사, 임박한 조기진통, 임신 주수 및 태아의 심박동 등 많은 인자들이 태아 호흡에 영향을 미칠 수 있다. 이 산모의 경우 임신 40주에 생물리학계수 점수가 6점으로서 태아가사상태 가능성이 있다고 판단하여 분만이 추천된다.

경과

유도분만으로 3.5 kg 남아를 분만하였고 아프가 점수는 1분 7점, 5분 9점이었으며 제대동맥 pH는 7.215였다.

02 도플러 검사(심화)

27세 미분만부가 임신 30주에 태아발육부전이 의심되어 타병원에서 의뢰되었다. 산모의 다른 기저 질환은 없었으며, 1달 전부터 초음파 상 태아의 예상체중이 10백분위수보다 작은 것을 제외하고 다른 산전검사는 특이소견이 없었다. 입원 당시 태아 예상체중은 974 g (10백분위수: 1,120 g) 이었고, 양수지수는 6 cm이었다. 초음파검사에서 탯줄동맥의 도플러 검사 소견은 아래와 같았다(그림 4-3).

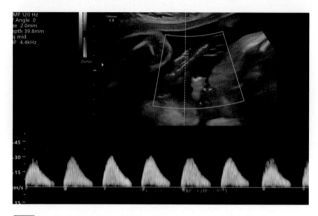

그림 4-3 환자의 임신 30주경 탯줄동맥 도플러 검사 결과

비수축검사는 아래와 같았고(그림 4-4) 생물리학계수는 30분 동안 30초 이상 지속되는 호흡운동 2회, 몸통 혹은 사지의 구별된 움직임 4회, 사지를 뻗었다가 구부리는 운동 2회였고 단일최대양수수직깊이는 3 cm이었다.

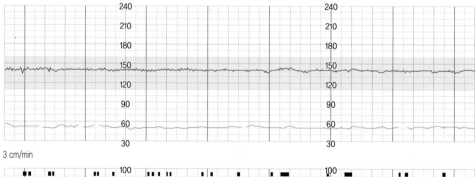

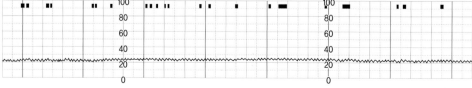

그림 4-4 환자의 임신 30주경 비수축검사 결과

질문 2-1. 위 산모의 탯줄동맥 도플러 검사 소견을 고려하여 추후 처치는 무엇인가?

해설 2-1. 위 산모는 임신 30주이며 자궁내성장제한, 제대동맥 이완기말 혈류의 소실을 보인다. 이러한 제대동맥 파형은 병리조직학적으로 태반의 3차 융모의 소동맥 폐색과 관련이 있으며, 특히, 성장제한이 있는 태아의 주산기 이환율 및 사망률과도 관련된 것으로 알려져 있다. 분만시기는 나라마다 지침이 조금씩 다르고, 비수축검사, 수축자극검사, 양수량을 포함한 생물리학계수 등 다른 태아안녕상태에 관한 검사들을 함께 고려하여 결정하여야 한다. 미국산부인과학회 권고안에 따르면 자궁내성장제한이 있으면서 다른 위험인자들 예를들어 양수감소, 비정상 제대동맥 등이 있을 경우 32주부터 37주 6일까지 분만을 고려해 볼 수 있다. 이 분만시기 중 빠른 시기는 제대동맥 이완기말 혈류의 역류 등 좀더 불량한 예후가 예상되는 경우에는 위 권고 시기 중 빠른 주수에 분만을 고려할 수 있다. 영국산부인과학회 권고안은 제대동맥이완기말 혈류의 소실이나 역류가 보이면 30-32주에 분만을 고려할 것을 권고하고 있다.

경과

위 임산부는 태아안녕평가를 포함하여 집중적인 감시를 위하여 입원하였다. 매주 초음파 검사를 통해 성장 속도를 평가하였고, 정기적으로(격일로) 초음파 검사를 시행하여 양수량 및 탯줄동맥과 정맥관 도플러검사를 시행하였다. 입원 2주 후 비수축검사와 생물리학적 계수를 확인하였으며, 조기에 분만하여야 할 가능성이 있어 태아 폐성숙을 위한 스테로이드를 투여하였다.

질문 2-2. 입원하여 정기적인 추적관찰을 하던 중 32주에 탯줄동맥 도플러 검사 소견이 아래와 같았다(그림 4-5). 초음파 검사에서 태아는 둔위였고, 양수지수는 1 cm이었다. 태아 예상 체중은 1,000 g (10백분위수: 1,400 g)이었다.

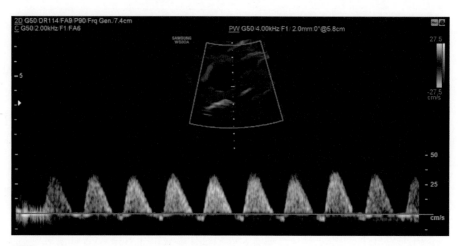

4-5 환자의 임신 32주경 탯줄동맥 도플러 검사 결과

위 산모의 정맥관(Ductus venosus) 도플러 검사 소견은 아래와 같았다(그림 4-6). 이는 무엇을 의미하여, 적절한 처치는 무엇인가?

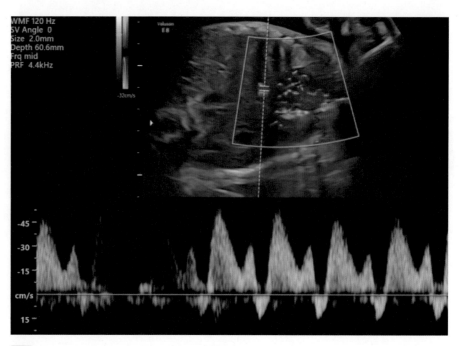

4-6 환자의 임신 32주경 정맥관 도플러 검사 결과

해설 2-2. 정맥관 도플러 검사는 태아의 심근기능 악화 및 산혈증을 반영하는 것으로 정도가 심해질수록 심방기 혈류가 소실되고 이후 역전된다. 박동지수가 증가하고 심방기 혈류가 소실되거나 역전되는 정맥관 도플러 파형은 태아 산증을 시사하는 소견으로 태아의 여러가

지 비정상 혈류파형 중 마지막 단계에 나타난다. 상기 임산부는 임신 32주에 자궁내성장제한과 양수감소증, 탯줄동맥의 역전과 같은 비정상 파형이 관찰되고 있어 주산기 사망의 가능성이 매우 높다. 따라서 분만을 계획하여야 한다. 태아가 둔위이기 때문에 제왕절개술을 계획할 수 있겠다.

경과

위와 같은 탯줄동맥 소견과 비수축검사 소견이 지속적으로 관찰되어 응급제왕절개술을 시행하였으며 남아 1.0 kg을 분만하였다. 1분 아프가 점수 6점, 5분 아프가 점수 7점이었으며, 제대혈액가스검사에서 pH는 7.035가 측정되었다. 신생아는 신생아중환자실에 입원하였고, 기계적 호흡보조를 시행받았다.

양수과소증(기본)

38세 초산부가 임신 35주에 산전관리를 위하여 병원에 왔다. 초음파 검사에서 단일최대양수수직깊이가 아래와 같이 측정되었다(그림 4-7). 산전검사에서 특이 소견은 없었고 초음파 검사에서 태아는 두위였고 예상체중은 1,900 g으로 10-25백분위수에 해당되었다. 비수축검사는 아래와 같았다(그림 4-8).

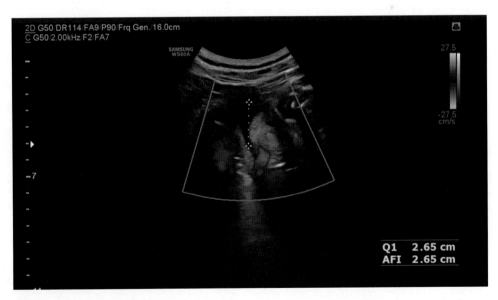

그림 4-7 환자의 임신 35주경 양수양

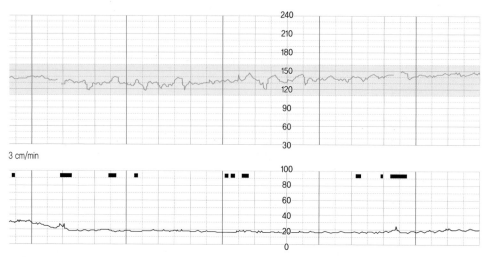

그림 4-8 환자의 임신 35주경 비수축검사 결과

질문 3-1. 위와 같이 만삭 이전에 양수과소증이 진단되었을 때 필요한 다음 처치는 무엇인가?

해설 3-1. 태내 양수의 감소는 양수 생산이 감소될 때나 양수 손실이 증가될 때 일어난다. 양수 생산의 감소 원인은 태아 신장 기능 저하 또는 요로계 폐쇄, 자궁-태반기능부전, 모체 탈수 등이 있고 양수량의 지속적 감소는 양막파열 때 나타난다. 그러므로 양수과소증이 진단될 때 태아의 신장과 방광의 존재를 확인하고 양막파열에 의한 것이 아닌지 확인하기 위한 검사를 시행해야 하며, 기타 약물 등 인위적인 요인에 의한 양수과소증, 원인 불명의 양수과소증까지 배제될 경우 자궁-태반기능부전에 의한 양수과소증을 의심할 수 있다. 양막파수에 의해 양수과소증이 초래된 경우에는 자궁-태반기능 부전과 관련이 없기 때문에 경우에 따라서 추후 양수량을 추적 관찰하지 않아도 무방하다. 만삭 전 임신의 양수과소증에서는 임신부와 태아의 상태에 따라, 특히 양막파열에 의한 것이거나 태아의 기형이 동반된 경우에는 기대치료(expectant management)가 가장 적절한 조치일 수도 있다. 양수과소증이 진단되었는데 분만을 시행하지 않은 경우에는 양수량과 태아성장에 대한 추후 재평가가 필요하고 양수과소증이 지속되면 추후 치료방침을 결정하기 위해 임신부의 상태와 산전태아안녕에 대한 집중적인 감시를 시행하여야 한다.

경과

위 임산부는 골반검사에서 양수 누출(leakage), 고임(pooling)이 없었고 니트라진검사에서 용지의 청색 변화 소견이 관찰되지 않았다. 태아 정밀초음파를 시행하였는데 콩팥 및 방광과 같은 비뇨기계 기형은 관찰되지 않았다. 초음파 검사를 통한 양수량의 변화 및 비수축검사를 통한 태아 안녕 확인을 정기적으로 시행하였으며, 만삭 이전 분만에 대비하여 태아 폐성숙을 위한 스테로이드 투여도 시행하였다.

질문 3-2. 위의 산모가 임신 37주가 되었을 때 초음파 검사에서 태아는 두위에 예상체중은 2,400 g (10–25백분위수), 양수가 아래와 같이 측정되었다(그림 4–9).

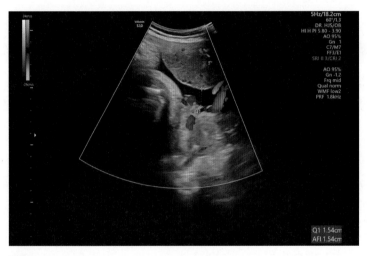

그림 4–9 환자의 임신 37주경 단일양수최대수직깊이

비수축검사는 아래와 같았다(그림 4–10). 이와 같은 소견이 관찰되면 해야 하는 처치는 무엇인가?

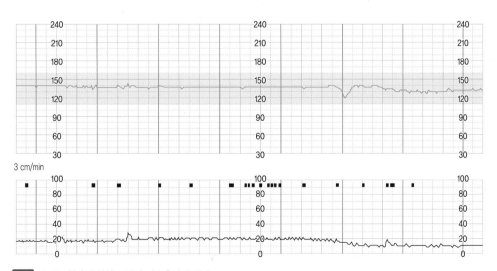

그림 4–10 환자의 임신 37주경 비수축검사 결과

해설 3-2. 자궁-태반기능 부전으로 인해 양수과소증이 생긴 경우는 주산기 사망률이 증가하기 때문에 심각하게 생각하여야 한다. 그러나 다른 문제가 없으면서 양수과소증이 지속되는 경우 임신 36-37주 사이에 분만하는 것이 권유되고 있다. 상기 산모는 임신 37주에 양수과소증이 진단되었으며, 비수축검사에서 반응성이 보이지않고 태아심박동 변이(variability)도 이전에 비해 감소되어 보이기 때문에 분만을 고려해야 한다. 태아가 두위이고 다른 제왕절개술의 적응증이 없기 때문에 유도분만을 계획할 수 있겠다.

경과

위 임산부는 유도분만을 통한 분만을 계획하여 질식분만으로 2.5 kg의 여아를 분만하였다. 1분 아프가 점수 8점, 5분 아프가 점수 9점이었으며, 제대혈액가스검사에서 pH는 7.125가 측정되었다. 신생아와 산모는 모두 특이소견 없어 일상적인 경과관찰 후 퇴원조치하였다.

04

Maternal-fetal medicine

태아성장제한(심화)

30세 다분만부가 임신 30주에 양수 감소로 타병원에서 의뢰되었다. 산모의 다른 기저질환은 없었으며, 이전에 시행했던 산전 검사 및 초음파에서 특이 소견은 없었다. 내원 후 시행한 검진상 양막파수는 없었고 초음파상 태아의 예상체중이 1,150 g (10백분위수: 1,020 g) 이었고, 양수지수는 4 cm이었다.

질문 4-1. 생물리학계수(biophysical profile, BPP) 검사를 추가로 시행하였고 시행한 결과는 아래와 같았다. BPP 검사상 30분 동안 30초 이상 지속되는 호흡운동 2회, 몸통 혹은 사지의 구별된 움직임 4회, 사지를 뻗었다가 구부리는 운동 2회였고 최대양수수직깊이가 1.5 cm이었다. 40분간 비수축검사는 다음과 같았다(그림 4-11). 이 경우 분만 필요성 및 추후 처치에 대해 설명하시오.

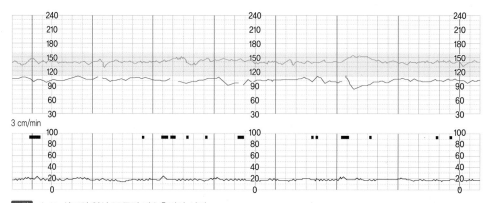

그림 4-11 산모의 임신 30주경 비수축검사 사진.

해설 4-1. 생물리학계수상 비수축검사, 태아호흡, 태아운동, 태아 긴장성은 각 2점이고, 양수량은 0점이다. 이에 생물리학계수점수 8점이며 양수과소증이 동반된 경우는 생물리학계수로만 태아안녕을 평가하였을 때, 만성태아가사상태의심으로 분만 처치가 권고된다. 그러나 생물리학계수만으로 태아안녕을 평가하여 분만을 고려 하면, 정상아기를 태아가사로 오인하여 조산에 이르게 할 수 있다. 분만여부는 임신주수, 산모의 질환 등을 고려하고 태아 안녕을 평가하는 추가적인 검사를 반복 수행하여 신중히 결정해야 한다. 이 산모의 경우 산모의 기저질환이 없고 이전 초음파에서 정상이었으며, 양막파수가 없었다는 점을 미루어보았을 때, 원인 불명의 양수과소증 자궁-태반 기능부전에 의한 양수과소증의 가능성도 염두에 둬야 한다. 또한, 태아성장제한이나 비정상 비수축검사소견등 태아 가사상태를 시사할만한 소견이 없다는 점을 보아 단독 양수과소증으로 진단할 수 있다. 이 경우, 하루 2 L 이상의 정맥 혹은 경구 수분보충이 단독 양수과소증의 치료에 효과적임이 최근 메타분석에서 증명된 바 있다. 따라서 이 산모의 경우 주 1-2회 태아 안녕평가를 시행하면서 수분보충을 하며 추적관찰을 시행할 수 있다.

질문 4-2. 같은 산모에서 32주에 시행한 초음파 상 태아의 예상체중은 1,200 g (10백분위수: 1,338 g) 이고 양수지수는 6 cm이었다. 비수축검사 시 반응성 결과를 보였고 시행한 생물리학계수 검사에서 30분 동안 30초 이상 지속되는 율동성 호흡운동 0회, 몸통 혹은 사지의 구별된 움직임 1회, 사지를 뻗었다가 구부리는 운동 1회였고 최대양수수직깊이가 3 cm이었다. 초음파검사에서 탯줄동맥의 도플러 검사 소견은 아래와 같았다(그림 4-12). 이 경우 분만 필요성 및 추후 검사에 대해 설명하시오.

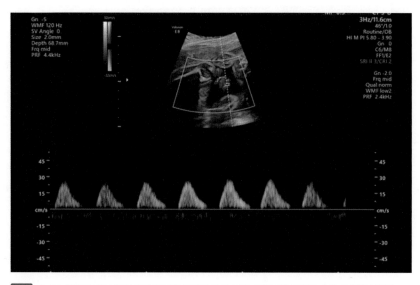

그림 4-12 산모의 임신 32주경 탯줄동맥 도플러 검사 사진. 이완기말 혈류의 소실 소견을 보인다.

해설 4-2. 생물리학계수 검사에서 비수축검사, 태아 긴장성, 양수량은 각 2점, 태아호흡, 태아운동 각 0점이다. 이에 생물리학계수점수 6점이며 양수과소증이 동반되지 않는 경우는 태아가사가 의심된다. 위 산모의 경우 36주 미만으로 24시간 내에 재검사를 시행하여 재검사에서도 6점 미만일 경우 분만이 권고된다. 또한, 이 산모의 경우 이완기말 혈류의 소실 소견을 보인다. 비정상 제대동맥 도플러 파형은 태반혈류의 저항을 반영하며 태반 동맥의 60-70%가 폐색돼었을 때 나타난다. 제대 동맥 도플러 검사는 자궁내성장제한이 있는 경우에 주산기 이환율 및 사망률을 예측하는 유용한 검사이지만 일반 임산부들에서 선별검사로는 그 가치를 인정받지 못하며 권장되지 않는다.

위의 산모는 자궁내성장제한, 제대동맥 이완기말 혈류 소실, 낮은 생물리학계수등의 소견으로 입원하여 연속적 비수축검사 및 6시간 뒤 생물리학계수 재검을 하였다.

질문 4-3. 위 산모에서 6시간 뒤 생물리학계수 검사를 다시 시행하였을 때, 비수축검사에서 무반응성 결과를 보였고 시행한 생물리학계수 검사에서 30분 동안 30초 이상 지속되는 호흡운동 0회, 몸통 혹은 사지의 구별된 움직임 1회, 사지를 뻗었다가 구부리는 운동 1회였고 최대양수수직깊이가 3 cm이었다. 이 경우 분만 필요성 및 추후 검사에 대해 설명하시오.

해설 4-3. 생물리학계수 검사에서 태아 긴장성, 양수량 각 2점, 태아호흡, 비수축검사, 태아운동 각 0점이다. 이에 생물리학계수 4점이며 재검을 하였음에도 생물리학계수 6점 미만으로 분만 처치가 권고된다. 미숙아인 경우는 건강한 태아에서도 비수축검사 결과가 무반응성으로 나오는 경우가 많으며, 28-32주 사이에는 15%에서 무반응성의 결과를 보인다. 또한, 생물리학계수만으로 태아안녕을 평가하여 분만을 고려하면, 정상 태아를 가사상태로 오인하여 조산에 이르게 할 수 있으므로 신중하게 평가해야 한다. 위 경우는 태아 성장제한, 제대동맥 이완기말 혈류 소실, 생물리학계수 검사에서 반복적으로 6점 미만 소견으로 분만을 결정하게 되었다.

경과

위 임산부는 응급 제왕절개술로 1,250 g 여아를 분만하였다. 아프가 점수는 1분 4점, 5분에 8점 이었고 제대동맥혈 pH는 7.10이었다. 환아는 산소 투여하며 신생아 중환자실로 이송되었다.

참고 문헌

1. ACOG Practice Bulletin No. 190: Gestational Diabetes Mellitus. Obstet Gynecol 2018;131: e49-e64.

2. Carroll B, Bruner J. Umbilical artery Doppler velocimetry in pregnancies complicated by oligohydramnios. J Reprod Med 2000;45:562-6.

3. Chamberlain PF, Manning FA, Morrison I, Harman CR, Lange IR. Ultrasound evaluation of amniotic fluid volume. I. The relationship of marginal and decreased amniotic fluid volumes to perinatal outcome. Am J Obstet Gynecol 1984;150:245-9.

4. Clark SL, Sabey P, Jolley K. Nonstress testing with acoustic stimulation and amniotic fluid volume assessment: 5973 tests without unexpected fetal death. Am J Obstet Gynecol 1989;160:694-7.

5. Gizzo S, Noventa M, Vitagliano A, Dall'Asta A, D'Antona D, Aldrich CJ, Quaranta M, Frusca T, Patrelli TS. An Update on Maternal Hydration Strategies for Amniotic Fluid Improvement in Isolated Oligohydramnios and Normohydramnios: Evidence from a Systematic Review of Literature and Meta-Analysis. PloS one 2015;10:e0144334.

6. Goffinet F, Paris-Llado J, Nisand I, Breart G. Umbilical artery Doppler velocimetry in unselected and low risk pregnancies: a review of randomised controlled trials. Br J Obstet Gynaecol 1997;104:425-30.

7. Hofstaetter C, Gudmundsson S, Hansmann M. Venous Doppler velocimetry in the surveillance of severely compromised fetuses. Ultrasound Obstet Gynecol 2002;20:233-9.

8. Manning FA, Morrison I, Harman CR, Lange IR, Menticoglou S. Fetal assessment based on fetal biophysical profile scoring: experience in 19,221 referred high-risk pregnancies. II. An analysis of false-negative fetal deaths. Am J Obstet Gynecol 1987;157:880-4.

9. Morris R, Malin G, Robson S, Kleijnen J, Zamora J, Khan K. Fetal umbilical artery Doppler to predict compromise of fetal/neonatal wellbeing in a high-risk population: systematic review and bivariate meta-analysis. Ultrasound Obstet Gynecol 2011;37:135-42.

10. Practice bulletin no. 145: antepartum fetal surveillance. Obstet Gynecol 2014;124:182-92.

태아치료

모체태아의학

05

태아치료

원혜성(울산의대)
김리나(울산의대)
이미영(울산의대)

Maternal-fetal medicine

01

태아갑상샘종(기본)

36세 임신 30주 2일 미분만부가 태아 목 종괴로 왔다. 산모는 갑상샘 질환의 과거력이 없었다. 예상태아체중은 1,490 g으로 50백분위수에 해당하였으며, 양수지수는 21.9 cm로 정상 상한치에 가까웠다. 다음은 태아 목 단면 초음파 사진이다(그림 5-1).

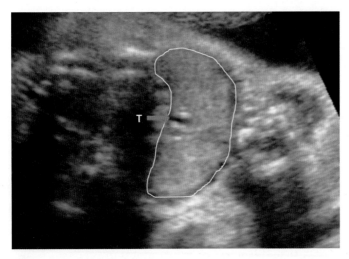

그림 5-1 임신 30주 2일 태아의 목 앞쪽에 보이는 균일한 음영의 종괴(가로길이: 4 cm, 임신 30주 태아갑상샘 크기 정상 참고치, 95백분위수: 1.95 cm). T: trachea (arrow)

질문 1-1. 가장 의심되는 태아진단은? 그 진단을 확진하기 위한 검사방법은?

해설 1-1. 진단: 태아갑상샘종 / 검사: 태아갑상샘기능이상은 탯줄천자(cordocentesis)로 태아의 혈중 갑상샘자극호르몬(thyroid stimulating hormone, TSH)과 free T4를 측정하여 확진한다.

질문 1-2. 산모혈액검사와 탯줄혈액검사 결과는 다음과 같다(표 5-1, 2). 탯줄천자를 통해 태아의 선천갑상샘저하증(congenital hypothyroidism)을 진단하였다. 치료방법은?

표 5-1 산모혈액검사

	검사결과	5백분위수*	95백분위수*	단위
TSH	2.0	0.35	2.77	µU/mL
Free T4	0.86	0.78	1.26	ng/dL

표 5-2 탯줄혈액검사

	검사결과	5백분위수*	95백분위수*	단위
TSH	76.8	3.5	10.7	µU/mL
Free T4	0.3	0.79	1.07	ng/dL

해설 1-2. 산모의 티록신(thyroxine) 복용으로 태아치료를 시행한다. 양수내 티록신 주입으로 치료할 수 있으나 현재 국내에는 티록신 주사제가 없어 시행 불가하다.

태아의 갑상샘종은 식도나 기도를 압박하여 양수과다증, 목의 과신장, 난산 등을 초래할 수 있으며, 적절한 시기에 치료가 이루어지지 않을 경우 출생 후 정신지체나 운동장애가 나타날 수 있으므로 산전 진단 및 태아치료가 중요하다. 선천갑상샘저하증 태아의 치료는 1980년 양수 내 티록신 주입으로 처음 시행되었으며 이후 약 22예가 보고된 바 있다. 모든 사례에서 태아갑상샘종 크기 감소가 관찰되었고 태아성장제한이 관찰된 1예를 제외하고 모체와 태아 모두에서 심각한 합병증은 발생하지 않았다. 티록신을 과잉 투여할 경우 갑상샘중독증으로 인한 태아 빈맥, 심부전, 성장제한, 주산기 사망이 나타날 수 있으므로 낮은 용량으로 치료를 시작하여 필요시 증량하는 것이 합병증을 막을 수 있는 방법이다. 용량 조절 및 치료효과 판정은 탯줄천자 및 초음파를 통하여 갑상샘호르몬 수치 확인, 갑상샘종 크기의 감소 여부, 양수량 및 태아 목 과신장의 정상화 등으로 평가할 수 있다.

경과

이 임신부는 매일 티록신 100 mcg을 출산 시까지 복용하였고, 임신 33주 5일에 태아갑상샘종 크기가 감소된 것을 확인하였다(그림 5-2). 임신 39주에 남아를 3.1 kg으로 분만하였으며, 신생아목초음파검사에서 갑상샘은 조금 커져 있었으나(그림 5-3) 출생 1일 후 시행한 혈혈검사상 갑상샘호르몬 수치는 정상이었다(표 5-3). 약물치료 없이 경과관찰한 결과 정상 갑상샘호르몬 수치 유지되어 정기적인 추적관찰 중이다.

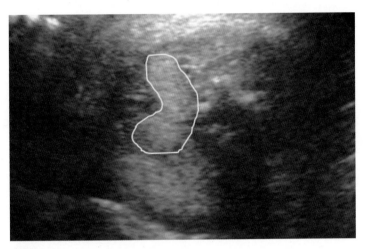

그림 5-2 임신 33주 5일 태아갑상샘종(가로길이: 2.7 cm, 임신 34주 태아갑상샘 크기 정상참고치, 95백분위수: 2.16 cm)

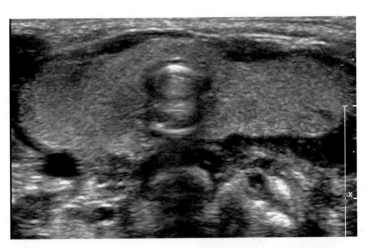

그림 5-3 신생아 갑상샘(오른쪽 갑상샘 가로길이: 1.5 cm, 정상참고치범위: 0.5-1.4 cm)

표 5-3 출생 후 갑상샘호르몬 수치

	출생 1일 후 검사결과	출생 12일 후 검사결과	하한*	상한*	단위
TSH	3.1	1.8	0.73	4.77	μU/mL
Free T4	2.4	1.6	1.05	3.21	ng/dL

태아부정맥(기본)

35세 임신 29주 3일 미분만부가 태아부정맥으로 왔다. 산모는 흡연력 및 가족력이 없었으며, 약물 복용력도 없었다. 산모 심전도는 정상이었다. 예상태아체중은 1,310 g으로 50백분위수에 해당하였으며, 양수지수는 14 cm로 정상범위에 포함되었다. 태아심음측정기로 확인한 태아심박동수는 230회/분이었다. 8시간 이상 지켜본 전자태아감시(electronic fetal monitoring)에서 태아심박동수는 230회/분으로 태아빈맥(fetal tachycardia)을 보였고, 장기변이도(long-term variability)를 평가하기에는 제한적이었다.

질문 2-1. 태아부정맥을 진단하기 위한 방법은 무엇인가?

해설 2-1. 태아심장 M-mode 초음파

늑골하 사방단면도(subcostal 4-chamber view)에서 M-mode 커서를 심방과 심실을 통과하게 두어 심방과 심실의 수축을 관찰하면서 전도와 횟수의 이상이 있는지 파악한다.

대표적인 태아빈맥으로는 심실위빠른맥(supraventricular tachycardia)과 심방조동(atrial flutter)이 있다. 심실위빠른맥의 경우, 1:1 방실전도와 함께 분당 240-260회의 빈맥을 관찰할 수 있다. 반면, 심방조동의 경우에는, 대부분 2:1 방실차단을 가지면서 분당 400-500회의 심방수축을 보인다. 따라서 M-mode를 통해 심방과 심실의 수축 간의 관계 및 횟수를 파악하여 질환을 감별해야 한다.

질문 2-2. 태아초음파검사에서 태아수종은 관찰되지 않았으며, 다음은 M-mode의 사진이다 (그림 5-4). 진단은 무엇인가?

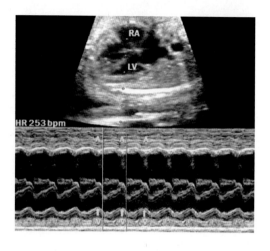

그림 5-4 방실전도는 1:1 소견을 보이며 태아심박동수은 253회/분이었다. A: atrial contraction, V: ventricular contraction

해설 2-2. 심실위빠른맥

방실전도가 1:1인 빈맥을 보이면서 기외수축(extrasystoles)으로 인한 부정 빈맥이 갑자기 출현했다가 소실되는 현상이 심실위빠른맥의 질병 특유의 소견이다. 지속된 빈맥으로 진행하기도 하여 경우에 따라 태아치료가 필요하다.

질문 2-3. 태아초음파검사에서 태아부정맥 중 심실위빠른맥으로 진단되었다. 12시간 이상 시행한 전자태아감시에서 분당 240–260회의 태아빈맥이 지속적으로 관찰되었다. 산모의 심전도검사는 정상이었으며, 산모의 혈액검사, 신기능검사 모두 정상이었다. 태아빈맥의 치료는?

해설 2-3. 심실위빠른맥이 분당 240-260회 지속적으로 나타나거나 태아수종이 동반된 경우에는 태아 치료의 적응증이 된다.

디곡신(digoxin)은 일차 치료제로 성공률은 50%로 알려져 있다. 디곡신을 사용할 경우 1–2 mg의 부하량을 정맥 주입 또는 경구 투여 후 유지요법으로 0.5–1 mg을 경구 투여하는 것으로 되어 있다. 산모의 치료 유효 농도는 1–2 ng/mL이고 임신 중에는 고용량이 요구되고 다양한 흡수를 보이므로 모체의 합병증을 초기에 진단하고 예방하기 위해 치료 전후 산모의 심전도와 혈청 농도의 확인이 필수적이다. 일단 빈맥이 없어지더라도 디곡신을 유지하게 되는데 태아수종 소실까지는 대개 수일 내지 수주가 걸린다. 효과가 없는 경우 다른 약물의 추가가 요구되기도 하는데 특히 플레카이니드(flecainide)나 아미오다론(amiodarone) 등을 추가하게 되면 디곡신의 배설이 감소되어 농도가 증가하므로 이를 고려하여 약물 용량을 조절해야 한다.

경과

심실위빠른맥 진단 후 산모의 혈청 디곡신 농도를 정기적으로 검사하면서 디곡신 복용을 유지하다가 임신 34주경 초음파검사에서 정상 태아심박동수 소견으로 복용 중지하였다. 심실위빠른맥의 경우, 재발 가능성이 있기 때문에 정기적인 추적관찰을 하였으며 임신 38주 6일에 남아를 3.5 kg으로 분만하였다. 출생 후 시행한 심전도검사에서 정상 심박동수를 보였으며, 정상 발달 중에 있다.

태아빈혈(심화)

31세 임신 21주 6일 미분만부가 정기검진을 위해 왔다. 산모는 약 2주 전 양 볼이 빨개지고 관절통을 동반한 감기증상이 있었다. 예상태아체중은 410 g (10백분위수 394 g)이었으며, 양수지수는 16 cm로 정상범위에 속했다. 태아초음파 소견은 다음과 같았다 (그림 5-5).

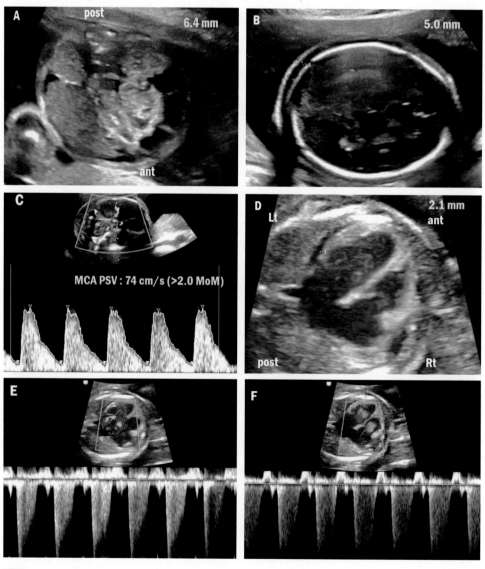

그림 5-5 A. 태아복수 B. 태아두피부종 C. 증가된 중대뇌동맥 최고수축기혈류속도(middLe cerebral artery peak systolic velocity, MCA PSV) D. 심낭삼출(pericardial effusion)과 심장비대(cardiomegaly) E. 승모판역류(mitral regurgitation) F. 삼첨판 역류(tricuspid regurgitation)

질문 3-1. 태아초음파 소견을 볼 때 가장 의심되는 태아진단은? 그 진단의 원인을 찾을 수 있는 검사는?

해설 3-1.

진단: 태아빈혈에 인한 태아수종

검사: 태아빈혈의 원인은 면역성빈혈(immune fetal anemia)과 비면역성빈혈(non-immune fetal anemia)로 나눌 수 있다. 최근 면역글로불린의 사용으로 Rh 부적합 임신에서 면역성빈혈의 빈도는 감소하고 있다. 그러나 파르보바이러스 B19 (parvovirus B19) 감염 등과 같은 비면역성 원인으로 인한 태아빈혈은 상대적으로 증가하는 추세이다. 본 증례처럼 산모의 임상적 증상과 태아초음파 소견으로 미루어 보았을 때, 파르보바이러스 B19 감염을 의심해 볼 수 있다. 이 경우, 산모의 혈액에서 바이러스 특이 IgG 항체와 IgM 항체를 통해 모체의 감염을 진단하고, 태아감염은 양수 또는 탯줄혈액에서 중합효소연쇄반응(polymerase chain reaction, PCR)을 통한 바이러스를 확인하여 진단할 수 있다.

그 외 태아의 빈혈의 원인을 찾기 위해 고려해 볼 수 있는 검사로는 아래 표와 같다(표 5-4).

표 5-4 태아빈혈 원인으로 고려해야 할 검사

산모혈액검사
전체혈구계산(complete blood count, CBC) ABO/Rh(항체선별검사에서 양성일 경우 간접쿰스검사) Kleihauer-Betke 혈색소 혈청학적 검사(파르보바이러스 B19 IgG와 IgM, 거대세포바이러스 IgG와 IgM, 톡소포자충증 IgG와 IgM, 매독검사)

탯줄혈액검사
전체혈구계산 ABO/Rh 혈색소 적혈구용적률(hematocrit) 혈소판 직접쿰스검사 망상적혈구수 총빌리루빈 파르보바이러스 B19와 거대세포바이러스에 대한 PCR

질문 3-2. 산모혈액검사에서 파르보바이러스 B19 IgM 양성으로 나왔다. 따라서, 태아의 파르보바이러스 B19의 감염으로 인한 태아빈혈을 의심할 수 있었다. 적절한 태아치료는?

해설 3-2. 이 증례처럼 파르보바이러스 B19 감염에서 태아수종이 진단된 경우에 태아빈혈을 확인하기 위해 일차적으로 도플러 초음파검사를 이용할 수 있다. 증가된 태아 중대뇌동맥 최고수축기혈류속도를 측정하여 태아빈혈을 예측하며 혈류속도가 높을수록 빈혈이 심하다고 추정할 수 있다. 초음파를 이용함으로써 실제 빈혈이 아닌 경우를 예측하여 불필요한 탯줄천자를 피할 수 있고, 수혈 후 추적 방법으로도 이용할 수 있다. 따라서 본 임신부는 태아의 빈혈을 교정하기 위한 치료로 자궁내수혈(intrauterine transfusion)이 필요한 상황이다.

수혈 예상 용량 주입 후 다시 탯줄혈액을 채취하여 수혈 후 교정된 혈액 수치를 확인하고 추가 수혈 여부를 결정하게 된다. 자궁내수혈은 원인에 따라서는 2–3회 이상 시행하기도 하며 임신 35–36주까지 시행할 수 있다.

경과

이 임신부는 탯줄혈액검사에서 혈색소 2.3 g/dL, 적혈구용적률 7.4%였으며, 자궁내수혈 16 cc를 시행하였고, 시술 후 혈색소 12.8 g/dL, 적혈구용적률 37.3%을 확인하였다. 이후 정기적인 추적관찰을 하였으며 태아수종이 호전되었고, 태아 중대뇌동맥 최고수축기혈류속도는 49 cm/s (1.3 MoM)으로 유지되어 경과관찰 하였다. 임신 39주 5일에 여아를 2.8 kg으로 분만하였으며, 출생 후 혈색소 12.5 g/dL이며, 정상 발달 중에 있다.

04 쌍태아간수혈증후군(심화)

Maternal-fetal medicine

35세 미분만부가 임신 21주 5일에 일주일 사이 갑자기 증가된 복부팽만으로 왔다. 자연임신이 되었으며 임신초기 단일융모막이양막성(monochorionic diamniotic, MCDA) 쌍태임신으로 진단받았다. 다음은 태아초음파 사진이다(그림 5-6).

Fetus A

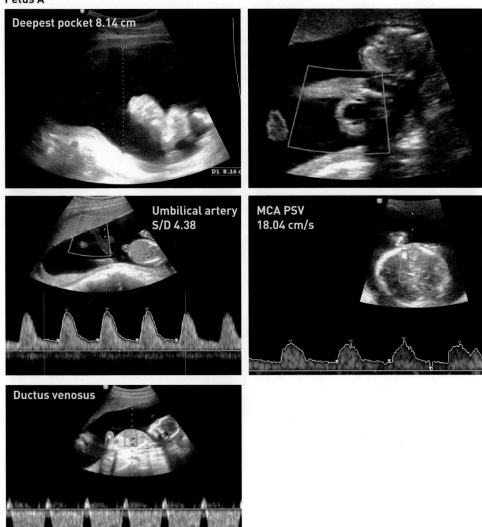

Fetus B

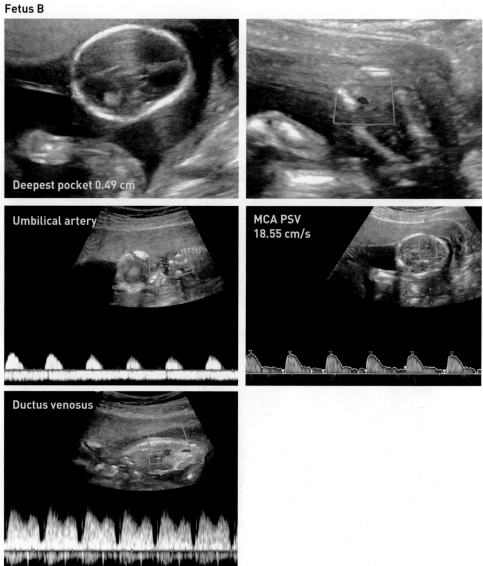

Deepest pocket 0.49 cm

Umbilical artery

MCA PSV
18.55 cm/s

Ductus venosus

그림 5-6 두 태아의 초음파 사진

질문 **4-1.** 가장 의심되는 진단은?

해설 **4-1.** 쌍태아간수혈증후군, Quintero stage Ⅲ

표 5-5 Quintero stage

Stage	Categorical criteria
I	MVP < 2 cm in donor sac and MVP < 8 cm in recipient sac, still visible donor bladder
II	Criteria of stage I and non-visualization of donor bladder over 60 min
III	Absent or reversed UmA EDF in donor or Reversed DV a-wave flow or pulsatile UmV in recipient
IV	Hydrops fetalis in one or both twins
V	Fetal demise of one or both twins

MVP, maximum vertical pocket; UmA, umbilical artery; EDF, end-diastolic flow; DV, ductus venosus; UmV, umbilical vein

단일융모막이양막성 쌍태임신의 산전초음파 소견에서 한쪽 태아의 양수과다증(최대수직양수주머니 >8 cm), 다른 쪽 태아의 양수과소증(최대수직양수주머니 <2 cm)이 있는 경우 쌍태아간수혈증후군을 진단할 수 있다.

본 증례의 경우, 한쪽은 양수과다증(최대수직양수주머니 8.14 cm)과 방광이 커져 있고, 정맥관심방기혈류의 역전(reverse a wave of ductus venosus)의 비정상 도플러 소견을 보이고 있으며, 다른 쪽은 양수과소증(최대수직양수주머니 0.49 cm) 및 방광이 보이지 않고, 제대동맥이완기말혈류의 소실(absent end-diastolic flow of umbilical artery)의 비정상 도플러 소견을 보이고 있다. 따라서 쌍태아간수혈증후군으로 진단할 수 있고, Quintero stage III에 해당한다.

질문 4-2. 두 태아의 생존율을 높이기 위한 적절한 치료는 무엇인가?

해설 4-2. 쌍태아간수혈증후군은 단일융모막이양막성 쌍태임신의 10-20%에서 발생한다. 치료하지 않은 경우 90%에 달하는 주산기 사망률을 보인다. 쌍태아간수혈증후군의 치료로 과거에는 연속적 양수감소술, 쌍태사이 양막절개술, 기대요법 등을 시행하였으나, 최근 연구 결과에 따르면 태아경하 선택적 레이저응고술(fetoscopic selective laser coagulation)이 가장 우수한 치료로 알려져 있다. 특히 Quintero stage가 높을수록 질환의 심각도는 높아지며 주산기 사망률 또한 상승한다고 보고하고 있기에 레이저응고술의 중요성이 부각되고 있다. 유럽 그룹에서 태아경하 선택적 레이저응고술을 받은 군이 양수감소술을 받은 군보다 생존율이 높았으며, 솔로몬 테크닉(Solomon technique)을 접목한 방법이 선택적 레이저응고술보다 합병증이 적었고, 신생아 이환율을 감소시키는 경향성을 보였다.

경과

이 임신부는 21주 5일 태아경하 선택적 레이저응고술을 시행받았으며 지속적으로 체중불일치 쌍태아(discordant twin) 소견으로 외래 추적관찰 하였다. 36주 1일 제왕절개술로 분만하였고 여아 2,320 g, 여아 890 g으로 출생하였으며 현재 정상 발달 중에 있다.

05

Maternal–fetal medicine

태아흉수(심화)

33세 임신 21주 6일 미분만부가 태아의 이상소견이 관찰되어 왔다. 산전진찰 중 특이소견은 없었다고 하였다. 예상태아체중은 460 g으로 50백분위수에 해당하였고, 양수지수는 14 cm로 정상범위에 속했다. 태아의 사방단면도에서 우측 흉수가 관찰되었고 그 밖에 두피부종 및 소량의 복수도 관찰되었다(그림 5-7).

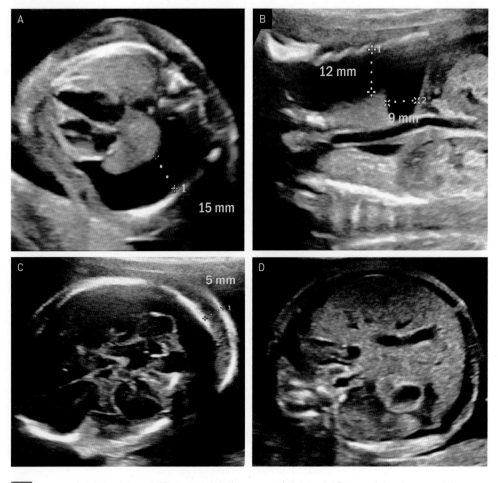

그림 5-7 A. 사방단면도에서 본 태아흉수, B. 관상단면(coronal view)에서 본 태아흉수, C. 태아두피부종, D. 태아복수

질문 5-1. 태아흉수의 원인을 찾기 위한 검사는?

해설 5-1. 양수검사를 통해 태아염색체검사, 태아감염검사(톡소포자충증, 풍진, 거대세포바이러스, 단순헤르페스바이러스, 파르보바이러스 B19 등) 를 시행하고, 태아흉수천자를 통해 흉막액(pleural fluid)을 분석한다. 가장 흔한 원인은 유미흉(chylothorax)으로 림프관 폐쇄로 인한 것이다. 선천성 바이러스감염 및 태아염색체 이상이 흉수의 원인이 될 수 있으며 선천성 폐기도기형(congenital pulmonary airway malformation)과 같은 흉강내 체액 점유 병변에서도 흉수가 동반될 수 있다. 흉막액 분석에서 림프구가 80% 이상일 시 유미흉을 진단할 수 있다.

질문 5-2. 양수검사를 통한 태아염색체검사는 정상핵형이었고, 산모와 태아의 감염검사는 다음 표에서 보는 바와 같이 정상이었다(표 5-6, 7). 흉막액 분석에서 림프구 비율이 80% 이상이었다(표 5-8). 적절한 태아치료는?

표 5-6 산모혈액 바이러스검사

	검사결과
톡소포자충증 IgG	음성
톡소포자충증 IgM	음성
풍진 IgG	양성
풍진 IgM	음성
거대세포바이러스 IgG	양성
거대세포바이러스 IgM	음성
거대세포바이러스 DNA	음성
단순헤르페스바이러스 IgG	양성
단순헤르페스바이러스 IgM	음성
파르보바이러스 B19 DNA	음성

표 5-7 양수내 바이러스검사

	검사결과
톡소포자충증 DNA	음성
풍진 RNA	음성
거대세포바이러스 DNA	음성
파르보바이러스 B19 DNA	음성

표 5-8 태아흉막액 분석

	검사결과	단위
pH	7.0	
적혈구(red blood cell, RBC)	700	/uL
호중구(neutrophil)	1	%
림프구(lymphocyte)	81	%
호산구(eosinophil)	1	%
조직수(histiocyte)	7	%
비정형림프구(atypical lymphocyte)	10	%

해설 5-2. 태아 흉강-양막강 단락술(thoraco-amniotic shunt)

이 증례에서는 태아흉수에 두피부종 및 복수까지 동반된 태아수종이 관찰된다. 태아흉수는 발달 과정에 있는 폐를 압박하여 폐형성부전을 야기할 수 있다. 따라서 태아 흉강-양막강 단락술을 시행함으로써 태아 폐조직의 재 팽창과 정상 폐조직의 발달 및 종격동 전위가 호전되어 태아 심장 기능 및 생존율을 향상시킬 수 있다.

경과

태아 흉강액 분석에서 림프구 비율은 81%으로 유미흉이었다. 태아 흉강-양막강 단락술 이후 흉수 및 복수는 소실되었고 이후 추적관찰 하였다(그림 5-8). 임신 38주 5일 3.5 kg으로 질식분만을 하였다. 출생 후 시행한 가슴 엑스레이에서는 특이소견 없었으며 정상 발달 중에 있다.

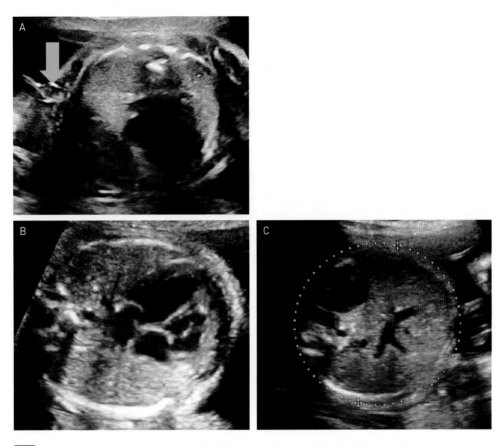

그림 5-8 A. 태아 흉강–양막강내 단락술 카테터(화살표), B, C. 호전된 태아흉수와 태아복수

참고 문헌

1. 백수진, 원혜성, 심재윤, 이필량, 김암. 태아빈혈에서 도플러 초음파 검사의 유용성 및 제대혈관 수혈 후 주산기 예후. 대한산부인과학회지 2010;53:303-12.

2. 정의, 원혜성, 김선권, 심재윤, 이필량, 김암. 태아의 빈맥: 산전 진단과 치료 및 주산기 예후. 대한주산회지 2005;6:230-6.

3. Abbasi N, Johnson JA, Ryan G. Fetal anemia. Ultrasound Obstet Gynecol 2017;50:145-53.

4. Agrawal P, Ogilvy-Stuart A, Lees C. Intrauterine diagnosis and management of congenital goitrous hypo-thyroidism. Ultrasound Obstet Gynecol 2002;19:501-5.

5. Dhillon RK, Hillman SC, Pounds R, Morris RK, Kilby MD. Comparison of Solomon technique with selec-tive laser ablation for twin-twin transfusion syndrome: a systematic review. Ultrasound Obstet Gynecol 2015;46:526-33.

6. Hashimoto H, Hashimoto K, Suehara N. Successful in utero treatment of fetal goitrous hypothyroidism: case report and review of the literature. Fetal Diagn Ther 2006;21:360-5.

7. Jeong BD, Won HS, Lee MY, Shim JY, Lee PR, Kim A. Perinatal outcomes of fetal pleural effusion following thoracoamniotic shunting. Prenat Diagn 2015;35:1365-70.

8. Lambert-Messerlian G, McClain M, Haddow JE, Palomaki GE, Canick JA, Cleary-Goldman J, Malone FD, Porter TF, Nyberg DA, Bernstein P, D'Alton ME; FaSTER Research Consortium. First- and second-trimester thyroid hormone reference data in pregnant women: a FaSTER (First- and Second-Trimester Evaluation of Risk for aneuploidy) Research Consortium study. Am J Obstet Gynecol 2008;199:62.e1-6.

9. Martin RJ, Fanaroff AA, Walsh MC. Fanaroff and Martin's Neonatal-Perinatal Medicine. 11th ed. Philadelphia:Elsevier; 2019.

10. Senat MV, Deprest J, Boulvain M, Paupe A, Winer N, Ville Y. Endoscopic laser surgery versus serial am-nioreduction for severe twin-to-twin transfusion syndrome. N Engl J Med 2004;351:136-44.

hapter 06

분만진통 중 태아안녕평가

모체태아의학

06

분만진통 중 태아안녕평가

박중신(서울의대)
박찬욱(서울의대)
이승미(서울의대)

Maternal-fetal medicine

01

융모양막염에 동반된 태아빈맥(기본)

임신 33주 5일의 31세 다분만부(multipara)가 내원 당일 새벽 5시 물처럼 흐르는 질 분비물을 주소로 왔다. 질경 검사에서 나이트라진 검사 양성으로 조기 양막파수로 확인되었다. 내진검사에서 자궁경부는 50% 소실(effacement), 2 cm 개대(dilatation)되었으며 태아의 선진부는 진입(engagement)이 되지 않았다. 초음파 검사에서 태아 선진부는 둔위였으며, 예상 태아 체중은 2,200 g (50–75 percentile)이었다. 입원 당시 산모의 활력징후는 혈압 130/72 mmHg, 맥박수 90회/분, 호흡수 18회/분, 체온 37.7℃이었다. 혈액검사 결과 백혈구 12,800/μl, 혈색소 10.1 g/dL, 고감도 C반응단백질(hs–CRP)은 1.72 (0–0.5 mg/dL이었다. 산모는 입원 후 항생제 치료와 태아 폐성숙을 위한 스테로이드 치료를 시작하였고, 전자태아감시 모니터를 지속적으로 시행하였으며 소견은 다음과 같았다.

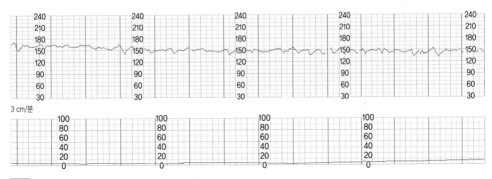

그림 6-1 입원 당시의 전자태아감시 모니터링, 3 cm/분

질문 1-1. 이 산모의 태아심장박동수 모니터링은 3단계 태아 심장박동 해석 체계(Three-Tier Fetal Heart Rate Interpretation System) 중 어디에 해당하는가?

해설 1-1. 입원 당시의 전자태아감시 모니터링을 해석해보면, 기초 태아심장박동수는 분당 150회, 중간 변이도를 보이고 있다. 태아심장박동수 증가 소견은 관찰되지 않고, 자궁수축도 관찰되지 않는다. 이는 3단계 태아 심장박동 해석 체계(Three-Tier Fetal Heart Rate Interpretation System) 중 정상(category I)의 기준을 모두 만족시킨다.

표 6-1 NICHD category: 3단계 태아 심장박동 해석 체계(Three-Tier Fetal Heart Rate Interpretation System) 중 정상

Category I - 정상
아래의 모든 기준을 만족시키는 경우 – 기초 심장박동수: 110–160 bpm – 기초 변이도: 중간(moderate) – 늦은 혹은 다양성 태아심장박동수 감소: 없음 – 이른 태아심장박동수 감소: 있거나 없음 – 태아심장박동수증가: 있거나 없음

융모양막염에 동반된 태아빈맥(기본)-2

다음날 새벽 4시경 산모는 열감과 심한 오한을 호소하였으며 당시 시행한 활력징후는 혈압 135/72 mmHg, 맥박수 130회/분, 호흡수 20회/분, 체온 39.2℃이었다. 발열 시점에 시행한 혈액검사 결과는 백혈구 17,300/μL, 혈색소 9.8 g/dL, C반응단백질(CRP)은 5.3 (0-0.5) mg/dL 이었다. 산모는 자궁 수축감은 호소하지 않았으며, 동시에 시행한 전자태아감시 모니터링 소견은 다음과 같았다.

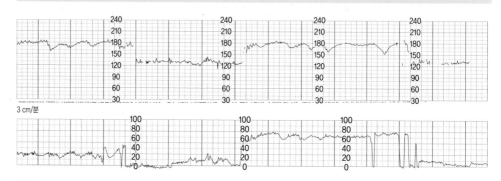

그림 6-2 발열 당시의 전자태아감시 모니터링, 3 cm/분

질문 1-2. 이 산모에서 의심할 수 있는 질환명은? 그리고 필요한 처치는?

해설 1-2. 다음날 새벽 전자 태아감시 모니터링을 보면, 기초 태아심장박동수는 분당 180회, 변이도는 최소(minimal) 변이도로 전일 시행한 모니터링 결과보다 감소하였다. 자궁 수축은

관찰되지 않았다. 기초 태아심장박동수가 분당 160회 초과인 경우 태아 빈맥으로 정의할 수 있으며, 3단계 태아 심장박동 해석 체계 중 중간(category II)에 해당한다.

태아 빈맥의 가장 흔한 원인은 모체의 발열과 모체의 약물 투여이다. 모체의 발열을 일으키는 질환들은 어떤 원인이든 간에 태아 빈맥을 유발할 수 있지만, 조기 양막파수 산모에서 가장 흔한 원인은 융모양막염이다. 태아 빈맥을 일으키는 대표적인 약물은 부교감신경 차단제와 교감신경 유사제를 예로 들 수 있다.

산모는 조기 양막파수가 된 상태에서 39.2℃의 고열과 오한이 발생하였다. 분만진통 중 산모의 발열과 함께 아래 중 한 가지 이상을 만족하는 경우 양수 내 감염을 의심할 수 있다. 1) 산모의 백혈구증가증, 2) 화농성 질분비물, 또는 3) 태아의 빈맥. 이 산모의 경우 위의 기준에 따라서 임상적인 융모양막염을 의심할 수 있다. 양수 내 감염이 의심되는 경우 빠른 분만을 고려하여야 한다.

모니터링의 중간 부분에 기록된 3분간의 기초 심장박동수 분당 130회의 소견은 지속성 태아심장박동수감소(prolonged deceleration)가 아니라 모체의 맥박수가 기록된 것이다. 태아 심장박동수 감소여부를 감별하기 위해 전자태아감시 모니터링을 하면서, 동시에 초음파로 직접 태아 심박동을 관찰하였다.

경과

태아 선진부가 둔위여서 오전 6시 30분 제왕절개를 시행하였다. 신생아는 2,100 g 남아로 아프가 점수는 1분에 5점, 5분에 7점이었다. 양수에 태변 착색소견은 없었으며 제대혈 pH는 7.23이었다. 신생아는 신생아집중치료실로 전실 후 퇴원하였고, 산모는 융모양막염에 준하여 항생제 치료 후 별다른 합병증 없이 퇴원하였다.

표 **6-2** NICHD category: 3단계 태아 심장박동 해석 체계(Three-Tier Fetal Heart Rate Interpretation System) 중 중간

Category II – 중간

Category I 혹은 III에 속하지 않는 모든 경우는 이에 해당함

다음 중 어느 한 가지에 속하는 경우

– 기초 심장박동수

  • 무(absent) 기초변이도를 동반하지는 않은 태아서맥

  • 태아빈맥

– 기초 변이도

  • 최소(minimal) 기초변이도

  • 반복적 태아심장박동수 감소를 동반하지 않는 무(absent) 기초변이도

  • 심한(marked) 기초변이도

– 태아심장박동수증가

  • 자극으로 태아심장박동수증가가 유도되지 않음

– 주기적 혹은 간혹 발생하는 태아심장박동수감소

  • 최소 혹은 중간 기초변이도를 동반한 반복적인 다양성 태아심장박동수감소

  • 2분 이상 10분 미만의 지속성 태아심장박동수감소

  • 중간 기초변이도를 동반한 반복적인 늦은 태아심장박동수감소

  • overshoot 또는 shoulders를 동반한 다양성 태아심장박동수감소

02 이른 태아심장박동수감소(기본)

Maternal-fetal medicine

임신 38주 6일의 34세 미분만부(nullipara)가 3–4분 간격의 규칙적인 배뭉침과 함께 물이 흐르는 듯한 질 분비물을 주소로 새벽 4시에 분만장에 왔다. 이전 산전 검사에서 특별한 소견은 없었으며, 검진에서 양막파수가 확인되었다. 태아 선진부는 두위였으며 초음파 검사에서 예상 태아 체중은 3,400 g (50–75 percentile)이었다. 자궁경부 내진 소견은 50% 소실(effacement) 및 2 cm 개대(dilatation)되었고 태아의 선진부는 진입(engagement)이 되지 않았다. 산모는 입원 후 전자태아감시 모니터를 지속적으로 시행하였으며, 오전 6시에 시행한 자궁경부 내진 소견은 90% 소실(effacement) 및 4 cm 개대(dilatation), 태아의 선진부는 진입(engagement)이 되었다. 산모는 경막외 마취를 원했으며, 시술 후 오전 6시 30분부터 재개한 전자태아감시 모니터링 소견은 다음과 같았다.

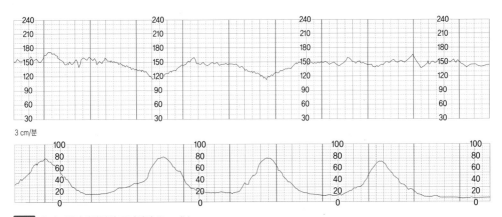

그림 6-3 전자태아감시 모니터링. 3 cm/분

질문 2-1. 이 산모의 태아심장박동수 모니터링은 3단계 태아 심장박동 해석 체계(Three-Tier Fetal Heart Rate Interpretation System) 중 무엇에 해당하며 그 원인은 무엇인가? 또 이 경우 특별한 처치가 필요한가?

해설 2-1. 태아심장박동수 모니터링을 해석해보면, 기초 태아심장박동수가 분당 150회이고 중간 변이도를 갖고 있다. 태아심장박동수증가(acceleration) 소견은 관찰되지 않는다. 자궁수축은 규칙적으로 관찰된다. 자궁수축의 시작과 함께 태아심장박동수감소가 나타났다가, 자궁수축의 종결과 함께 기초 태아심장박동수 수준으로의 복귀가 나타난다. 이때 자궁수축의 최고점과 태아심장박동수감소의 최저점이 일치하는 특징을 보인다. 태아는 이른 태아심장박동수감소(early deceleration) 소견을 보이며, 3단계 태아 심장박동 해석 체계(Three-Tier Fetal Heart Rate Interpretation System)의 정상(category I)에 해당하는 조건을 모두 갖추었다. 이러한 이른 태아심장박동수감소는 자궁수축이 있을 때 태아의 머리가 자궁경부에 눌리면서 뇌혈류 공급이 감소하게 되고, 미주신경 반사가 일어나게 되어 나타난다. 주로 자궁경부가 4-7 cm 열리는 능동분만기에 나타나며, 변이도의 상실, 태아 빈맥, 서맥 등을 동반하지 않는다. 이른 태아심장박동수감소는 태아 저산소증과 무관하므로 즉각적인 분만이나, 자궁내 태아 소생을 위한 처치가 필요하지 않다.

표 6-3 NICHD category: 3단계 태아 심장박동 해석 체계(Three-Tier Fetal Heart Rate Interpretation System) 중 정상

Category I – 정상
아래의 모든 기준을 만족시키는 경우 – 기초 심장박동수: 110-160 bpm – 기초 변이도: 중간(moderate) – 늦은 혹은 다양성 태아심장박동수감소: 없음 – 이른 태아심장박동수감소: 있거나 없음 – 태아심장박동수증가: 있거나 없음

경과

산모는 오전 7시 20분에 시행한 내진에서 자궁경부 완전 소실(effacement), 9 cm 개대(dilatation) 및 태아 선진부는 진입(engagement)이 되었다. 이후 지속적으로 이른 태아심장박동수감소 소견을 보였으나, 늦은 태아심장박동수감소, 다양성 심장박동수감소, 지속성 태아심장박동수감소 소견은 보이지 않았다. 오전 8시 30분 질식분만을 통해 분만하였고, 신생아는 3,345 g 여아로 아프가 점수는 1분에 9점, 5분에 10점이었다. 양수에 태변 착색은 관찰되지 않았으며, 제대혈 pH는 7.262이었다. 신생아는 신생아실로 전실 후 예정된 날짜에 퇴원하였다.

03

늦은 태아심장박동수감소(기본)

임신 38주 0일의 29세 미분만부(nullipara)가 자궁 내 성장제한을 사유로 유도분만 위해 입원하였다. 이전 산전 검사에서 특별한 소견은 없었으나, 37주에 시행한 초음파 검사에서 처음으로 자궁 내 성장제한 소견을 보였으며, 양수량 및 제대동맥 도플러 검사는 정상 소견을 보였다. 입원 후 시행한 초음파 검사에서 태아 선진부는 두위, 예상 태아 체중은 2,400 g (<10p)으로 동일 주수 대비 10% 미만이었으며, 양수지수는 9.5으로 확인되었다. 자궁경부 숙화를 위해 입원 당일 저녁 프로스타글란딘(prostaglandin) E2 질정제를 삽입하였으며, 검진에서 자궁경부는 비숍 점수(Bishop score) 3점, 부분 소실(effacement), 개대(dilatation)는 되지 않았고, 선진부는 진입(engagement)이 되지 않았다. 양막파수나 질출혈의 소견은 없었다. 산모는 다음날 아침 질정제를 제거하였고, 검진에서 자궁경부 50% 소실, 2 cm 개대, 태아의 선진부는 진입(engagement)이 되지 않았다. 옥시토신 점적 정주를 시작하고 시행한 전자태아감시 모니터에서 10분에 4-5회의 수축이 규칙적으로 관찰되었다. 오전 11시 산모의 내진 결과 자궁경부는 완전 소실(effacement), 7 cm 개대(dilatation), 태아 선진부는 진입(engagement)이 되었으며, 모니터링 소견은 다음과 같았다.

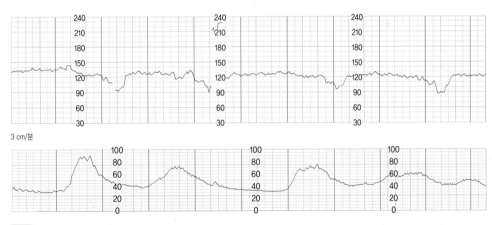

3 cm/분

그림 6-4 오전 11시 전자태아감시 모니터링. 3 cm/분

질문 3-1. 이 산모의 태아심장박동수 모니터링은 3단계 태아 심장박동 해석 체계(Three-Tier Fetal Heart Rate Interpretation System) 중 어디에 해당하며 수행할 수 있는 처치는 무엇인가?

해설 3-1. 태아심장박동수 모니터링을 해석해보면, 기초 태아심장박동수는 분당 130회이며,

변이도는 중간이다. 자궁수축은 10분 동안 5회 관찰된다. 자궁 수축이 최고점에 도달한 후 태아심장박동수감소가 일어나기 시작하며, 자궁 수축의 종결과 함께 회복되는 양상의 늦은 태아심장박동수감소(late deceleration) 소견을 보인다. 반복되는 늦은 태아심장박동수가 나타날 때, 태아 산혈증의 가능성을 평가하기 위해 기초변이도 감소여부를 함께 평가해야 한다. 이 경우 늦은 태아심장박동수감소가 일어날 때 태아 심장 박동수의 기초변이도는 중간으로 유지되므로 3단계 태아심장박동 해석 체계(Three-Tier Fetal Heart Rate Interpretation System)의 중간(category II)에 해당한다. 늦은 태아심장박동수감소는 태아 저산소증 및 자궁-태반 관류 부전에 의한 것으로 해석할 수 있는데, 경막외 마취로 인한 모체의 저혈압, 옥시토신 사용으로 인한 과도한 자궁 수축, 태반 부전 등을 원인으로 고려할 수 있다. 모체의 고혈압, 당뇨, 결체조직질환 등이 있는 경우 만성적인 태반 관류 부전이 동반될 수 있다. 따라서 이러한 문제를 야기시킨 원인을 찾아 교정해줘야 하며, 자궁-태반에 혈류 및 산소공급을 증가시키기 위한 방법들을 시행한다. 먼저, 산모에게 왼쪽 옆 누움 자세를 취하게 하여 정맥 환류량을 증가시키며, 수액공급을 증가시키고 산소마스크를 통해 산소를 공급하며 옥시토신 투여를 중단해야 한다. 또 내진을 하여 분만이 임박하였는지, 탯줄탈출이 되지는 않았는지 확인해야 한다.

표 **6-4** NICHD category: 3단계 태아 심장박동 해석 체계(Three-Tier Fetal Heart Rate Interpretation System) 중 중간

Category II - 중간

Category I 혹은 III에 속하지 않는 모든 경우는 이에 해당함
다음 중 어느 한 가지에 속하는 경우
– 기초 심장박동수
  • 무(absent) 기초변이도를 동반하지는 않은 태아서맥
  • 태아빈맥
– 기초 변이도
  • 최소(minimal) 기초변이도
  • 반복적 태아심장박동수 감소를 동반하지 않는 무(absent) 기초변이도
  • 심한(marked) 기초변이도
– 태아심장박동수증가
  • 자극으로 태아심장박동수증가가 유도되지 않음
– 주기적 혹은 간혹 발생하는 태아심장박동수감소
  • 최소 혹은 중간 기초변이도를 동반한 반복적인 다양성 태아심장박동수감소
  • 2분 이상 10분 미만의 지속성 태아심장박동수감소
  • 중간 기초변이도를 동반한 반복적인 늦은 태아심장박동수감소
  • Overshoot 또는 shoulders를 동반한 다양성 태아심장박동수감소

> **늦은 태아심장박동수감소(기본)-2**
>
> 해당 산모에게 정주하고 있던 옥시토신을 즉시 중단한 후, 산모를 왼쪽 옆 누움 자세로 눕히고 수액 속도를 증가시켰다. 산소 마스크를 통해 산모에게 O$_2$ 6 L/분을 공급하며 태아심장박동수 모니터링을 지속하였다. 이후 아래와 같은 모니터가 관찰되었으며 내진 결과는 이전과 동일하였다(완전 소실(effacement), 7 cm 개대(dilatation), 태아의 선진부는 진입(engagement)이 되었다).

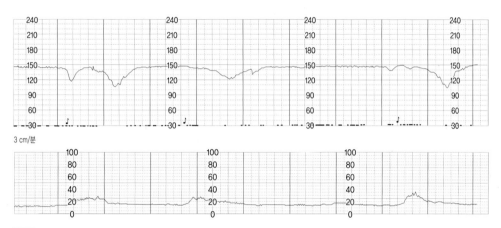

그림 6-5 오전 11시 15분의 전자태아감시 모니터링, 3 cm/분

질문 3-2. 다음으로 고려할 수 있는 처치는?

해설 3-2. 기초 태아심장박동수는 분당 150회이며, 기초변이도는 무(absent) 기초변이도를 보이고 있다. 옥시토신 사용 중지 후 수축은 10분 당 3회로 감소하였다. 자궁-태반으로의 혈류 및 산소공급을 증가시켰음에도 기초변이도가 이전보다 감소하였으며, 자궁수축과 함께 수축의 절반 이상에서 반복되는 늦은 태아심장박동수감소 소견을 보이고 있다. 이 산모의 모니터링 결과는 3단계 태아 심장박동 해석 체계 중 비정상(category III)에 해당한다. 비정상 category III에 해당하는 소견들의 경우 발견 시점에서 태아 산증의 가능성이 높아짐을 의미하며 비록 그 예측도가 낮지만, 분만 후 신생아 뇌병증, 뇌성마비, 신생아 산증과 연관된다고 알려져 있다. 따라서 자궁-태반 관류를 개선시키려는 소생 방법들을 동원했음에도, 비정상 소견이 지속 시 즉각적인 분만을 고려해야 한다. 이때 분만 결정에서부터 분만까지의 허용시간(acceptable time frame)은 정해져 있지 않다. 그럼에도 category III 소견이 보이는 상황에서 분만 준비는 최대한 빨리 진행되어야 하고, 분만 방법과 예상 소요 시간 등은 모체와 태아의 위험도와 이익을 견주어 가장 적합한 방법을 선택해야 한다.

표 **6-5** NICHD category: 3단계 태아 심장박동 해석 체계(Three-Tier Fetal Heart Rate Interpretation System) 중 비정상

Category III – 비정상
아래 중 어느 하나라도 해당하는 경우 – 무(absent)기초변이도를 보이면서 다음 중 어느 하나에 해당하는 경우 • 반복적인 늦은 태아심장박동수 감소 • 반복적인 다양성 태아심장박동수 감소 • 태아서맥 – 굴모양곡선(sinusoidal) 양상을 보이는 경우

경과

산모는 응급제왕절개를 통해 분만하였다. 신생아는 2,700 g 남아로 아프가 점수는 1분에 5점, 5분에 7점이었다. 양수에 태변이 착색되어 있었으며 제대혈 pH는 7.268이었다. 신생아는 신생아실로 전실 후 예정된 날짜에 퇴원하였다.

04

Maternal-fetal medicine

진통 중 지속성 태아심장박동수감소(기본)

임신 36주 1일의 34세 미분만부(nullipara)가 복통과 질출혈을 주소로 응급실에 왔다. 이전 산전 검사에서는 특별한 소견은 없었으며 전일 외래에서 측정한 혈압이 수축기 혈압 135 mmHg, 이완기 혈압 80 mmHg 확인되어 자가 혈압 측정 교육을 받았다고 하였다. 새벽에 자던 중 복통과 함께 질출혈이 동반되었다고 한다. 자궁경부는 닫혀 있었으며 양막파수가 확인되었고 질출혈의 흔적은 확인되었지만 현재 질출혈은 없었다. 전자태아감시 모니터링 소견은 다음과 같았다.

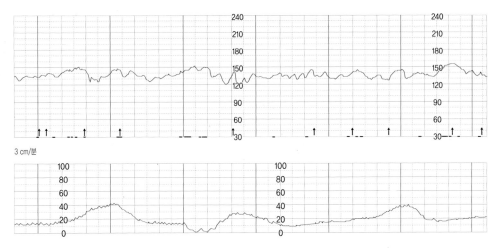

3 cm/분

그림 6-6 전자태아감시 모니터링, 3 cm/분

질문 4-1. 이 환자에게 적절한 처치는?

해설 4-1. 환자는 규칙적인 자궁수축과 함께 기초심박동수는 130회/분이며 중간의 기초 변이도가 관찰되고 태아심장박동수증가가 관찰된다. 또한 늦은 혹은 다양성 태아심장박동수감소는 없고 이른 태아심장박동수감소도 관찰되지 않아 3단계 태아 심장박동 해석 체계(Three-tier fetal heart rate interpretation system)에 따르면 정상(category I)에 해당한다. 태아 심장박동 해석 체계에 따라 정상에 해당하므로 경과관찰 할 수 있다.

표 **6-6** NICHD category: 3단계 태아 심장박동 해석 체계(Three-Tier Fetal Heart Rate Interpretation System) 중 정상

Category I – 정상
아래의 모든 기준을 만족시키는 경우
– 기초 심장박동수: 110–160 bpm
– 기초 변이도: 중간(moderate)
– 늦은 혹은 다양성 태아심장박동수감소: 없음
– 이른 태아심장박동수감소: 있거나 없음
– 태아심장박동수증가: 있거나 없음

진통 중 지속성 태아심장박동수감소(기본)-2

입원 이후 경과관찰 하였으며 내진 소견은 25% 소실(effacement), 1.5 cm 개대(dilatation)이며 자궁수축은 불규칙하게 10분에 2-3회 정도 확인되었고 산모는 이전에 비하여 통증 강도는 약해졌다고 하였다. 전자태아감시 모니터링 소견은 다음과 같았다.

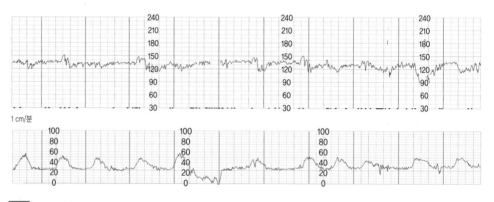

그림 **6-7** 전자태아감시 모니터링, 1 cm/분

질문 4-2. 이 모니터를 해석해 보시오.

해설 4-2. 기초 심장박동수는 130회/분이며 중간 기초 변이도를 보이며 반복적인 다양성 태아심장박동수 감소(variable deceleration)가 관찰된다. 3단계 태아 심장박동 해석 체계의 중간(category II)에 해당한다. 다양성 태아심장박동수감소(variable deceleration)는 진통 중에 가장 흔히 볼 수 있는 형태의 태아심장박동수감소로서 태아심장박동수의 급격한 감소를 말하며 최소 분당 15회 이상, 최소 15초 이상 지속하며 2분 이상 지속되지는 않는다. 이는 탯줄압박이나 탯줄 내의 혈류를 억제하는 기타 요인들이 있을 경우 발생한다. 태아심장박동수감소 전에 태아심장박동수증가가 선행되고 또한 그 직후에 기초 태아심장박동수 수준으로의 복귀가 뒤따른다. 탯줄이 압박되었을 때, 탯줄정맥이 먼저 폐쇄되고 태아로 들어가는 혈류가

억제되므로 태아 심장으로의 태아혈액의 되돌아옴이 감소하고 태아의 저혈압이 생기게 된다. 태아는 심박출량을 유지하기 위해 압수용체에 의해 심장박동수증가가 나타난다. 탯줄압박이 계속되어 탯줄동맥까지 폐쇄되면 압수용체에 의해 심장박동수감소가 나타났다가 점차로 탯줄압박이 완화되면서 기초 태아심장박동수의 수준으로 회복이 일어나면서 심장박동수의 증가가 나타난다. 3단계 태아 심장박동 해석 체계의 중간에 해당하며 반복적인 다양성 태아심장박동수감소가 확인되므로 산모의 자세를 변화시켜 볼 수 있다.

표 6-7 NICHD category: 3단계 태아 심장박동 해석 체계(Three-Tier Fetal Heart Rate Interpretation System) 중 중간

Category II – 중간

Category I 혹은 III에 속하지 않는 모든 경우는 이에 해당함
다음 중 어느 한 가지에 속하는 경우
 – 기초 심장박동수
 • 무(absent) 기초변이도를 동반하지는 않은 태아서맥
 • 태아빈맥
 – 기초 변이도
 • 최소(minimal) 기초변이도
 • 반복적 태아심장박동수 감소를 동반하지 않는 무(absent) 기초변이도
 • 심한(marked) 기초변이도
 – 태아심장박동수증가
 • 자극으로 태아심장박동수증가가 유도되지 않음
 – 주기적 혹은 간혹 발생하는 태아심장박동수감소
 • 최소 혹은 중간 기초변이도를 동반한 반복적인 다양성 태아심장박동수감소
 • 2분 이상 10분 미만의 지속성 태아심장박동수감소
 • 중간 기초변이도를 동반한 반복적인 늦은 태아심장박동수감소
 • Overshoot 또는 shoulders를 동반한 다양성 태아심장박동수감소

진통 중 지속성 태아심장박동수감소(기본)-3

경과관찰 하던 중 산모가 갑자기 다량의 질출혈을 하며 복통을 호소하였다. 태아심장박동수 양상은 아래와 같이 관찰되었다.

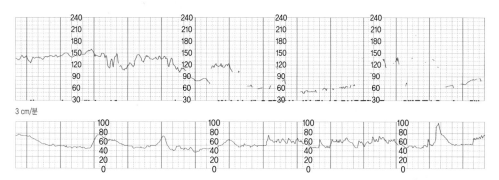

3 cm/분

그림 6-8 지속성 태아심장박동수감소(prolonged deceleration), 3 cm/분

질문 4-3. 예상할 수 있는 진단은 무엇인가? 또한 환자의 자궁경부 상태가 이전과 동일하다면 앞으로 할 수 있는 처치는?

해설 4-3. 다량의 질출혈과 함께 복통을 호소하는 것을 바탕으로 태반조기박리(placental abruption)를 의심할 수 있다. 태반조기박리의 진단에 가장 중요한 것은 증상과 징후를 확인하는 것으로 급성 복통, 질출혈, 자궁압통이 주요 임상소견이다. 박리의 정도가 경한 경우에는 증상이 동반되지 않을 수도 있다. 이외에도 요통, 자궁 과수축, 태아절박가사, 쇼크 등이 동반될 수 있다. 산모의 활력징후를 확인하고 질출혈 정도를 평가하고 혈액검사를 시행하며 산모와 태아 상태를 평가하여 분만을 결정하여야 한다.

기초 심장박동수 150회/분이었으나 갑자기 태아심장박동수가 급격히 감소하며 기초 심장박동수가 60회/분이 되어 7분간 지속되고 있다. 지속되는 탯줄압박, 태아의 두부압박, 심각한 정도의 태반 기능부전 등이 이것을 유발할 수 있고 또한 탯줄탈출, 자궁의 과도한 수축, 마취에 따른 저혈압, 태반조기박리, 자궁경부마취, 자간증 경련, 분만이 임박한 경우, 모체의 발살바기법 등이 원인이 될 수 있다. 저절로 회복되는 경우도 있지만 지속성 태아심장박동수 감소 중에 태아가 사망할 수도 있어 당시의 임상적인 상황에 따라 평가하는 것이 중요하다. 내진을 시행하여 제대탈출 등의 상황이 동반되지 않았는지 확인하여야 하며, 산모를 왼쪽 옆 누움 자세(lateral decubitus position)를 취하게 하여 정맥환류량을 증가시키며 산소를 공급하며, 정맥으로 수액을 주입하며 옥시토신을 중단하여야 한다. 이 증례의 경우에는 다량의 질출혈, 복통과 함께 지속성 태아심장박동수감소가 확인되었으므로 태반조기박리를 의심하여야 하고 응급제왕절개수술을 시행해야 한다.

최종 경과

산모는 태아심장박동수감소가 회복되지 않아 응급제왕절개수술로 분만하였다. 수술 중 자궁 내에 다량의 응고된 혈액이 확인되었고 태반 제거 이후 태반조기박리의 소견이 확인되었다. 아프가 점수는 1분에 5점, 5분에 7점이었다. 양수에 태변 착색은 관찰되지 않았으며, 제대혈 pH는 7.166이었다. 신생아는 신생아실로 전실 후 예정된 날짜에 퇴원하였다.

05

Maternal - fetal medicine

과수축(기본)

임신 40주 5일의 36세 미분만부(nullipara)가 유도분만을 위하여 입원하였다. 이전 산전 검사에서 특별한 소견은 없었으며, 태아 선진부는 두위였으며 태아의 예상체중은 3,200 g (25-50p)였으며 비숍 점수(bishop score)는 2점으로 확인되었다. 산모는 입원 후 자궁경부 숙화를 위해 입원 당일 저녁 전자태아감시 모니터를 시행하며 프로스타글란딘(prostaglandin) E2 질정제를 삽입하였다.

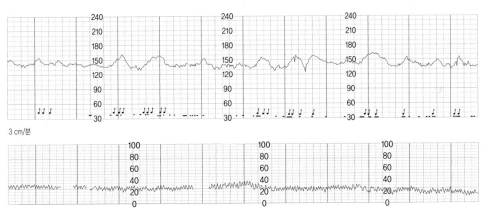

그림 6-9 질정제 삽입 전 전자태아감시 모니터링, 3 cm/분

질정제 삽입 1시간 후 환자는 규칙적인 진통을 호소하였고 당시 환자의 전자태아감시 모니터링 소견은 다음과 같았다.

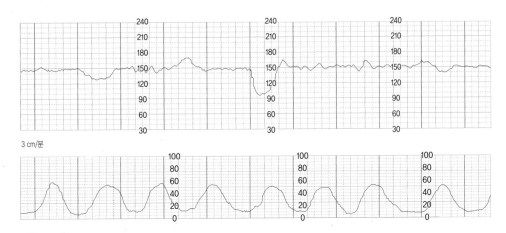

그림 6-10 질정제 삽입 이후 전자태아감시 모니터링, 3 cm/분

질문 5-1. 이 환자에게 적절한 처치는?

해설 5-1. 질정제 삽입 전 태아의 기초심박동수는 140회/분이며 중간의 기초 변이도가 관찰되고 태아심장박동수증가가 관찰된다. 또한 늦은 혹은 다양성 태아심장박동수감소는 없고 이른 태아심장박동수감소도 관찰되지 않아 3단계 태아 심장박동 해석 체계(Three-tier fetal heart rate interpretation system)에 따르면 정상(category I)에 해당한다.

질정제 삽입 이후 관찰되는 모니터링은 자궁과수축(tachysystole) 소견으로 10분에 5회를 초과하는 자궁수축이 확인되는 것을 말한다. 자궁수축제를 사용하거나 경막외 마취, 고혈압이 있는 경우에 동반될 수 있으며 태아 심장박동에 영향을 미칠 수 있다. 프로스타글란딘(prostaglandin) E1과 프로스타글란딘(prostaglandin) E2를 무작위 배정을 통해 질 내 삽입한 후 자궁과수축 정도를 비교한 한 연구에서는 프로스타글란딘(prostaglandin) E1 사용 시 과수축이 21.3%에서 프로스타글란딘(prostaglandin) E2를 사용한 군에서 과수축이 7.0%되었다는 보고가 있다. 2017년 미국산부인과학회에서는 10분당 5회 이하의 자궁수축을 정상 자궁수축으로 정의하였으며 자궁과자극(hyperstimulation)이라는 용어는 더 이상 사용하지 않는다고 하였다.

질정제 삽입 후 태아의 기초심박동수는 150회/분이며 중간의 기초 변이도가 관찰되고 이른 태아심장박동수 감소나 다양성 태아심장박동수 감소가 관찰되고 있으므로 3단계 태아 심장박동 해석 체계(Three-tier fetal heart rate interpretation system)에 따르면 중간(category II)에 해당한다. 자궁과수축(tachysystole)이 있는 경우 프로스타글란딘(prostaglandin) E2 질정제를 제거한 후 자궁과수축(tachysystole)의 소실여부와 태아심장박동수를 확인하여야 한다.

최종 경과

프로스타글란딘(prostaglandin) E2 질정제를 바로 제거하였고, 자궁 수축이 사라졌다. 산모는 다음날 분만이 진행하여 질식분만하였다. 신생아는 3,320 g 여아로 아프가 점수는 1분에 8점, 5분에 9점이었다. 양수에 태변 착색은 관찰되지 않았으며, 제대혈 pH는 7.210이었다. 신생아는 신생아실로 전실 후 예정된 날짜에 퇴원하였다.

진통 중 태아 부정맥(심화)

34세 다분만부(multipara)가 임신 38주 0일에 타 병원에서 태아 부정맥이 의심된다고 왔다. 초음파에서 심장의 구조적 이상은 관찰되지 않았으며 M-mode와 도플러 초음파 소견은 아래와 같다.

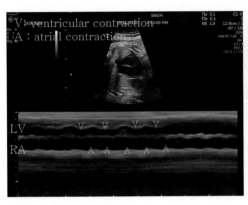

그림 6-11 M-mode 초음파

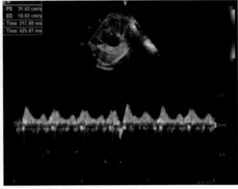

그림 6-12 도플러 초음파

주기적으로 외래에서 초음파를 시행하며 경과관찰하던 중 임신 39주 2일에 물처럼 흐르는 질분비물을 주소로 왔다. 질경 검사에서 나이트라진 검사 양성으로 조기 양막파수로 확인되었다. 입원 이후 항생제를 투약하며 경과관찰 하였으며 내진 소견은 75% 소실(effacement), 2 cm 개대(dilatation), 태아 선진부는 두위로 진입(engagement)이 되지 않았다. 전자태아감시 모니터링 소견은 다음과 같았다.

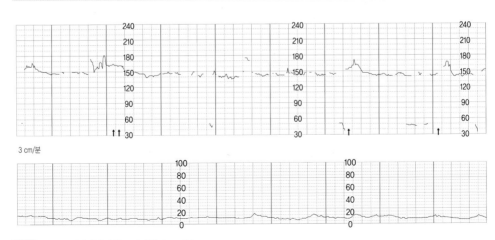

그림 6-13 전자태아감시 모니터링, 3 cm/분

질문 6-1. 다음과 같은 상황에서 고려해야 할 진단은?

해설 6-1. 이 증례의 경우, M-mode 초음파와 도플러 초음파에서 이상 소견이 확인되어 부정맥을 의심할 수 있다. M-mode 초음파를 이용하면 심장 벽이나 판막의 움직임을 기록, 분석할 수 있다. 도플러초음파를 이용하여 심실유출부나 동맥에서 수축기 혈류를 증명하면 이것이 QRS에 해당하며, 정맥 혈류의 심방 역류(atrial reversal)나, 방실판막 혈류에서 A파를 증명함으로써 심방수축을 알 수 있다. 부정맥이 있는 태아의 전자태아감시 모니터를 시행할 때는 모니터에서 확인되는 이상소견이 태아의 심장박동수인지 산모의 심장박동수인지 감별이 필요하다. 전자태아감시 모니터에서 태아서맥이 확인된 경우에는 모체의 맥박수, 태아심장박동수 감소(fetal deceleration), 태아 부정맥을 감별해야 한다.

이 증례의 경우 전자태아감시를 시행하고 있을 당시 모체의 활력징후는 혈압 110/65 mmHg, 맥박수 90–97회/분, 호흡수 17회/분, 체온 37.0℃로 확인되었다. 전자태아감시 모니터링을 해석해보면, 기초 태아심장박동수는 분당 140회이며 중간 변이도를 갖고 있다. 태아심장박동수증가(acceleration)가 관찰되며 늦은 혹은 다양성 태아심장박동수 감소는 관찰되지 않아 3단계 태아 심장박동 해석 체계(Three-Tier Fetal Heart Rate Interpretation System)의 정상(category I)에 해당한다.

표 6-8 NICHD category: 3단계 태아 심장박동 해석 체계(Three-Tier Fetal Heart Rate Interpretation System) 중 정상

Category I – 정상
아래의 모든 기준을 만족시키는 경우 – 기초 심장박동수: 110–160 bpm – 기초 변이도: 중간(moderate) – 늦은 혹은 다양성 태아심장박동수감소: 없음 – 이른 태아심장박동수감소: 있거나 없음 – 태아심장박동수증가: 있거나 없음

간헐적으로 태아심장박동이 연결되지 않는 부분이 관찰되며 이때 분당 40-50회로 기록되는 태아심장박동이 확인된다. 이 증례의 경우 태아의 부정맥은 심실로 전달되지 않은 심방조기수축(non-conducted premature atrial contraction)에 해당하며 심박수가 갑자기 느려진 듯한 것은 심실로 전달되지 않은 심방조기수축(non-conducted premature atrial contraction)이 심실로 전달되지는 않으나 심방 벽을 통해 동방결절을 탈분극시키므로 그 다음 동성박동이 조금 늦게 발생하기 때문이다. 산모의 맥박수는 90-97회/분으로 확인되어 분당 40-50회로 기록된 부분은 태아 부정맥에 의한 것으로 확인할 수 있다. 또한 모니터에서 기

초 태아심장박동수의 변화가 불연속적으로 나타나므로 태아심장박동수감소(fetal deceleration)는 배제할 수 있다.

최종 경과

산모는 분만 진행 부전(failure to progress)으로 제왕절개수술하여 3,420 g의 남아를 출산하였다. 분만 후 신생아는 신생아실에서 심전도, 24시간 심전도, 심장 초음파를 시행하였다. 심장초음파에서 심장의 구조적 이상은 관찰되지 않았으나 심방조기수축이 확인되었고, 24시간 심전도에서도 심실로 전달되지 않은 심방조기수축(non-conducted premature atrial contraction)이 확인되었다.

참고 문헌

1. 대한산부인과학회. 산과학. 제6판. 파주: 군자출판사; 2019.

2. 최정연. 태아 심초음파. 서울: 서울대학교출판문화원; 2014.

3. American College of Obstetricians and Gynecologists. Practice bulletin no. 116: Management of intrapartum fetal heart rate tracings. Obstet Gynecol 2010;116;1232-40

4. Committee on Obstetric Practice. Committee opinion no. 712: intrapartum management of intraamniotic infection. Obstet Gynecol 2017;130: e95-e101.

5. Cunningham F, Leveno K, Bloom S, Spong CY, Dashe J. Williams obstetrics. 25th ed. New York, NY:McGraw-Hill Education; 2018.

6. Macones GA, Hankins GD, Spong CY, Hauth J, Moore T. The 2008 National Institute of Child Health and Human Development workshop report on electronic fetal monitoring: update on definitions, interpretation, and research guidelines. Obstet Gynecol 2008;112:661-6.

7. Sanchez-Ramos L, Peterson DE, Delke I, Gaudier FL, Kaunitz AM. Labor induction with prostaglandin E1 misoprostol compared with dinoprostone vaginal insert: a randomized trial. Obstet Gynecol 1998;91:401-5.

chapter 07

비정상 분만진통과
유도분만

모체태아의학

07

비정상 분만진통과 유도분만

배진곤(계명의대)

01

지연잠복기(기본)

임신 39주인 다분만부가 규칙적인 아랫배 통증으로 병원에 왔다. 활력징후에는 특이소견이 없었고 골반검사에서 자궁경부 2 cm 개대, 30% 소실, 하강도 -3이었으며 양막은 파열되지 않았다. 예측태아체중은 3,100 g, 양수지수는 12 cm이었다. Friedman 진통곡선은 다음과 같았다.

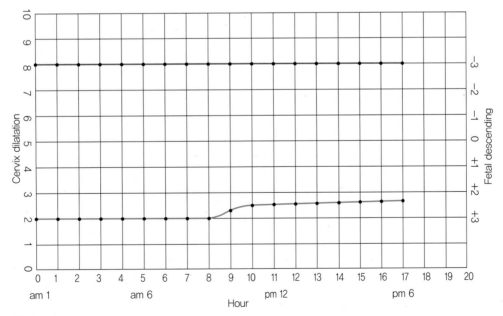

그림 7-1 분만진통곡선

질문 1-1. 적절한 진단과 처치는?

해설 1-1. 산자궁경부개대가 완료되는 분만 1기는 다시 잠복기(latent phase)와 활성기(active phase)로 나뉘는데, 잠복기는 규칙적인 자궁수축이 시작되어 자궁경부개대가 3-4 cm까지 진행되는 기간으로, 이 이후부터 자궁경부개대가 완료되는 기간을 활성기라고 한다. 지연잠복기는 미분만부에서 20시간, 다분만부에서는 14시간을 초과하는 경우로 정의한다. 지연잠복기의 적절한 처치는 산모에게 휴식 및 수면을 취하게 하여, 활성기로 진행하는지 자궁수축이 중단되는지 관찰하고 태아 상태와 자궁경부 숙화정도를 평가한다. 상기 산모는 다분만부이고 14시간을 초과하는 동안 활성기로 진행하지 않았으므로 지연잠복기로 진단되어, 자궁수축과 태아심음의 모니터링을 중단하고 수분과 음식을 섭취하면서 충분히 휴식을 취하도록 하였다.

질문 1-2. 처치 이후에 진통곡선이 다음과 같았고 자궁수축은 약 3-4분 간격으로 이전과 비슷한 정도였다. 그 다음 처치는 어떻게 해야 할 것인가?

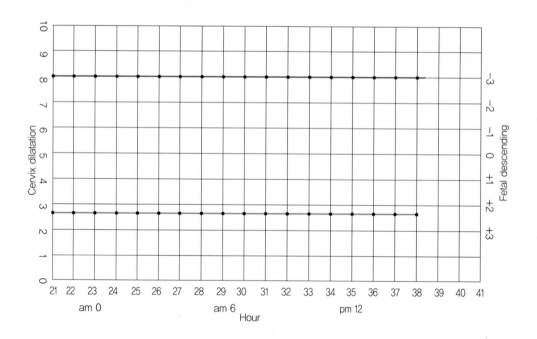

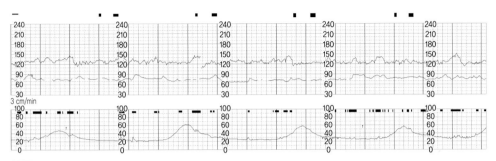

그림 7-2 진통곡선과 자궁수축–태아심음 감시

해설 1-2. 산모에게 충분한 휴식과 수면을 취하도록 한 이후에도 지연잠복기의 양상을 보이는 상태이므로 옥시토신을 투여하여 자궁수축을 증가시키도록 하고, 옥시토신 투여 후에도 활성기로 진입하지 않을 경우에는 제왕절개분만도 고려할 수 있다.

02

분만2기 지연장애(기본)

임신 38주 5일인 36세 미분만부가 규칙적인 아랫배 통증으로 병원에 왔다. 초음파검사에서 두위, 태아 예측태아체중은 3,150 g, 양수지수는 10 cm이었다. 골반검사에서 자궁경부는 3 cm 개대, 70-80% 소실, 태아 선진부의 하강도는 –3이었다. 전자태아심박동-수축감시장치 결과와 진통곡선은 다음과 같았다.

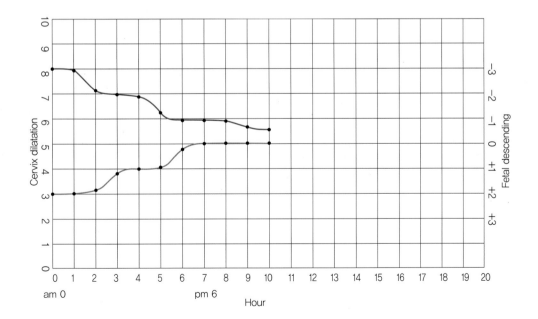

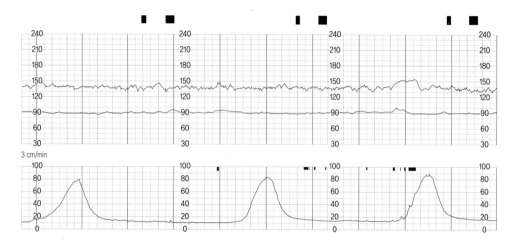

그림 7-3 자궁수축-태아심음 감시와 진통곡선

질문 2-1. 임신 38주 5일인 36세 미분만부가 규칙적인 아랫배 통증으로 병원에 왔다. 초음파 검사에서 두위, 태아 예측태아체중은 3,150 g, 양수지수는 10 cm이었다. 골반검사에서 자궁 경부는 3 cm 개대, 70-80% 소실, 태아 선진부의 하강도는 −3이었다. 전자태아심박동-수축 감시장치 결과와 진통 곡선은 다음과 같았다. 진단과 처치는?

해설 2-1. 분만의 진행이 정상보다 느려지는 경우를 지연장애(protraction disorder), 진행이 완전히 멈추는 것을 정지장애(arrest disorder)라고 한다.

지연장애 진단을 위해서 WHO에서는 활성기 자궁수축 상태에서 최소 4시간 이상 자궁경 부개대가 시간당 1 cm 미만일 것으로 정의하고 있으며, ACOG에서는 Cohen (1977)의 정의 를 따라서 미분만부에서는 시간당 1.2 cm 이상, 다분만부에서는 1.5 cm 이상 자궁경부개대 가 되지 않을 경우 지연장애를 진단한다. 태아하강속도로는 미분만부에서는 시간당 1.0 cm 미만, 다분만부에서는 시간당 2.0 cm 미만일 경우 지연장애에 해당된다.

정지장애는 활성기 자궁수축 상태에서 2시간 이상 동안에 자궁경부개대와 태아하강이 없을 때 진단되는데 진행이 정지되기 전까지는 자궁경부개대와 태아하강이 정상적이었다는 점에 서 지연장애와 감별이 된다.

상기 증례에서 자궁경부개대와 태아하강이 기준보다 느리고 자궁경부가 자궁경부가 4 cm 이상 개대된 상태에서 2시간 이상 동안 경부변화가 없으므로 '2시간 법칙(2-hour rule)'에 도 합당하므로 지연장애를 진단할 수 있다. 자궁수축력은 180 몬테비디오단위(Montevideo units, MU)로서 질식분만에 충분하지 않으며 자궁경부개대가 아직 6 cm 이전이므로 '6 cm 법칙(6 cm rule)'을 고려하면 옥시토신 투여를 고려해 볼 만하다.

질문 2-2. 상기 처치 이후에 전자태아심박동–수축감시장치 결과와 진통 곡선은 다음과 같았고 내진을 하였을 때 태아의 머리에 산류(caput succedaneum)가 심하게 만져졌다. 처치는?

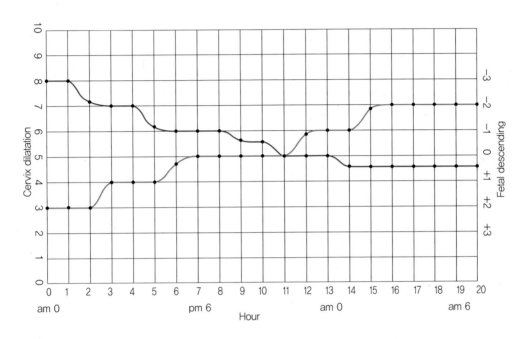

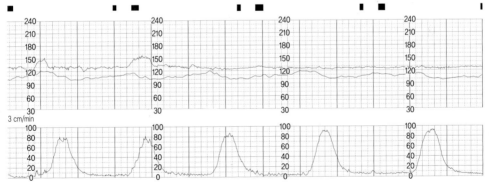

그림 7-4 자궁수축–태아심음 감시와 진통곡선

해설 2-2. 옥시토신 사용후에 자궁수축은 320 MU로 충분히 증가하였으나 자궁경부개대는 지연장애가 개선되지 않고 태아의 하강도 지연되고 있으므로 제왕절개분만을 선택하도록 한다.

최근, 미국산부인과학회(ACOG)와 모체태아의학회(SMFM)에서는 과도한 제왕절개를 줄이기 위해 '6 cm 법칙(6 cm rule)'을 제시하였다.

'6 cm 법칙'

1. 잠복기의 지연은 제왕절개의 적응증이 아님

2. 지연장애의 경우 제왕절개분만보다는 자궁의 수축력을 펴악하면서 분만의 진행을 관찰함

3. 활성기에 진입하는 자궁경부개대는 4 cm가 아니라 6 cm이므로 활성기분만진행은 6 cm부터 적용함

4. 정지장애로 인한 제왕절개는 양막이 파열되고 자궁개대가 6 cm 이상이면서 4시간 이상 적절한 자궁의 수축이 있음에도 분만이 진행되지 않거나 최소 6시간 이상 옥시토신을 투여해도 반응이 없을 때 고려하도록 함

---

03 | 분만2기 지연장애(기본)

임신 38주인 미분만부가 규칙적인 자궁수축이 있어 병원에 왔다. 골반검사에서 자궁경부 3 cm 개대, 80% 소실, 하강도 −1이었으며 양막은 파열되지 않았다. 예측태아체중은 3,400 g, 양수지수는 12 cm이었다. 5시간 후에 자궁경부는 완전개대되었고 태아하강도는 +2이었으나 이후 4시간이 지나도록 자궁수축이 올 때마다 태아 머리의 산류가 질 입구에 반복되어 관찰될 뿐 분만이 되지 않았다. 복부초음파 사진과 자궁 수축은 그림과 같았다.

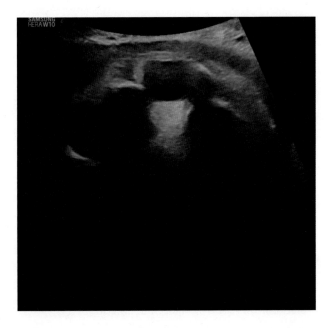

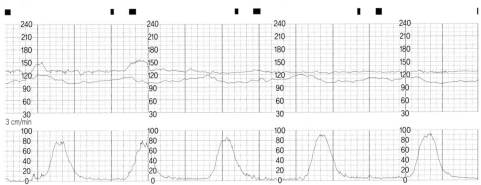

그림 7-5 분만 진행 중 태아초음파와 자궁수축−태아심음 감시

질문 3-1. 진단은?

해설 3-1. 자궁경부가 완전개대되어 분만2기가 시작된 이후에 3시간 이상 태아가 분만되지 않았으므로 지연된분만2기(prolonged 2nd stage) 상태이며, 태아의 양측 안와와 코뼈가 상방을 향하고 후두부가 산모의 천골을 향하고 있으므로 지속성 후방후두위(persistent occiput posterior position)에 의한 분만2기의 지연으로 보인다.

> **[분만2기의 지연]**
>
> 일반적으로 충분한 자궁수축에도 불구하고 미분만부(nullipara)에서 2시간 이상, 부위마취를 시행한 경우 3시간 이상 태아가 분만되지 않는 경우에 지연된 분만2기(prolonged 2nd stage)로 진단하고, 다분만부(multipar)의 경우에는 1시간, 부위마취가 시행된 경우는 2시간 이상 분만 2기가 지연되면 진단된다. 최근 미국산부인과학회(ACOG)와 주산의학회(SMFM)에서는 제왕절개를 줄이기 위해 새로운 제안을 하였는데, 미분만부에서 3시간 이상, 경막외마취를 한 경우 4시간 이상의 분만2기의 지연, 다분만부에서는 2시간, 경막외마취를 한경우 3시간 이상 분만2기가 지연될 경우를 진단할 것을 제안하였다.

질문 3-2. 처치는?

해설 3-2. 자궁수축은 300 MU 이상으로 충분하나 후방후두위로 인해 분만2기가 지연되고 있는 상태이므로 바깥골반(pelvic outlet)과 회음부가 충분한지를 확인 한 후, 태아의 머리를 손으로 잡고 회전(manual rotation)시켜 전두위상태(occiput anterior)로 만든 후 질식분만을 시도해보거나, 후두위상태에서 회음절개를 충분히 시행한 후 겸자분만(forcep delivery)을 시행해볼 수 있다. 바깥골반이 충분하지 않거나 회음부가 너무 짧아 회전(manual rotation)이 어려울 경우 제왕절개를 고려할 수 있다. 제왕절개 시에 골반 깊숙히 내려가 있는 태아의 머리를 수술보조자가 밀어올리는 과정에서 절개부위가 과도하게 확장되어 심한 출혈이 발생하지 않도록 주의하여야 한다. 상기 산모와 보호자에게 지속성 후방후두위에 대한 설명을 하였고 경막외마취를 한 후에 태아의 머리 회전을 시도하였으나 여의치 않아 응급제왕절개술로 분만하였다.

지속성 후방후두위(persistent occiput posterior position)는 경막외마취, 미분만부, 거대아, 중간골반협착, 원숭이형골반(anthropoid), 그리고 이전에 후방후두위 분만을 했던 경우 등에서 주로 발생한다. 지속성 후방후두위의 모체측 합병증으로는 지연된 분만2기, 제왕절개

율증가, 기구사용분만(operative vaginal delivery), 산후출혈, 3도와 4도열상 등이 있으며, 신생아측 합병증으로는 산혈증, 분만손상, 낮은 아프가점수, 신생아집중치료실 입원 등이 있다.

태아 머리의 시상봉합과 대천문, 소천문을 촉지하여 진단을 하는 것은 태아 머리의 molding 등으로 인해 검사의 정확성이 떨어질 수 있으므로, 복부초음파로 태아의 안와, 코뼈의 위치를 확인하면 진단에 도움이 될 수 있다.

04 유도분만(기본)

임신 37주 6일의 미분만부가 산전진찰을 위해 병원에 왔다. 초음파 검사결과 예측체중 3,300 g, 양수지수 11 cm, 그 외 특이소견은 없었다. 이학적 검사 및 활력 징후에서 특이소견이 없었으나 산모는 태아가 너무 커질 것을 염려하여 가까운 시일에 유도분만을 원하였다. 산모에게는 특이한기저 질환은 동반되지 않은 상태이다.

질문 4-1. 유도분만의 적절한 시기는?

해설 4-1. 미국산부인과학회(ACOG)와 주산의학회(SMFM)에서는 유도분만을 미루어서는 안 되는 내과적인 또는 산과적인 적응증이 있는 경우가 아니라면 39주 이전에 유도분만을 시행하지 않도록 권고하고 있는데, 임신 34주 0일에서 36주 6일에 해당하는 늦은조산(late-preterm)과 임신37주 0일에서 38주 6일에 해당하는 이른만삭(early-term)에서의 출생이 신생아 예후에 좋지 않음이 충분히 설명되었기 때문이다. 또한 Grobman 등은 6,016명의 산모를 39주 이후에 유도분만을 시행한 군과 자연진통이 올때까지 기대요법을 시행한 군으로 비교하여 신생아 예후에 차이가 없음을 보이고, 오히려 제왕절개율과 임신성 고혈압의 발생율은 낮아짐을 보임으로써 39주 직후 유도분만의 긍정적인 영향을 보여주었다. 따라서 위의 산모에게는 유도분만의 장단점을 충분히 설명한 후에 39주 이후 유도분만을 권유할 수 있다.

질문 4-2. 상기 산모는 임신 39주 1일에 입원하였다. 자궁수축은 없었고, 자궁경부는 1-2 cm 개대, 30% 숙화되었고, 단단한 상태로 골반의 중앙에 위치하였다. 태아하강도는 −2이었다. 유도분만을 위한 적절한 처치는?

해설 4-2. 유도분만이 필요한 임신부에서 자궁경부의 상태가 불량한 경우(unfavorable cervix)에는 자궁경부를 숙화시키는 과정이 필요하다. 일반적으로 Bishop score가 4점 이하인 경우, 객관적으로 자궁경부의 숙화가 필요하므로 prostaglandin E_1, E_2, 자궁경부카테터, 흡습성 자궁경관 확장제 등을 사용하여 자궁경부를 숙화시킨다.

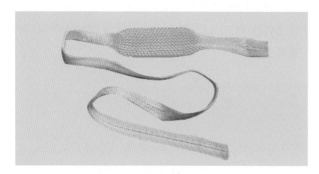

그림 7-6 프로스타글란딘 E_2 질좌제

프로스타글란딘 E_2 사용 시 주의할 점

1. 부작용 : 10분 동안 5회 이상의 자궁빈수축(tachysystole)

2. 금기 : 태아곤란증과 같은 위험한 태아상태, 프로스타글란딘 E_2에 대한 과민반응, 지속되는 질출혈, 옥시토신을 투여 중인 경우, 6회 이상의 만삭 출산력이 있는 산모, 자궁 근육층을 포함하는 수술을 받은 산모

3. 주의 : 녹내장, 천식

질문 4-3. 위의 산모에서 자궁숙화를 목적으로 prostaglandin E_2 질좌제를 사용하였다. 12시간이 경과하였으나 자궁수축은 160 MU 정도, 자궁경부는 2 cm 정도 개대되었다. 산모가 유도분만을 강력히 원하여 옥시토신을 사용하려 한다. Prostaglandin E_2 사용 얼마 후에 사용하여야 하는가?

해설 4-3. Prostaglandin E_2와 옥시토신을 동시에 사용할 경우 자궁이 10분에 5회 이상 수축하는 빈수축(uterine tachysystole) 양상을 보일 수 있으므로, prostaglandin E_2 gel을 사용하였을 경우는 6-12시간 이후에, prostaglandin E_2 질좌제를 사용한 경우에는 질에서 제거한 후 최소 30분 후에 옥시토신을 사용하도록 한다. 상기 산모에서도 prostaglandine E_2 질좌제 제거 약 30분 후에 옥시토신을 사용하였고 8시간 뒤에 3,630 g의 여자아이를 질식분만하였다.

05

Maternal-fetal medicine

합병증: 견갑난산(기본)

임신 38주 4일인 36세 다분만부가 물 같은 분비물이 있어서 병원에 왔다. 질경 검사에서 양막파수를 진단하였고, 초음파에서 예측태아 체중 3,600 g이었다. 질식분만을 시행하던 중 태아의 머리가 분만되었으나 1분 동안의 노력에도 어깨가 분만되지 않았다

질문 5-1. 처치는?

해설 5-2. 머리가 분만되고 몸통이 분만 될 때까지 60초 이상의 시간이 소요되는 경우 또는 태아의 어깨를 정상적으로 하방견인을 하여도 어깨가 분만되지 않는 경우에 견갑난산(shoulder dystocia)이라 한다. 이런 경우 탯줄이 산도 내에서 태아의 몸에 눌린상태가 지속되므로 이러한 상황이 5분 이상 지속되는 경우 태아의 저산소증과 산혈증을 유발하므로 신경계 손상을 유발할 수 있으며 분만과정 중에 상완신경총마비, 골절, 근육의 손상이 발생될 수 있고 산모에게는 산도열상으로 인한 산후출혈이 발생될 수 있다.

태아머리의 분만부터 몸통의 분만부터 몸통의 분만까지의 시간을 단축시키는 것이 태아생존에 중요한 요소이므로 치골결합하부에 끼어있는 태아의 어깨를 풀어주는 적절한 노력이 필요하며, 이때 너무 과격한 처치로인해 산모와 태아의 손상이 발생하는 것에 주의하여야 한다.

산모의 치골결합부위에 태아의 앞쪽 어깨가 끼인 상태이므로 자궁저부에 강한 압력만을 가하는 것은 오히려 어깨를 더욱 치골하부에 고정시키게 되므로 시행해서는 안 된다.

McRoberts 수기는 산모의 다리를 배쪽으로 밀어올림으로써 치골결합이 산모의 머리쪽으로 이동하게 함으로써 끼어있는 태아의 앞쪽 어깨를 풀어줄 수 있는데, 보조자가 산모의 치골 상방에 압력을 가함으로써(suprapubic pressure) 태아의 어깨가 풀리는 데에 도움을 줄 수 있다. 이와 같은 방법을 적절히 사용함으로써 대부분의 견갑난산을 해결할 수 있다.

태아의 어깨를 좌, 우로 회전시킴으로써 태아의 양 어깨 간격을 줄여서 치골결합에 끼어있는 태아의 어깨를 풀어줄 수 있는 방법으로 Wood corkscrew 수기, Rubin 수기가 있다. 또 다른 방법으로는 뒤쪽 어깨분만법(Delivery of the posterior arm)이 있는데, 태아의 뒤쪽 팔을 가슴쪽으로 쓸어내려 분만하면 이후 어깨가 한쪽 방향으로 비스듬히 빠져나오면서 분만이 될 수 있다.

All-four 수기는 Gaskin이 제안한 방법으로 산모가 두 무릎을 꿇어 세우고 두 손을 바닥에 대고 시술자는 태아의 머리와 목을 당겨 뒤쪽 어깨를 분만하는 방법이다.

이상의 술기를 시행하는 데 각각 30-60초 정도가 소요되며 대개 4분 정도의 노력으로 분만

이 이루어진다고 하였는데, 적절한 시술이 이루어지도록 하기 위해, 견갑난산이 발생되면 마취과의사, 신생아과와 그 밖에 되도록 많은 보조인력들의 도움을 먼저 요청하여 적절한 시간 동안에 시술이 이루어지도록 하여야 하며 광범위한 회음절개를 시행하는 것도 필요하다. 또한 각 분만센터에 맞는 적절한 처치원칙 및 순서를 결정하여 훈련을 하는 것이 추천된다.

위의 방법들로 분만이 되지 않으면, 골반 내로 태아를 다시 밀어올리고 제왕절개술을 시행하는 Zavanelli 수기를 시행한다.

질문 5-2. 견갑난산의 위험요소는?

해설 5-2. 견갑난산의 요인으로서 모체의 비만, 다산, 과숙임신, 당뇨병 등 태아체중을 증가시킬 수 있는 상태를 제시하였으나 실제로 태아의 예측체중으로 견갑난산을 예측하기는 불가능하다.

06

Maternal-fetal medicine

합병증: 급속분만, 양수색전증(심화)

임신 38주4일의 36세 다분만부가 하복부 통증으로 병원에 왔다. 입원 당시 골반내진에서 자궁경부개대 4 cm, 하강도는 0이었고, 입원 후 30분만에 3,200 g의 남자아이를 질식분만 하였다. 분만으로 인한 회음부 열상은 2도 정도로 심하지 않았으나 질출혈이 지속되어 골반검사를 시행하였고 자궁경부열상이나 질부위에 혈종은 보이지 않았으며 검사 도중 갑자기 호흡곤란과 경련이 있은 후 의식을 잃었다. 혈압은 70/40 mmHg, 맥박 100회/분, 호흡 35회/분이었고 복부초음파에서 복강내 출혈을 의심할 만한 소견은 없었다. 이후 시행한 뇌 자기공명영상에서 뇌졸중 병변들이 발견되었다.

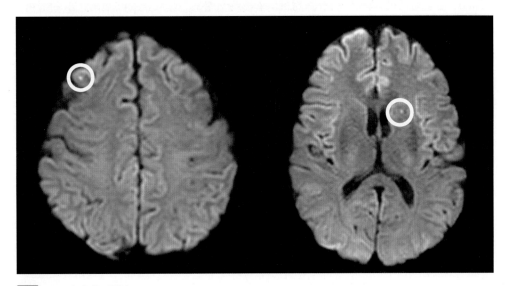

그림 7-7 뇌 자기공명영상

Hemoglobin 5.30 g/dL

Platelet 89,000/μL

Prothrombin time(PT) > 80 sec

Activated partial thromboplastin time(aPTT) > 200 sec

Fibrinogen < 40 mg/dL

D-dimer > 140 μg/dL

질문 6-1. 진단은?

해설 6-1. 급속분만에 의한 양수색전증이 의심된다.

급속분만은 분만진통과 분만이 비정상적으로 빠르게 진행되는 것을 의미하는데 산도의 연조직의 저항이 비정상적으로 낮은 경우, 혹은 심하게 강력한 자궁 및 복벽의 수축에 의해 발생하는데 대개 진통 시작 후 3시간 이내에 분만이 완료된다.

Mahon 등은 자궁경관 개대의 정도가 미분만부에서 시간당 5 cm, 다분만부에서 10 cm인 경우를 급속분만으로 정의하였다. 급속분만의 위험요인으로는 태반조기박리, 태변, 산후출혈, 코카인 등으로 생각되나 명확치 않다.

급속분만이 모체에 미치는 영향으로는 자궁경부, 질, 회음부의 산도열상, 자궁파열, 양수색전증, 그리고 그와 동반되는 산후출혈 등이며 신생아에서는 태아산소공급 부족에의한 저산소증, 뇌손상, 낮은 아프가점수, 분만손상 등이다. 상기 산모의 경우에 급속분만 이후에 질출혈, 혈액응고장애, 뇌신경학적 증상 등이 급격히 동반되었으므로 급속분만과 관련된 양수색전증이 의심된다.

질문 6-2. 처치는?

해설 6-2. 급속하게 분만이 진행되므로 효과적인 처치는 없으나, 자궁수축이완제를 사용하거나 만약 옥시토신을 사용하고있다면 사용을 중지하고, 전신마취(isoflurne)를 통하여 자궁의 수축을 줄이려는 시도를 해볼 수도 있다. 그러나 급속히 진행되는 분만을 막기는 실제적으로 어려우므로 신생아가 분만중에 떨어져 분만손상 입는 것을 방지하거나, 모체의 합병증으로 인하여 발생하는 다양한 증상들에 적절히 대처하는 것이 필요하다. 상기 산모의 경우 급속분만에의한 양수색전증과 그로 인한 질출혈이 동반되고 있으므로 산모에게 산소를 공급하면서 대량수혈을 통해 혈역학적 허탈과 혈액응고장애를 치료하여야 한다. 다량의 적혈구, 신선냉동혈장, 혈소판의 수혈 이후에 혈액응고장애와 혈역학계 허탈 현상이 개선되었다. 뇌 자기공명영상에서 여러 부위에서 작은 뇌경색의 소견들이 발견되었으나 다행히도 분만 이후에는 저명한 신경학적 증상들이 관찰되지 않았고, 산모는 분만 7일째에 특이소견 없이 퇴원하였다.

참고 문헌

1. 대한산부인과학회. 산과학. 제6판. 파주: 군자출판사; 2019.

2. ACOG Committee Opinion No. 764: Medically indicated Late-Preterm and Early-Term Deliveries. Obstet Gynecol 2019;133:e151-5.

3. American College of Obstetrics and Gynecology Committee on Practice Bulletins-Obstetrics. ACOG Practice Bulletin Number 49. December 2003: Dystocia and augmentation of labor. Obstet Gynecol 2003;102:1445-54.

4. American College of Obstetricians and Gynecologists, Society for Maternal-Fetal Medicine, Caughey AB, Cahill AG, Guise JM, Rouse DJ: Safe prevention of the cesarean delivery. Am J Obstet Gynecol. 2014;210:179-93.

5. American College of Obstetrics and Gynecologists: Shoulder dystocia. Practice bulletin No. 178, Obstet Gynecol 2017;129:e123-33.

6. Barth WH. Persistent occiput posterior. Obstet Gynecol 2015;125:695-709.

7. Cheng YW, Shaffer BL, Caughey AB: The association between persistent occiput posterior position and neonatal outcomes. Obstet Gynecol 2006;107:837-44.

8. Cohen W. Influence of the duration of second stage labor on perinatal outcome and puerperal morbidity. Obstet Gynecol 1977;49:266-9.

9. Grobman WA, Rice MM, Reddy UM, Tita ATN, Silver RM, Mallett G, Hill K, Thom EA, El-Sayed YY, Perez-Delboy A, Rouse DJ, Saade GR, Boggess KA, Chauhan SP, Iams JD, Chien EK, Casey BM, Gibbs RS, Srinivas SK, Swamy GK, Simhan HN, Macones GA; Eunice Kennedy Shriver National Institute of Child Health and Human Development Maternal-Fetal Medicine Units Network. Labor induction versus Expectant Management in Low-Risk Nulliparous Women. N Engl J Med 2018;379:513-23.

10. Mahon TR, Chazotte C, Cohen WR. Short labor: characteristics and outcome. Obstet Gynecol 1994;84:47-51.

Chapter 08

유산

모체태아의학

유산

08

김해중(고려의대)
김호연(고려의대)
오민정(고려의대)

Maternal-fetal medicine

01

임신 제2삼분기 계류유산(기본)

35세 산과력 1-1-0-2인 여성이 입덧이 사라져서 병원에 왔다. 현재 무월경 15주 2일 임신 7주부터 입덧이 심했는데 2일 전부터 갑자기 입덧이 사라졌으며 질출혈이나 복통은 없었다. 일주일 전에 초음파 검사와 2차 integrated test를 하였으며 그 때 시행한 초음파 검사에서 태아의 크기는 임신 14주 크기, 심박동 158 bpm이었고, 그외 특이소견은 없었다. 산과력상 첫아이는 임신 34주에 조기양막파수로 질식분만하였고, 두 번째는 임신 39주에 질식분만하였으며, 병력이나 가족력에는 특이소견 없었다.

Hb 13.1 g/dL, Hct 37.9%, WBC 9.95 x10^9/L (seg-neutrophils 68.6%)

Fibrinogen 401.0 mg/dL (166-408)

FDP <2.5 ug/mL (<5)

D-dimer 96 ng/L (25.8-241)

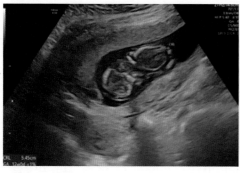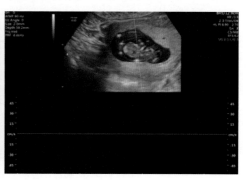

그림 8-1 무월경 15주 2일 초음파 사진

질문 1-1. 적절한 처치는?

해설 1-1. 자궁목관개대 및 제거술(dilatation and evacuation)을 실시한다.

흡습성 경부확장제(라미나리아 또는 Dilapan-S)를 사용하거나 미소프로스톨(misoprostol)을 사용하여 자궁목관개대가 충분히 이루어진 후 11-16 mm 흡입관(suction cannular) 등을 사용하여 양수를 흡입하거나 양수파막을 시키면 태아를 자궁하부로 내려오게 하여 시술을 좀 더 쉽게 할 수 있으며, 양수색전증의 위험을 줄일 수도 있다

예방적 항생제로 시술 한 시간 전 doxycycline 100 mg, 시술 후 200 mg을 경구투여한다.

약물적 방법으로는 미페프리스톤/미소프로스톨(mifepristone/misoprostol), 미소프로스톨만 투여, 디노프로스톤(dinoprostone) 질정, 농축 옥시토신을 투여하는 방법이 있으나 우리나라에서는 미페프리스톤이 상용되지 않으며, 디노프로스톤 질정은 비용이 좀더 많이 든다는 단점이 있어 미소프로스톨 사용을 선호하며 대한산부인과학회의 권고안에 따르면 13-17주 자궁내 태아사망의 경우 200 μg을 6시간마다 최대 4회까지 질식투여한다.

표 8-1 미소프로스톨 사용지침

제1삼분기	제2삼분기	제3삼분기
자궁경부숙화 Pre-instrumentation 시술 3시간 전 400 μg 질식투여	인공유산[2]: Interruption of pregnancy 400 μg 3시간마다 질식투여 (최대 5회)	자궁내 태아사망(27-43주)[3] 24-50 4시간마다 질식투여 (최대 6회)
인공유산 800 μg 12시간마다 질식투여 (최대 3회)	자궁내 태아사망[2] (13-17주) 200 μg 6시간마다 질식투여(최대 4회) (18-26주) 100 μg 6시간마다 질식투여(최대 4회)	유도분만[3] 25 μg 4시간마다 질식투여 (최대 6회) 또는 20 μg 2시간 마다 경구투여(최대 12회)
계류유산[1] 800 μg 3시간마다 질식투여(최대 2회) 또는 600 μg 3시간마다 설하투여 (최대 2회)		산후출혈 예방[4] 600 μg 경구 단독투여
불완전유산 600 μg 경구 단독투여		산후출혈 치료[2] 600 μg 경구 단독투여

1. 출혈이나 감염의 증거가 없으면 1-2주간의 경과를 관찰하도록 하십시오.
2. 기왕제왕절개분만력이 있는 경우 용량을 절반으로 감량하십시오.
3. 기왕제왕절개분만력이 있는 경우 사용이 금기입니다.
4. 옥시토신이 최우선 치료지침으로 사용되어야 하며, 미소프로스톨은 2차 선택 제제여야 합니다.

질문 1-2. 퇴원 1주일 후 정기적 방문 시 복통은 없고, 약간의 출혈이 있다고 하였다. 골반검진에서도 자궁경부에 적은 양의 끈적한 검붉은 분비물이 있었으며, 골반 압통은 없었고, 초음파 검사 소견은 다음과 같았다(그림 8-2). 적절한 처치는?

혈압 130/75 mmHg, 맥박 82회/분, 체온 36.8℃

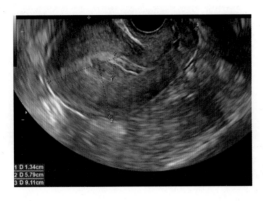

그림 8-2 자궁목개대 및 제거술 1주일 후 자궁초음파 사진

해설 1-2. 경과관찰 한다. 출혈이 심하지 않으면 특별한 처치 없이 경과관찰 한다. 자궁내막 두께 3 cm를 약물적유산의 성공의 기준으로 보았을 때 거의 모든 경우에서 별일없이 완전 유산이 되는 것이 확인되었다.

경과

환자는 이후 특별한 증상없이 1개월 뒤 정상적으로 생리를 하였다.

02

임신 제1삼분기 계류유산(기본)

31세 초임부가 무월경 5주 1일에 임신을 확인하기 위하여 내원하였다. 환자는 30일 주기로 규칙적으로 생리를 한다고 하며 10일 전 소변검사상 임신반응검사 양성을 확인하고 6일 전 개인병원에서 혈액검사상 혈청 사람융모생식샘자극호르몬(β-hCG)이 156 mIU/mL이었다고 한다. 이날 시행한 초음파 검사의 결과는 다음과 같다(그림 8-3).

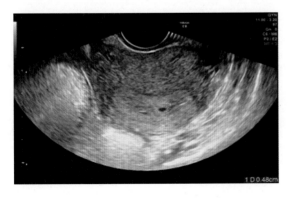

그림 8-3 무월경 5주 1일의 초음파사진

질문 2-1. 1주일 후에 다시 내원한 환자의 초음파 소견이다(그림 8-4). 이 환자에게 시행해야 할 처치는?

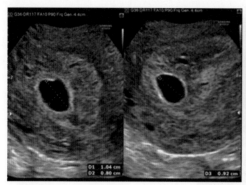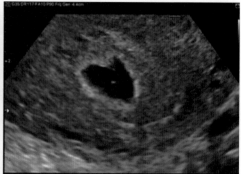

그림 8-4 무월경 6주 1일의 초음파사진

해설 2-1. 초음파검사는 정상 임신으로 진행되고 있는지를 확인하는 가장 중요한 검사라고 할 수 있다.

초음파검사에서 1) 머리엉덩길이(crown-rump length, CRL)가 7 mm 이상이면서 태아 심박동이 없는 경우, 2) 평균 태아주머니 직경이 25 mm 이상이면서 배아가 보이지 않는 경우, 3) 최초 초음파검사에서 태아주머니와 난황주머니가 보였고 11일 이후에 태아심박동이 있는 배아가 보이지 않는 경우와 4) 최초 초음파검사에서 태아주머니는 있으나 난황주머니가 없고 2주 후에 태아심박동이 있는 배아가 보이지 않는 경우 유산으로 진단할 수 있다.

이 환자의 경우 무월경 6주 1일로 초음파상에서 아직 태아가 관찰되지 않고 있으나 태아주머니는 보이면서 난황주머니는 보이지 않았던 최초 초음파검사에서 7일 정도가 경과한 시점이므로 특별한 검사 없이 7일 후에 다시 내원하도록 하였다.

질문 2-2. 환자는 9일 후에 내원하여 초음파를 시행하였으며 다음과 같은 소견을 보였다(그림 8-5). 향후 예후는?

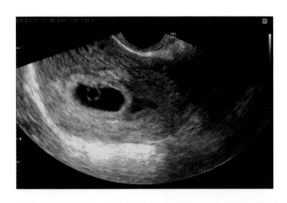

그림 8-5 무월경 7주3일의 초음파사진

해설 2-2. 이때가 무월경 7주 3일, 소변검사를 통해 임신확인한 지 26일 경과되었을 때이고 태아주머니는 보이면서 난황주머니는 보이지 않았던 최초 초음파검사에서 16일 정도가 경과한 시점으로, 초음파상 배아가 관찰되지 않고 있어 유산일 가능성이 매우 높다고 할 수 있다.

질문 2-3. 환자에게 β-hCG 검사를 이틀 간격으로 2회 시행하였고 결과는 다음과 같았다. 무월경 7주 6일에 내원하여 시행한 초음파 소견은 다음과 같았다(그림 8-6). 환자에게 현 상태에 대하여 어떻게 설명해야 하는가?

> β-hCG 40,654 mIU/mL (무월경 7주 3일)
> β-hCG 46,999 mIU/mL (무월경 7주 5일)

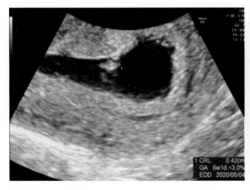
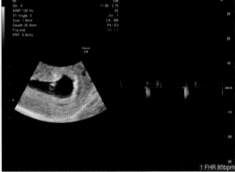

그림 8-6 무월경 7주 5일의 초음파사진

해설 2-3. 이틀 간격으로 검사한 혈청 β-hCG 결과에서는 15% 정도만 증가하였으나 초음파상에서 배아가 관찰되면서 태아 심박동도 확인되고 있다. 그러나 85 bpm의 서맥 소견을 보이고 있어 향후 유산으로 진행될 가능성이 높은 상태이다.

태아 서맥 이외에도 난황주머니이 크거나 태아주머니가 작을 때(평균 태아주머니직경-머리 엉덩길이 < 5 mm) 향후 유산으로 진행될 가능성이 높은 것으로 알려져 있다.

경과

환자는 무월경 9주 1일 다시 내원하였으며 특별한 증상은 없었고 초음파 소견을 다음과 같았고 배아는 관찰되지 않았다(그림 8-7).

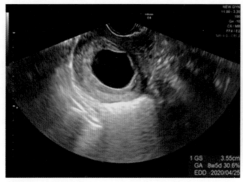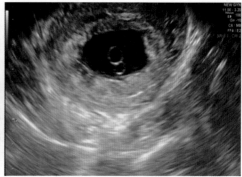

그림 8-7 무월경 9주 1일의 초음파사진

계류유산으로 진단하고 소파수술을 시행하였고 특별한 합병증 없이 퇴원하였으며 조직 검사 상 수태산물로 확인되었다.

03 자궁내장치가 삽입된 상태에서의 임신(심화)

31세 다임신부가 1년 전 자궁내장치(intrauterine device, IUD)를 삽입한 상태에서 무월경상태로 소변검사상 임신반응검사 양성을 확인하고 내원하였다. 환자는 생리주기가 30일 정도로 비교적 규칙적이나 마지막 월경일은 정확히 기억하지 못하였다. 골반 검진상 자궁내장치의 실은 질 내에서 확인할 수 없었고 초음파 소견은 다음과 같았다(그림 8-8).

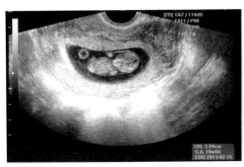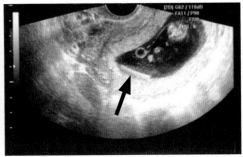

그림 8-8 태아엉덩길이가 3.09 cm(임신 10주)인 초음파사진. 태아주머니 안에 자궁내장치가 보이고 있다(화살표).

질문 3-1. 환자는 가능하면 임신을 유지하기를 원하였다. IUD를 제거하지 않고 임신을 유지할 경우 생길 수 있는 합병증으로 설명되어야 할 것은?

해설 3-1.

산모측 합병증

1. 융모양막염의 위험성이 높아지는데 초기에 IUD를 제거할 경우 위험성은 감소하는 것으로 알려져 있다(IUD 유지군 7%, 초기에 IUD 제거한 경우 4%, 대조군 0.7%).

2. 유산으로 진행될 위험성이 증가하며(47-57%) 초기에 IUD를 제거할 경우 감소한다. 임신 제2삼분기에 유산이 진행될 가능성도 높아지는데 특히 이 경우 패혈성 유산(septic abortion)의 위험성이 높다. 따라서 초기에 IUD를 제거할 수 없는 경우 환자에게 치료적으로 임신중절을 선택할 수 있음을 설명해야 한다.

태아측 합병증

1. 조산의 위험성이 약 5배 정도 높아지는 것으로 보고되었으며 초기에 IUD를 제거한 경우에는 위험성이 감소하는 것으로 알려져 있다.

2. 태반조기박리의 위험성도 증가한다.

3. 태아 기형에 대한 위험성은 증가하지 않으며 levonorgestrel IUD의 경우에도 태아기형의 위험성은 증가하지 않는 것으로 보고있다.

질문 3-2. 이 환자에게 시행할 처치로 적절한 것은 무엇인가?

해설 3-2. IUD의 실이 보이는 경우에는 가능한 빨리 IUD를 제거하는 것이 원칙이다.

이 환자의 경우 IUD의 실이 보이지 않는 상태이므로 IUD 제거를 위한 시도가 유산을 야기할 수 있으나 IUD를 제거하지 않을 경우 생길 수 있는 합병증을 고려하여 환자와 상담하여 유산의 가능성을 설명한 후 제거를 시도하는 편이 좋다.

경과

초음파 유도하에 IUD hook을 이용하여 IUD를 제거할 수 있었다.

다음날 환자는 38.1℃의 발열이 있어 응급실로 내원하였고 이때 시행한 초음파검사에서 태아 심음이 관찰되지 않아 소파수술을 시행하였으며 별다른 합병증 없이 퇴원하였다.

04

Maternal-fetal medicine

불완전유산(기본)

41세 산과력 1-0-1-1인 다임신부는 5년 전 첫째 아이를 40주에 질식 분만한 분으로 6주 전 마지막 생리 후 생리가 없어 5일 전 소변임신검사기에서 두 줄이 보였다. 과거 병력이나 가족력에는 특이소견 없었다. 3일 전 갈색분비물이 나와 내원하여 시행한 초음파 결과 다음과 같았다(그림 8-9).

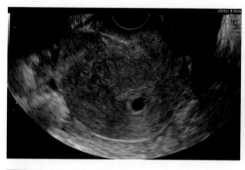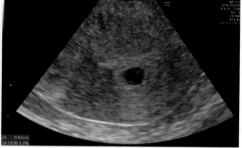

그림 8-9 자궁의 종축과 횡축 단면 영상

질문 4-1. 환자에게 시행할 적절한 처치와 설명은 무엇인가?

해설 4-1. 이 환자는 우선 갈색분비물의 증상을 보이므로 자궁경부에 병변이 있는 경우, 특히 성교 후 출혈은 흔하게 발생할 수 있으므로 질경으로 통해 출혈의 원인이 있는지 확인하는 것이 중요하다.

평균 임신 5주이면 태아주머니 2 mm로 보이고 5주 5일이면 태아주머니가 6 mm이고 난황주머니가 보이고 6주이면 태아주머니가 10 mm이고 심박동이 있는 배아가 보인다. 유산이 확실한 경우는 태아주머니가 평균 25 mm 이상이고 배아가 없는 경우이고 유산이 의심되는 경우는 태아주머니가 평균 16-24 mm이고 배아가 없는 경우이다. 이 환자는 무월경 6주로 태아주머니가 9 mm로 보이면서 난황주머니는 보이지 않으므로(그림 8-9) 유산 가능성이 있으나 처음으로 초음파를 시행하였으므로 유산 가능성에 대한 설명은 신중하게 해야 한다. 하복통이나 질출혈이 심해질 경우 바로 내원을 교육하고 일주일 후 다시 내원하도록 하였다.

질문 4-2. 귀가한 후 3일이 지난 오후 2시경 설거지를 하다가 갑자기 무언가 흐르는 느낌이 들어 보았더니 선홍색 피가 손가락 2마디 정도 나와 내원하였다. 생리통 같은 증상이 간헐적으로 있었다. 적절한 진단은 무엇인가?

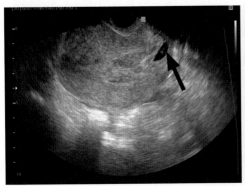 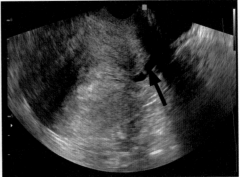

그림 8-10A 자궁의 종축 단면 영상. 자궁내 위치가 변한 태아주머니(화살표)

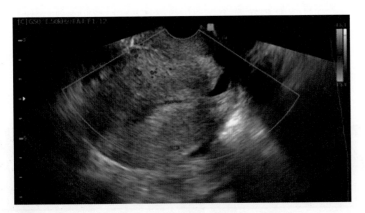

그림 8-10B 자궁의 종축 단면의 색 도플러 혈류 영상(Color Doppler Flow)

해설 4-2. 완전유산과 불완전 유산은 감별하기 어려우나 초음파 검사를 통해 수태산물 잔존여부를 확인하여 감별하는 데 사용한다. 태아와 태반 전체가 자궁내에 남아 있거나 개대된 자궁경부를 통해 일부가 배출된 경우를 불완전 유산으로 정의하므로 이 임신부는 그림 8-10A, B의 초음파 영상을 통해 불완전 유산으로 진단한다.

질문 4-3. 하복통과 소량의 질출혈이 지속되었다. 적절한 처치는 무엇인가?

해설 4-3. 우선 진통제를 사용하여 통증을 조절한다. 불완전 유산에 대한 치료방법으로 소파술, 기대요법과 약물요법을 사용하는 세 가지 방법이 있다. 기대요법은 10–25%, 약물요법은 5–30%의 실패율을 보인다. 약물요법의 경우 경구 미소프로스톨 600 μg을 사용하거나 질식 800 μg 또는 설하 400 μg도 효과적이다. 약물요법 사용 후 심각한 출혈이 없고 자궁내 태낭이 보이지 않는다면 수술적 치료가 필요하지 않다. 약물요법 후 2시간 동안 출혈이 많거나 활력징후가 불안정할 경우 진료를 다시 봐야하며 소파술을 고려해볼 수 있다.

경과

이 임신부는 경구 미소프로스톨 600 μg 사용 후 수태산물이 나온 다음 하복통과 질출혈이 호전되었다. 4시간 동안 병원에서 관찰하였으며 초음파 검사에서 잔류물질이 없음을 확인한 후 귀가하였다.

05

Maternal-fetal medicine

절박유산(기본)

32세 산과력 0-0-0-0인 여성이 동전크기의 질출혈이 있어 병원에 왔다. 현재 무월경 7주로 입덧이 약간 있으며 하복통은 심하지 않고 생리통처럼 살살 아팠다. 3일전에 시행한 초음파 검사에서 태아의 머리엉덩길이는 임신 6주 크기, 심박동 분당 130 bpm이었고, 그 외 특이 소견은 없었다. 엽산 복용중이었고 병력이나 가족력에는 특이소견 없었다. 금일 병원에서 시행한 초음파는 다음과 같다(그림 8-11).

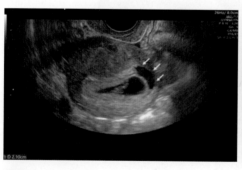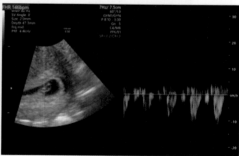

그림 8-11 융모아래 혈종 영상. 태아 주머니 우측으로 유체 수집이 관찰됨(화살표)

질문 5-1. 진단은 무엇인가?

해설 5-1. 자궁경부가 닫혀 있는 상태에서 혈성 질분비물 또는 질출혈이 있는 경우에 임상적으로 절박유산으로 정의한다. 좌측 초음파 사진(그림 8-11, 화살표)에서 자궁벽과 융모 사이에 위치한 장경 2.1 cm의 융모아래 혈종(subchorionic hematoma)이 관찰되나 자연유산으로 진행한다는 결과는 의견이 분분하다. 질출혈만 있는 경우보다 하복통과 질출혈을 동시에 호소하는 경우에서 발생이 증가한다.

질문 5-2. 치료방법은 무엇인가?

해설 5-2. 절박유산에 대한 효과적인 치료방법은 없다. 안정을 취하는 것이 절박유산의 경과를 변화시키지 못한다는 의견이 우세하다. 아세트아미노펜에 기초한 통증치료가 도움이 될 수 있다. 또한 프로게스테론 치료가 자연유산을 감소시키는 데 효과적일 수 있다고 보고하였다.

경과

이 임신부는 질출혈이 감소하였고 생리통같은 하복통이 호전되었으며 일주일 후 시행한 초음파에서 태아 머리엉덩뼈길이 7주 크기이며 태아심박동 153 bpm으로 정상 소견을 보였다. 산전진찰 결과 정상이고 초음파에서 보이는 융모아래 혈종은 없어졌으며 현재 분만예정일을 앞두고 있다.

초기 임신, 고사 난자 또는 자궁외 임신(심화)

38세 산과력 0-0-2-0인 여성이 2달째 생리가 없고 하복통은 없으며 갈색의 분비물이 있어 병원에 왔다. 금일 시행한 자가 소변 사람융모양생식샘자극호르몬 검사에서 두 줄이 보였다고 한다. 평소 생리주기가 45일에서 60일 사이로 불규칙적이었고 생리기간은 6-7일 정도로 양은 많지 않다고 했다. 5년 전 생리가 3달째 없어 산부인과에 방문했고 초음파에서 다낭성 난소가 보인다는 얘기를 들었으나 정밀검사를 하지 않았다. 혈압은 110/70 mmHg, 심박동 89 bpm, 체온 36.8°C였다. 시행한 질식 초음파 검사 결과 다음과 같았다(그림 8-12).

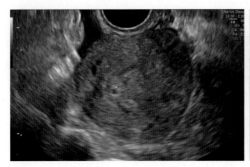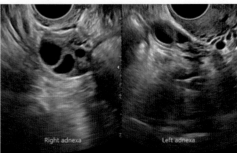

그림 8-12 자궁의 횡축단면영상과 양측 난소와 자궁부속기 영상

Hb 12.9 g/dL, Hct 37.5%, WBC 8.76 ×10^9/L(segment neutrophils 64.7%)
β-hCG 552.5 mIU/mL (무월경 8주)
β-hCG 774.2 mIU/mL (무월경 8주 2일)

질문 6-1. 가능성 있는 진단과 적절한 처치는 무엇인가?

해설 6-1. 자궁내 태아주머니가 의심되는 소견이 보이므로 자궁내 임신일 수 있다. 임신초기의 반수에서 비특이적인 태아주머니 형태를 보이는데 타원형 또는 원형으로 이중 주머니 모양(double sac sign)이나 탈락막내 모양(intradecidual sign)이 보이지 않을 수 있다. 또한 Seeber 등에 따르면 48시간 동안 최소 35%의 β-hCG의 상승은 자궁내 임신을 시사한다고 하였다. 하지만 자궁내 태아주머니가 자궁외 임신에서 보일 수 있는 가성 태아주머니(pseudogestational sac)의 가능성이 있다. 또한 자궁외 임신의 1/3 정도에서 β-hCG의 상승을 보이므로 자궁외 임신 가능성을 생각해야 한다. 일주일 후 초음파 검사를 시행한다.

일주일 후 초음파 검사를 시행한 결과는 다음과 같다(그림 8-13). 증상은 하복통은 없고 갈색분비물이 있었고 활력징후는 정상이었다.

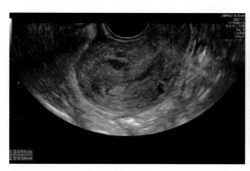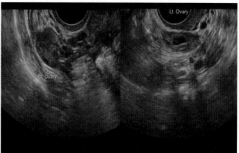

그림 8-13 자궁의 종축단면영상과 양측 난소와 자궁부속기 영상

질문 6-2. 환자의 진단과 적절한 처치는 무엇인가?

해설 6-2. 자궁내 임신인 경우는 일주일 후 시행한 초음파에서 태아주머니가 커지고 고음영의 탈락막이 태아주머니 가장자리에서 보이는 이중주머니 모양이나 탈락막내 모양이 뚜렷하게 보이게 된다. 하지만 위 경우는 질식초음파에서 내막에 9 mm 고에코 음영의 덩어리 외에 태아주머니가 보이지 않았으며 혈복강 의심되는 소견 없으며 양측 난소 난관 부속기에 보이는 이상 소견이 보이지 않으므로 자궁내 임신이나 자궁외 임신이 확실하지 않은 경우이다. 초음파 추적검사와 혈청 β–hCG를 측정이 도움이 될 수 있다. 초음파 검사 결과 혈청 β–hCG는 금일 시행하고 48시간 후 재검을 한다. 환자에게 자궁외 임신에 대한 가능성을 설명하고 파열시 따르는 합병증을 설명한다.

질문 6-3. 추적한 혈청 β–hCG 검사 결과 다음과 같았다. 적절한 처치는 무엇인가?

β–hCG 1,397 mIU/mL (무월경 9주)

β–hCG 1,420 mIU/mL (무월경 9주 2일)

해설 6-3. 이틀 간격으로 시행한 혈청 β–hCG가 증가하는 소견이나 48시간 동안 1.6%의 상승을 보였다. 보이지 않는 알 수 없는 위치의 임신(pregnancy of unknown location, PUL) 가능성이 있다. 진단까지 소요되는 시간이 지연되는 경우 자궁외 임신 파열 위험을 고려해서 처치해야한다. PUL의 경우 β–hCG가 48시간 동안 35-50%의 감소를 보이면 자연유산으로 진행됨을 시사한다. β–hCG의 상승이나 감소가 적절하지 않은 경우 소파술이 신속한 진단에 도움이 될 수 있다.

경과

이 환자는 소파술 시행 후 조직검사 결과 수태산물(product of conception)로 최종 진단은 고사난자이다. 외래에서 추적 관찰한 초음파 검사 결과 특이소견 없으며 호전되었다.

참고 문헌

1. 대한산부인과학회, 산과학. 6판. 파주:군자출판사;2019.

2. American College of Obstetricians and Gynecologists. ACOG Practice Bulletin No. 121: Long-acting reversible contraception: Implants and intrauterine devices. Obstet Gynecol 2011;118:184-96.

3. American College of Obstetricians and Gynecologists. Gynecologic Practice, Long-Acting Reversible Contraceptive Expert Work Group. Committee Opinion No 672: Clinical Challenges of Long-Acting Reversible Contraceptive Methods. Obstet Gynecol 2016;128:e69-77.

4. Cunningham FG, Leveno KJ, Bloom SL, et al. Williams Obstetrics. 25th ed. New York:McGraw-Hill Education;2018.

5. Curtis KM, Jatlaoui TC, Tepper NK, Zapata LB, Horton LG, Jamieson DJ, Whiteman MK. U.S. Selected Practice Recommendations for Contraceptive Use, 2016. MMWR Recomm Rep 2016;65:1-66.

6. Daya S, Woods S, Ward S, Lappalainen R, Caco C. Early pregnancy assessment with transvaginal ultrasound scanning. CMAJ 1991;144;441-6.

7. Doubilet PM, Benson CB Double sac sign and intradecidual sign in early pregnancy: interobserver reliability and frequency of occurrence. J Ultrasound Med 2013;32:1207-14.

8. Doubilet PM, Benson CB, Bourne T, Blaivas M. Society of Radiologists in Ultrasound Multispecialty Panel on Early First Trimester Diagnosis of Miscarriage and Exclusion of a Viable Intrauterine Pregnancy, Barnhart KT, Benacerraf BR, Brown DL, Filly RA, Fox JC, Goldstein SR, Kendall JL, Lyons EA, Porter MB, Pretorius DH, Timor-Tritsch IE. Diagnostic criteria for nonviable pregnancy early in the first trimester. N Engl J Med. 2013;369:1443-51.

9. Ganer H, Levy A, Ohel I, Heiner E. Pregnancy outcome in women with an intrauterine contraceptive device. Am J Obstet Gynecol 2009;201:381:e1-5.

10. Kim SK, Romero R, Kusanovic JP, Erez O, Vaisbuch E, Mazaki-Tovi S, Gotsch F, Mittal P, Chaiworapongsa T, Pacora P, Oggé G, Gomez R, Yoon BH, Yeo L, Lamont RF, Hassan SS. The prognosis of pregnancy conceived despite the presence of an intrauterine device (IUD). J Perinat Med 2010;38:45-53.

11. Nadarajah R, Quek YS, Kuppannan K, Woon SY, Jeganathan R. A randomized controlled trial of expectant management versus surgical evacuation of early pregnancy loss. Eur J Obstet Gynecol Reprod Biol 2014;178:35-41.

12. Norton ME, Callen PW, Scoutt LM, Feldstein VA. Callen's Ultrasonography in Obstetrics and Gynecology. 6th ed. Philadelphia:Elsevier;2017.

13. Pederson JF, Mantoni M. Prevalence and significance of subchorionic hemorrhage in threatened abortion: a sonographic study. AJR Am J Roentgenol 1990;154:535-7.

14. Sapra KJ, Buck Louis GM, Sundaram R, Joseph KS, Bates LM, Galea S, Ananth CV. Signs and symptoms associated with early pregnancy loss: findings from a population-based preconception cohort. Hum Reprod 2016;31:887-96.

15. Seeber BE, Sammel MD, Guo W, Zhou L, Hummel A, Barnhart KT. Application of redefined human chorionic gonadotropin curves for the diagnosis of women at risk for ectopic pregnancy. Fertil Steril 2006;86:454-9.

16. Silva C, Sammel MD, Zhou L, Gracia C, Hummel AC, Barnhart K. Human chorionic gonadotropin profile for women with ectopic pregnancy. Obstet Gynecol 2006;107:605-10.

17. Tuuli MG, Norman SM, Odibo AO. Perinatal outcomes in women with subchorionic hematoma: a systemic review and meta-analysis. Obstet Gynecol 2011;117:1205-12.

18. Wahabi HA, Fayed AA, Esmaeil SA, Bahkali KH. Progestogen for treating threatened miscarriage. Cochrane Database Syst Rev. 2018;8:CD005943.

19. Zhang J, Gilles JM, Barnhart K, Creinin MD, Westhoff C, Frederick MM; National Institute of Child Health Human Development (NICHD) Management of Early Pregnancy Failure Trial. A comparison of medical management with misoprostoland surgical management for early pregnancy failure. N Engl J Med 2005;353:761-9.

Chapter 09

자궁경부무력증

모체태아의학

09

자궁경부무력증

권한성(건국의대)
손가현(한림의대)
양승우(건국의대)

Maternal-fetal medicine

01

짧은 자궁경부길이: 조산 과거력 없는 증례(기본)

37세 0-0-3-0인 미분만부가 임신 23주에 정기 진찰 및 임신 제2삼분기 정밀초음파를 보기 위해 병원에 왔다. 초음파 검사에서 예측태아몸무게는 560 g (50 백분위수)이었으며 태아의 기형은 확인되지 않았다. 자궁경부길이는 18 mm였다. 산모는 자궁수축이나 복부 통증은 느끼지 못했으며 물같은 질 분비물도 없다고 하였다. 과거력 상 내외과적 질환은 없었다. 이전에 산부인과에서 진단받은 질환도 없었다. 질경 검사에서 니트라진 검사는 음성이었다. 혈액검사와 소변검사 결과는 다음과 같다.

WBC 8.12 x 10^3/uL, Hb 11.8 g/dL, platelet 215 x 10^3/uL, hsCRP 0.3 mg/dL (0.01–0.3)

아래는 위 산모의 자궁경부 초음파 사진(그림 9-1)이다.

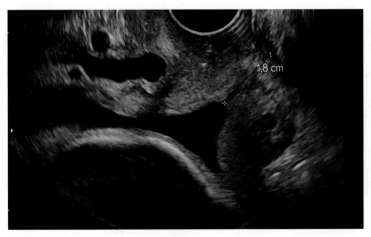

그림 9-1 외래 첫 방문 시 자궁경부 초음파 사진

질문 1-1. 이 산모에게 적절한 처치는 무엇인가?

해설 1-1. 자궁경부무력증은 임신 제2삼분기에 임상적인 자궁수축이 없는 상태에서 자궁경부길이가 짧아지는 것을 의미한다. 자궁경부무력증의 위험인자로는 조산 과거력 및 자궁경부의 생해부학적 기형, 물리적인 손상 등이 있다. 복부 불편감을 느끼고 질 분비물이 증가하기도 하지만 위 산모처럼 증상이 없는 경우도 많다. 본 증례와 같이 초음파상에서 우연히 짧은 자궁경부 소견이 관찰되는 경우 조산 과거력을 반드시 확인해야 하며 미국산부인과학회 가이드라인에서는 위 산모와 같이 조산의 과거력이 없는 단태임신 산모에서 임신 24주 이전에 자궁경부길이가 20 mm보다 짧은 경우 프로게스테론 질정을 쓰도록 권고하고 있다. 또한 다른 연구들도 본 증례와 같은 산모에서 즉각 처치를 시작할 것을 권고하고 있다. 여러 처치 중 학문적 근거를 바탕으로 할 때 가장 선호되는 치료는 프로게스테론이다. 조산의 과거력이 없고 짧은 자궁경부길이인 산모에서 자궁경부봉축술을 시행하는 것은 많은 논란이 있다. Berghella 등은 메타분석을 통해 조산 과거력이 없는 짧은 자궁경부를 가진 산모에서 자궁경부봉축술이 효과적이지 않다고 보고하였다. 하지만 자궁경부길이가 10 mm 미만인 경우 35주 미만의 조산을 약 0.68배 감소시킨다고 하였다. 따라서 본 증례의 질문 1에 대한 가장 적절한 처치는 경질 프로게스테론이 될 수 있다.

질문 1-2. 1주일 후 위 산모가 질분비물이 증가하여 병원에 다시 왔다. 니트라진 검사는 음성이었다. 복부 통증이나 자궁수축은 없다고 하였다. 초음파검사에서 양막이 자궁외구 밖으로 3 cm 정도 돌출되어 있는 소견을 보였다. 자궁경부초음파 사진(그림 9-2)이다. 자궁수축감시 검사에서 자궁수축은 보이지 않았다. 적절한 처치는?

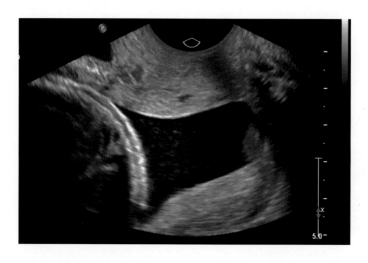

그림 9-2 외래 재방문 시 자궁경부 초음파 사진

해설 1-2. 일반적으로 자궁경부무력증 산모에서 자궁경부봉축술의 적응증은 크게 3가지로 나눌 수 있다. 첫째, 과거력상 임신 2삼분기 유산 또는 자궁경부무력증 병력이 있는 경우 임신 12-14주 사이에 시행하는 산과력에 근거한 자궁경부봉축술, 둘째, 우연히 초음파로 진단되었거나 조기진통 또는 조기양막파수에 의한 조산 병력이 있는 단태 임신부에서 24주 이전에 자궁경부길이가 짧아졌을 때 시행하는 초음파로 측정한 자궁경부길이 근거 자궁경부봉축술(ultrasound-indicated cerclage), 셋째, 골반내진 또는 질경검사에서 자궁경부 외구 밖으로 양막팽윤이 있는 경우 24주 이전에 시행하는 이학적 검사에 근거한 응급 자궁경부봉축술(physical examination-indicated cerclage) 등으로 분류할 수 있다. 위 산모는 프로게스테론 질정을 쓰면서 경과관찰 중 양막이 자궁경부 외구 밖으로 돌출된 경우로 응급 자궁경부봉축술 시행을 고려해 볼 수 있다.

경과

산모는 자궁경부봉축술을 시행하였고(그림 9-3) 외래에서 산전관리 후 만삭 질식 분만하였다.

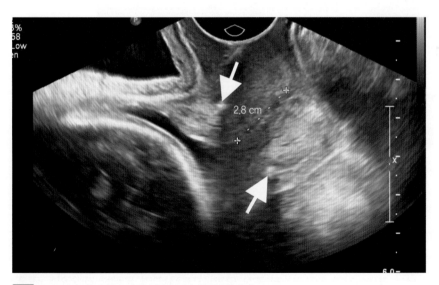

그림 9-3 수술 후 초음파 사진. 실의 위치가 확인됨(화살표)

짧은 자궁경부길이: 조산 과거력 있는 증례(기본)

38세 0-1-1-1인 임신부가 임신 21주에 정기 진찰 및 임신 제2삼분기 정밀초음파를 보기 위해 병원에 왔다. 첫 번째 임신은 조기양막파수로 32주에 조산하였으며 두 번째 임신은 18주에 유산되었다. 초음파 검사에서 예상태아몸무게는 530 g (50 백분위수)이었으며 태아의 기형은 확인되지 않았다. 양수지수는 15.7 cm이었다. 자궁경부길이는 11 mm였다(그림 9-4). 자궁수축이나 복부 통증은 없었고 물같은 질 분비물도 없다고 하였다. 아래는 혈액검사 결과이다. 산모는 타병원에서 처방받은 프로게스테론 질정을 사용하고 있었다.

WBC 6.42 x 10³/uL, Hb 10.8 g/dL, platelet 235 x 10³/uL, hsCRP 0.2 mg/dL (0.01-0.3)

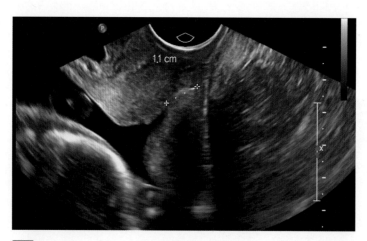

그림 9-4 외래 첫 방문 시 자궁경부 초음파 사진

질문 2-1. 이 산모에게 적절한 처치는 무엇인가?

해설 2-1. 본 증례는 앞선 증례와 같이 임신 2삼분기 시행한 초음파상에서 짧은 자궁경부가 관찰되는 경우이지만 산과력에서 조산 및 임신 제2삼분기 유산한 적이 있는 경우이다. 미국 산부인과학회 가이드라인에서는 34주 이전의 조산 과거력이 있는 단태 임신 산모에서 조산 예방을 위해 16-24주부터 프로게스테론 투여를 권고하고 있다. 본 증례의 산모는 이에 따라 16주부터 타병원에서 처방받은 프로게스테론 질정을 쓰고 있었다. 또한 조산의 과거력이 있으면서 임신 제2삼분기에 조기진통 및 감염의 증거가 없고 자궁경부길이가 25 mm 이하인 경우 ACOG 가이드라인을 포함한 앞선 연구들에서 자궁경부봉축술이 조산의 위험을 낮춘다고 보고하였다. Owen 등은 다기관 무작위 임상시험의 결과로 조산 기왕력이 있는 단태아 임신에서 임신 2삼분기 자궁경부 25 mm 미만일 때 자궁경부 봉축술을 한 경우 보존적 치료를 한 군에 비해서 24주 미만(RR, 0.44; 95% CI, 0.21–0.92)과 37주 미만의 분만(RR, 0.75; 95% CI, 0.60–0.93)을 줄이고 주산기 사망을 감소(RR, 0.54; 95% CI, 0.29–0.99)시킨다고 보고하였다. 또한 이어 진행된 2차분석(secondary analysis)의 결과에서 15 mm 미만에서는 34주 미만의 분만을 의미있게 감소(RR, 0.23; 95% CI, 0.08–0.66)시킨다고 보고하였다. 이후 Berghella 등이 진행한 임상연구의 결과 34주 미만의 조산 기왕력을 가진 임신 24주 미만의 산모에서 자궁경부길이가 25mm 미만인 경우 자궁경부봉축술이 보존적치료 군에 비해서 35주 미만의 조산을 30% 감소시키고(RR, 0.7; 95% CI, 0.55–0.89) 동반된 주산기 사망률 및 이환율을 36% 감소시킨다(RR, 0.64; 95% CI, 0.45–0.91)고 보고하였다. 또한 2019년 개정된 NICE 가이드라인에 따르면 이전에 조기양막파수로 조산한 경우 또는 자궁경부 손상의 과거력이 있고 16주에서 24주 사이에 측정한 자궁경부길이가 25 mm 이하인 경우 자궁경부봉축술을 고려할 수 있다고 하였다. 다만, 자궁경부 봉축술 후 프로게스테론을 함께 사용하는 치료의 조산위험도 감소에 대한 연구는 아직 근거가 부족하다. 따라서 질문 1)에 대해 자궁경부봉축술을 고려할 수 있겠다.

경과

임신 21주에 자궁경부봉축술 후 임신 36주에 자궁경부의 실 제거 후 임신 37주에 질식 분만하였다.

03

Maternal–fetal medicine

자궁외구 밖으로 양막돌출 증례(심화)

34세 산과력 1–0–0–1인 다분만부가 임신 22주에 정기 산전진찰에서 발견된 양막팽윤으로 응급실에 왔다. 첫번째 임신 시 만삭에 질식 분만 시도하다가 자궁경부의 완전 개대 이후 태아아두골반불균형으로 제왕절개 분만하였다. 초음파 검사에서 예측태아몸무게는 514 g이었고 양수지수는 16.7 cm이었다. 자궁경부 초음파에서 양막이 자궁외구 밖으로 2 cm 이상 돌출되어 있었다. 또한 양막 분리소견(그림 9–5, 짧은 화살표) 및 양막 내부에 침전물이 관찰되었다(그림 9–5, 긴 화살표). 산모는 자궁수축 및 복부 통증은 없었다. 질경 검사에서 질분비물이 관찰되었지만 니트라진 검사는 음성이었다. 혈액검사 결과는 다음과 같다.

WBC 8.71 x 10³/uL, Hb 11.4 g/dL, platelet 167 x 10³/uL, hsCRP 0.53 mg/dL (0.01–0.3)

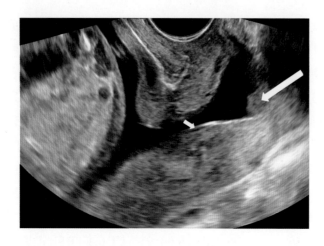

그림 9-5 외래 방문 시 초음파 사진. 양막분리소견(짧은 화살표) 및 양막 내부 침전물(긴 화살표)을 확인할 수 있음

질문 3-1. 이 산모에게 적절한 처치는 무엇인가?

해설 3-1. 위 산모는 임신 제2삼분기에 자궁경부무력증으로 방문하였고 양막이 자궁외구 밖으로 돌출되어 있다. 미국산부인과학회 가이드라인에 의하면 신체 진찰에서 자궁경부 개구가 진찰 된 상태로 응급자궁경부봉축술의 적응증에 해당한다(physical examination-indicated cercleage). 따라서 질문 3-1은 자궁경부봉축술이 될 수 있다. 수술 시 돌출된 양막을 안으로 넣기 위해 풍선 등 기구를 이용할 수 있고 수술 중 산모의 머리가 있는 쪽을 아래 방향으로 내리거나 방광에 소변을 채운 채로 수술을 하기도 한다.

질문 3-2. 위 산모에 대해 수술 전 시행한 양수검사 결과는 아래와 같다. 아래 검사결과를 통해 양수 내 감염 소견 및 수술 실패 가능성을 예측할 수 있는가?

Glucose 7 mg/dL, WBC count in high power field 1-4, Gram stain not found

해설 3-2. 자궁경부무력증에 대한 자궁경부봉축술을 시행하기 전에 자궁수축, 감염 및 염증 등에 대한 배제가 이루어져야 하며 특히 양수내 감염에 대한 평가의 필요성이 제기된다. 그러나 자궁경부봉축술 시행 전 양수검사에 대한 대규모 무작위 연구는 아직 부족하다. 자궁경부가 개대되어 있는 경우 시행하는 응급 자궁경부봉축술에서 자궁경부가 2 cm 이상 개구된 경우 10-50%에서 양수 내 감염이 보고되고 있어 흔히 양수천자를 시행하고 있다. 양수내 감염의 확진은 48시간 동안 배양한 양수에서 균이 동정되는 것이지만 자궁봉축술 시행 시기가 늦춰질 수 있으므로 다양한 양수 내 감염을 시사하는 지표들이 제시되고 있다. 산모의 발열 동반과 함께 양수 그람염색 양성, 낮은 포도당 농도, 높은 고배율 시야 백혈구 수 등이 양수 내 감염의 지표로 제시되고 있다. 하지만 아직까지 이 지표들의 양성예측도가 낮고 이를 이용한 신생아의 패혈증을 예측하는 것 또한 제한적이다.

그러나 Lisonkova 등은 메타연구를 통해서 그람양성과 포도당 ≤14 mg/L을 조합한 기준을 제시하고 양성예측도 100%, 음성예측도 95%, AUC 0.92 (95% CI: 0.86-0.98)의 예측도를 보이고 낮은 포도당 수치만으로도 그 양성예측도가 48%에 달한다고 하였다. 위 산모에서 양수검사 결과에서 그람염색 음성이었으나 포도당은 낮아져 있어 무증상 양수 내 감염 및 수술 실패 가능성을 배제할 수는 없었다. 따라서 이에 대한 설명과 예후를 산모 및 보호자와 상의 후 응급 자궁경부봉축술을 시행하였다.

경과

위 산모는 응급 자궁경부봉축술을 시행하였고 수술 1일째 측정한 자궁경부는 약 2 cm로 확인되었다. 산모는 수술 후 4일째에 복부 불편감이 심해졌고 2-3분 간격의 자궁수축이 관찰되었다. 이때 시행한 혈액검사결과는 아래와 같다.

WBC 18.32 x 10^3/uL, hsCRP 6.33 mg/dL

이후 자궁경부에 봉합된 실을 제거하고 수술 후 5일째에 질식 분만하였다. 분만 후 병리조직검사에서 급성 융모양막염(chorioamnionitis) 및 제대 염증(funisitis) 소견이 관찰되었다.

참고 문헌

1. American College of Obstetricians and Gynecologists. ACOG Practice Bulletin No.142: Cerclage for the management of cervical insufficiency. Obstet Gynecol 2014;123:372-9.

2. American College of Obstetricians and Gynecologists. ACOG Practice Bulletin No.130: Prediction and prevention of preterm birth. Obstet Gynecol 2012;120:964-73.

3. Berghella V, Ciardulli A, Rust OA, To M, Otsuki K, Althuisius S, Nicolaides KH, Roman A, Saccone G. Cerclage for sonographic short cervix in singleton gestations without prior spontaneous preterm birth: systematic review and meta-analysis of randomized controlled trials using individual patient-level data. Ultrasound Obstet Gynecol 2017; 50:569-77.

4. Berghella V, Ludmir J, Simonazzi G, Owen J. Transvaginal cervical cerclage: evidence for perioperative management strategies. Am J Obstet Gynecol 2013;209:181-92.

5. Gauthier DW, Meyer WJ. Comparison of gram stain, leukocyte esterase activity, and amniotic fluid glucose concentration in predicting amniotic fluid culture results in preterm premature rupture of membranes. Am J Obstet Gynecol 1992;167:1092-5.

6. Gomez R, Ghezzi F, Romero R, Muñoz H, Tolosa JE, Rojas I. Premature labor and intra-amniotic infection. Clinical aspects and role of the cytokines in diagnosis and pathophysiology. Clin Perinatol 1995;22:281-342.

7. Higgins RD, Saade G, Polin RA, Grobman WA, Buhimschi IA, Watterberg K, Silver RM, Raju TN; Chorioamnionitis Workshop Participants. Evaluation and Management of Women and Newborns With a Maternal Diagnosis of Chorioamnionitis: Summary of a Workshop. Obstet Gynecol. 2016;127:426-436.

8. Lisonkova S, Sabr Y, Joseph KS. Diagnosis of subclinical amniotic fluid infection prior to rescue cerclage using gram stain and glucose tests: an individual patient meta-analysis. J Obstet Gynaecol Can. 2014;36:116-122.

9. Owen J, Hankins G, Iams JD, Berghella V, Sheffield JS, Perez-Delboy A, Egerman RS, Wing DA, Tomlinson M, Silver R, Ramin SM, Guzman ER, Gordon M, How HY, Knudtson EJ, Szychowski JM, Cliver S, Hauth JC. Multicenter randomized trial of cerclage for preterm birth prevention in high-risk women with shortened midtrimester cervical length. Am J Obstet Gynecol 2009;201:375.e1-8.

10. Vyas NA, Vink JS, Ghidini A, Pezzullo JC, Korker V, Landy HJ, Poggi SH. Risk factors for cervical insufficiency after term delivery. Am J Obstet Gynecol 2006;195:787-91.

조산

모체태아의학

조산

10

김영주(이화의대)
조금준(고려의대)
최세경(가톨릭의대)

Maternal-fetal medicine

01

후기 조산 가능성 산모의 처치(심화)

33세 임신 34주 2일 초임부가 타원 산부인과에서 산전진찰 중 3일 전부터 발생한 질 출혈 및 5-7분 간격의 규칙적인 배뭉침 증상과 함께 자궁경부길이가 짧아진 소견 보여 전원되었다. 골반 검사에서 nitrazine test (-), PROM test (-), fetal fibronectin (-), cervix dilation (1 cm) 소견 관찰되었으며, 초음파(표 10-1)는 아래와 같았다.

표 10-1 초음파 검사결과 소견

초음파
Presentation : vertex
EFW: 2,202 g (23.2%)
AFI : 17.05 cm
Cervical length : 2.11 cm

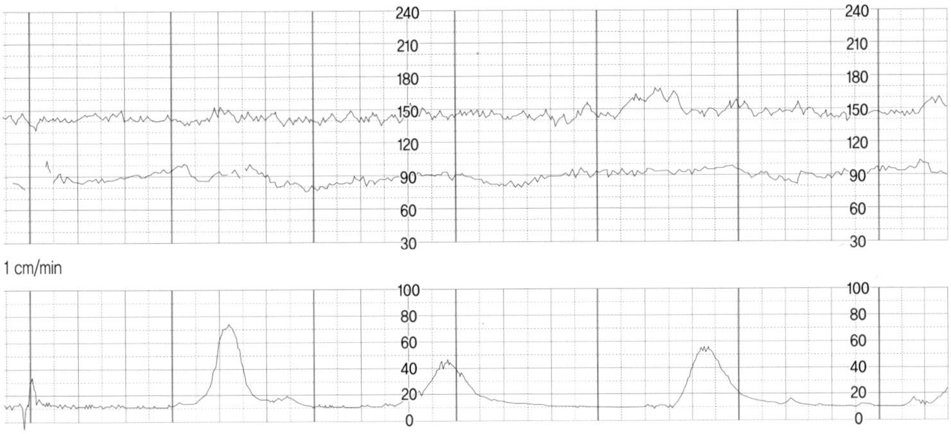

그림 10-1 전자태아심음감시장치 소견

질문 1-1. 상기 산모에서 태아의 폐성숙을 위해 corticosteroid 사용이 필요한가?

해설 1-1. 태아의 폐성숙을 위해 betamethasone corticosteroid 투여할 수 있다.

2016년 MFMU network (maternal–fetal medicine units network)는 후기 조산 가능성이 있는 여성에게 산전 betamethasone 투여가 호흡기 및 기타 신생아 합병증을 감소시키는지 평가하기 위해 RCT를 시행하였다. 2,831명의 여성을 대상으로 한 상기 연구 코호트의 60%에게 주사를 투여하였고, 그 결과 주사 투여군에서 11.6%로 호흡기 합병증의 비율이 좀더 낮은 것으로 나타났다. 이러한 결과로 인해 34주에서 36주 7일 사이의 여성을 위한 single betamethasone course 투여를 ACOG (American college of obstetricians and gynecologists)와 SMFM (society for maternal–fetal medicine)에서 권장하고 있다. 하지만 betamethasone 투여를 받는 신생아에서 저혈당증이 유의하게 더 컸으며, 신생아 저혈당증은 특히 발달 지연을 포함하는 장기적인 결과에 대한 유의미한 영향을 미칠 수 있다는 우려도 인해 단기 및 장기적인 신생아 안전에 대한 연구가 필요하다.

질문 1-2. 상기 환자는 입원 후 규칙적으로 배가 뭉치는 증상은 있었으나(그림 10–1) 활동적인 진통으로 진행되지 않았고, 자궁경부 내진 역시 분만으로 진행되는 소견은 보이지 않았다. 상기 산모에게 tocolyitic drug을 사용하여야 하는가?

해설 1-2. beta–adrenergic agonist, magnesium sulfate, calcium channel blockers, or indomethacin 등이 단기 수축억제제로 쓰여진다. 그러나 33주 이후 조산 신생아의 주산기 결과는 일반적으로 양호하기 때문에 대부분 33주 이후에서는 tocolyitic drug의 사용을 권장하지 않는다. 많은 여성에서 tocolyitic drug이 일시적으로 수축을 멈추게 할 순 있지만 조산 자체를 막을 수는 없으며, 여러 학계에서도 역시 tocolyitic drug을 이용한 유지요법이 조산을 예방하는 데 효과적이지 않다고 이야기 하고 있다. 또한 중요한 것은, 위약과 비교하여 tocolyitic drug의 중요한 부작용이 확실하게 감소된 임상 시험 역시 없다는 것이다. 따라서 상기 산모에서는 임신을 유지하거나 또는 betamethasone 투여를 위해 tocolyitc drug의 사용은 권장되지 않는다.

경과

상기 환자는 입원 후 betamethasone을 투여하였으며 입원 2일째 조기양막파수 소견이 관찰됨과 동시에 진통이 동반되어 임신 34주 6일에 2.02 kg 남아 질식분만 시행하였다. 아기 Apgar score는 1분에 10점, 5분에 10점으로 양호하였으며, 출생 시 ionized calcium 3.2 mg/

dL로 신생아 저칼슘혈증에 해당되는 소견 보였으나 특이 증상 동반되지 않아 경구 칼슘 약제 복용 후 시행한 lab상 정상 소견을 보여 퇴원하였다.

자궁 수축 억제제의 부작용(기본)

36세 임신 32주 초산부(primipara)가 조기진통으로 개인 산부인과 의원에서 2일간 약물치료 받던 중 빈맥과 손떨림 증상을 호소하며 전원되어 왔다. 혈압 110/70 mmHg, 심박수 128회/분, 체온 36.8℃로 확인되었다. 초음파검사에서 태아의 크기는 임신주수에 합당하였고, 양수지수도 적절하였다. 전자태아심음감시장치 소견은 다음과 같았고, 내진소견에서 자궁경부가 2 cm으로 개대되어 있었다.

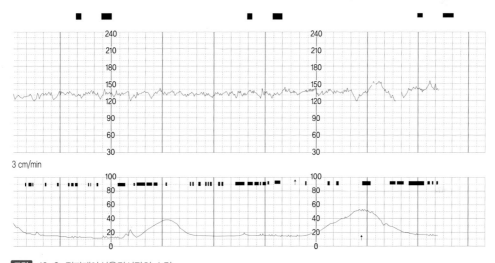

그림 10-2 전자태아심음감시장치 소견

질문 2-1. 위 환자의 증상을 일으킨 것으로 추정되는 약제와 이로 인해 가능한 합병증은 무엇인가?

해설 2-1. 자궁수축을 억제해서 조산을 막으려는 시도로 여러 가지 약물치료가 사용되었다. ACOG에서는 자궁수축억제제제는 임신기간을 현저히 증가시키는 것은 아니고 태아 폐성숙 촉진을 위한 스테로이드 투여를 위한 48시간 동안의 분만 지연을 위한 것이라고 결론지었다. 이러한 목적으로 베타-아드레날린성 수용체 작용제(ß-adrenergic receptor agonists), 칼슘통로차단제(Calcium-channel blockers), 아토시반(Atosiban) 등을 단기간 사용하는 것이 권고되고 있다.

위 환자의 경우 베타-아드레날린성 수용체 작용제인 리토드린(Ritodrine)을 사용했을 것으로 생각되며, 이는 조기진통을 억제하는 데에는 유효한 약제이지만, 빈맥, 폐부종, 급성호흡곤란증, 심부정맥, 심근허혈, 고혈당, 저칼륨혈증 등의 부작용을 일으킬 수 있다. 이러한 부작용으로 인해 현재 유럽의약품청에서는, 경구제의 경우 산과적응증에 더이상 사용하지 말 것을 권고하였고, 주사제의 경우 임신 22주에서 37주 사이 최대 48시간 동안 조기진통을 억제하는 데에만 사용가능하다고 하였다. 대한산부인과학회 역시 2014년에 리토드린 사용에 대한 가이드라인을 제시하였고, 경구용은 사용하지 말것을 권하며, 주사제의 경우 조기진통에 사용시 사용기간은 1회 연속 사용 최대 48-72시간으로 권고하고 있다.

질문 2-2. 이 환자의 검사소견을 보고 필요한 처치는?

해설 2-2. 규칙적인 자궁수축을 동반한 자궁경부의 변화를 보이므로 조기진통이라고 진단할 수 있다.

7일 이내에 분만할 가능성이 있는 임신 34주 이전의 임신부이기 때문에 태아 폐성숙을 위한 스테로이드 치료가 필요하다. 베타메타손(Betamethasone)의 경우 12 mg을 24시간 간격으로 총 2회 근주하거나, 덱사메타손(Dexamethasone)은 6 mg을 12시간 간격으로 총 4회 근주하도록 한다. 스테로이드 투여를 완료하지 못하더라고 신생아의 사망과 이환을 줄이는 데 효과적이기 때문에, 조산이 임박하거나 예측되는 경우에는 완료 여부에 상관없이 스테로이드 투여를 곧바로 시작하도록 한다.

조기진통에 대한 초기치료로 사용한 리토드린에 대한 부작용을 보이고 있으므로 자궁수축 억제제의 대체가 필요하다. 칼슘통로차단제(Calcium-channel blocker)나 아토시반(Atosiban)의 사용을 고려할 수 있다. 칼슘통로차단제는 베타-아드레날린성 수용체 작용제보다 안전하고 효과적이라는 보고가 있고, 아토시반은 효과가 더 우월하지는 않으나 모체의 합병증이 더 적다는 장점을 가지고 있다.

경과

임신 32주에 조기진통으로 개인병원에서 리토드린 사용 중 빈맥과 손떨림 증상으로 전원된 임신부로, 전원 후 스테로이드 및 아토시반(3 cycle) 투여하였다. 합병증없이 분만 지연되어 임신 35주 3일에 2,770 kg 남아 질식분만 진행하였고, 1분 아프가 9점, 5분 아프가 10점으로 상태 양호하였다.

03 만삭 전 조기양막파수 산모의 처치(기본)

32세 임신 28주 다분만부(multipara)가 흐르는 느낌이 있다고 해서 분만실에 왔다. 혈압 120/70 mmHg, 심박수 100회/분, 체온 37.0℃였고, 시행한 초음파에서 태아크기는 임신 주수에 합당하였으나, 양수지수 4로 측정되었다. 질경검사에서 물처럼 흐르는 액체가 관찰되었으며 니트라진(Nitrazine) 검사는 양성이었다. 전자태아심음감시장치에서는 다음과 같은 소견을 보였다.

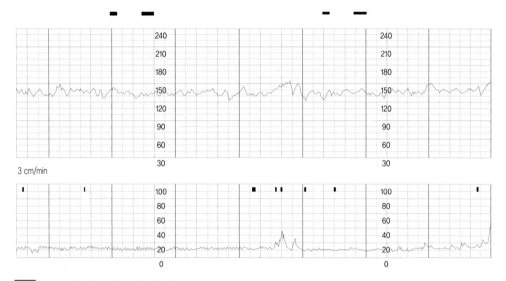

그림 10-3 전자태아심음감시장치 소견

질문 3-1. 위 환자에서 적절한 처치들을 나열하시오.

해설 3-1. 위 환자는 조기양막파수가 발생한 임신 28주 산모이다. 따라서 ACOG 권고사항에 따라 기대요법을 시행하면서 신생아 B군 연쇄구균(Group B streptococcus) 감염에 대한 예방을 해야 한다. 태아 폐성숙을 촉진시키기 위한 스테로이드 치료 및 항생제 치료가 필요하다.

스테로이드 치료는 양막파수가 되지 않은 상태와 마찬가지로 베타메타손(Betamethasone)의 경우 12 mg을 24시간 간격으로 총 2회 근주하거나, 덱사메타손(Dexamethasone)은 6 mg을 12시간 간격으로 총 4회 근주하도록 한다. 24주 0일에서 34주 0일 사이의 조기양막파수 임신부에게 스테로이드 치료가 권고되며, 23주 0일부터 23주 6일 사이의 임신부에게도 스테로이드 투여를 고려할 수 있다. 또한 ACOG와 SMFM에서는 추가적으로 34주 0일에서 36주 6일까지의 임신부에서 베타메타손 치료를 고려할 수 있다고 하였다.

전자태아심음장치에서 자궁수축이 보이지 않으므로 예방적으로 자궁수축억제제 사용을 하는 것은 신생아의 예후를 향상시키지 못할 뿐 아니라 융모양막염의 위험도를 증가시키므로 바람직하지 않다. 항생제 치료는 융모양막염 및 신생아 패혈증의 빈도를 줄이고 분만을 지연시키는 효과가 있다. 또한 ACOG에서는 24주 0일부터 31주 6일까지의 임신부에서 분만이 예상될 경우 신생아의 신경보호를 위해서 황산마그네슘이 도움이 된다고 권고하였다. 황산마그네슘을 투여받은 조산아는 뇌성마비 및 운동장애 발생이 낮다고 보고되고 있다. 황산마그네슘은 4-6 g의 부하용량을 약 20분에 걸쳐서 정주한 수 2 g/시간의 유지용량을 12시간 정도 정주하도록 한다.

질문 3-2. 위 환자에서 1주 경과 관찰 중 항생제 치료에도 불구하고 38.0℃의 체온상승을 보이며 질분비물 검사소견에서 Ureaplasma urealyticum이 확인되었다. 이 환자에서 적절한 조치는?

해설 3-2. 융모양막염을 진단할 수 있는 고열은 38.0℃를 기준으로 한다. ACOG에서는 최근 양막내 감염에 대한 진단을 수정하여 발표하였다. 새로운 정의에 따르면, 모체의 체온이 39.0℃ 이상이거나, 체온이 38-38.9℃이면서 초산부(primipara), 반복적 골반검진, 질내 병원균 감염 확인 등의 임상적 위험요소를 가지고 있는 경우를 양막내 감염이라고 진단할 수 있다. 위 환자의 경우 체온이 38.0℃이면서 질내 분비물 검사 결과 성매개 병원균으로 분류되는 Ureaplasma urealyticum이 검출되었으므로 양막내 감염으로 진단할 수 있다.

융모양막염이 진단되면 즉각적인 분만을 시도하도록 한다.

경과

임신 28주에 조기양막파수가 발생한 임신부로 스테로이드, 황산마그네슘 투여 및 B형 연쇄구균 감염방지를 포함한 항생제(ampicillin 및 azithromycin) 투여하던 중 융모양막염 발생하여 분만 진행을 하도록 하였다.

04 조산력이 있는 짧은 자궁경부 길이 산모의 처치(기본)

Maternal-fetal medicine

30세 임신 22주 초산부(primipara)가 정기검진 위해 왔다. 유산경력은 없었으나 1년 전에 첫째아이 분만 시 조기양막파수로 인해 31주에 자연분만하였다고 한다. 복통이나 질출혈 소견은 없었다. 초음파 검사에서 태아의 크기는 임신주수에 합당하고 양수양 적절하였으며, 자궁경부의 길이는 다음과 같았다.

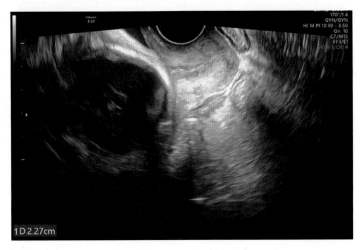

1D 2.27cm

그림 10-4 임신 22주 시행한 질식초음파 소견. 자궁경부길이가 2.27 cm으로 짧아져 있음

질문 4-1. 이 환자의 병력 및 신체검진을 통해서 확인할 수 있는 산과적 위험요소는 무엇인가?

해설 4-1. 위 임신부는 1년전에 조기양막파수로 인한 조산의 기왕력이 있고, 현재 초음파로 확인한 자궁경부의 길이가 2.27 cm으로 짧아져있으므로 조기진통의 위험요소를 가지고 있는 고위험 산모이다. 조산의 과거력은 가장 중요한 조기진통의 위험요소이고, 조산의 횟수가 많을수록 그 위험도도 더 높아지는 것으로 알려져 있다. 자궁경부길이의 측정은 조산의 과거력이 없는 경우에는 아직 논란의 여지가 있으나, 미국모체태아의학회(Society for Maternal Fetal Medicine, SMFM)에서는 조산력이 있는 단태 임신에서 자궁경부길이의 선별검사를 시행할 것을 권고하고 있다. 이와 같이 시행한 선별검사에서 자궁경부길이가 25 mm 미만으로 확인되는 경우에는 조기진통의 위험요소가 되는 의미있는 자궁경부 길이의 변화를 보인다고 할 수 있다. 임신 16-24주 사이에 자궁경부 길이가 25 mm 미만인 경우 임신 35주 이전의 조산위험이 증가하며, 자궁경부 길이가 짧을수록, 경부길이의 변화가 일찍 발생할수록 조산의 위험도는 더 증가한다.

질문 4-2. 이 환자에게서 조기진통을 예방하기 위해서 추천되는 치료방법은 무엇인가?

해설 4-2. 자궁경부봉축술을 고려할 수 있다. 자궁경부봉축술은 반복적인 임신중기 분만의 기왕력이 있는 경우, 초음파에서 짧은 자궁경부길이를 보이는 경우 등에서 시행될 수 있다. AOCG에서는 최근 보고되고 있는 연구결과에 따라 34주 이전의 분만력이 있고 자궁경부 길이가 25 mm 미만인 임신 24주 미만 단태임산부에서 자경경부봉축술을 시행할 것을 권고하고 있다. 그러나 조산의 과거력만 있는 경우나, 과거력없이 초음파에서 짧은 경부길이를 보이는 경우에는 조기진통의 예방으로 프로게스테론 치료를 하는 것이 보다 합당하다.

경과

조산의 과거력이 있으면서 초음파에서 자궁경부길이가 짧은 임신 22주 초산부(primipara)로 조기진통의 위험이 있으므로 자궁경부봉축술을 시행하도록 하였다. 특별한 합병증없이 임신 유지하였으며 임신 37주 2일에 3.290kg 남아 분만하였다. 신생아는 1분 아프가 9점, 5분 아프가 5점으로 상태 양호하였다.

05

Maternal-fetal medicine

임상적 융모양막염 산모의 처치(기본)

35세 임신 25주 초산모가 하루 전부터 발생한 복통, 질분비물 및 발열로 왔다. 측정한 심박수가 110회/분, 체온 39.0℃ 측정되었으며 비수축검사는 다음과 같았으며 백혈구수 35,120 mm³, C-반응성단백 12.58 mg/dL로 상승소견 보였다. 골반 진찰 결과 양막파수는 없었으며 자궁경부 5 cm 개대 및 80% 확장 소견 보였고 분비물에서는 악취가 났다.

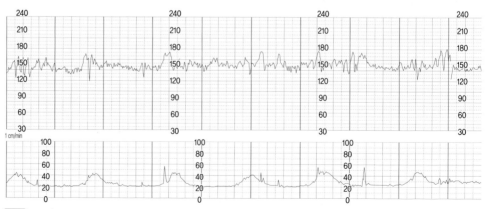

그림 10-5 25주 산모가 내원하여 시행한 비수축 검사 소견

질문 5-1. 환자가 호소하는 증상, 진찰 소견 및 검사결과를 통해서 추정할 수 있는 진단은?

해설 5-1. 임상적 융모양막염은 발열(38℃ 이상, 특히 39℃ 이상)이 진단에 유일하게 믿을 만한 요소로 그 외에도 임신부 혈액 내 백혈구수의 증가, 임신부의 빈맥, 태아의 빈맥, 악취가 나는 질분비물, 자궁의 압통으로 의심해 볼 수 있으며, 의심되지만 임상적으로 확진을 할 수 없는 경우는 양수천자를 고려해 볼 수 있다. 위 환자의 발열, 산모의 빈맥, 악취가 나는 질분비물, 백혈구수의 증가 등으로 추정했을 때 환자는 임상적 융모양막염 상태로 추정해 볼 수 있다.

질문 5-2. 산모 및 신생아의 예후를 향상시키기 위한 치료 방법 및 발생할 수 있는 합병증은?

해설 5-2. 융모양막염의 7%에서 패혈증, 호흡곤란증후군, 초기발생의 발작, 뇌실내출혈, 뇌실주변 백질변성의 빈도가 높게 나타났으며, 항생제 치료는 신생아의 호흡곤란증후군, 괴사소장대장염을 낮출 수 있었다. 항생제로는 ampicillin, gentamycin, 그리고 clindamycin의 병합요법, 또는 piperacillin-tazobactam 단일요법을 사용할 수 있다. 해열제 즉, acetaminophen은 발열로 인해 발생할 수 있는 태아 산혈증 그리고 이와 관련있는 신생아 뇌증(neonatal encephalopathy)의 증가를 막기 위해 사용할 수 있다. 태아의 상태를 평가하고 이에 따라서 안심할 수 없는 태아 상태로 판단되면 즉각적인 분만이 필요하며 제왕절개의 적응증은 해당되지 않는다. 2017년 ACOG에서는 임신 24주 0일에서 34주 0일 사이의 임신부에게 단일 주기의 스테로이드 투여를 권고하였고, 융모양막염을 동반한 경우에도 스테로이드 투여가 안전하고 합병증을 감소할 수 있다는 보고가 있다. 2010년 ACOG에서는 32주 이전에 조산이 예상되는 경우 분만 직전 황산마그네슘의 투여가 뇌성마비의 중증도와 발생률을 줄일 수 있어 태아신경목적으로 투여할 수 있으나, 융모양막염에 이환된 신생아의 예후에는 크게 영향을 주지 않는 결과들도 있다.

경과

산모는 25주 1일에 860 g 여아 질식 분만하였고 태반 및 양막 병리학적 소견 상 급성 및 만성 융모양막염 소견 있었으며 내원 당시 시행했던 성매개질환 중합효소연쇄반응 검사(STD PCR)상 Ureaplasma urealyticum 및 Ureaplasma parvum 양성 소견 보였다.

세균성 질염 및 조기진통 산모의 처치(심화)

38세 임신 19주 6일 산모가 외래에서 시행한 질식 초음파 상 자궁경부길이 1.93 cm 소견을 보였다. 질 분비물이 많고 냄새가 나서 시행한 배양검사 결과 E-Coli 소견 보였으며 혈액검사에서는 C-반응성 단백질 1.07 mg/dL로 상승한 소견을 보였다. 산모는 이전 임신에서 12주에 자연유산 및 2017년 짧은 자궁경부 길이로 Mcdonald 수술 시행하였으나 임신 19주에 조기파수로 자연유산된 기왕력이 있었다. 이번 임신 7주에 질출혈 및 질 분비물로 시행한 자궁경부 세포진 검사상 세균성 질염 의심 소견 보였으며 배양에서는 음성소견 보였으며 산모는 절박유산 및 세균성 질염 소견으로 질내 프로게스테론 및 항생제 치료 시행 중이었다.

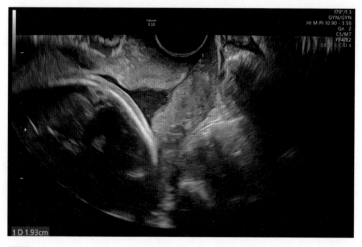

그림 10-6 임신 19주 6일 외래에서 시행한 질식초음파 사진. 자궁경부 길이 1.93 cm 소견

질문 6-1. 임신부의 과거력과 검사결과 소견으로 조산을 막기 위한 적절한 치료는?

해설 6-1. ACOG에서는 짧은 자궁경부길이의 단태아 임산부의 질내 프로게스테론의 사용을 권고하였고, 질내 프로게스테론 투여는 조산을 예방하고 신생아의 사망률 및 이환률을 향상시켰다. 상기 산모는 자연유산 2회의 과거력이 있는 산모로 질초음파 상 자궁경부길이가 25 mm 미만인 경우에 해당하여 질내 프로게스테론을 투여할 수 있다. 질내 세균증은 조산, 조기파수 그리고 산후 자궁내막염과 관련이 있어 증상 있는 산모에 한해서 metronidazole, 500 mg 하루 2회 1주일 요법 또는 metronidazole 0.75-percent gel 5일간 질내 투여, 또는 clindamycin 2-percent cream 7일간 질내 투여 할 수 있다.

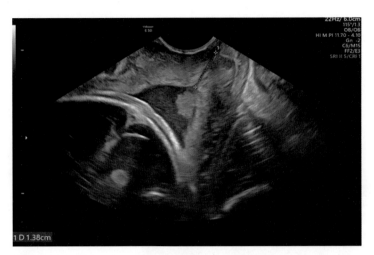

그림 10-7 임신 26주 1일 시행한 질식 초음파 검사 사진. 자궁경부 길이 1.38 cm 소견

질문 6-2. 질내 프로게스테론 및 항생제 치료를 시행하였으나 임신 26주 1일에 시행한 초음파 상 자궁경부길이가 1.38 cm에 슬러지가 함께 있는 소견 및 NST비수축 검사상 규칙적인 수축 소견 보였다. 수축억제제와 스테로이드 치료와 더불어 신생아의 예후를 향상시키기 위한 적절한 치료는?

해설 6-2. 조기진통 상태로 태아폐성숙을 촉진시키기 위한 스테로이드 요법과 더불어 신경 계보호를 위한 Magnesium Sulfate를 투여할 수 있다. 조산 위험이 있는 여성에게서 태어난 태아의 소아마비가 위약과 비교하여 태아의 신경 보호를 위해 황산마그네슘을 투여받은 경우 뇌성 마비가 감소한 결과를 보였고 24주 0일부터 32주 이전의 이른 조산에서 48시간 사용할 수 있으며, 23주에서도 고려할 수 있다. Parkland Hospital에서는 24주부터 27주 6일의 산모에게 투여한다. 사용 용량에 대해서는 현재까지 신생아 집중 치료실에서의 체류 기간 감소와 저용량 요법과 비교하여 마그네슘 황산염의 고용량 요법이 사용된 호흡 곤란 증후군의 위험 감소를 제안하는 단일 연구의 증거가 있으나 현재까지 최적 용량에 대한 가이드라인은 없다. 저용량 요법은 4 g 로딩 용량에 이어 2 g/h로 연속주입하는 방법이며 고용량 요법은 4 g 로딩 용량에 이어 5 g/h로 연속주입하는 방법 또는 6 g 로딩 용량에 이어 2 g/hour로 연속 주입하는 방법이 있다.

경과

산모는 자궁수축 없이 퇴원하여 경과관찰 하였으며 임신 35주에 2.37 kg 여아 제왕절개로 분만하였다.

07

조산력이 있는 짧은 자궁경부 길이 산모의 처치(심화)

31세 임신 16주 3일인 경산모가 산전진찰를 받기 위해 병원에 왔다. 산모는 2년 전 첫째 아이를 조기진통으로 32주에 분만(제왕절개)하였고, 1년 전 계류유산 진단하에 소파술을 시행 받았다. 금일 임신 16주 3일로 quad test 검사를 위해 내원하였다. 초음파상 태아의 크기는 주수에 합당하였으며 자궁경부의 길이는 다음과 같았다.

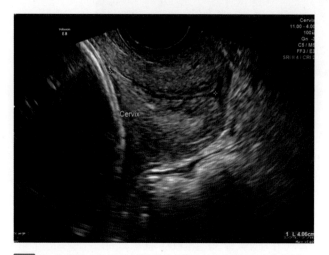

그림 10-8 임신 16주 3일 시행한 질식 초음파소견. 자궁경부의 길이가 4.06 cm으로 정상적인 소견 보임

질문 7-1. 임신부의 조산력과 현재 자궁경부 길이를 고려할 때 조산의 위험을 낮추기 위한 적절한 치료는 무엇인가?

해설 7-1. 이전의 조산력(임신 20주-36주 6일)이 있는 임신부를 대상으로 17α-hydroxyprogesterone caproate 250 mg을 매주 근주한 군과 위약 투약군 간의 37주 이전 조산의 빈도를 비교하였을 때, 36.3%와 54.9%로 프로게스테론 투여군에서 조산의 빈도가 유의하게 감소하는 것을 확인하였다. 이러한 결과들을 바탕으로 2008년 ACOG에서는 조산력이 있는 임신부에게 조산예방을 위해 프로게스테론의 사용을 권고하였다. 또한 다른 연구들에서는 조산력이 있는 경우 질내 프로게스테론을 사용하는 경우 아직 적절한 제형과 용량, 투약경로에 관해서 더 연구가 필요하지만 본 임산부에서는 17α-hydroxyprogesterone caproate 근주 또는 프로게스테론의 질내 투여를 사용할 수 있다. 반면 조산력만으로 자궁경부 원형술을 시행하는 것은 조산의 위험을 줄이지 못한다.

질문 7-2. 임신부에게 17α–hydroxyprogesterone caproate 근주를 매주 투여하였다. 이후 임신 20주 2일 정밀초음파를 시행받기 내원하였다. 시행한 초음파상 태아는 주수에 합당한 크기였으며, 태아는 특별히 이상 소견을 보이지 않았다. 자궁경부의 길이가 다음과 같은 경우 조산의 위험을 낮추기 위한 적절한 치료는 무엇인가?

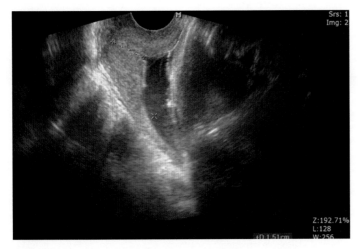

그림 10-9 임신 20주 2일 시행 질식 초음파소견. 자궁경부의 길이가 1.51 cm으로 짧아져 있음

해설 7-2. 17α–hydroxyprogesterone caproate를 투여하던 중 자궁 경부가 25 mm 미만으로 짧아지는 경우 자궁경부봉축술을 시행하는 것이 추천되며 자궁경부 원형결찰술을 시행 후 프로게스테론의 지속 투여가 도움이 되는지는 불분명하나, 17α–hydroxyprogesterone caproate를 지속 사용하던 중 자궁경부 원형결찰술을 시행한 경우, 지속적으로 투여할 것을 권고하고 있다(SMFM, ACOG)(그림 10-10). 또한 조산력이 있는 임신부에서 짧은 자궁경부의 소견을 보이는 경우 프로게스테론 질내 투여도 조산의 위험을 낮추는 것으로 보고되고 있기 때문에 이 임신부에서는 프로게스테론 질내 투여로 전환하는 것도 조산의 위험을 낮추는 치료가 된다.

경과

산모는 원형결찰술을 시행하였으며, 임신 37주 3일에 진통으로 인해 2.98 kg 여아 제왕절개로 분만하였다.

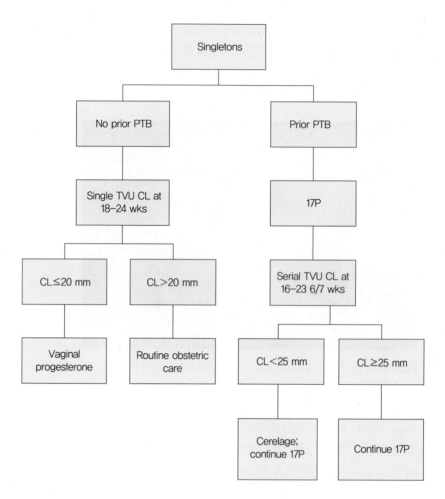

그림 10-10 단태아에서 조산 예방을 위한 치료 방법

참고 문헌

1. American College of Obstericians and Gynecologists. ACOG Practice Bulletin No. 171: Management of preterm labor. Obstet Gynecol 2016;128:e155–64.

2. American College of Obstericians and Gynecologists. Committee opinion No. 713: Antenatal corticosteroid therapy for fetal maturation. Obstet Gynecol 2017;130:e102–9.

3. American College of Obstericians and Gynecologists. Practice Bulletin No. 139: Premature rupture of membranes. Obstet Gynecol 2013;122:918–30.

4. American College of Obstericians and Gynecologists. Practice Bulletin No. 172: Premature rupture of membranes. Obstet Gynecol 2016;128:e165–77

5. American College of Obstetricians and Gynecologists. ACOG practice bulletin no. 127: Management of preterm labor. Obstet Gynecol 2012;119:1308–17.

6. American College of Obstetricians and Gynecologists. ACOG practice bulletin no. 142: Cerclage for the management of cervical insuffuciency. Obstet Gynecol 2014;123:372–9.

7. Anderson GD, Bada HS, Sibai BM, Harvey C, Korones SB, Magill HL, Wong SP, Tullis K.The relationship between labor and route of delivery in the preterm infant. Am J Obstet Gynecol 1988;158:1382–90.

8. Been JV, Degraeuwe PL, Kramer BW, Zimmermann LJ. Antenatal steroids and neonatal outcome after chorioamnionitis: a meta–analysis. BJOG 2011;118:113–22.

9. Berghella V, Rafael TJ, Szychowski JM, Rust OA, Owen J. Cerclage for short cervix on ultrasonography in women with singleton gestations and previous preterm birth: a meta–analysis. Obstet Gynecol 2011;117:663–71.

10. Bond DM, Middleton P, Levett KM, van der Ham DP, Crowther CA, Buchanan SL, et al. Planned early birth versus expectant management for women with preterm prelabour rupture of membranes prior to 37 weeks' gestation for improving pregnancy outcome. Cochrane Database Syst Rev 2017;3:CD004735.

11. Boyle CA, Yeargin–Allsopp M, Schendel DE, Holmgreen P, Oakley GP. Tocolytic magnesium sulfate exposure and risk of cerebral palsy among children with birth weights less than 1,750 grams. Am J Epidemiol 2000;152:120–4.

12. Brocklehurst P, Gordon A, Heatley E, Milan SJ. Antibiotics for treating bacterial vaginosis in pregnancy. Cochrane Database Syst Rev 2013;1:CD000262.

13. Cahill AG, Odibo AO, Caughey AB, Stamilio DM, Hassan SS, Macones GA, et al. Universal cervical length screening and treatment with vaginal progesterone to prevent preterm birth: a decision and economic analysis. Am J Obstet Gynecol 2010;202:548.e1–8.

14. Committee on Obstetric Practice. Committee Opinion No. 712: Intrapartum Management of Intraamniotic Infection. Obstet Gynecol 2017;130:e95–101.

15. Committee on Obstetric Practice. committee opinion No. 713: antenatal corticosteroid therapy for fetal maturation. Obstet Gynecol 2017;130:e102–9.

16. Committee on Practice Bulletins—Obstetrics, The American College of Obstetricians and Gynecologists. Practice Bulletin No. 130: Prediction and prevention of preterm birth. Obstet Gynecol. 2012;120:964–73.

17. Committee on Practice Bulletins–Obstetrics. ACOG Practice Bulletin No. 188: Prelabor rupture of membranes. Obstet Gynecol 2018;131:e1–14.

18. Committee Opinion No 652: Magnesium Sulfate Use in Obstetrics. Obstet Gynecol 2016;127:e52-3.

19. Committee Opinion No. 455: Magnesium sulfate before anticipated preterm birth for neuroprotection. Obstet Gynecol 2010;115:669-71.

20. Crowther CA, Harding JE. antenatal corticosteroids for late preterm birth. N Engl J Med 2016;374:1376-7.

21. Edwards JM, Edwards LE, Swamy GK, Grotegut CA. Magnesium sulfate for neuroprotection in the setting of chorioamnionitis. J Matern Fetal Neonatal Med 2018;31:1156-60.

22. Goldenberg RL: the management of preterm labor. Obstet Gynecol 2002;100:1020-37.

23. Gyamfi-Bannerman C, Thom EA, Blackwell S.C, et al. for the NICHD Maternal-Fetal Medicine Units Network. Antenatal Betamethasone for Women at Risk for Late Preterm Delivery. N Engl J Med 2016;374:1311-20.

24. Hanley M, Sayres L, Reiff ES, Wood A, Grotegut CA, Kuller JA. Tocolysis: A Review of the Literature. Obstet Gynecol Surv 2019;74:50-55.

25. Johnson CT, Farzin A, Burd I. Current management and long-term outcomes following chorioamnionitis. Obstet Gynecol Clin North Am 2014;41:649-69.

26. Kamyar M, Manuck TA, Stoddard GJ, Varner MW, Clark E. Magnesium sulfate, chorioamnionitis, and neurodevelopment after preterm birth. BJOG 2016;123:1161-6.

27. Korean Society of Obstetrics and Gynecology. Obstetrics 6th ed. Seoul: Koonja Publish; 2019.

28. Romero R, Nicolaides KH, Conde-Agudelo A, O'Brien JM, Cetingoz E, Da Fonseca E, et al. Vaginal progesterone decreases preterm birth ≤ 34 weeks of gestation in women with a singleton pregnancy and a short cervix: an updated meta-analysis including data from the OPPTIMUM study. Ultrasound Obstet Gynecol 2016;48:308-17.

29. Shepherd E, Salam RA, Middleton P, Makrides M, McIntyre S, Badawi N, Crowther CA. Antenatal and intrapartum interventions for preventing cerebral palsy: an overview of Cochrane systematic reviews. Cochrane Database Syst Rev 2017;8:Cd012077.

30. Society for Maternal-Fetal Medicine (SMFM) Publications Committee. Implementation of the use of antenatal corticosteroids in the late preterm birth period in women at risk for preterm delivery. Am J Obstet Gynecol 2016;215:B13-5.

31. Tita AT, Andrews WW. Diagnosis and management of clinical chorioamnionitis. Clin Perinatol 2010;37:339-54.

과숙임신

모체태아의학

11

과숙임신

이동형(부산의대)
이영주(부산의대)

Maternal-fetal medicine

01 진단 및 처치(기본)

38세 여성이 배가 불러오고 복통이 있어 응급실을 방문하였다. 초음파검사에서 임신으로 확인되었다. 이 여성은 경한 지적장애가 있어 보였으나 의사소통은 가능하였다. 이전에 질출혈로 산부인과 진료를 한 번 받았으며 이 때 다낭성난소증후군이 의심되어 추적관찰하기로 하였으나 이후 외래진료를 받지 않았다. 이후 월경이 없었고 당시 의무기록을 근거로 하여 최종월경일로 계산한 재태연령은 임신 42주이며 분만력은 없다. 내진에서 자궁경부는 개대되어 있지 않았다. 비수축검사 및 태아 초음파검사 소견은 아래와 같다.

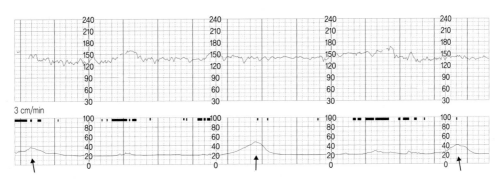

그림 11-1 비수축검사(nonstress test, NST)

표 11-1 태아 초음파 검사 소견(Fetal ultrasonography)

Measurement	Value	Age
BPD (biparietal diameter)	9.18 cm	39 weeks 0 days
HC (head circumference)	34.3 cm	38 weeks 5 days
AC (abdominal circumference)	34.81 cm	38 weeks 6 days
Femur length (FL)	7.25 cm	38 weeks 3 days
EBW (estimated body weight)	3,278 g	38 weeks 6 days
AFI (amniotic fluid index)	13.44 cm	
Presentation	Cephalic	

질문 1-1. 이 여성의 처치에서 가장 먼저 고려해야 할 것은 무엇인가?

해설 1-1. 과숙임신(postterm pregnancy)은 최종 월경일로부터 42주(294일) 이상으로 지속되는 임신이다. 월경주기 28일을 기준으로, 최종월경일 14일(menstrual cycle day 14, MCD 14)에 배란이 된다는 것을 가정하고 있기 때문에, 임신부의 월경주기가 불규칙하거나, 최종월경일을 잘 기억하지 못하면 실제로 과숙임신이 아닐 수 있다. 따라서 정확한 재태연령의 계산이 과숙임신의 진단에서 가장 중요하다. 기존 여러 연구에서 최종월경일만으로 재태연령을 산출하는 것은 정확하지 않다고 하였다. 또한 임신 28주 이상에서 최종월경일과 초음파에 의한 분만예정일이 21일 이상 차이가 나는 경우, 초음파검사 결과를 바탕으로 임신 주수를 보정하기를 권고하였다. 따라서 위 임신부는 초음파로 측정한 계측치와 3주 이상 차이가 나며, 평소 월경이 불규칙하였으므로 초음파 계측 값으로 재태연령의 보정을 고려해야 한다. 또한 만삭에 시행한 초음파 결과를 바탕으로 재태연령을 보정하는 것 역시 정확도가 떨어질 가능성이 있기 때문에 초음파로 측정한 재태연령이 39주라고 하더라도 최종월경일로 계산한 재태연령인 42주 가능성을 완전히 배제할 수는 없다. 따라서 두 가지 가능성을 모두 고려해야 할 것이다.

진단 및 처치(기본)-2

상기 임신부는 응급실 진료 후 입원하여 경과관찰을 권유하였으나 입원을 거부하고 외래를 방문하겠다고 하여 진료 예약 후 귀가하였다. 이후 예약된 날로부터 2주 후에 외래로 방문하였으며 초음파 계측으로 볼 때 임신 41주로 추정된다. 응급실에서 시행한 검사실검사에서 이상소견은 없다. 비수축검사 및 초음파를 통한 태아안녕평가를 시행하였으며, 특이 소견은 관찰되지 않았고 태아체중증가도 양호하다. 활력증후는 다음과 같다.

혈압 120/80 mmHg, 맥박 80/분, 체온 36.5℃, 호흡수 20/분

질문 1-2. 처치는?

해설 1-2.

1) 임신부의 진료 순응도가 낮아 보이므로 유도분만을 고려한다. 그러나 임신부의 다낭성난소증후군의 병력이 임신성 혹은 현성 당뇨와 연관이 있을 수 있으므로 이에 대한 평가와 더불어 유도분만 전 태아의 예상체중 계측을 통해 거대아의 가능성에 대한 평가를 병행하여야 한다.

2) 임신부 및 태아에 특이소견이 없으므로 태아감시를 시행하며 42주까지 경과관찰하고 자연진통이 없을 경우 42주에 유도분만을 시행할 수 있다. 과숙임신에서 태아안녕평가는 비수축검사(nonstress test, NST), 수축자극검사(contraction stress test, CST), 생물리학계수(biophysical profile, BPP) 등이 있다. 그리고 임신 41주 이후에는 태아 평가를 1주일에 2회 시행한 군이 1회 시행한 군보다 주산기사망이 더 낮았다. 그러므로 본 증례에서는 41주 이후에 주 2회 이상 태아안녕평가를 시행하며 경과 관찰하는 것을 고려할 수 있다.

02

합병증: 양수과소증(기본)

임신 41주 2일의 다분만부가 갑작스러운 복통을 호소하며 응급실을 방문하였다. 초음파검사에서 태아예측체중은 3,700 g, 양수의 단일최대깊이(single deepest pocket)는 1.78 cm이다. 비수축검사 결과는 다음과 같다.

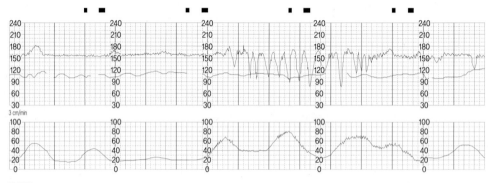

그림 11-2 비수축검사(nonstress test, NST)

질문 2-1. 처치는?

해설 2-1. 과숙임신의 중재는 재태연령에 따라 달라지게 되는데, 41주 이상인 임신부에서 다른 산과적 합병증이 없으면, 태아감시를 하면서 경과를 관찰할 수 있다. 미국산부인과학회의 지침에 따르면, 41주 이상에서 모체나 태아의 합병증이 있을 때 또는 42주 이상에서는 유도분만을 고려하라고 권유한다. 따라서 본 증례의 임신부는 양수 단일최대깊이가 2 cm 이하이므로 양수감소증(oligohydramnios)이며, 유도분만을 시행할 수 있다. 하지만, 비수축검사에서 태아 심장박동수변이도(fetal heart rate variability)가 분당 25회 이상으로 나타나는 심한 변이도(marked variability) 또는 도약변이도(saltatory variability) 소견이 관찰되며, 이는 증가된 자궁 수축에 대한 태아의 미주신경의 활성화 또는 태변착색증후군 등과 연관될 수 있으므로, 유도분만 시 골반검사를 통한 양수색을 확인하는 등 보다 면밀한 태아감시가 필요하다.

재태연령 40주와 42주 사이의 기간에는 명확한 치료 방침이 아직 확립되어 있지 않다. 미국산부인과학회(ACOG)의 지침에 따르면 40주 이후에 불리한 자궁경부(unfavorable cervix)인 경우에는 기대요법을 고려해 볼 수 있다. 41주 이후에는 주 2-3회의 태아평가를 시행하고, 만일 모체나 태아의 합병증이 발생한 경우 유도분만을 고려하도록 하고 있다. 또한 42주 이후의 과숙임신에서는 유도분만을 일차적으로 권하고 있다. 일련의 연구와 치료 방침을 고려하여 정리하면 40주 이후에는 보다 면밀한 태아안녕평가가 요구되며, 특별한 합병증이 없더라도 42주 이후에는 유도분만을 시행하는 것이 좋겠다.

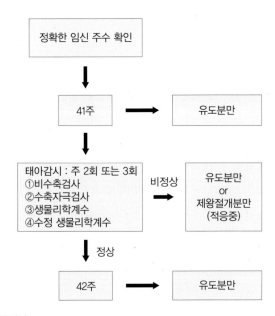

그림 11-3 과숙임신의 처치

표 11-2 유도분만이 필요한 경우

선택적 유도분만	적응증에 따른 유도분만
고위험 임신부의 경우 의료 인력을 충분히 확보하고자 할 때	진통이 없는 조기양막파수
환자의 개인적 사정으로 특정 시기에 분만을 원할 때	과숙임신
환자의 보호자가 분만 과정에 참여할 수 있도록 일정을 조절해야 할 때	융모양막염이 진단되었거나 의심될 때
급속분만의 위험성이 있을 때	태아의 상태를 안심할 수 없는 경우 (nonreassuring fetal status)
병원에서 멀리 떨어진 곳에 임산부가 살고 있을 때	자궁내 태아사망(intrauterine fetal death)
환자가 환자와의 관계(rapport)가 잘 형성된 의사에게 분만을 받고자 할 때	양수과소증
	기타 분만을 요하는 산모 혹은 태아의 합병증이 동반된 경우(임신부의 고혈압, 당뇨, 태아성장제한, 동종면역 등)

경과

반복적인 태아절박가사 소견으로 응급제왕절개분만을 시행하였고 3,780 g, 아프가 점수 6/7점의 여아를 분만하였다. 산모의 수술 후 경과는 양호하였고, 태아는 태변흡인으로 신생아 중환자실에 입실하였으나 특별한 합병증의 발생 없이 퇴원하였다.

03

Maternal-fetal medicine

합병증: 태변착색(심화)

43세 여자가 복통으로 응급실에 왔다. 통증은 2–3분 간격으로 주기적이며 주로 배꼽 아래와 허리가 아프다고 한다. 복부는 팽만되어 있고 단단하게 만져진다. 복부 종괴 또는 복수가 의심되어 초음파 검사를 하였더니 임신으로 확인되었다. 월경주기는 규칙적이었고 약 11개월 전 마지막 월경이 있었으나 자연 폐경으로 생각하고 산부인과 진찰을 받지는 않았다고 한다. 10년 전 한 차례 질식분만을 하였고 2년 전 고사난자로 소파술을 받았다. 양수량을 측정한 초음파검사 및 비수축검사 결과는 다음과 같다.

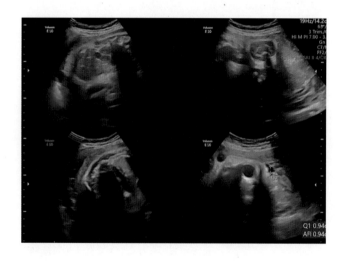

그림 11-4 양수지수

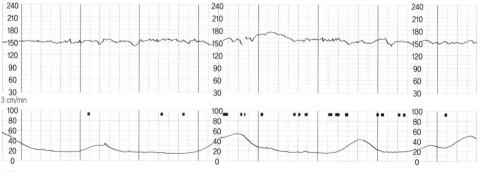

그림 11-5 비수축검사

질문 3-1. 이 산모를 과숙임신으로 진단할 수 있을까?

해설 3-1. 과숙임신(postterm pregnancy)은 최종월경일로부터 42주(294일) 이상 지속되는 임신으로 정의한다. 따라서 정확한 임신기간의 진단 여부에 따라 과숙임신의 발생빈도에 차이가 발생한다. 실제로 생리주기와 초음파를 기준으로 재태연령을 비교한 연구에서 과숙임신의 빈도는 각각 6.4%와 1.9%로 차이가 있었다. 정확한 재태연령을 산정하기 위해서 최종월경일 또는 임신 14주 이전에 시행한 초음파를 기준으로 결정하기를 권고하고 있다.

임신이 42주 이상 지속되는 과숙임신의 정의에서 42주라는 기준은 최종월경 시작일로부터 14일 후 배란이 되었다는 가정하에 있는 것이므로 임신부가 최종월경일을 잘 기억하지 못하거나 배란이 14일보다 지연되는 경우는 실제 과숙임신이 아닐 수 있다. 최종월경일과 초음파에 의한 분만예정일이 7일 이상 차이가 날 경우 초음파에 의한 것을 따라야 한다고 권고된다. 그러나 초음파에 의한 보정은 임신 제2,3삼분기에는 태아성장의 차이가 있을 수 있으므로 이를 고려하여 결정하여야 한다.

질문 3-2. 초음파검사에서 태아예측체중은 3,560 g이었고 내진에서 자궁경부의 개대는 7 cm, 소실도는 90%였다. 양수가 파막되면서 태변이 착색된 소견이 보였다. 비수축검사에서 태아심장박동은 중등도의 변이도(moderate variability)와 간헐적인 다양성 감소(variable deceleration)가 확인된다. 분만 진행 과정에서 고려해야 할 것은?

해설 3-2. 과숙임신에서는 태아절박가사의 동반 빈도가 높은데, 정상 만삭분만 시 평균 2.22%에서 과숙임신 시 평균 5.81%로 유의하게 높아진다고 보고되었고 또 다른 연구에서는 임신주수에 따라 42주부터 44주까지 각각 그 빈도가 8.97%–28.57%로 증가한다고 하였다

표 11-3 임신주수에 따른 태아절박가사의 빈도

임신기간(주수)	분만수	태아절박가사수	백분율(%)
42	312	28	8.97
43	38	6	15.79
44	7	2	28.57
Over 45	3	1	33.33
과숙임신 전체	390	37	10.28
정상 만삭임신	16,143	355	2.20

표 **11-4** 과숙임신의 모체 및 태아 합병증

모체	태아(주산기)
거대아	사산
양수과소증	과숙 증후군
임신중독증	신생아중환자실 입실
제왕절개(난산 및 태아 가사)	태변 흡인
견갑난산	신생아 경련
산후출혈	저산소성뇌병증
산도열상	출산 손상

(표 11-3). 과숙임신에서 태아절박가사의 원인은 자궁태반기능부전보다는 양수과소증에 의한 제대압박이 첫 번째 원인이며, 태변착색 및 태변흡인이 관련되어 있다.

과숙임신에서 양수과소증이 발생하는 병태생리는 아직 명확하지는 않으나 양수과소증이 동반된 경우 비정상적인 태아심박수의 증가, 제대압박, 태변착색, 7이하의 낮은 탯줄동맥 pH 및 낮은 아프가 점수와 연관성이 있다. 양수과소증과 태변착색의 소견이 곧바로 태아가사를 의미하거나 태아의 예후가 반드시 불량한 것은 아니지만 미분만부에서 진통 초기에 점도가 높은 태변착색이 있는 경우에는 성공적인 질식분만의 가능성이 낮으므로 제왕절개분만을 고려하는 것이 필요하다. 또한 정상 만삭임신에 비해 과숙임신에서 거대아의 빈도가 높다고 알려져 있으며 거대아에 의한 난산, 특히 견갑난산이 예상되는 경우는 제왕절개분만을 시행하는 것을 고려해야 한다.

최종 경과

분만 진행 과정에서 심각한 수준의 태아절박가사 소견은 확인되지 않았고 3,440 g, 아프가 점수 6/8점의 남아를 정상 질식분만하였다. 태아는 생후 경과관찰에서 특이 소견이 없었으며, 산모는 산후출혈 및 산도열상의 합병증 없이 양호한 경과를 보여 퇴원하였다.

참고 문헌 ....

1. 고만석, 정진국, 이호형, 정병욱, 최호준, 신승권. 과숙임신의 분만경과 및 주산기 예후. 대한산부회지 1999;42:1655-70.

2. 김석영, 임승욱, 김광준, 이지성, 황병철, 최유덕. 자연분만일 예측에 있어서 초음파측정방법과 최종생리일 산출법의 비교. 대한산부회지 2001;44:872-6.

3. 김윤하. 과숙임신의 역학 및 원인. 대한산부회지 2002; 45:5-15.

4. 민정애, 최석주, 정경란, 오수영, 김종화, 노정래. 지연임신의 임상현황에 대한 국내조사. 대한산부회지 2007;50:79-84.

5. 이경복, 김현찬. 과숙임신에서 양수지수에 따른 주산기 예후. 대한주산의학회지 1997;8:119-127.

6. American College of Obstetricians and Gynecologists (ACOG) Committee Opinion No. 700: Methods for Estimating the Due Date. Obstet Gynecol 2017;129:150-4.

7. American College of Obstetricians and Gynecologists (ACOG) Practice Bulletin No. 146: Practice bulletin no. 146: Management of late-term and postterm pregnancies. Obstet Gynecol 2014;124:e390-6.

8. Blondel B, Morin I, Platt RW, Kramer MS, Usher R, Bréart G. Algorithms for combining menstrual and ultrasound estimates of gestational age: consequences for rates of preterm and postterm birth. Br J Obstet Gynaecol 2002;109:718-20.

9. Boehm FH, Salyer S, Shah DM, Vaughn WK. Improved outcome of twice weekly nonstress testing. Obstet Gynecol 1986;67:566-8.

10. Fetal monitoring interpretation. 2nd ed. Philadelphia: Lippincott Williams & Wilkins;2010. p.29-30.

11. Savitz DA, Terry JW Jr, Dole N, Thorp JM Jr, Siega-Riz AM, Herring AH. Comparison of pregnancy dating by last menstrual period, ultrasound scanning, and their combination. Am J Obstet Gynecol 2002;187:1660-6.

12. Society of Obstetricians and Gynecologists of Canada (SOGC) Clinical Practice Guidelines No. 303: Determination of gestational age by ultrasound. J Obstet Gynecol Can 2014;36:171-81.

13. World Health Organization. ICD-11: International Statistical Classification of Disease and Related Health Problems. Eleventh Revision: c2018 [cited by 2018 June]. Available from: http://id.who.int/icd/entity/674416888.

chapter 12

다태임신

모체태아의학

12

다태임신

전종관(서울의대)

01

Maternal-fetal medicine

융모막성 확인(기본)

임신 7주 3일의 미분만부(nullipara)가 정기 산전진찰을 위해 외래에 내원하였다. 산모는 체외수정시술 및 난관 내 배아 이식(in vitro fertilization and embryo transfer, IVF-ET)으로 쌍태임신이 되었으며 두 태아 모두 심장 박동을 확인하였다.

질문 1-1. 이 시기에 반드시 확인해야 가장 중요한 것은 무엇인가?

해설 1-1. 융모막의 갯수를 확인해야 한다. 체외수정 시술 및 난관 내 배아이식으로 임신이 되었을 경우 대부분 이란성 쌍태임신이지만 일란성 쌍태임신도 자연 임신에 비하여 증가한다. 따라서 일란성 일융모막 쌍태임신도 가능하기 때문에 융모막성을 반드시 확인하여야 한다.

위 산모가 임신 9주 6일에 방문하여 초음파 검사를 하였다(그림 12-1).

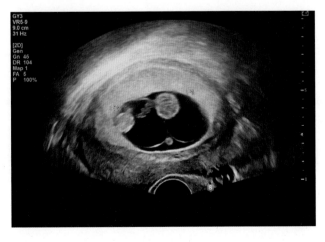

그림 12-1 초기 쌍태임신 초음파 소견

질문 1-2. 이 임신의 융모막성은 무엇인가?

1) 단일융모막성 쌍태임신이다.

2) 이융모막성 쌍태임신이다.

3) 알 수 없다.

해설 1-2.

단일융모막성 쌍태임신이다. 융모막성의 진단은 임신 10주 이전에 하면 거의 정확하게 진단할 수 있다. 융모막성은 임신낭(gestational sac)의 개수와 일치하므로 임신낭의 개수를 세면 된다. 일융모막성 임신에서 양막의 갯수는 임신 7–8주 이전에는 난황낭의 수로 판단하지만 확실하지 않은 경우에는 임신 10–12주 이후에 다시 확인하는 것이 좋다. 이융모막성 쌍태임신에서 임신 초기에 떨어져 있던 임신낭은 임신이 진행하면서 둘 사이의 막이 점점 얇아져 융모막성의 확인이 쉽지 않게 된다. 태반이 완전히 떨어져 있을 경우 이융모막성일 가능성이 높다. 태반이 하나로 보일 때에는 분리막의 기저부에서 태반 조직이 삼각형 모양으로 이어지는 twin–peak sign (또는 lambda sign) 이 분명히 보이면 이융모막성으로 진단할 수 있지만 그렇지 않을 경우(T–sign)에 잘못 진단할 가능성이 있다. 태반의 개수, 성별, 분리막의 두께, twin–peak sign, T–sign 등 세심하게 확인하면 임신 2, 3분기에도 90% 이상에서 융모막성을 진단할 수 있다.

다음 그림은 쌍태 임신의 발생 기전을 설명한 그림이다(그림 12-2).

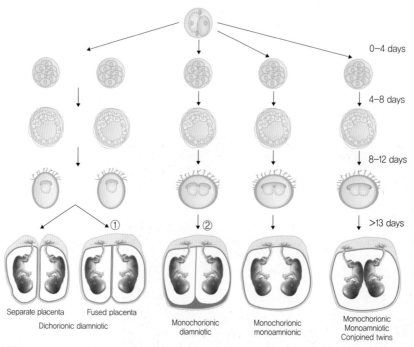

그림 12–2 일란성 쌍태임신의 발생 기전

질문 1-3. 그림의 ①, ② 쌍태아의 다른 점에 대한 기술이다. 잘못된 것은?

1) timing of cleavage

2) number of gestational sac

3) placental sharing by co-twin

4) risk for twin to twin transfusion syndrome

5) risk for Down syndrome

해설 1-3.

일란성 이융모막 쌍태임신과 일란성 단일융모막 쌍태임신은 수정란의 분리 시기가 다르다. 이융모막 쌍태임신은 임신낭이 2개, 단일융모막 쌍태임신은 임신낭이 하나이다. 이융모막 쌍태임신은 각각 자신의 태반을 가지고 있지만 단일융모막 쌍태임신은 하나의 태반을 두 태아가 공유한다. 이융모막 쌍태임신에서는 서로 연결된 혈관이 없기 때문에 태아수혈증후군이 발생하지 않는다. 하지만 하나의 수정란에서 발생하기 때문에 다운증후군의 위험도는 같다.

쌍태 임신 관리에서 융모막성의 확인이 중요한 이유는 난성보다는 융모막성이 임신의 예후에 더 많은 영향을 미치기 때문이다. 단일융모막 쌍태임신에서는 태아 사이의 혈관 문합을 통하여 혈액이 이동할 수 있기 때문에 쌍태아수혈증후군(twin to twin transfusion syndrome), 쌍태아빈혈다혈증연쇄(twin anemia polycythemia sequence), 쌍태아동맥역관류연쇄(twin reversed arterial perfusion sequence), 한 태아 사망에 따른 다른 쌍태아(co-twin)의 사망 혹은 신경발달장애 등의 합병증이 발생할 수 있다.

따라서 이융모막성 쌍태임신에서는 임신 제 2삼분기까지는 4주 간격의 외래 방문을 하며 필요에 따라 초음파 검사를 하지만 일융모막성 쌍태임신에서는 위에 언급한 합병증의 조기 발견을 위하여 16주 이후 2주에 한 번씩 외래를 방문하고 매번 초음파검사를 권유하고 있다.

질문 **1-4.** 위 산모가 임신 21주에 시행한 정밀초음파에서 태아1과 태아2의 성별이 다음과 같이 확인되었다(그림 12-3). 본 임신은 단일융모막성 쌍태 임신인가, 이융모막성 쌍태 임신인가?

〈태아1〉　　　　　　　　　　　　　　　　　　　　　　〈태아2〉

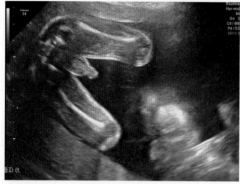

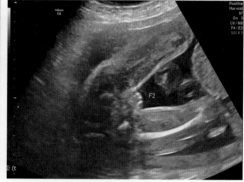

그림 12-3 21주 정밀 초음파 시행 당시 태아의 성별

1) 일란성 쌍태 임신이다.
2) 이란성 쌍태 임신이다.
3) 알 수 없다.

해설 **1-4.** 일란성 쌍태 임신이다. 임신 초기의 사진이 단일융모막성으로 확인되었다면, 성별이 다르게 나왔다고 하더라도 일란성 쌍태 임신이다. 단일융모막성 쌍태임신에서 성별이 다른 경우는 매우 드물지만, 46,XY 쌍태아에서 Y염색체의 접합 후 손실이 있거나, 접합 후 체세포 돌연변이 등이 있을 때 발생할 수 있다.

최종 경과

임신 35주 6일 조기 양막파수 이후 진통이 시작되었고 두 태아 모두 질식분만으로 태어났다. 첫째 신생아는 2.47 kg로 외부생식기는 여아, 둘째 신생아는 2.4 kg이었고 외부생식기는 남아였다. 출산 후 염색체 검사에서 쌍태아의 성염색체는 XY로 확인되었다 첫째 신생아에서 자궁이 확인되었다. 생식샘(gonad)의 평가를 위해 복강경 수술을 시행하였고, 고환조직을 찾지 못하여 경과관찰하고 있는 중이다.

02 융모막성 확인의 중요성(기본)

임신 9주에 그림 12-4과 같은 초음파 소견을 보였던 산모가 임신 23주에 그림 12-5와 같은 초음파 소견이 관찰되었다.

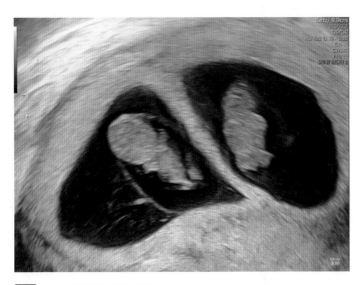

그림 12-4 임신 9주 초음파 소견

〈태아〉 예상몸무게 609 g, 양수량(deepest pocket) 11.3 cm   〈태아2〉 예상몸무게 387 g, 양수량(deepest pocket) 0.8 cm (nearly stuck)

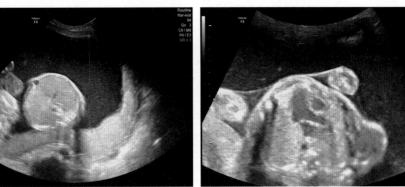

그림 12-5 임신 23주 초음파 소견

질문 2-1. 진단은 무엇인가?

1) 쌍태아 수혈증후군(twin-twin transfusion syndrome)이다.

2) 쌍태아 수혈증후군이 아니다.

해설 2-1. 임신 초기에 이융모막성 쌍태임신이 확인되었으므로 쌍태아 수혈증후군이 아니다. 이와 같이 초기에 융모막성을 알면 임신 진행 중 비정상 소견이 보였을 때 도움이 된다. 두 태아 사이의 혈관 연결에 의하여 발생하는 단일융모막 쌍태임신 특유의 합병증은 이융모막성 쌍태임신에서는 나타나지 않는다. 융모막의 개수에 따라 위에서 언급한 바와 같이 산전 진찰의 간격과 초음파 횟수 등도 달라질 수 있으며 그 이외에도 분만 시기 결정, 일태아 사망(one fetal demise)이 발견되었을 때 예후 예측 및 상담 내용이 달라질 수 있다.

최종 경과
상기 산모는 매주 외래에서 배꼽동맥 도플러 평가, 생물리학계수 평가를 시행하였다. 임신 35주에 작은 태아의 배꼽동맥 도플러에서 이완기 말 혈류의 소실(absent end–diastolic flow)이 확인되어 분만하였다. 첫째 신생아는 남아 2.2 kg로 분만하여 신생아실로, 둘째 신생아는 남아 1.5 kg로 분만하여 신생아집중치료실로 전실 후 퇴원하였다.

03

Maternal–fetal medicine

불일치 쌍태아(기본)
임신 26주의 초산부가 쌍태아 임신을 주소로 정기 산전진찰을 위해 외래에 내원하였다. 산모는 임신관련 합병증은 없었으며, 두 태아의 양수양은 정상 범위이었다. 그러나 두 태아간 체중이 43.8% 차이가 났다(표 12-1).

표 12-1 쌍태아 초음파 결과(임신 26주)

	태아 1	태아 2	참고치
예측태아체중 EFW (g)	981	551	5p=722 g, 50p=931 g, 75p=1,049 g (twin)
양쪽마루뼈지름 BPD (cm)	6.99	5.88	28.5주 / 25.0주
복부둘레 AC (cm)	22.64	16.92	26.8주 / 21.7주
대퇴골길이 FL (cm)	4.70	4.27	28주 / 25주
가장 큰 양수포켓 MVP (cm)	4.5	3.5	

질문 3-1. 다음 단계에 필요한 검사는?

해설 3-1.

배꼽동맥 도플러를 시행한다. 쌍태아 간 크기의 불일치는 쌍태임신에서 5–15% 빈도로 발생한다. 진단은 초음파를 통해 측정한 예상 체중으로 불일치 정도를 평가한다. 두 태아의 체중의 차이를 큰 쌍태아의 체중으로 나눈 값을 백분율이 불일치 정도이다. 일반적으로 20% 이상이면 의미 있는 불일치로 판단한다. 25% 이상 불일치를 보이면서 작은 태아가 10백분위수 미만이면 선별적 태아성장제한이라고 한다. 불일치의 정도가 증가할 수록 주산기 유병률이 증가한다. 쌍태 임신의 융모막성에 따라 적절하게 태아 감시를 시행한다. 이융모막성 쌍태임신의 경우는 성별 및 각 개체의 유전적 성향, 태반의 착상 위치, 제대의 부착 부위에 따른 혈류 저항 등 여러 가지 원인에 의하여 발생할 수 있으며 태아를 각각 개별적 개체로 보아 안녕 상태를 평가하면 된다. 그러나 단일융모막성 쌍태임신은 태반을 공유하면서 발생하는 혈류 불균형에 의한 체중 불일치의 가능성을 염두에 두고 태아 감시를 해야 한다. 체중의 차이가 나더라도 양수 및 도플러 혈류 파형에 이상이 없다면 체질적(constitutional)일 가능성이 높으므로 자주 산전 관리를 하며 임신을 지속할 수 있다.

이러한 불일치 쌍태아는 임신 주수, 태아성장제한의 유무에 따라 태아 감시의 간격을 달리한다. 이융모막성 쌍태임신의 경우, 작은 쌍태아의 체중이 생존 가능성이 없다면(400 g 미만) 적극적으로 태아 감시를 하지 않는다. 그러나 일융모막성 쌍태임신의 경우, 일태아 사망에 따라 나머지 태아의 사망 혹은 신경발달장애의 위험이 높아지므로 큰 태아가 생존 가능성이 있는 상태라면 작은 쌍태아의 체중이 적더라도 적극적인 태아 감시가 필요하다.

질문 3-2. 위 산모는 임신 30주에 시행한 초음파 검사 결과는 다음과 같다(표 12–2). 어떻게 태아 감시를 할 것인가? 언제 분만을 계획할 것인가?

표 12–2 쌍태아 초음파 결과(임신 30주)

	태아 1	태아 2	참고치
예측태아체중 EFW (g)	1552	1126	5p=1,011 g, 25p=1,387 g, 50p=1,546 g (twin)
양쪽마루뼈지름 BPD (cm)	8.39	6.74	33.7주 / 27.1주
복부둘레 AC (cm)	25.52	23.69	29.7주 / 27.9주
대퇴골길이 FL (cm)	5.62	5.21	29.6주 / 27.7주
가장 큰 양수포켓 MVP (cm)	3.9	3.0	
생물리학계수	2-2-2-2	2-2-2-2	비수축검사 제외하고 2-2-2-2

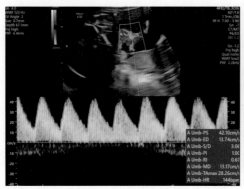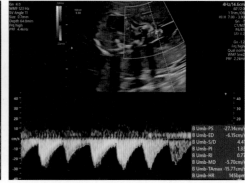

그림 12-6 A. 태아 1에서 배꼽동맥 색도플러, B. 태아 2에서 배꼽동맥 색도플러

해설 3-2. 불일치 쌍태아의 태아 감시는 배꼽동맥 도플러 검사(필요 시 정맥관 ductus venosis 도플러 포함), 비수축검사, 생물리학계수 검사를 권고한다. 병원 방문 간격은 도플러와 양수량에 이상이 없다면 이융모막성 쌍태아는 2주, 일융모막 쌍태아에서는 1주를 기본으로 하지만 태아의 상태에 따라 더 자주할 수 있다. 단일융모막 쌍태임신에서는 쌍태아간 혈관 문합에 의한 합병증 발생이 아닌지 유의하여 관찰해야 하며 만일 그 가능성이 낮다면 이융막성 쌍태 임신과 크게 다르지는 않다.

이 검사 결과가 모두 정상이고 태아 체중 불일치만 있는 이융모막성 쌍태아에서 분만 시기의 결정은 선택적 태아성장제한이 있는 태아를 우선 고려하는 것이 좋다. 즉, 태아성장제한이 있는 단태아의 기준을 적용하여 산전 관리 및 분만 시기를 결정하면 된다. 합병증이 없더라도 단일융모막 쌍태임신에서는 36주 전후에 분만을 하는 것이 안전하다.

최종 경과

상기 산모는 매주 외래에서 배꼽동맥 도플러 검사, 생물리학계수를 평가하였다. 도플러와 생물리학계수 평가에서 특이소견이 없었으나 임신 34주에 고혈압이 확인되어 입원하여 전자간증 확인을 위한 검사를 시행하였고 매일 태아 감시하며 임신 36주 2일에 분만하였다. 첫째 신생아는 남아 2.8 kg로 신생아실로 전실하였고, 둘째 신생아는 남아 1.6 kg로 신생아집중치료실로 전실하였다.

04

단일양막성 쌍태임신(심화)

32세 산과력 1-0-0-1인 산모가 외부 병원에서 아기가 붙어있다고 듣고 내원하였다. 초음파상 임신 10주 1일의 크기였으며 시행한 초음파 소견은 다음과 같았다(그림 12-7).

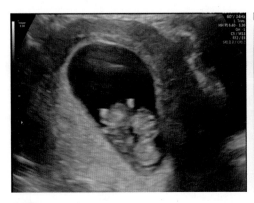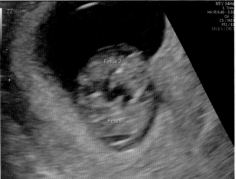

그림 12-7 임신 10주 초음파 소견

질문 4-1. 이 쌍태임신의 양막은 몇 개인가?

해설 4-1. 양막은 1개이다. 단일양막성 쌍태임신은 일란성 쌍태임신의 약 1%를 차지한다. 임신 10주 이전에 단일양막성 쌍태임신이 의심되더라도 임신 12주가 되기 전에는 진단을 미루는 것이 좋다. 임신 초기에는 양막이 너무 얇아서 잘 보이지 않을 수도 있기 때문이다.

위 산모가 임신 23주에 시행한 초음파에서 다음의 소견이 관찰되었다(그림 12-8).

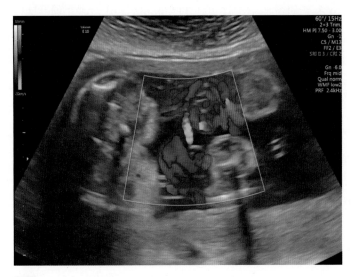

그림 12-8 탯줄의 얽힘

질문 4-2. 위 산모에 대한 내용 중 적절하지 않은 것을 고르시오.

1) 위 소견은 탯줄의 얽힘(cord entanglement)으로 단일양막성 쌍태임신의 진단에 도움이 된다.

2) 쌍태아 수혈증후군이 발생하지 않는다.

3) 임신 32–34주 경에 분만을 권하고 있다.

4) 집중 태아 모니터링(intensive fetal monitoring)을 함으로써 생존율을 높일 수 있다고 알려져 있다.

5) 제왕절개분만이 일차적으로 선호되는 분만 방법이다.

해설 4-2. 단일양막성 쌍태임신에서 탯줄의 얽힘(cord entanglement)은 주로 임신 초기부터 나타난다. Allen 등에 의하면, 단일양막성 쌍태 임신에서 태아가 20주까지 생존한 경우, 이후에 10%에서 자궁 내 사망이 나타나며 사망의 가장 큰 원인이 탯줄의 얽힘이며 최소 50%에서 확인되었다. 연구자들에 따라 다르지만, 임신 29–32주가 지나면 탯줄 얽힘에 의한 사망은 현저히 감소하는 것으로 알려져 있다. 탯줄의 얽힘으로 한 태아가 사망할 경우에는 대부분 양측 태아가 사망한다. 이것은 일융모막성 이양막성 쌍태임신에 비하여 두 태아 사이의 혈관 연결이 많기 때문으로 설명하고 있다. 하지만, 일융모막성 이양막성 쌍태임신에 비하여 쌍태아 수혈증후군이 발생하지만 빈도는 적은 것으로 보고되고 있다. 진단은 전체적인 양수량이 증가가 관찰되면서 콩팥 등에 이상이 없는 태아에서 1시간 이상 방광이 차는 것이 보이지 않으면 쌍태아 수혈증후군으로 진단할 수 있다. 단일양막성 쌍태임신은 자궁 내 사망과 신생아기 사망률을 고려하여 임신 32–34주 사이에 분만을 권고하고 있다. 분만 방법은 질식분만의 보고도 있지만 제왕절개분만이 추천된다.

단일양막성 쌍태임신에서 집중 태아 모니터링이 도움이 되는지에 대하여 많은 연구가 있었다. 대부분 24–27주부터 정기적인 태아 감시를 시작을 권유하고 있다. 외래 방문 횟수를 늘리거나 혹은 입원하여 집중 관찰을 권하고 있다. D'Antonio 등이 시행한 메타분석에 따르면 단일양막성 쌍태임신에서 입원 관찰군과 외래 관찰군에서 사산율이 각각 3%와 7%로 입원 관찰군에서 낮게 나타났으나 다양한 연구 설계 등으로 확실한 결론을 내기는 어렵다고 결론 지었다.

최종 경과

상기 산모는 27주 입원하여 매일 집중 태아 모니터링을 실시하며 경과관찰 하였고 임신 27주 6일 전자태아감시 모니터링에서 반복적인 태아심장박동수감소 소견 이후 한 태아에서 태아 서맥이 확인되어 응급제왕절개술로 분만하였다. 두 신생아는 모두 출생 후 신생아집중치료실로 전실하였다.

05

조기 자궁수축(심화)

34세 초산부가 임신 22주 쌍태아 임신 상태로 조기 자궁수축을 주소로 외래에 내원하였다. 질식초음파 검사 결과는 다음과 같다(그림 12-9).

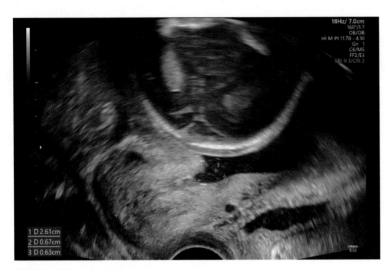

그림 12-9 임신 22주 질식초음파 검사. 자궁경부길이: 2.61 cm

질문 5-1. 어떤 처치가 이 산모에게 추천될 수 있을까?

1) 침상 안정
2) 프로게스테론 질정
3) 자궁경부봉축술
4) 없음

해설 5-1. 조기 자궁수축 증상을 보이는 쌍태산모에서 효과가 확인된 처치는 없다. 입원을 하여 침상 안정을 하거나 휴직을 하고 신체 활동을 줄이는 것 등이 임신 기간 연장이나 신생아 사망률 및 유병률을 줄이는 데 도움이 되지 않는다고 알려져 있다. 자궁경부가 짧은 다태임신 산모에서 프로게스테론 질정을 사용하거나 예방적 자궁경관봉축술을 하더라도 조산의 빈도를 감소시키지 못하고 신생아 사망률 및 유병률 감소에도 기여하지 못한다는 연구들이 많았다. 최근 자궁 경부 길이가 짧아진 쌍태 임신에서 프로게스테론 질정제를 투약하거나 자궁경부봉축술을 시행한 몇몇 연구에서는 자궁경부 길이에 따라 조산의 위험을 줄였다는 일부 보고도 있으나 임상적 유용성은 아직 명확하게 정립되지는 않았다.

자궁수축태아심박동검사에서 자궁 수축은 나타나지만 심한 통증이 동반되지 않아 활성 조기진통이라고 판단되지 않으면 특별한 치료 없이 외래로 관찰하는 것으로 충분하다.

최종 경과

상기 환자는 22주에 측정한 자궁 경부 길이가 2.61 cm이고 활성조기진통으로 판단되지 않아 외래에서 주기적으로 경과관찰 하였고, 임신 37주에 유도분만으로 분만하였다. 두 태아는 신생아실로 전실 후 통상적 처치를 받고 문제없이 퇴원하였다.

06

Maternal-fetal medicine

이수성 검사(심화)

30세 미분만부가 임신 12주에 단일융모막 이양막성 쌍태임신으로 내원하였다. 자연 임신하였으며, 산모에게 특별한 병력은 없었다. 초음파 검사에서 목덜미투명대가 태아1은 1.62 mm, 태아2는 3.2 mm로 측정되었다(그림 12-10).

질문 6-1. 상담 내용에 포함되어야 할 내용들을 설명하시오.

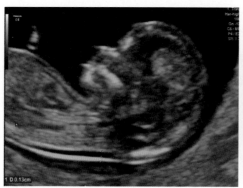 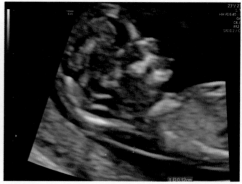

〈태아1〉 CRL 5.99 cm (12주 4일), NT 1.3 mm (50p=1.62 mm, 95p=2.54 mm)　　〈태아2〉 CRL 5.91 cm (12주 4일), NT 3.2 mm (50p=1.62 mm, 95p=2.54 mm)

그림 12-10 임신 12주 목덜미투명대

해설 6-1. 쌍태임신에서 태아의 목덜미투명대가 증가되었을 경우에 염색체 이상의 위험이 증가하며, 자궁내 태아사망, 쌍태아 수혈증후군의 초기 징후일 수도 있다. 쌍태임신에서 모체 혈청을 이용한 선별검사는 단태임신에 비하여 위험도 분석에 대한 데이터가 부족하고, 각각의 태아를 평가할 수 없으므로 단태임신보다 유용성이 낮다. 모체혈청을 이용한 선별 검사에 이용하는 PAPPA, β-hCG, AFP, unconjugated estriol, Inhibin-A 등은 태아나 기타 임신 산물에서 유래하기 때문에 한 태아에서 이상이 나타나더라도 산모 혈청에서는 평균값으로 나타나므로 정확성이 떨어진다. 임신 제2삼분기 산모 혈청(AFP, free β–hCG)을 이용한 다운 증후군 선별검사에서 쌍태임신의 경우 위양성율 10.5% 기준으로 63% 발견확률을 보였다 는 연구결과가 있다. 모체혈청선별검사는 쌍태임신에서 단태임신보다 정확성이 낮다는 정보 를 임산부에게 알려야 한다. 일란성 쌍태임신에서는 이란성 쌍태임신과 달리 태아DNA 선별 검사는 단태임신에 비하여 효용성이 떨어지지 않는다. 단일융모막 쌍태임신에서 한 태아에 서만 목덜미투명대가 두꺼워져 있는 경우에 대하여 아직 확립된 지침이 없다. 두 태아 크기 의 평균치와 두 태아의 목덜미투명대의 평균치를 이용하여 위험도 계산을 하자는 의견도 있 으나 아직 일반적으로 받아들여지고 있지는 않다. 다만 두 태아 모두 두꺼워져 있을 경우에 는 염색체 이상으로 두 태아 모두 영향을 받아 생길 가능성이 있고 한 태아에서만 두꺼워져 있을 경우 심장기형이나 자궁내 태아사망 등의 위험이 그 태아에서만 높아질 수 있다. 하지 만 목덜미투명대가 두꺼워져 있더라도 대부분의 태아는 정상이라는 점을 항상 명심해야 한 다. 일융모막 쌍태아에서 매우 낮은 확률로 서로 다른 핵형을 보일 수도 있지만 단일 융모막 이 확실한 경우에는 시술에 따른 위험성을 고려하면 한 태아에서만 핵형 분석을 하는 것이 바람직하다.

질문 6-2. 만약 이융모막 쌍태임신이라면 무엇을 우선적으로 고려하겠는가?

1) 1주일 후 목덜미투명대 재검
2) 모체혈청선별검사(serum screening test)
3) 태아DNA선별검사(noninvasive prenatal test)
4) 융모막융모생검(chorionic villus sampling)
5) 아무 것도 하지 않는다.

해설 6-2. 이융모막 쌍태임신에서는 난성(zygosity)을 확인하기 어렵기 때문에 이란성으로 가정하여 각 태아가 독립적으로 염색체 이수성의 위험성을 계산하는 것이 바람직하다. 즉, 단태임신에 준하여 검사를 한다.

최종 경과

위 산모는 목덜미투명대가 늘어난 것에 대하여 부모 모두 심각하게 걱정하여 태아 DNA 선 별검사를 하였으며 결과는 저위험군으로 나와 임신을 지속하였다. 임신 20주에 태아심에코 를 포함한 정밀 초음파에서 구조적인 기형은 관찰되지 않았다. 외래에서 주기적인 경과관찰 을 하였고 임신 36주에 유도분만으로 분만하였다. 두 아이는 신생아실에서 적절한 처치를 받은 후 퇴원하였다.

07

Maternal-fetal medicine

삼태임신(심화)

38세 미분만부가 삼태임신을 주소로 정기 산전진찰을 위해 외래에 내원하였다. 6년 전 결혼하여 2년 동안 피임기간을 가졌으며, 이후 임신을 계획하였다. 산모는 항뮬러관호르몬 수치가 낮았으며, 과배란 유도와 인공수정으로 임신하였다(그림 12-11).

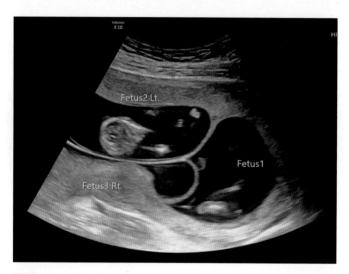

그림 12-11 임신 초기 초음파 검사 소견

질문 7-1. 산모에게 단태임신과는 다르게 어떠한 상담을 추가로 해야 하는가?

해설 7-1. 첫 외래 방문 시 융모막성에 대하여 정확한 기록을 해두어야 한다.

태아 감소술(fetal reduction)에 대한 설명

1. 다태임신태아감소술(multifetal pregnancy reduction, MFPR)은 삼태 이상의 다태임신에서 하나 혹은 그 이상의 배아 혹은 태아를 희생시키는 것을 말한다. 이를 고려하는 이유는 태아 수를 줄임으로써 조산 가능성을 낮추고, 그에 따라 신생아 생존율 증가 및 유병률의 감소를 기대하기 때문이다. 또한 산모의 합병증(예: 임신중독증, 임신성 당뇨병, 산후출혈)을 낮출 수 있다.

2. MFPR을 결정하기 전에 상담을 통해 충분한 정보를 제공하고 면담하여야 한다. 산모와 태아의 건강 상태를 확인하고, 태아 감소술을 했을 때 얻을 수 있는 이득과 그에 따른 위험뿐만 아니라 MFPR을 하지 않고 임신을 유지할 때의 장점과 위험성에 대하여도 함께 상담을 하여야 한다. 상담을 위해서는 삼태임신 이상에서 임신을 유지하면 막연하게 조산

이 많다고 하기 보다는 24주 이전의 태아손실(fetal loss)은 어느 정도이며 30주 이전 조산은 몇 %에서 발생하는지, 어느 정도에서 발달 장애가 발생하는지 등에 대하여 구체적인 최신 지견을 알고 있어야 한다. 대규모 연구에 의하면 MFPR을 했을 때 24주 이전의 태아손실은 더 늘어나고 조산은 감소하는 것으로 알려져 있다. 24주 이전 태아손실은 MFPR은 8–9%, 삼태임신을 유지했을 경우 4–5%이며 32주 이전 조산은 MFPR은 10–11%, 삼태임신을 유지했을 경우는 26–27%로 보고하고 있다. 24주 이전의 태아손실은 모든 아이를 다 잃는 것을 의미하기 때문에 MFPR의 설명에서 시술 후 모든 태아를 다 잃을 수 있다는 것도 반드시 포함해야 한다. 또 하나 주의해야 할 것은 대부분의 연구들이 오래 전 연구 결과라는 것이다. 신생아학의 발달로 같은 주수에 태어나더라도 이전에 비하여 훨씬 좋은 예후를 기대할 수 있게 되었다. 서울대학교병원의 경험을 보면 삼태임신을 유지했을 때 평균 분만 주수가 34+0주이고 35주 이후에 분만하는 산모도 30%에 이른다. 또한, 사망률 및 유병률, 뇌성마비를 비롯한 신경발달 장애의 빈도가 MFPR을 했던 군과 삼태임신을 유지했던 군에서 차이가 없었다. 난임이던 산모에게 이러한 다태 임신 자체의 위험성, MFPR의 위험성을 설명하는 것이 쉽지만은 않다. MFPR을 결정하기 전, 태아의 염색체수 이상, 구조적, 유전적 이상에 대한 평가를 하고 결정할 수 있음도 알려야 한다.

3. MFPR의 정당성을 주장하더라도 다른 태아를 위해 또 다른 태아가 희생되어야 한다는 윤리적 문제는 여전히 존재한다.

4. 보조생식술을 시행 시, 다태임신을 피하기 위한 방법에는 다음과 같은 세 가지가 있다.

    첫째, 이식배아 수를 줄인다.

    둘째, 다수의 난포성장 또는 높은 에스트라디올 농도 수치를 보이는 경우 난자채취만 시행하고 이식을 미루고 동결하는 것을 고려한다.

    셋째, 단일배아 이식이 가장 이상적이나 임신율이 낮은 단점이 있다. 하지만 누적 임신율은 결코 낮지 않다고 알려져 있다.

5. 우리나라는 2006년부터 난임 부부 지원사업을 시작하여, 2008년부터 이식 난자의 개수를 제한하기 시작했고, 2015년부터는 산모의 나이 및 배아의 배양기간에 따라 이식 난자의 개수를 제한하고 있다. 이와 달리 스웨덴을 비롯한 일부 국가에서는 체외수정시술 시에 단일배아 이식만 허용하기도 한다.

6. MFPR과 같은 의미로 사용하는 선택적 태아 감소술(selective fetal reduction)은 선택적 임신종결(selective termination)과는 구별하여야 한다. 선택적 태아 감소술은 태아의 상태에 대한 고려 없이 태아의 수를 줄이는 것이지만 선택적 임신종결은 다태 임신에서 태아의 건강상태를 확인하여 태아의 염색체 또는 구조적 이상이 있는 확인된 경우 이상이 있

는 태아를 희생시키는 경우를 말한다.

삼태 임신에서 염색체 이수성 스크리닝

1. 삼태 임신의 경우 혈청검사 수치는 세 태아의 평균으로 나올 수 있기 때문에 태아 각각에 대한 평가가 정확히 이루어지기 힘들어 권고하지 않는다. 단태아에서 널리 시행되고 있는 태아 DNA 선별검사(cell free DNA screening–noninvasive prenatal testing, NIPT) 또한 삼태 임신에서 유용성이 확인되지 않았다. 다태 임신에서 염색체 이수성에 대한 선별 검사 중 임신 제1삼분기의 태아 목덜미투명대가 가장 중요하다.

2. 삼태임신에서 염색체 이수성의 확진 검사는 어떻게 할 것인가?

단태아에서는 양수검사 또는 융모막 검사를 시행하게 되지만 삼태 임신에서는 이러한 침습적 검사를 하는 데 제한이 있다. 임신 제1삼분기에는 태아목덜미투명대가 증가된 태아에서만 융모막 검사를 시행하는 것이 바람직하다. 기술적으로 이것이 쉽지 않다면 이후 양수검사를 시행할 수도 있지만, 임신 제2삼분기에는 태아목덜미투명대가 정상이 되어 검사가 필요한 태아의 구별이 어려울 수 있다. 그리하여 세 태아를 모두 양수 검사한다면 이것으로 태아 소실 위험도가 증가할 수 있다.

최종 경과

상기 환자는 외래에서 2주 간격으로 관찰하다가 임신 34주에 입원하여 폐성숙을 위한 스테로이드 투여 후 임신 34주 4일에 제왕절개로 분만하였다. 첫째 신생아는 여아 1.85 kg, 둘째 신생아는 여아 1.69 kg, 셋째 신생아는 여아 1.90 kg였으며 출생 후 신생아집중치료실로 전실하여 관찰 후 퇴원하였다.

참고 문헌 ···

1. 대한산부인과학회. 산과학. 제6판. 파주: 군자출판사; 2019.

2. Agarwal K, Alfirevic Z. Pregnancy loss after chorionic villus sampling and genetic amniocentesis in twin pregnancies: a systematic review. Ultrasound Obstet Gynecol 2012;40:128-34.

3. Allen VM, Windrim R, Barrett J, Ohlsson A. Management of monoamniotic twin pregnancies: a case series and systematic review of the literature. BJOG 2001;108:931-6.

4. Committee on Ethics. Committee opinion No. 719 : Multifetal pregnancy reduction. Obstet Gynecol 2017;130:e158-63.

5. Committee on Practice Bulletins—Obstetrics, Committee on Genetics, and the Society for Maternal-Fetal Medicine. Practice Bulletin No. 163: Screening for Fetal Aneuploidy. Obstet Gynecol 2016;127:e123-37.

6. Committee on Practice Bulletins—Obstetrics, Society for Maternal-Fetal Medicine. Practice Bulletin No. 169: multifetal gestations: twin, triplet, and higher-order multifetal pregnancies. Obstet Gynecol 2016;128:e131-46.

7. Costa T, Lambert M, Teshima I, Ray PN, Richer CL, Dallaire L. Monozygotic twins with 45,X/46,XY mosaicism discordant for phenotypic sex. Am J Med Genet 1998;75:40-4.

8. D'Antonio F, Odibo A, Berghella V, Khalil A, Hack K, Saccone G, Prefumo F, Buca D, Liberati M, Pagani G, Acharya G. Perinatal mortality, timing of delivery and prenatal management of monoamniotic twin pregnancy: systematic review and meta-analysis. Ultrasound Obstet Gynecol 2019;53:166-74.

9. Desai N, Lewis D, Sunday S, Rochelson B. Current antenatal management of monoamniotic twins: a survey of maternal-fetal medicine specialists. J Matern Fetal Neonatal Med 2012;25:1913-6.

10. Khalil A, Rodgers M, Baschat A, Bhide A, Gratacos E, Hecher K, Kilby MD, Lewi L, Nicolaides KH, Oepkes D, Raine-Fenning N, Reed K, Salomon LJ, Sotiriadis A, Thilaganathan B, Ville Y. ISUOG Practice guidelines: role of ultrasound in twin pregnancy. Ultrasound Obstet Gynecol 2016;47:247-63.

11. Li C, Shen J, Hua K. Cerclage for women with twin pregnancies: a systematic review and metaanalysis. Am J Obstet Gynecol 2019;220:543-57.

12. Papageorghiou AT, Avgidou K, Bakoulas V, Sebire NJ, Nicolaides KH. Risks of miscarriage and early preterm birth in trichorionic triplet pregnancies with embryo reduction versus expectant management: new data and systematic review. Hum Reprod 2006;21:1912-7.

13. Roman A, Rochelson B, Fox NS, Hoffman M, Berghella V, Patel V, Calluzzo I, Saccone G, Fleischer A. Efficacy of ultrasound-indicated cerclage in twin pregnancies. Am J Obstet Gynecol 2015;212:788.e1-6.

14. Romero R, Conde-Agudelo A, El-Refaie W, Rode L, Brizot ML, Cetingoz E, Serra V, Da Fonseca E, Abdelhafez MS, Tabor A, Perales A, Hassan SS, Nicolaides KH. Vaginal progesterone decreases preterm birth and neonatal morbidity and mortality in women with a twin gestation and a short cervix: an updated meta-analysis of individual patient data. Ultrasound Obstet Gynecol 2017;49:303-14.

15. Van Mieghem T, De Heus R, Lewi L, Klaritsch P, Kollmann M, Baud D, Vial Y, Shah PS, Ranzini AC, Mason L, Raio L, Lachat R, Barrett J, Khorsand V, Windrim R, Ryan G. Prenatal management of monoamniotic twin pregnancies. Obstet Gynecol 2014;124:498-506.

16. Zech NH, Wisser J, Natalucci G, Riegel M, Baumer A, Schinzel A. Monochorionic-diamniotic twins discordant in gender from a naturally conceived pregnancy through postzygotic sex chromosome loss in a 47,XXY zygote. Prenat Diagn 2008;28:759-63.

태아성장 이상

모체태아의학

13

태아성장 이상

김석영(가천의대)

Maternal-fetal medicine

01

탯줄 이상(심화)

33세 초산모가 임신 26주 4일에 아기가 자라지 않는다고 병원에 왔다. 산모는 임신 14주에 양막파수가 의심되어 3일간 입원했었으며, 내원 2일 전 다른 병원에서 아기가 4주 정도 작으며 탯줄동맥의 굵기가 차이가 나고 막성제대부착 소견 및 자궁경부 길이가 짧다는 이야기를 들었다(그림 13-1). 신장은 159 cm, 임신 중 체중증가는 3 kg (48→51.1 kg)였다. 산전검사에서 특이사항 없었으며 NIPT에서 염색체이상 저위험군으로 나타났다. Actim test 음성, STD-PCR 결과 Ureaplasma parvum 양성, GBS-PCR 결과는 음성, 전자태아감시소견은 정상이었으며 진통은 없었다.

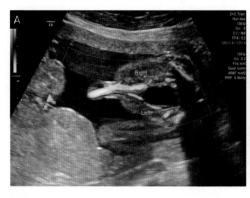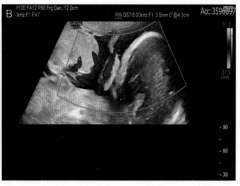

그림 13-1 A. 방광 옆을 지나가는 두 개의 제대동맥이 보이며 우측이 좌측보다 더 굵은 것이 관찰된다. B. 막성제대부착 소견이 관찰된다.

질문 1-1. 탯줄의 굵기와 탯줄 부착부위 이상이 태아성장에 미치는 영향에는 무엇이 있는가?

해설 1-1. 탯줄의 이상이 태아성장에 영향을 주는 기전은 아직 분명하지는 않지만, 작은 출생아의 태반 및 탯줄을 검사해 보면 다양한 비정상 소견이 관찰되는데, 단일제대동맥(single umbilical artery), 탯줄의 과염전(hypercoiled), 진결절(true knot), 막성제대부착(velamentous cord insertion) 같은 직접적인 물론, 부태반(succenturated lobe), 전치태반(placenta previa) 같은 태반의 병변을 동반하기도 한다. 단일제대동맥의 경우 두 개의 제대동맥과 비교해서 한 개의 제대동맥에 흐르는 혈류량이 약 2배에 달하면서 다양한 형태의 비정상적인 태반 병리 양상을 나타내는데 이는 모성혈류이상(maternal vascular malperfusion), 태아혈류이상(fetal vascular malperfusion), 만성제대염(chronic villitis) 등 태아성장제한의 병태생리학적 기전에 관련되어 있다. 본 사례와 같은 초음파 영상에서 관찰되는 탯줄의 이상은 저형성 제대동맥(hypoplastic umbilical artery)으로, 단일 제대동맥의 경한 형태로 보이는데 이는 세염색체, 양수과다증, 선천성 심장 질환, 사산, 자궁 내 성장 제한 등과 같은 경우에 관찰될 수 있다. 또한 특히 태아혈류에 부정적인 효과를 나타내면서 혈전에 의한 혈관폐색, 혈관벽 손상을 초래하며 이는 궁극적으로 태아의 성장에 부정적인 영향을 초래한다고 알려져 있다.

GA	BPD (cm)	AC (cm)	FL (cm)	EFW (gram)	CL (cm)	Doppler
26주 4일	6.54 (25주 1일)	17.84 (22주 2일)	3.85 (22주 2일)	550 g (<3p)	1.9	Uterine artery diastolic Notch(+)
33주 2일	7.56 (30주 2일)	23.94 (28주 2일)	5.28 (28주 1일)	1,241 g (<3p)	2.2	Uterine artery diastolic Notch(+)
36주 5일	8.37 (33주 3일)	26.12 (33주 3일)	5.50 (29주 2일)	1,565 g (<3p)	2.0	Umbilical artery:end-diastolic flow(−) Uterine artery Notch(+)

질문 1-2. 자궁 내 성장제한이 의심되는 태아에서 분만방법은 어떤 것이 좋은가?

해설 1-2. 자궁 내 성장제한은 주로 모체의 혈류공급 문제나 태반의 기능부전으로 인한 결과이므로, 이런 상태는 분만과정 중 더 악화될 수 있고 양수의 부족은 탯줄압박의 위험을 높일 수 있다. 자궁 내 성장제한만으로 제왕절개분만의 적응증이 될 수는 없으므로 임상적 판단에 의해 분만경로가 결정되어야 하지만, 태반 기능부전이 있는 성장제한 태아들은 대부분 분만진통의 스트레스에 대한 예비능력이 저하되어 있어 태아가사에 빠질 위험이 높고 양수과소증이 있는 경우 제대압박을 초래하기 때문에 연속적인 태아감시장치를 통한 분만진통 시 주의 깊은 감시가 필요하다. 만약 태아 심박수가 안정적이면 질식분만도 가능하지만, 대부분 이런 상황에서 태아들은 분만과정을 견디지 못한다. 고위험 임산부의 관리를 위한 시설 및 신생아 집중치료실이 갖추어진 곳에서 분만하는 것이 바람직하다.

경과

3일간 입원하여 경과관찰 하였으나 자궁경부 길이가 지속적으로 짧게 관찰되어 프로게스테론 질정 200 mg/T 가지고 퇴원하였으며, 이후 외래에서 초음파 검사로 태아성장 관찰하던 중 전자태아감시소견에서 태아심음 감소 소견 관찰되어, 임신 37주 6일 제왕절개술로 남아 1,890 g, 아프가 점수 1분: 7점, 5분: 9점으로 분만하였고, 제대륜(cord neck) 1회, 막성제대부착(velamentous cord insertion of placenta)이 확인되었다(그림 13-2).

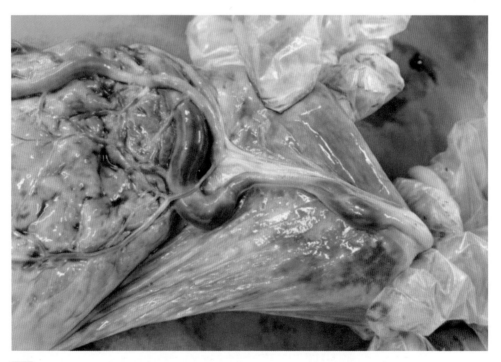

그림 13-2 막성제대부착(velamentous cord insertion of placenta)

02 임신성고혈압(기본)

37세 초산모가 임신 30주 6일에 개인병원에서 시행한 초음파상 아기가 2주 정도 작다고 하여서 전원되었다. 산전검사에서 특이사항은 없었고 NIPT 검사에서 염색체이상 저위험군이었다. 3년 전 신체검사에서 고혈압이 있다는 이야기를 들었고, 임신 1년 전에는 3개월간 혈압약을 복용했던 적이 있으나 이후 정상이 되었다고 하였다. 가족력상 친정어머니가 고혈압이 있어서 혈압약을 복용하고 있었다. 혈압은 159/91 mmHg, 뇨단백은 3+였으며 환자 왼쪽 눈 시야 흐림 증상을 호소하였으며, 전자태아감시에서 태아곤란증 관찰되었으며, 생물리학계수는 4점이었고, 도플러 혈류 초음파검사 소견은 다음과 같았다(그림 13-3).

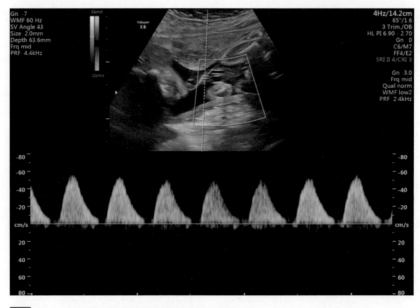

그림 13-3 제대동맥 이완기말 혈류의 소실

질문 2-1. 이 증례에서처럼 태아곤란증(fetal distress)을 초래할 수 있는 위험요인들로 어떤 것이 있는가?

해설 2-1. 태아곤란증(fetal distress)은 대부분 태아에게로 가는 산소공급량이 줄어든 것이 원인이 되어 태아 심장박동수에 분명한 이상이 관찰되는 상태로, 가장 대표적인 임신성고혈압증 이외에도 위험요인에는 다양한 것들이 있다. 모성 질환, 태반조기박리, 탯줄이상, 태아 감염, 태변 착색, 분만 지연 이외에도 태아성장지연, 양수과다증, 양수과소증, 다태임신 등의 다양한 위험 요인들이 태아곤란증을 일으킬 수 있다.

질문 2-2. 임신성고혈압증에 의한 태아성장장애의 병태생리는 어떤 것인가?

해설 2-2. 임신 중 고혈압 질환의 정확한 병태생리는 아직 명확하게 밝혀져 있지 않으나, 최근 태반형성장애가 기본적으로 중요한 역할을 한다는 것과, 혈관생성에 관여하는 여러 인자들의 불균형이 이에 직접적으로 관여한다는 것이 밝혀졌다. 정상적으로 태반은 모체의 나선동맥으로 영양막세포가 침투하면서 혈관 내피세포와 평활근이 영양막세포로 대체되며 혈관직경이 확대되는 변환과정을 거치게 되며, 이는 임신 6주경부터 시작되어 16주경에는 나선동맥의 자궁평활근 안쪽 1/3까지 확장된다. 하지만 전자간증과 같은 임신성 고혈압 합병증에서는 이런 영양막세포의 침투가 불완전하여 태반형성장애의 소견을 보이고 이는 자궁태반관류저하(uteroplacental insufficiency)의 원인이 된다. 이러한 태반형성장애의 소견은 자궁 내 성장제한의 원인이 되며, 태반형성장애를 일으키는 다양한 면역학적, 유전학적, 분자생물학적 원인 규명에 대한 연구가 활발하게 진행 중이다.

경과

실시한 검사는 Hb 15.1 g/dL, Hct 43.6%, WBC 9,370/mm^3, Platelet 269,000/mm^3, hsCRP 0.38 mg/dL, Urine protein 4+, 24hr urine protein 9,543.6 mg, sFlt–PlGF ratio 845.4였다. 이완기 제대동맥 혈류가 없는 것은 자궁내 태아사망 가능성이 대단히 높으며 생물리학계수는 4점 및 전자태아감시 검사에서 태아 심음 감소 소견 관찰되어, 이미 태아손상이 발생되었을 가능성도 배제 못함을 설명하였고, 신속한 조기분만을 결정하고 베타메타손 12 mg IM 한 차례 투여 후 응급제왕절개술로 임신 31주 0일 조기분만을 시행하였다. 수술과정 중 복강 내 약 300 cc 가량의 복수가 확인되었고 여아, 730 g, Apgar score 1분: 9점, 5분: 10점, 제대동맥 pH 7.096로 신생아집중치료실에 입원하였다.

03

고령 임신(기본)

45세 초산모가 임신 28주 0일에 아기가 작다는 이야기를 듣고 외래로 전원되었다. 산전 검사에서 특이사항은 없었고 NIPT 검사에서 저위험군이었다. 임신성 당뇨로 진단받았으나 식이조절로 혈당 조절은 잘 되고 있는 상태였다. 추정태아체중은 3p 미만이었으며 생물리학계수는 6점 및 도플러 혈류검사상 특이소견은 없었다.

GA	Presentation	EFW	AFI	BPP	Doppler
28주 0일	Breech	858 g (1.4p)	16.07 cm	6	(−)
32주 0일	Breech	964 g (<1p)	12.34 cm	6	(−)
36주 1일	Breech	1,904 g (<1p)	7.5 cm	6	(−)
37주 1일	Breech	2,032 g (<1p)	3 cm	6	(−)

질문 3-1. 산모의 나이가 태아성장에 미치는 영향에 대하여 설명하시오.

해설 3-1. 데이터에 따르면 35세 이상의 고령 산모에서는 자궁 내 성장제한과 조산의 가능성이 높았다. 고령 산모의 태반에서는 세포융합핵이 증가하고 분화 감소가 일어나며, 아미노산 수송체 활성이 감소된다. 이러한 태반기능장애로 인해 자궁내 성장부전이 발생할 뿐만 아니라 사산의 가능성이 높아질 수 있다. 또한 모체 연령의 증가는 임신성 당뇨병, 전치태반, 임신성 고혈압, 사산, 제왕절개 분만 등의 합병증들을 증가시키며, 특히 자간전증의 발병에 있어서 모체의 나이는 독립적인 위험요인이다. 그 외에도 태아 선천성 기형과 염색체 이상 발생률도 높아진다.

경과

상환 임신 37주 2일에 고령임신, 태아위치이상, 자궁 내 성장제한 및 양수과소증으로 제왕절개술 통해 남아, 1,980 g, Apgar score 1분: 7점, 5분: 9점으로 분만하였다. 신생아 제대동맥 pH 7.236, 제대정맥 pH 7.319로 NICU 입원하였다.

Maternal-fetal medicine

갑상선기능이상(기본)

31세 초산모가 임신 36주 0일에 하복부통증 및 질 출혈로 내원하였다. 임신 30주경부터 아기가 작다는 이야기를 들었으며 3일 전에는 10-15분 간격의 규칙적인 자궁수축과 짧은 자궁경부길이로 개인병원에 입원하여 자궁수축억제제 치료를 받았으나, 자궁수축은 지속되었다. 산모는 12세경부터 그레이브스병으로 치료받고 있으며, 25세부터 갑상선기능저하증으로 현재까지 씬지로이드 0.075 mg 복용 중이었다. 입원 당시 산모의 갑상선기능검사(표 13-1), 전자태아감시 모니터(그림 13-4), 초음파상 자궁경부 상태 및 태아크기(그림 13-5, 표 13-2)는 다음과 같다.

표 13-1 갑상선기능검사 결과

갑상선기능검사 결과

TSH 3.1 mU/L
Free T4 7.1 pmol/L
T3 4.0 nmol/L

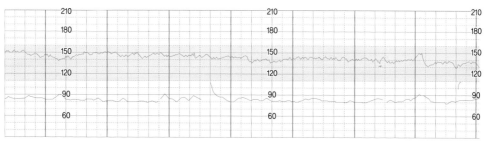

3 cm/min

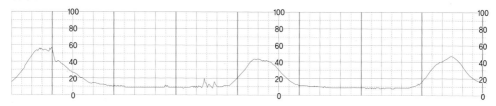

그림 13-4 전자태아감시 모니터

질문 4-1. 갑상선 기능이 태아성장에 미치는 영향에 대하여 설명하시오.

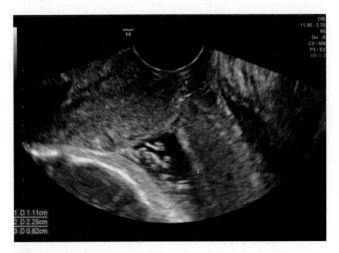

그림 13-5 초음파 자궁경부 영상

표 13-2 산전 초음파 검사결과

산전초음파검사로 측정한 태아 및 자궁경부	
Cephalic presentation Placenta Location : fundus Abnormal finding (−) AFI : 9.14 cm EFW: 1,633 g (<3.0p) FHR : 144 bpm	Cervical length − functional length : 1.11 cm − funneling length : 0.82 cm − funneling width : 2.25 cm

해설 4-1. 갑상선 호르몬은 성장호르몬, 인슐린 유사 성장인자 1 (insulin-like growth factor 1, IGF-1) 등과 함께 연골 형성을 자극하며, 신경계 및 기타 여러 장기의 발달에 중요한 영향을 미친다. 혈장 T4 농도는 신생아의 출생 시 체중 및 신장에 양의 상관관계가 있으며, 자궁 내 갑상선 호르몬의 생체 이용률은 태아에게 산소와 영양분의 공급 신호로 작용해 태아의 성장을 조절한다. 따라서 갑상선 기능 이상은 자궁 내 성장제한을 일으킬 수 있으며, 심각한 자궁 내 성장제한이 발생하게 되면 태아 성장 자체가 glucocorticoid와 같은 스트레스 호르몬의 분비를 유발하게 되어 갑상선 호르몬의 생체이용률을 더욱 감소시킬 수 있다.

인간, 토끼, 설치류와 같이 모체 갑상선 호르몬에 대한 태반 투과도가 높은 동물에서는 태아 갑상선 호르몬 결핍이 자궁 내 성장제한에 미치는 영향이 덜 두드러지는데, 이는 모체 갑상선 호르몬이 태아 결핍을 부분적으로 보상하기 때문이다. 따라서 임신 중 모체의 갑상선 질환에 대한 치료는 중요하다. 갑상선 기능의 문제는 자궁 내 성장제한 이외에도 조산, 사산, 신경운동 저하, 청력 저하, 심혈관계 및 근골격계, 호흡계 발달에 악영향을 미칠 수 있다.

경과

입원 후 자궁수축이 3-4분 간격으로 더 짧아졌고, 자궁경부변화도 지속되면서 진행되는 소견 보여 임신 36주 0일 질식분만 하였고, 여아, 1,800 g, 아프가점수 1분: 8점, 5분: 9점으로 신생아집중치료실에 입원하였다. 태반 병리조직검사에서는 특이소견 관찰되지 않았다.

05
Maternal-fetal medicine

부적절한 영양공급(기본)

24세 초산모가 임신 35주 5일에 임신 주수에 비해 아기가 작다고 내원하였다. 과거력 없었으며, 산모의 신장은 157 cm, 임신 전 체중 45 kg이었고, 내원 당시 체중은 37 kg이었다. 임신 초기부터 입덧 및 식욕감소로 하루에 과일 및 식사 1회(밥 1/2 공기) 정도만 섭취하였다. 소변검사상 케톤(2+)이었으며 기타 혈액검사는 다음과 같았다(표 13-3). 제대동맥 및 자궁동맥 도플러 검사 결과는 다음(그림 13-6)과 같았으며, 도플러전 자태아감시 모니터는 반응성이었다.

표 13-3 혈액검사소견

혈액검사소견	
Hb (g/dL) 10.6	Total bilirubin (mg/dL) 1.42
Hct (%) 29.8	AST (U/L) 75
WBC (/mm^3) 6.28x10^3	ALT (U/L) 110
Platelet (/mm) 218x10^3	Alkaline Phosphatase (U/L) 185
Sodium/Potassium/Chloride (mEq/L)	T3 (ng/dL) 103.0
134/2.9/92	Free T4 (ng/dL) 1.22
Protein (g/dL) 5.6	TSH (μLU/mL) 0.807
Albumin (g/dL) 3.0	

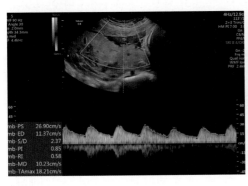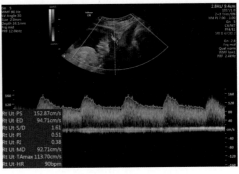

그림 13-6 제대동맥 및 자궁동맥 도플러

질문 5-1. 임신 중 적절한 영양공급이 안 될 때 산모에게 발생하는 문제점을 설명하시오.

해설 5-1. 출생아 체중에는 엄마와 아빠의 체중이 영향을 미치나, 특히 권고되는 체중보다 임신 중 체중 증가가 적은 여성들에서 저체중출생아 발생이 가장 높다. 섭식장애는 저체중 출생 및 조산 위험성과 높은 연관성이 있어서 임신 중 체중 증가에 대한 엄격한 제한은 비록 비만 여성일지라도 권장되어서는 안 된다. 기근이 태아성장에 미치는 영향은 1944년 네덜란 드의 Hunger Winter에 의해 발표된 바 있으며, 독일 점령군은 6개월간 임산부를 포함한 민 간인의 식생활 섭취를 500 kcal/d로 제한하였는데 이로 인해 모든 출생아의 평균 출생체중 이 250 g의 감소를 보였다고 하였다. 한편 영양결핍 여성들이 미세영양보충제로부터 혜택을 받을 수 있을지는 불확실하나 철과 엽산의 보충이 저체중출생아의 발생 위험을 낮출 수 있 었다는 보고가 있다.

질문 5-2. 임신 중 적절한 영양공급이 안 될 때 신생아의 출생 후 예후에 미치는 영향에 대하 여 설명하시오.

해설 5-2. Barker (1992)는 성인 사망률과 질병 이환율이 태아 및 유아기 시절의 건강과 관련 이 있다고 가정했다. 이것은 저성장과 과잉성장을 모두 포함한다. 많은 연구들이 최적이 아 닌 태아의 영양상태가 성인기의 고혈압, 동맥경화, 제2형 당뇨, 대사장애 등의 위험과 관련성 이 있음을 기술하고 있다. 한 연구에서는 자궁 내 성장제한이 유년기, 청소년기, 성인기 동안 심장의 구조 및 기능의 변화를 유발하여 장기적인 발육에 영향을 미칠 수 있다고 하였다. 또 다른 연구에서는 34주 이전에 저체중출생아로 태어난 80명의 유아를 정상적으로 태어난 80 명의 유아들과 6개월 월령이 되었을 때 비교하였는데, 수축기 및 이완기 기능 장애를 초래하 는 구상(globular) 심실 및 두꺼운 좌심실 후벽이 저체중출생아에서 발견되는 빈도가 높았 다. 자궁 내 성장제한은 출생 후 신장의 구조 및 기능적 변화와도 관련이 있다고 하여, 저체 중출생아에서 발기불능증, 신부전증, 만성신장질환, 고혈압과도 연관이 있다고 한다. 하지만 소아영양, 급성신장손상, 과도한 소아기 체중증가, 비만 등의 다른 변수들도 장기적으로 신 장의 기능을 악화시킬 수 있다고 하였다.

경과

산모는 3일간 입원하여 전해질 교정 및 영양상담 후 퇴원 하였으며 이후 외래에서 초음파 검 사로 태아의 성장을 관찰하였으며(표 13-4), 임신 40주 0일 질식분만 하였고, 여아, 2,450 g,

Apgar score 1분: 9점, 5분: 10점이었다.

표 13-4 산전초음파검사로 측정된 태아성장 양상

	BPD (cm)	AC (cm)	FL (cm)	EFW (gram)	AFI (cm)
35주 5일	7.8 (0.14p)	29.4 (<1.0p)	5.8 (<1.0p)	1,632 (<1.0p)	22.7
37주 0일	8.2 (<1.0p)	29.4 (3.48p)	5.9 (<1.0p)	2,075 (<1.0p)	22.4
37주 5일	8.3 (<1.0p)	30.1 (1.00p)	6.0 (<1.0p)	2,143 (<1.0p)	16.01
40주 0일	8.6 (<1.0p)	30.1 (<1.0p)	6.7 (<1.0p)	2,355 (<1.0p)	13.65

참고 문헌 ....

1. Baschat A. Doppler application in the delivery timing of the preterm growth-restricted fetus: another step in the right direction. Ultrasound Obstet Gynecol 2004;23:111-8.

2. Cleary-Goldman J, Malone FD, Vidaver J, Ball RH, Nyberg DA, Comstock CH, Saade GR, Eddleman KA, Klugman S, Dugoff L, Timor-Tritsch IE, Craigo SD, Carr SR, Wolfe HM, Bianchi DW, D'Alton M; FASTER Consortium. Impact of maternal age on obstetric outcome. Obstet Gynecol 2005;105:983-90.

3. Cruz-Lemini M, Crispi F, Valenzuela-Alcaraz B, Figueras F, Sitges M, Bijnens B, Gratacós E. Fetal cardio-vascular remodeling persists at 6 months in infants with intrauterine growth restriction. Ultrasound Obstet Gynecol 2016;48:349-56.

4. Durie DE, Thornburg LL, Glantz JC. Effect of second-trimester and third-trimester rate of gestational weight gain on maternal and neonatal outcomes. Obstet Gynecol 2011;118:569-75.

5. Fisher SJ, M McMaster, JM Roberts. The placenta in normal pregnancy and preeclampsia. Chesley's hypertensive disorders in pregnancy: Elsevier; 2015. p81-112.

6. Forhead AJ, Fowden AL. Thyroid hormones in fetal growth and prepartum maturation. J Endocrinol 2014;221:R87-R103.

7. Gill SK, Broussard C, Devine O. Association between maternal age and birth defects of unknown etiology—United States, 1997–2007. Birth Defects Res A Clin Mol Teratol 2012;94:1010-8.

8. Goldkrand J, C Pettigrew, S Lentz, S Clements, Bryant J, Hodges J. Volumetric umbilical artery blood flow: comparison of the normal versus the single umbilical artery cord. J Matern Fetal Med 2001;10:116-21.

9. Haider BA, ZA Bhutta. Multiple-micronutrient supplementation for women during pregnancy. Cochrane Database Syst Rev 2017;4:CD004905.

10. Kovo M, Schreiber L, Ben-Haroush A, et al. The placental factor in early-and late-onset normotensive fetal growth restriction. Placenta 2013;34:320-4.

11. Raio L, F Ghezzi, E Dinaro, R Gomez, G Saiee, H Brühwiler. The clinical significance of antenatal detection of discordant umbilical arteries. Obstet Gynecol 1998;91:86-91.

12. Kim YM, Bujold E, Chaiworapongsa T, Gomez R, Yoon BH, Thaler HT, Rotmensch S, Romero R. Failure of physiologic transformation of the spiral arteries in patients with preterm labor and intact membranes. Am J Obstet Gynecol 2003;189:1063-9.

13. Lamminpää R, K Vehviläinen-Julkunen, M Gissler, S Heinonen. Preeclampsia complicated by advanced maternal age: a registry-based study on primiparous women in Finland 1997–2008. BMC Pregnancy Childbirth 2012;12:47.10.

14. Lean SC, AE Heazell, MR Dilworth, TA Mills, RL Jones. Placental dysfunction underlies increased risk of fetal growth restriction and stillbirth in advanced maternal age women. Sci Rep 2017;7:1-16.

15. Micali N, Stemann Larsen P, Strandberg-Larsen K, Nybo Andersen AM. Size at birth and preterm birth in women with lifetime eating disorders: A prospective population-based study. BJOG 2016;123:1301-10.

16. Shields BM, BA Knight, A Hill, AT Hattersley, B Vaidya. Fetal thyroid hormone level at birth is associated with fetal growth. J Clin Endocrinol Metab 2011;96:E934-8.

17. Parer J, E Livingston. What is fetal distress? Am J Obstet Gynecol 1990;162:1421-7.

18. Yasuda T, H Ohnishi, K Wataki, M Minagawa, K Minamitani, H Niimi. Outcome of a baby born from a mother with acquired juvenile hypothyroidism having undetectable thyroid hormone concentrations. J Clin Endocrinol Metab 1999;84:2630-2.

19. Zhou Y, CH Damsky, SJ Fisher. Preeclampsia is associated with failure of human cytotrophoblasts to mimic a vascular adhesion phenotype. One cause of defective endovascular invasion in this syndrome? J Clin Invest 1997;99:2152-64.

자궁내 태아사망

모체태아의학

14

자궁내 태아사망

이귀세라(가톨릭의대)
길기철(가톨릭의대)
박지권(경상의대)

01

Maternal-fetal medicine

항인지질항체 증후군과 자궁내 태아사망(심화)

39세 임신부가 22주 5일에 두통이 있어 왔다. 태동은 한 번도 느껴보지 못했다고 한다. 임신 22주에 산전 진찰 시 태아 심박동 확인하였고 태아가 작다고 이야기 들었고 고혈압이 처음 나타났었다고 하였다. 이번 방문 시 측정한 혈압은 170/110 mmHg, 맥박 68회/분, 호흡수 20회/분, 체온 36.3℃이었고 전신 부종이 관찰되었다. 태아 초음파 검사상 심박동은 확인되지 않았고, 두피와 복부에서 태아수종이 관찰되었다. 혈액 및 소변검사 결과는 다음과 같았다.

WBC 7,690/mm^3, Hb 10.2 g/dL, Platelet 79,000/mm^3
BUN 11 mg/dL (2nd trimester 3–13), Cr 0.9 mg/dL (2nd trimester 0.4–0.8)
AST 37 U/L (2nd trimester 3–33), ALT 28 U/L (2nd trimester 23–33)
Spot urine stick protein (++++)
PT 12.5 sec (11.9–14.3), aPTT 59.0 sec (29.1–43.5)

질문 1-1. 이 환자의 진단은?

해설 1-1. 임신 22주 5일, 자궁내 태아사망, 중증전자간증으로 진단할 수 있다. 그러나, 임신 25주 이전 전자간증 발병은 드물어 루푸스를 감별하기 위해 혈액검사를 시행하였고 결과는 Anti–dsDNA antibody(–), Anti–Sm antibody(–), C3 114.2 mg/dL (90–180), C4 27.7 mg/dL (10–40)였다.

루푸스 관련 검사 결과에서 루푸스는 배제할 수 있었으므로 조기 발병의 중증전자간증으로 진단할 수 있다.

질문 1-2. 이 환자에 대한 적절한 처치는?

해설 1-2. 항고혈압약제를 사용하면서 유도분만을 시행하였다. 미소프로스톨(Misoprostol, Cytotec®)과 폴리카테터(20F, 생리식염수 30 mL)를 사용하여 유도분만으로 사산아를 분만하였다(남아, 390 g). 태아 부검은 환자분이 거절하여 시행하지 못했고, 태아 및 태반 시진 상 태아수종 외 특이 소견은 없었다.

질문 1-3. 이 환자에서 자궁내 태아사망의 원인을 진단하기 위해 반드시 필요한 검사는?

해설 1-3. 임신 10주 이후의 원인불명의 사산과 동반된 중증 전자간증으로 인해 임신 34주 이전의 조기분만을 하였다는 산과력은 항인지질항체증후군의 진단 기준에 해당되므로 사산 12주 이후 5년 이내 항인지질항체에 대한 검사를 2회 이상 하여야 한다. 분만 12주 후 시행한 항인지질항체 혈액검사의 결과는 다음과 같았다.

> Lupus anticoagulant 1.81 (<1.20)
> PT 13.1sec (11.9–14.3), aPTT 63.3 sec (29.1–43.5)
> Anticardiolipin IgG 53.0 U/mL (<10.0; 99th percentile 17.4)
> Anticardiolipin IgM 17.0 U/mL (<7.0; 99th percentile 26.8)
> Anti–beta2 glycoprotein IgG 10.5 U/mL (<7.0)

항인지질항체 모두 정상 범위를 벗어나 상승되어 있어서(triple aPL positivity), 항인지질항체 증후군을 의심할 수 있었다. 2년 후 시험관시술을 통해 임신을 하였고 임신 10주에 내원하여 다시 혈액검사를 시행하였다.

> Lupus anticoagulant 1.59 (<1.20)
> PT 12.5sec (11.9–14.3), aPTT 62.6 sec (29.1–43.5)
> Anticardiolipin IgG 34.0 U/mL (<10.0; 99th percentile 17.4)
> Anticardiolipin IgM 4.0 U/mL (<7.0; 99th percentile 26.8)
> Anti–beta2 glycoprotein IgG 4.2 U/mL (<7.0)

Lupus anticoagulant (aPTT 연장과 관련)와 Anticardiolipin IgG가 반복적으로 양성으로 확인되어 (double aPL positivity) 항인지질항체증후군을 확진하였다.

질문 1-4. 이번 임신기간 동안 권장되는 치료는?

해설 1-4. 항혈전증의 기왕력이 없는 산과적 항인지질항체증후군의 권장 치료는 저용량 아스피린(low-dose aspirin, LDA 75-100 mg PO in the evening or at least 8 h after awakening once daily)과 예방적 용량의 미분획화 헤파린(unfractionated heparin, UFH 5,000-10,000 units SC every 12 hours) 또는 예방적 용량의 저분자량 헤파린(low-molecular-weight heparin, LMWH, e.g. enoxaparin 40 mg SC once daily or dalteparin 5,000 units SC once daily or tinzaparin 4500 unit SC once daily)의 병용요법이다.

경과

분만 2년 후 시험관 시술을 통해 임신을 하였고 임신 10주에 시행한 항인지질검사에서는 항인지질항체의 상승을 보여 항인지질항체 증후군으로 진단하였고 임신 10주부터 매일 아스피린 75 mg 저녁 식후 경구 투여와 enoxaparin 40 mg (clexane® 40 mg/0.4 mL) 피하 주사를 시작하여 36주 0일에 중단하였고 37주 0일에 2,740 g의 남아를 분만하였다.

02

태반조기박리와 자궁내 태아사망(기본)

31세 경산모는 임신 33주 1일에 자궁내 태아사망으로 전원되었고 당시 질출혈량은 30x30cm 패드를 4장 흠뻑 적실 정도였다.

당시 혈압 150/90, 맥박 109회/분, 호흡 20회/분이었고 혈액 검사는 다음과 같다. 초음파에서 태아 심정지 상태였고 태반과 자궁근층사이에서 다량의 혈종이 관찰되었다(그림 14-1)

Hb 9.9 g/dL, hematocrit 28.4%, platelet 176x9/L,
Total protein 5.9 g/dL, albumin 2.9 g/dL, glucose 216 mg/dL,
Urine protein 3+, Urine glucose 4+

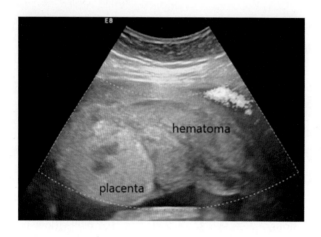

그림 14-1 태반이 자궁근층에서 떨어져 있고 태반과 자궁근층 사이에 다량의 혈종이 관찰된다.

3년 전 첫 임신 시 임신성당뇨가 있었고 제왕절개로 여아 4.41 kg을 분만하였다. 분만 이후 당뇨에 대한 추적 관리는 하지 않았다고 한다.

이번 임신에서도 임신성 당뇨로 식이요법을 하고 있었다(100 g OGTT 193-275-269-248 mg/dL, HbA1C 6.9%).

수술 소견에서 자궁태반졸증(couvelaire uterus)이 있었고 태반은 거의 전면적에 걸쳐 혈종이 형성되어 있었다. 태아는 육안적으로 기형이 없었다.

질문 2-1. 태아 사망의 직접적인 원인은?

해설 2-1. 다량의 질출혈이 있었고 태반후혈종, 자궁태반졸증으로 미루어 보아 태아 사망의 원인은 태반조기박리이다 자궁내 태아사망을 일으킬 정도의 태반조기박리가 일어나는 경우는 420분만 중 1례이다.

질문 2-2. 이 환자에 있어서 태아 사망의 원인이 될 수 있는 위험 요인은 무엇인지?

해설 2-2. 모체측 원인으로 임신성 고혈압과 임신성 당뇨를 생각할 수 있다.

방문 당시 수축기 혈압 150 mmHg, 이완기 혈압 90 mmHg이고 소변검사에서 단백뇨가 3+로 전자간증으로 진단할 수 있다. 중증 전자간증의 경우 태반조기박리 위험성이 증가하고 태반조기박리가 발생할 경우 주산기 사망률은 약 18%이고 그중 약 68%는 자궁내 태아사망이었다.

첫 임신 시 임신성 당뇨가 있었고 첫 분만 이후 당뇨에 대한 추적 관리를 하지 않았고 이번 임신 중 검사한 당화혈색소가 6.9%로 임신 전부터 당뇨가 있었을 가능성이 있고 임신 중에도 당조절이 잘 되지 않았던 것을 알 수 있다. 태아 사망의 원인 중 당뇨가 원인이 되는 경우가 약 3%를 차지한다. 임신 전 당뇨가 있는 임신부의 태아 사망은 전체 출산아 사산 발생보다 2.73 배 높으며 임신 전 당화혈색소 수치가 6.6% 이상인 경우 태아 사망의 위험성이 증가한다.

질문 2-3. 다음 임신을 위하여 어떠한 관리가 필요한가?

해설 2-3. 임신 전부터 철저하게 고혈압과 당뇨의 관리를 하고 엽산을 복용하도록 한다. 임신 중 주기적으로 태아 초음파 검사를 하여 태아 성장 정도를 관찰하고 태아 상태 예측을 위한 혈류도플러도 함께 시행한다. 이 환자의 경우 전자간증, 당뇨와 자궁내 태아사망 등의 고위험 요인을 가지고 있으므로 다음 임신에서는 임신 12-28주부터 저용량의 아스피린의 복용을 권고할 수 있다.

03 태아감염과 자궁내 태아사망(기본)

27세 초산모가 25주 1일에 미열을 동반한 감기 증상이 있어 병원에 왔다. 정기적 산전 진찰을 받고 있었고 이전 초음파 검사에서 특이 소견 없었으며, 태아 체중은 주수에 맞았다. 2일전부터 태동을 잘 느끼지 못하였다고 하였다. 태아 초음파 검사와 혈액검사를 시행하였다. 펄스도플러에서 태아심장박동이 관찰되지 않았다(그림 14-2).

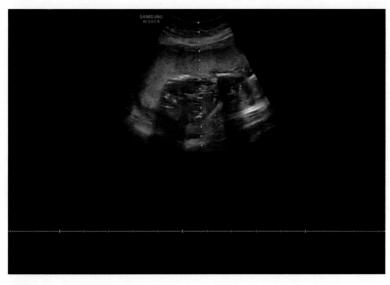

그림 14-2 펄스도플러에서 심정지 상태이다.

Hb 12.3 g/dL, Hct 35.1%, WBC 13.24 x10^9/L (seg-neutrophils 83.5%)

ESR 29 mm/h, CRP: 12.78 mg/L (0-5.0)

Antithrombin III 111.7% (75-125)

Fibrinogen 524.0 mg/dL (175-360)

D-dimer 1.21 mg/L (<0.76)

FDP 4.0 ug/mL (<5)

경과

임신부는 미소프로스톨(Misoprostol)을 사용하여 분만을 유도하여 사산아 630 g 분만하였다. 태아 부검은 환자와 보호자가 원하지 않아 시행하지 못하였고 태반 및 탯줄에 관련된 검사를 진행하였다. 사산아와 태반 및 탯줄에서 육안상 특별한 기형은 없었고 태반 병리 검사 및 미생물 배양 검사는 다음과 같다.

양막 배양검사결과: Escherichia coli, Enterococcus avium

태반 병리 검사;

1. Placenta; Intervillous fibrin deposition
2. Fetal membrane; acute chorioamnionitis
3. Umbilical cord; Unremarkable

질문 3-1. 자궁내 태아사망의 원인은?

해설 3-1. 태아측 원인, 모체측 원인, 태반 및 탯줄 측 원인으로 나눌 수 있고 태아 측 원인으로는 선천성 이상, 태아 성장 저하, 과숙아, 태아면역성, 비면역성 용혈 질환, 감염, 다태아 등이 있고, 모체측 원인으로는 사회경제적 요인, 모체 비만, 모체 연령, 사산아 또는 조산의 과거력, 내과적 질환 동반 등이 있고, 태반 및 탯줄 측 원인은 태반 경색, 혈전, 태반 조기 박리, 조기 양막 파열, 양막염, 탯줄 진성 결절, 탯줄 탈출, 과다 꼬임, 얽힘 등이 있다.

이 환자의 경우 모체측에서 사산의 고위험 요인이 없었으며 태아에게서 특별한 외관상 기형이 발견되지 않았고 태반과 탯줄에서 문제가 발견되지 않았으나 양막 배양 검사 결과 E.Coli 및 Enterococcus avium이 배양된 것으로 태아 감염으로 인한 사산을 의심해 볼 수 있다.

질문 3-2. 자궁내 태아사망 원인을 규명하기 위해 필요한 검사는?

해설 3-2. 가족력 확인, 부검, 태반조직병리검사, 감염균 배양 검사, 염색체 검사 등이 필요하고 사산아 검사 과정은 다음과 같다.

1) 사산아 계측을 시행한 후 태아와 태반 사진을 찍는다(전체, 안면부, 사지, 손바닥 등 기형 여부를 확인).

2) 부모에게서 검체 채취에 대한 동의를 얻은 후, 태반 조직(1x1 cm, 탯줄 부착 부위아래), 탯줄 절편(1.5 cm), 태아 조직 검사를 시행한다.

3) 태아 부검을 시행하고 태반 조직 병리 검사를 시행하고 태아 전신 x-ray를 촬영한다. 만일 부검과 영상학적 검사에 대한 동의가 없을 경우 태반 조직 병리 검사만 시행한다.

4) 태아 염색체 검사를 위해 chromosomal microarray analysis (CMA)를 시행하는 것이 권고된다.

참고 문헌

1. American College of Obstetricians and Gynecologists. Practice Bulletin No. 102: Management of stillbirth. Obstet Gynecol 2009;113:748-61.

2. American College of Obstetricians and Gynecologists. Committee Opinion No. 743: Low-dose Aspirin use during pregnancy. Obstet Gynecol 2018;132:e44-e50.

3. Andreoli L, Fredi M, Nalli C, Reggia R, Lojacono A, Motta M, Tincani A. Pregnancy implications for systemic lupus erythematosus and the antiphospholipid syndrome. J Autoimmun. 2012;38:J197-208.

4. Boisramé T, Sananès N, Fritz G, Boudier E, Aissi G, Favre R, Langer B. Placental abruption: risk factors, management and maternal-fetal prognosis. Cohort study over 10 years. Eur J Obstet Gynecol Reprod Biol 2014;179100-4.

5. Bukowski R, Carpenter M, Conway D, Coustan D, DudLey DJ, Goldenberg RL, Hogue CJ, Koch MA, Parker CB, Pinar H, Reddy UM, Saade GR, Silver RM, Stoll BJ, Varner MW, Willinger M. Stillbirth Collaborative Research Network Writing Group. Causes of death among stillbirths. JAMA 2011;306:2459-68.

6. Danza A, Ruiz-Irastorza G, Khamashta M. Antiphospohlipid syndrome in obstetrics. Best Pract Res Clin Obstet Gynaecol 2012;26:65-76.

7. Fretts RC. Etiology and prevention of stillbirth. Am J Obstet Gynecol 2005;193:1923-35.

8. Froen JF, Arnestad M, Frey K, Vege A, Saugstad OD, Stray-Pedersen B. Risk factors for sudden intrauterine unexplained death: epidemiologic characteristics of singleton cases in Oslo, Norway, 1986-1995. Am J Obstet Gynecol 2001;184:694-702.

9. LeFevre MI. Low-dose aspirin use for the prevention of morbidity and mortality from preeclampsia: U.S. Preventive Services Task Force recommendation statement. Ann Intern Med 2014;161:819-26.

10. Pinar H, Koch MA, Hawkins H, Heim-Hall J, Abramowsky CR, Thorsten VR, Carpenter MW, Zhou HH, Reddy UM. The stillbirth collaborative research network postmortem examination protocol. Am J Perinatol 2012;29:187-202.

양수, 태아막, 태반의 이상

모체태아의학

15

양수, 태아막, 태반의 이상

김윤하(전남의대)
김종운(전남의대)
최상준(조선의대)

Maternal-fetal medicine

01

십이지장 폐쇄증(기본)

임신 30주인 28세 미분만부가 숨이 차서 병원에 왔다. 혈압 100/60 mmHg, 맥박 100 회/분, 호흡 20회/분, 체온 36.9℃였다. 초음파검사에서 태아는 두위, 양수지수 30 cm, 예측태아몸무게는 1,600 g (50백분위수: 1,559 g), 태반은 자궁바닥에 있었다. 비수축 검사는 반응성이고 자궁수축은 없었다. 최대양수수직깊이는 다음과 같다(그림 15-1).

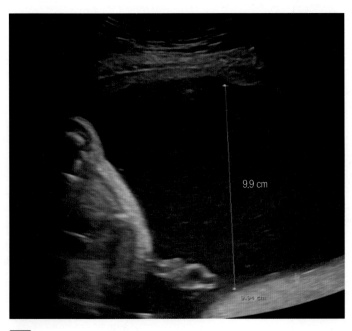

9.9 cm

그림 15-1 양수과다증. 최대양수수직깊이 9.9 cm

질문 1-1. 초음파 진단은?

해설 1-1. 양수 측정은 다음 두 가지 반정량적 측정방법 중 한 가지를 이용하며, 양수과다증의 초음파 진단 기준은 다음과 같다(표 15-1).

- 최대양수수직깊이(single deepest vertical pocket) : 8 cm 이상
- 양수지수(amniotic fluid index) : 24 cm 이상

위와 같은 기준을 적용할 경우 전체 단태아 임신 중 1–2%에서 양수과다증이 진단된다. 다태임신에서는 최대양수수직깊이를 이용하고, 단일융모막성 임신 등으로 단태임신보다 빈도가 높다.

표 15–1 양수량에 따른 양수과다증의 분류

	경증	중등도	중증
최대양수수직깊이(cm)	8-11	12-15	≥16
양수지수(cm)	24-29	30-34	≥35

질문 1-2. 양수과다증의 원인 및 진단 검사는?

해설 1-2. 생리학적으로 태아의 양수 삼킴 곤란과 태아 소변의 과다 생성으로 양수량이 증가할 수 있다(표 15-2). 양수과다증의 가장 흔한 원인은 특발성(60-70%)이며, 원인이 밝혀진 경우로는 임신부의 당뇨병과 태아 기형이 가장 흔하다. 그 외 선천성 감염과 동종면역도 원인이 될 수 있다.

표 15–2 태아/신생아에서 양수과다증의 원인

계통	태아의 양수 삼킴 곤란	계통	태아 소변 과다 생성
위장관계	십이지장 폐쇄증 기관기도샛길, 식도폐쇄증 흉부 종괴 횡격막 헤르니아	비뇨기계	요관깔때기 막힘 간아세포성 신종 Bartter 증후군
근신경계	근긴장성 이영양증 관절굽음증	심혈관계	구조적 기형 태아 빈맥
두개안면	두개내 기형 입천장갈림증 작은턱증 태아(신생아) 목 종양	삼투성 이뇨 / 기타	당뇨병 태아수종 특발성

특발성 양수과다증은 모든 원인을 배제한 후에 진단하는 것이며, 과다증의 정도, 구조적 기형의 유무, 임신 주수에 따라 검사가 달라진다. 초기 검사항목으로는 태아 기형을 확인하기 위한 초음파 검사를 시행한다. 특발성 양수과다증은 거대아와 연관이 있으나, 태아발육제한을 가진 태아의 경우에는 13 또는 18 삼배수체 등의 염색체 이상 등의 태아 기형과 연관이 있다.

경증의 양수과다증을 보이나 구조적 기형이 없는 태아에서는 당뇨병, 동종면역, 선천성 감염 등을 고려해야 한다. 선천성 감염과 관련된 초음파 소견으로 태아수종, 간비대, 비장비대, 태반비대 등이 있다.

중증의 양수과다증이 이른 시기에 발견될수록 원인질환이 발견될 가능성이 증가한다. 산모의 내과적 질환 또는 과거력과 함께 다음의 초음파 소견이 있는지 확인해야 한다. 태아 크기의 이상, 태아 심장 기형 유무, 융모막혈관종 유무, 태아 움직임의 정도, 관절굽음증을 시사할 수 있는 손 또는 발 모양, 기관식도샛길 또는 식도폐쇄증을 시사할 수 있는 위 크기, 구순열 유무, 태아 목 주위 종괴 유무, 요관깔때기 막힘 유무 등의 확인이 필요하다. 태아의 움직임이 감소되어 있는 때는 선천성 근긴장성 이영양증을 고려할 수 있다.

질문 1-3. 초음파 검사에서 태아 복부 초음파 검사에서 태아 복부가 다음과 같이 보였고, 다른 구조적 기형은 확인되지 않았다. 진단과 처치는?

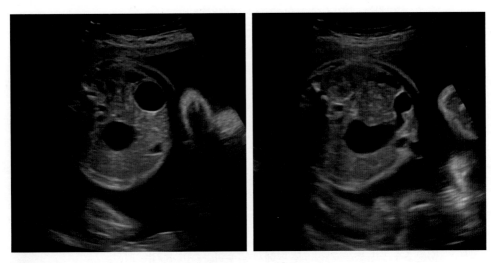

그림 **15-2** 십이지장 폐쇄증. 위와 십이지장이 연결되어 있는 double bubble sign

해설 1-3. 전형적인 double bubble sign이 보이고 위와 십이지장이 연결되는 것을 확인하여 십이지장 폐쇄(duodenal atresia)로 진단하였다. 임신 30주여서 염색체 검사를 따로 하지 않았으나 염색체 이상 가능성에 대하여 설명하였다.

임신부의 호흡곤란을 유발하는 양수과다증은 원인질환을 가지는 경우가 있으나, 특발성에서는 경도의 호흡곤란 증상을 보이며 이는 대개 치료가 필요없다. 일부 환자에서는 호흡곤란으로 양수감압술이 필요하지만, 대개 양수과다증이 재발하므로, 양수감압술은 임신부의 불편감, 호흡곤란을 동반한 중증의 양수과다증에서만 시행해야 한다.

양수량을 줄이는 목적으로 조기분만진통에서 인도메타신을 투여할 때 태아에서 동맥관의 조기 폐쇄, 신생아에서 소변량 감소, 혈청 크레아티닌 농도 증가, 그리고 뇌실내 출혈, 뇌실주위 백색연화증, 괴사성 장염 등의 신생아의 이환률 증가와 연관이 있기 때문에 인도메타신의 투여는 주의가 필요하다.

ACOG에서는 양수과다증 외 특이소견이 없을 때 태반 기능이상과 연관이 없으니 안녕 검사는 필요하지 않다고 하였다. 경증의 특발성 양수과다증에서는 유도분만 또는 조기분만으로 예후가 향상되지 않으므로, 산과적 적응증이 없다면 임신 39주 전에는 시행하지 않는다. 중증의 양수과다증 임신부는 태아 기형의 가능성이 높으므로 3차 의료기관에서 분만해야 한다.

경과

임신 39주에 질분만하였다. 염색체검사에서 정상이었고, 다른 장기에 구조적인 기형이 없었으며, 십이지장-십이지장 문합술을 시행받았다.

02

당뇨병(기본)

임신 35주인 41세 다분만부가 숨이 차서 병원에 왔다. 혈압 110/70 mmHg, 맥박 100회/분, 호흡 24회/분, 체온 36.9℃였다. 이전 임신에서 임신성 당뇨병 진단을 받았고 분만 후 당뇨병을 진단받아 인슐린 투여중이었다. 당화혈색소는 8.2%이었다. 초음파검사에서 태아는 둔위, 양수지수 35 cm, 예측태아몸무게는 4,400 g (90백분위수: 3,026 g), 태반은 자궁바닥에 있었다. 비수축 검사는 반응성이고 자궁수축이 3분 간격으로 있었다.

질문 2-1. 당뇨병을 가진 임신부에서 양수과다증이 생기는 기전은?

해설 2-1. 태아의 고혈당으로 인한 태아의 다뇨증이 양수과다증의 기전으로 알려져 있다. 혈당조절이 잘 안 되는 임신부에서 양수 내 혈당이 더욱 높고 양수량도 더 많다. 혈당조절이 안

되는 당화혈색소 농도가 높은 임신부에서는 태아의 크기가 커서 소변량이 많은 것도 양수과
다증과 연관이 있다

현성 당뇨병을 가진 임신부에서 임신 24주 이후에 양수과다증은 18.8%에서 발생하며, 이는
일반 임신부에 비해 30배 높은 수치이다. 임신성 당뇨병을 가진 임신부에서는 8-20%에서
발생한다.

질문 2-2. 전자태아감시장치검사 도중 다량의 물 같은 질분비물이 나왔고, 질 밖으로 박동성
이 있는 덩이가 만져졌다. 전자태아감시장치검사 결과이다(그림 15-3). 양수과다증 임신부에
서 발생할 수 있는 합병증과 주산기 예후는?

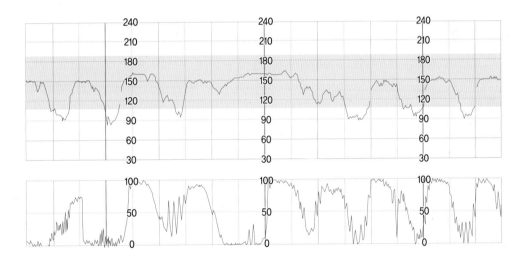

그림 15-3 전자태아감시장치검사결과. 변이성 감속 소견

해설 2-2.

1) 양수과다증 임신과 연관된 합병증

임신부의 호흡곤란, 조기분만진통, 조기양막파열, 조산, 비정상태위, 거대아, 견갑난산, 양
막파열 시 제대탈출증, 태반조기박리, 분만 2기 지연, 산후 자궁 이완증, 산후출혈

2) 양수과다증 임신에서 주산기 예후

태아 기형이 없는 양수과다증 임신부에서 정상 양수량의 임신과 주수별로 비교하였을 때
태아사망의 위험은 증가하고, 만삭에 가장 높다(Odds ratio 5.5).

전체적인 주산기 사망률은 양수과다증 임신부에서 양수과다증이 없는 임신부에 비해 2-5

배 높다. 많은 연구에서 양수과다증이 심할수록 사망의 위험도는 증가하였다. 양수과다증과 부당경량아가 동반된 임신부에서는 특히 주산기 사망을 포함한 나쁜 예후를 보였고, 태아의 염색체 이상과 구조적 기형이 더욱 많이 발견되었다.

특발성 양수과다증 임신의 신생아에서는 낮은 5분 아프가 점수, 신생아 일과성 빈호흡(transient tachypnea of newborn), 신생아 소생술, 신생아중환자실 입원, 기계적 환기, 황달, 저혈당, 구조적 기형 등의 발생의 증가와 연관이 있다.

경과

제대탈출증 소견과 전자태아감시장치검사에서 변이성감속(variable deceleration) 소견을 보여 즉시 제왕절개 수술을 하였고 4,800 g의 남아를 분만하였다. 분만 후 자궁수축이 잘 안되어 옥시토신, 카베토신 등의 자궁수축제를 투여하고 수혈을 하였다. 신생아에서 시행한 염색체 검사는 정상이었고, 동반기형은 없었다.

03 콩팥무발생(기본)

Maternal-fetal medicine

임신 17주인 30세 미분만부가 산전진찰을 위해 병원에 왔다. 혈압 120/80 mmHg, 맥박 80회/분, 호흡 20회/분, 체온 36.5℃였다. 임신 12주에 시행한 초음파검사에서는 이상 소견이 없었다. 초음파검사에서 태아 크기는 주수에 맞고, 다음과 같은 소견이다(그림 15-4).

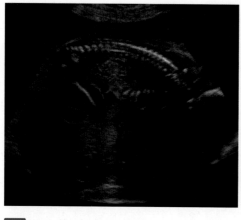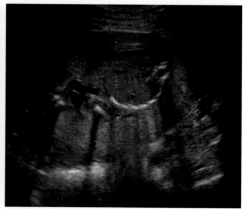

그림 15-4 양수과소증. 양수가 없고 태아가 자궁 속에 갇혀 있다.

질문 3-1. 초음파 진단은?

해설 3-1. 초음파검사에서 최대양수수직깊이가 2 cm 미만이거나, 양수지수가 5 cm 미만일 때 양수과소증으로 진단한다.

질문 3-2. 각 분기별 양수과소증의 원인은?

해설 3-2. 초음파검사에서 양수과소증이 진단되면 태아, 태반, 임산부에서 그 원인을 찾아야 한다. 태아에서는 양막파열, 과숙임신, 태아발육제한, 염색체이상, 태아기형, 만기임신 등이, 태반에서는 태반조기박리, 쌍태아간 수혈증후군, 태반경색 등이 있다. 임산부의 과거력을 확인하고 세심한 신체진찰을 통하여 양수과소증의 원인과 관련된 소견이 있는지 확인한다. 프로스타글란딘 합성억제제와 같은 약물복용이 양수과소증의 원인일 수도 있고, 만성 고혈압, 자간전증, 신장질환 등의 산모의 내과적 질환 자체가 태아발육제한과 양수과소증의 원인이 될 수 있다. 양수과소증과 관련된 태아기형, 이배수체와 관련된 소견, 태아발육제한, 태반기형 등을 찾기 위해 초음파검사를 세심하게 시행한다.

1) 임신 제1삼분기

정확한 원인을 찾기 어려우며 임신주수별 평균 임신낭 크기와 머리엉덩길이에 차이가 있을 때 양수과소증을 고려할 수 있으나 예후에 대해서는 연구가 더 필요하다.

2) 임신 제2삼분기

제2삼분기 초기에 태아의 소변이 생성되고 태아의 삼킴이 시작되므로 태아의 비뇨기계 이상이 양수과소증의 주요원인이다. 임산부의 원인, 태반, 양막파열도 연관이 있다.

3) 임신 제3삼분기

이 시기에 처음 발견된 양수과소증은 자간전증과 같은 자궁태반순환부전이 있거나, 만삭 전 조기양막파열이 발생했을 때 자주 발견된다. 태아발육제한과 태아기형, 태반조기박리도 주요원인이다. 임신주수가 진행될수록 양수량은 감소하며 만기임신에서는 양수과소증이 발생할 수도 있다. 임신 제3삼분기의 양수과소증에서는 원인을 찾지 못할 수도 있다.

질문 3-3. 태아의 색도플러 검사 결과이다(그림 15-5). 최종 진단과 예후는?

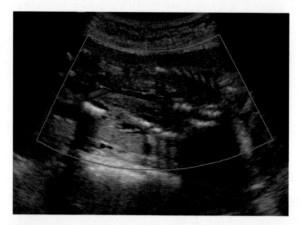

그림 15-5 태아 콩팥무발생. 색도플러 검사. 양측 콩팥의 혈관이 보이지 않음

해설 3-3. 태아의 양쪽 신장과 방광이 보이지 않고, 색도플러검사에서 양쪽 콩팥동맥(renal artery)이 보이지 않는다. 양측콩팥무발생(bilateral renal agenesis)이다.

양측콩팥무발생은 약 50%에서 동반기형이 발견되며 태아의 심장, 중추신경계, 비뇨생식기계, 근골계 기형 등과 연관이 있다. 일측콩팥무발생에서도 30-70%에서 비뇨기계 기형이 발견되며, 그 외 심장, 위장관계, 생식기계, 근골격계 기형을 동반한다. 여아에서는 자궁기형을 동반할 수 있다. 동반기형을 동반한 양측성 및 일측성 콩팥무발생에서는 염색체 이상과도 연관이 있다.

일측성(unilateral)인 경우에는 동반기형이 없을 때 비교적 좋은 예후를 보이지만 양측성인 경우에는 폐형성부전으로 신생아기에 사망한다.

경과

태아 및 신생아의 예후에 대한 상담 후에 치료적 유산을 시행하였다.

후부요도판막증후군(기본)

임신 11주인 35세 다분만부가 산전진찰을 위해 병원에 왔다. 혈압 110/70 mmHg, 맥박 75회/분, 호흡 18회/분, 체온 36.7℃였다. 초음파검사에서 태아 크기는 주수에 맞고, 태아 복강내에 직경 1.5×1.0 cm 크기의 낭종이 관찰되고 양수량은 정상 소견이었다. 3주 후 초음파검사 사진이며 양수량이 감소하였고, 낭종크기가 직경 4.1×2.8 cm으로 증가하였다(그림 15-6).

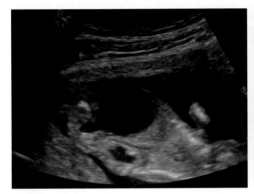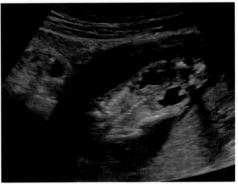

그림 15-6 임신 14주. 양수과소증. 방광이 커져 있고, keyhole sign이 관찰됨. 양쪽 신장에 수신증이 관찰됨

질문 4-1. 초음파 진단과 예후는?

해설 4-1. 남아의 초음파검사에서 크기가 증가한 방광과 함께 'Keyhole sign'이 관찰될 때 후부요도판막증후군(posterior urethral valve syndrome)을 진단할 수 있다. 남아의 후부요도에 막이 완전히 없어지지 않고 남아서 방광출구의 폐쇄를 일으키는 질환으로 방광이 팽창되고, 방광요관역류가 발생하며 요관확장 및 수신증이 동반될 수 있다. 요도의 판막으로 소변 배출이 안되어 양수과소증을 동반한다. 선천성 후부요도판막증후군은 남아에서 하부 요도 폐색을 일으키는 질환이다. 신이형성증, 신부전증, 폐형성부전증 등의 합병증을 유발할 수 있고, 이는 신생아 조기사망과도 연관이 있다.

질문 4-2. 임신 중 각 분기별 양수과소증의 예후는?

해설 4-2. 태아와 신생아의 예후는 양수과소증의 원인, 정도, 발생 당시 임신주수, 기간에 따라 다양하게 나타난다.

1) 임신 제1삼분기

유산의 위험이 높으며, 초음파검사로 양수량의 변화, 태아심박동 등을 추적관찰한다.

2) 임신 제2삼분기

근골격계 기형인 구축(contracture), 폐형성부전증(pulmonary hypoplasia) 등의 기형이 발생할 수 있다. 초음파검사로 양수량의 변화, 태아성장, 태아안녕 등을 추적관찰한다. 임신 제2삼분기, 특히 임신 20–22주 전에 발생한 양수과소증에서 폐형성 부전이 심할 수 있으나 임신 24주 이후에 양막파열로 발생한 양수과소증에서는 폐형성부전증이 발생하지 않는다.

3) 임신 제3삼분기

양수량이 적을수록 정상인 산모보다 태아기형 발생이 흔하며, 기형이 없더라도 조산, 태아심박동이상으로 인한 제왕절개분만, 3백분위수 미만의 출생체중이 흔하다.

질문 4-3. 임신 중 각 분기별 양수과소증의 처치는?

해설 4-3.

1) 수액 공급(Maternal hydration)

산모와 태아에서 이상이나 기형 등을 동반하지 않은 양수과소증(isolated oligohydramnios) 산모에서 구강 또는 정맥 내 수액 공급은 양수량의 증가와 연관이 있다. 등장성의 수액(isotonic fluid)보다는 저장성의 수액(hypotonic fluid)을 공급하였을 때 양수량의 증가에 효과적이었다. 저장성 수액을 투여할 경우 혈관 내 공간(intravascular space)과 세포 내 공간(intracellular space) 간에 오스몰 농도(osmolarity)의 차이가 발생하는데, 이를 통해 혈관내 공간에서 세포 내 및 간질성 공간(interstitial space)으로 체액이 이동하면서 양수량을 교정하여 산모와 태아 간에 생리적인 항상성(physiologic homeostasis)을 유지할 수 있다. 그러나 양수량의 증가가 임신의 예후를 향상시킬 수 있는지는 아직 명확하지 않다.

2) 양수주입술(Amnioinfusion)

진통 중 양수주입술은 변이성 태아심박동감소를 완화시키는 데 효과가 있을 수 있으나, 양수과소증의 표준치료가 아니므로 일반적으로 추천되지 않는다.

경과

양수천자를 통한 염색체검사에서 정상이었고, 임신 22주에 방광-양막강 단락수술을 시행하였다. 이후 초음파 검사에서 거대방광 소견은 안보이나, 지속적으로 양수과소증 소견을 보였다. 임신 28주의 초음파 검사에서 태아의 왼쪽 신장은 정상보다 작고, 오른쪽 신장은 이형성증(multicystic dysplastic kidney) 소견을 보였다. 임신 32주에 비수축검사에서 변이성감속으로 제왕절개술을 통해 1,830 g의 남아를 출생하였고, 신생아는 폐형성부전으로 인한 호흡부전으로 사망하였다.

05

Maternal-fetal medicine

단일탯줄동맥(기본)

임신 21주인 25세 미분만부가 정밀초음파검사를 위해 병원에 왔다. 초음파검사에서 다음과 같은 소견을 보였다(그림 15-7).

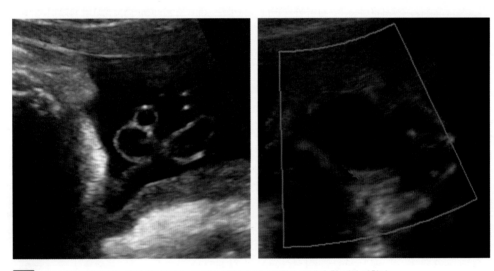

그림 15-7 단일탯줄동맥. 횡단면에 혈관이 두 개만 관찰됨. 방광주위로 동맥이 한 개만 관찰됨

질문 5-1. 초음파 진단은?

해설 5-1. 단일탯줄동맥은 임신 제2삼분기 초음파검사에서 약 0.5%에서 발견되며, 다태임신, 태아사망, 부검 등에서는 더 자주 발견된다.

탯줄의 횡단면에서 탯줄동맥이 한 개, 탯줄정맥이 한 개가 관찰되는 단일탯줄동맥이며, 방광의 횡단면에서 주위에 탯줄동맥이 한 개만 관찰된다.

탯줄이 태반에 부착되는 부위에서는 두 개의 탯줄동맥이 합쳐지는 경우가 있으므로 부착되기 5 cm 전의 위치에서 혈관의 숫자를 초음파로 관찰하고, 방광 주위의 탯줄동맥이 두 개인지 확인하여 감별할 수 있다.

질문 5-2. 초음파 진단 후 조치는?

해설 5-2. 단일탯줄동맥이 진단되면 동반기형 유무를 확인해야 한다. 특히 비뇨생식기계, 순환기계, 위장관계, 근골격계, 중추신경계 등의 기형에 대해 검사한다. 또한 탯줄의 태반 부착 위치, 탯줄의 길이, 꼬임, 태반의 모양 등도 확인한다.

주요 동반기형을 동반한 단일탯줄동맥에서는 염색체 기형의 위험이 증가하므로 염색체검사가 필요하다.

동반기형이 없는 단일탯줄동맥에서는 염색체 이상 가능성이 증가하지 않으므로 침습적인 유전자 검사보다는 고식적인 선별검사 또는 세포유리태아 DNA선별검사와 같은 통상적인 선별검사를 추천한다. 침습적인 확진검사는 해부학적 이상이나 태아발육제한 또는 이배수체 선별검사에서 비정상 결과일 때 추천된다.

질문 5-3. 임신 중 관리와 예후는?

해설 5-3. 동반기형이 없고 정상적인 태아 성장을 보인다면 비수축검사와 생물리학적계수 측정과 같은 태아안녕검사를 규칙적으로 시행하는 것은 추천되지 않는다. 비록 동반기형이 없는 단일탯줄동맥 임신에서 태아, 신생아 및 영아 사망률이 증가하는 경향으로 보고되기도 하지만, 아직 완전히 일치된 의견은 없다. 다만 임산부의 불안이 심할 경우 비수축검사를 시행해 볼 수 있다. 만약 태아발육제한이 확인되면 이와 관련한 통상적인 검사들을 시행한다. 단일탯줄동맥만으로 분만의 시기와 방법을 정하지는 않는다.

단일탯줄동맥 임신의 예후는 동반기형의 유무에 따라 달라진다. 혈관의 숫자보다는 태아의 구조적 및 염색체 이상 등이 태아의 성장에 큰 영향을 미친다. 동반기형이 없는 단일탯줄동맥 임신에서 장기적인 신체발달 및 신경학적 발달은 정상임신과 비교할 때 차이가 없다.

06

Maternal-fetal medicine

완전포상기태(심화)

임신 11주인 32세 미분만부가 소량의 질출혈이 있어 병원에 왔다. 혈압 120/80 mmHg, 맥박 80회/분, 호흡 20회/분, 체온 36.6℃였다. 배란유도로 임신이 되었고 쌍둥이임신이었다. 초음파검사에서 두 태아의 크기는 주수에 맞고, 다음과 같은 소견을 보였다(그림 15-8).

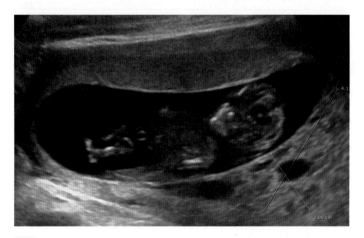

그림 15-8 임신 11주. 태아 아랫쪽으로 4.1×2.0 cm 크기의 혼합에코덩이

임신 14주에 질출혈은 비슷하게 있었고, 입덧이 심해졌다. 초음파검사에서 다음과 같은 소견을 보였다(그림 15-9).

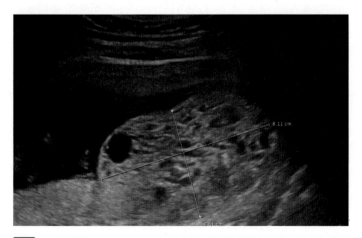

그림 15-9 임신 14주. 8.1×4.6 cm 크기의 불규칙적인 음영과 함께 크기가 다양한 무에코성 수포가 자궁 내부를 채우는 눈보라 형성(snowstorm appearance)

질문 6-1. 진단을 위한 검사는?

해설 6-1. 임신 14주에 초음파검사에서 종괴 내 출혈 변성으로 인해 불규칙적인 음영과 함께 다양한 크기의 무에코성 수포가 자궁 내부를 채우는 눈보라 형성(snowstorm appearance)을 보이는 포상기태(hydatidiform mole)를 의심할 수 있다. 포상기태는 조직학적 진단이 필요하며, 분만 전에는 β-hCG 값을 측정하면 진단하는 데 도움이 될 수 있다.

처음 측정한 β-hCG 값이 100,000 mIU/mL을 초과하는 경우, 질초음파검사를 통해 포상기태를 시사하는 소견이 있는지 확인해야 한다. 만약 β-hCG 값은 높으나 정상적인 단태 임신 소견을 보인다면 1주일 간격으로 초음파검사와 β-hCG 값을 측정하여 정상 단태아와 포상기태를 가진 쌍태임신인지 확인해야 한다. 완전포상기태에서는 부분포상기태보다 β-hCG 값이 높게 측정된다. 완전포상기태임신의 40%와 부분포상기태임신의 6%에서 포상기태 제거 전 β-hCG 값이 100,000 mIU/mL 이상으로 측정된다.

질문 6-2. β-hCG 측정검사에서 724,000 mIU/mL 였다. 추가로 필요한 검사는?

해설 6-2. 임신 제1삼분기에는 전자간증이나 갑상선항진증 등의 합병증 위험이 비교적 낮으나 제2삼분기에는 위험도가 증가하므로 전혈구검사, 간기능검사, 신장기능검사, 갑상선기능검사, 요단백 검사 등을 시행해야 한다.

대량출혈의 위험성과 수혈의 필요성을 고려할 때 ABO, Rh 등의 혈액형과 항체선별(antibody screening)검사를 시행한다.

Rh음성 산모에서 임신중절 등의 시술 시 항-D면역글로불린을 투여한다. 골반초음파검사를 통해 포막 황체낭(theca lutein cyst)의 유무를 확인한다. 흉통이나 호흡곤란 등의 호흡기계 증상이 있는 경우 흉부 엑스선 검사 등을 시행한다.

질문 6-3. 완전포상기태와 부분포상기태의 차이점은?

해설 6-3.

표 15-3 완전포상기태와 부분포상기태

항목	완전포상기태	부분포상기태
유전 　가장 흔한 핵형 　Chromosomal origin	46,XX; 46,XY All paternal derived	69,XXY; 69,XYY; 69,XXX Extra paternal set
병리 　태아 또는 배아 조직 　융모의 포상종창 　영양배엽세포의 증식 　융모의 scalloping 　기질영양배엽세포의 　inclusion	없음 전반적 전반적 없음 없음	있음 부분적 부분적 있음 있음
임상 증상 　증상 　전형적 증상	비정상적 질출혈 흔함	계류유산 드묾
임신영양모세포병 위험도	15-20%	1-5%

질문 6-4. 추적관리는?

해설 6-4. 포상기태 제거 후 혈청 β–hCG 측정은 정상치에 이를 때까지 매주 측정하여 3회 연속 정상치이고, 완전포상기태는 한 달 간격으로 3회, 부분포상기태는 1달 후 검사에서 정상치이면 β–hCG 추적검사를 종료한다. FIGO에서는 추적검사 종료 전에 한 달 간격으로 6개월 동안 정상치이면 추적검사를 종료하라고 권고하고 있다. 위와 같은 측정치 소견이 아니라면 임신영양모세포병에 대한 검사가 필요하다.

β–hCG 추적검사 기간에는 피임해야 한다. 자궁내 장치는 자궁천공의 위험이 있으므로 경구 피임제나 콘돔을 사용한다.

경과

추가검사 결과

> WBC 13,100/uL, Hemoglobin 10.8 g/dL, Platelet count 225,000/uL
>
> BUN 8.6 mg/dL, Creatinine 0.4 mg/dL
>
> T3 2.69 ng/mL, fT4 1.64 ng/dL, TSH 0.007 uIU/mL
>
> AST 67 U/L, ALT 101 U/L
>
> Urine protein: negative
>
> 흉부엑스선검사: 특이소견 없음
>
> 복부초음파검사: 특이소견 없음

임신부 및 가족에게 임신 유지 시 발생할 수 있는 전자간증, 대량출혈, 갑상선항진증, 조기분만, 및 임신영양모세포병 (gestational trophoblastic neoplasia)에 대해 충분히 설명했고, 임신 중단을 위해 중절을 시행하였다. 그림 15-10은 초음파검사에서 보였던 종괴의 분만 후 사진이며 조직검사 결과는 완전포상기태였다.

그림 15-10 임신 중절 후 육안 소견. 포도송이와 비슷한 다양한 크기의 투명한 수포체가 관찰됨

임신 중절 전후 β-hCG 값은 다음과 같다.

이후 6개월 동안 정상 수치를 보여 β-hCG 추적검사를 중단하였고, 2년 후 만삭분만하였다.

(단위 : mIU/mL)

> 732,000(중절 직전) → 198,000(중절 1일 후) → 52,200(3일 후) → 4,090(10일 후) → 2 이하(70일 후)

참고 문헌

1. American College of Obstetricians and Gynecologists. ACOG Practice bulletin No. 145: Antepartum fetal surveillance. Obstet Gynecol 2014;124:182 –92.

2. Berkowitz RS, Goldstein DP. Clinical practice. Molar pregnancy. N Engl J Med 2009;360:1639–45.

3. Biggio JR, Wenstrom KD, Dubard MB, Cliver SP. Hydramnios prediction of adverse perinatal outcome. Obstet Gynecol 1999;94:773 – 7.

4. Brace RA. Physiology of amniotic fluid volume regulation. Clin Obstet Gynecol 1997;40:280–9.

5. Chetty-John S, Zhang J, Chen Z, Albert P, Sun L, Klebanoff M, Grewal U. Long-term physical and neurologic development in newborn infants with isolated single umbilical artery. Am J Obstet Gynecol 2010;203:368.e1–7.

6. Dagklis T, Defigueiredo D, Staboulidou I, Casagrandi D, Nicolaides KH. Isolated single umbilical artery and fetal karyotype. Ultrasound Obstet Gynecol 2010;36:291–5.

7. Dashe JS, Pressman EK, Hibbard JU. SMFM Consult Series #46: Evaluation and management of polyhydramnios. Am J Obstet Gynecol 2018;219:B2–8.

8. Dickinson JE, Tjioe YY, Jude E, Kirk D, Franke M, Nathan E. Amnioreduction in the management of polyhydramnios complicating singleton pregnancies. Am J Obstet Gynecol 2014;211:434.e1–7.

9. Fujikura T. Fused umbilical arteries near placental cord insertion. Am J Obstet Gynecol 2003;188:765–7.

10. Gizzo S, Noventa M, Vitagliano A, Dall'Asta A, D'Antona D, Aldrich CJ, Quaranta M, Frusca T, Patrelli TS. An Update on maternal hydration strategies for amniotic fluid improvement in isolated oligohydramnios and normohydramnios: evidence from a systematic review of literature and meta-analysis. PLoS One 2015;11;e0144334.

11. Idris N, Wong SF, Thomae M, Gardener G, McIntyre DH. Influence of polyhydramnios on perinatal outcome in pregestational diabetic pregnancies. Ultrasound Obstet Gynecol 2010;36:338 – 43.

12. Laurichesse Delmas H, Kohler M, Doray B, Lemery D, Francannet C, Quistrebert J, Marie C, Perthus I. Congenital unilateral renal agenesis: Prevalence, prenatal diagnosis, associated anomalies. Data from two birth-defect registries. Birth Defects Res 2017;109:1204–11.

13. Ngan HYS, Seckl MJ, Berkowitz RS, Xiang Y, Golfier F, Sekharan PK, Lurain JR, Massuger L. Update on the diagnosis and management of gestational trophoblastic disease. Int J Gynaecol Obstet. 2018;143:79–85.

14. Nicolaides KH, Cheng HH, Abbas A, Snijders RJ, Gosden C. Fetal renal defects: associated malformations and chromosomal defects. Fetal Diagn Ther 1992;7:1–11.

15. Norton ME, Merrill J, Cooper BAB, Kuller JA, Clyman RJ. Neonatal complications after the administration of indomethacin for preterm labor. N Engl J Med 1993;329:1602 – 7.

16. Pilliod RA, Page JM, Burwick RM, Kaimal AJ, Cheng YW, Caughey AB. The risk of fetal death in nonanomalous pregnancies affected by polyhydramnios. Am J Obstet Gynecol 2015;213:410.e1–6.

17. Sickler GK, Nyberg DA, Sohaey R, Luthy DA. Polyhydramnios and fetal intrauterine growth restriction: ominous combination. J Ultrasound Med 1997;16:609–14.

18. Society for Maternal-Fetal Medicine, Simpson LL. Twin-twin transfusion syndrome. Am J Obstet Gynecol

2013;208:3-18.

19. Vink JY, Poggi SH, Ghidini A, Spong CY. Amniotic fluid index and birth weight: is there a relationship in diabetics with poor glycemic control? Am J Obstet Gynecol 2006;195:848-50.

chapter **16**

산과적 출혈

모체태아의학

산과적 출혈

양정인(아주의대)　　권자영(연세의대)
곽동욱(아주의대)　　최수란(인하의대)

01

이완성 자궁(기본)

31세 산과력이 0-0-2-0인 초임부가 임신 41주에 태동감소를 주소로 내원하였다. 당시 태아의 예상 체중은 3.5 kg이었으며, 초음파상 태아의 움직임은 양호한 편이었으나 양수지수가 4 정도로 측정되어 유도분만을 결정하였다. 내진 당시 Bishop scores는 2점으로 프로페스 질정 및 oxytocin을 사용하였고, 14시간의 진통 후 3.7 kg의 남아를 분만하였다. 이후 태반 만출이 일어나지 않아 용수박리를 시행하였으며 대량의 질출혈이 지속되었다. 당시 혈압은 110/70 mmHg, 맥박은 분당 100회로 측정되었고, 질강내 laceration은 관찰되지 않았으나 자궁저가 배꼽의 윗쪽에서 만져지고 자궁 수축 역시 확고하지 않았다. 유도분만 전 10.9 g/dL이었던 hemoglobin level이 분만 직후 7.0 g/dL으로 감소하였으며 혈소판 수치 또한 60,000/mm^3 측정되었다.

질문 1-1. 이 상황에서 수혈이 필요한가?

해설 1-1. 급성 출혈 상태에서 수혈에 대한 가이드라인은 다양하다. 수술 중 출혈과 관련한 여러 가이드라인에서 Hb 6 g/dL 미만에서는 수혈을 권장하고, 10 g/dL 이상일 경우는 수혈을 하지 말 것을 권장하고 있다. 영국산부인과학회(RCOG, 2015)에서는 진통 중이거나 분만 직후 Hb level이 7.0 g/dL 미만인 경우 산모의 병력이나 현재 증상 등을 고려하여 수혈을 결정할 것을 권고하였다. 더불어 수혈에 대한 결정은 당시의 출혈 양상에 따른 임상의의 판단이 더 중요하다는 내용을 명시하고 있으며, 각 기관별로 수혈에 대한 가이드라인을 만들 것을 권장하고 있다. 따라서 지금 산모의 상태가 질출혈이 멈추는 과정이 아닌 것을 감안하면, 지금 상황에서 바로 적혈구 수혈을 준비해야 할 것으로 판단된다.

질문 1-2. 적혈구 외에 다른 혈액 제제의 수혈은 어떻게 해야 하는가?

해설 1-2. 영국산부인과학회(RCOG, 2015)에서는 산과적 출혈 시 적혈구 6 unit당 FFP 12–15mL/kg를 투여해야 하며, 출혈 당시 CBC, platelet뿐만 아니라 PT, aPTT, fibrinogen 검사를 같이 시행하여 적절한 신선 동결혈장(fresh frozen plasma. FFP) 수혈을 통해 PT/aPTT ratio를 정상의 1.5배 미만으로 유지해야 한다고 하였다. 또한 미국 마취과 task force (2015)에서는 대량 출혈 시 신선동결혈장(fresh frozen plasma)을 농축 적혈구와 1:1 비율로 충분하게 수혈할 것을 권고하였다. 혈소판과 관련하여, 분만 후 출혈 환자에서 50×10^9/L을 유지해야 하며, 이를 위해 75×10^9/L부터 혈소판 수혈을 고려할 것을 권고하였다. 따라서 이 환자의 경우, 혈소판 수혈 역시 고려해야 하며, PT/aPTT 결과에 따라 신선동결혈장 수혈 여부 또한 판단해야 할 것으로 보인다.

02 Maternal-fetal medicine

태반조기박리 및 자궁파열(심화)

키 160 cm, 체중 61 kg(임신 전 체중 50 kg), 임신 29주 3일인 산과력 0–1–0–1의 37세 산모가 내원 2시간 전부터 시작된 복통 및 질출혈을 주소로 내원하였다. 2년 전 severe preeclampsia로 33주에 유도 분만 시도 도중 응급제왕절개술을 통해 1.49 kg의 여아를 출산한 산과력 있으며, 금번 임신 이후 preeclampsia의 예방목적으로 아스피린 100 mg을 매일 복용하고 있었던 것 외에 특이사항 없이 산전 진찰을 정기적으로 받고 있었다. 내원 당시 혈압은 140/90 mmHg, 맥박 92회/분이었고, 체온은 37℃로 측정되었다. 질초음파 검사상 전치태반 소견은 관찰되지 않았으며, 내진 결과 자궁경부는 2 cm 개대, 소실 정도는 70%, 양막은 파수되지 않았다. 당시 시행한 혈액검사상 Hb: 10.2 g/dL Hct: 30.3% WBC 9,800/mm³, PLT 189 k/mm³였으며, 요단백 trace, routine chemistry 검사는 특이소견 없었다.

질문 2-1. 현재 상태에서 의심해야 하는 진단과 앞으로의 처치는?

해설 2-1. 산모는 임신 3분기에 질출혈을 동반한 복통을 주소로 내원하였으며, 이전 pre-eclampsia에 의한 제왕절개술 과거력, 현재 비교적 높은 혈압 및 단백뇨 등을 고려할 때 태반조기박리를 가장 우선으로 고려하여야 한다. 따라서 입원 조치 후 지속적인 전자태아감시(continuous electronic fetal monitoring)를 통하여 태아 안녕 상태를 확인하고, 응급 수술에 대한 준비를 같이 하는 것이 필요하다. 또한 대량 출혈에 대비한 충분한 수혈 준비가 동반되어야 한다.

경과 및 수술 소견

산모는 태아안녕검사 진행 도중 심한 복통을 호소하였고, 당시 전자태아감시검사상 늦은 태아심장박동수감소(late deceleration)가 나타났다. 이에 응급 제왕절개술을 시행하였으며, 수술 소견상 300 cc 이상의 혈액이 복강 내에서 관찰되었고, 자궁 파열 소견이 동반되었다. 또한 태아의 상태는 양호하였으나, 태반의 50% 이상이 박리되어 있었다. 수술방에서 농축 적혈구 및 신선동결혈장 2 pint씩 수혈하였고, 수술 종료 시 전체 출혈양은 1,500 mL이었다.

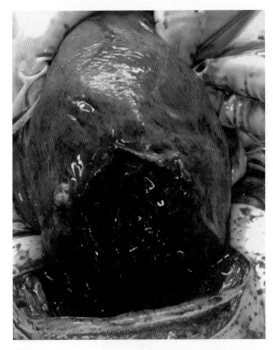

그림 16-1 태반조기박리와 자궁파열이 동반된 증례

질문 2-2. 위의 증례에서 태아가 사망하였다면, 바람직한 분만 방법은?

해설 2-2. 태반조기박리 단독 발생 시 태아가 사망한 경우에는 산모의 상태가 안정적인 경우 분만을 통한 임신의 종결이 권장된다. 태반조기박리만 동반되고 이전 제왕절개술의 과거력이 있더라도 질식 분만을 고려할 수 있다. 그러나 출혈 성향이 더욱 심해질 수 있기 때문에 보다 더 충분한 혈액 제제의 준비가 필요하다. 또한 성공적으로 분만된 이후에도 자궁 마사지 및 자궁 수축제를 충분히 사용하여 더 이상의 출혈을 방지해야 한다. 하지만 태아가 사망한 경우라 하더라도 출혈량이 많거나 그 외 산모의 여러 조건을 고려하여 분만이 여의치 않을 것으로 판단된다면 수술을 통한 임신 종결을 시행해야 한다.

03 전치태반 및 유착태반(기본)

38세 임신 32주 산과력 2-0-0-1인 다분만부가 전치태반이 진단되어 왔다. 과거력상 제왕절개수술을 2회 받았다. 초음파 검사 상 태아는 둔위, 양수지수 20 cm, 예상태아 몸무게는 1,520 g (50백분위수)였고, 태반은 자궁경부내구를 완전히 덮고 있었다(그림 16-2). 태반 부착 부위 자궁벽에 hypervascularity(그림 16-2), 저음영부 소실(그림 16-3, 화살표)와 태반 내 swiss-cheese 모양의 lacunae 소견(그림 16-4)이 확인되었다.

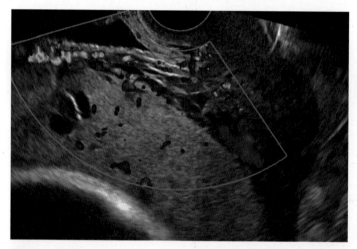

그림 16-2 방광과 맞닿아 있는 자궁벽에 hypervascularity 소견

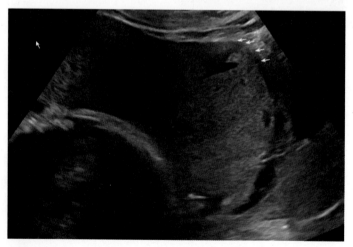

그림 16-3 Retroplacental hypoechogenicity의 소실(화살표)

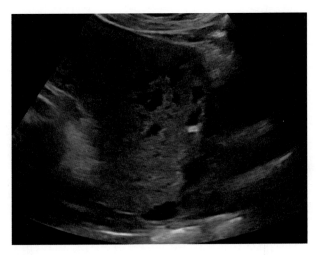

그림 16-4 태반 내 다수의 lacunae 소견

질문 3-1. 분만방법의 결정은?

해설 3-1. 전치태반은 질식 초음파 검사에서 자궁내구와 태반의 가장 하단의 변연부의 상관 관계를 평가하여 진단하며, 자궁경부 내구가 태반에 의해 완전 또는 부분적으로 덮인 경우 전치태반(완전 또는 부분), 자궁경부 내구와 태반변연 부의 거리가 2 cm 이내일 때 하위태반 이라 한다. 선행제왕절개수술력, 유산시술력, 다분만부, 자궁수술력, 흡연, 다태아 임신, 보조 생식술을 통한 임신, 자궁근종의 경우 전치태반이 호발하므로 해당 위험인자를 가지는 산모 의 산전 초음파 검사를 시행할 때 태반의 위치에 대한 평가에 주의를 기울여야 한다. 임신 중 기에 진단된 전치태반의 2/3 정도는 출산 시 소실된다. 특히, 26주 이후 시행한 초음파 검사 에서 태반이 자궁내구에서 2 cm 이내에 위치하거나 자궁경부내구를 덮고 있지만 2 cm 미만 이었던 산모의 88.5%가 출산 시 전치태반이 소실되었던 반면, 태반이 자궁경부내구를 2 cm 이상 넘어서 덮고 있는 경우 모두 제왕절개수술이 필요하였다고 한다. 따라서 임신 중기에 전 치태반/하위태반이 진단되었더라도 임신 32-36주까지 질초음파 검사로 태반의 위치 변화에 대한 경과를 평가한 후 적절한 분만방법을 결정하여야 한다. 전치태반/하위태반이 있는 산 모는 진통 중 출혈 발생이 하는 경우가 높기 때문에 제왕절개수술이 권장된다. 그러나 자궁 경부내구와 태반의 거리가 11-20 mm인 하위태반의 경우는 분만방법에 대해서는 논란이 있 다. 최근 메타분석 결과 하위 태반 중, 내구-태반 거리가 11-20 mm인 산모의 경우 0-10 mm 인 산모보다 질식분만의 성공율이 높았으며(85% vs 43%, p=0.03), >20 mm인 산모와 차이 가 없었다(85% vs 82%). 그렇지만, 태반이 자궁 뒷벽에 부착된 경우, marginal sinus가 있는 경우, 임신 제3분기에 출혈력이 있는 경우는 진통 중 출혈로 응급제왕절개수술 시행 빈도가 증가되므로 주의가 필요하다. 결국 하위태반의 경우 각 분만 방법의 득과 실에 대해 산모와 가족들과 충분한 상담 후 결정되어야 하며, 질식 분만을 하는 경우 응급수술이나 수혈의 상황에 대비되어야 한다.

질문 3-2. 과다 산후출혈이 예상될 시 대비 사항은?

해설 3-2. 전치태반은 산후출혈로 인해 자궁수축제 사용, 수혈, 자궁제거술의 빈도가 증가되는데, 특히 빈혈, 혈소판감소증, 당뇨, 마그네시움 투약, 전신마취, 감입태반(adherent placentation) 동반 등이 산후출혈 발생과 관련이 있는 것으로 보고되었다. 이 중 유착태반은 전치태반의 약 10% 정도에서 동반되므로, 산전에 태반 유착 동반 가능성을 평가하여 출산 전 대량출혈 예방/치료를 위한 사전 준비를 하는 것이 중요하지만 태반 유착의 동반 유무는 산전에 진단이 어려우며 대부분 분만 시 또는 제왕절개 시 진단이 이루어진다. 임상적으로 선행 제왕절개수술력, 유산시술력, 다분만부, 자궁내막수술력이 있는 경우 태반유착과 관련이 있으며, 초음파 검사에서 태반부착 부위 wall thinning, hypervascularity, loss of uteroplacental interface, placenta lacunae 등의 소견이 보이는 경우 대량 출혈에 대비해야 한다.

경과

임신 37주에 제왕절개수술을 시행하였으며 태아 분만 후 태반이 박리되지 않아 제왕자궁제거술 시행하였다(그림 16-5). 수술 중 산모의 혈압 80/45 mmHg, 맥박수 120회/분로 출혈성 쇽 발생하여 총 3팩의 농축적혈구 수혈하였고, 수술 종료 후 출혈량은 1,800 mL였다.

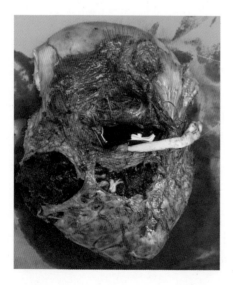

그림 16-5 제왕자궁제거술 시행 후 자궁과 태반의 육안소견

04 전치태반 및 유착태반(심화)

Maternal-fetal medicine

36세 임신 34주 4일, 경산모가 질출혈로 병원에 왔다. 내원 30분 전 갑자기 다량의 출혈이 나왔고, 배뭉침이나, 복부 불편감은 없었다고 하였다. 혈압 88/50 mmHg, 맥박 89회/분, 호흡 20회/분, 체온 36.9 °C였다. 5년 전 및 3년 전 2회의 자연분만력이 있고, 산과력은 2–0–2 (0,2)–2 (1,1)이다. 이번 임신은 임신 4개월경 처음 임신임을 알았으나, 산전진찰 받지 않았고, 약 1달 전 private clinic을 방문하여 내원하여 전치태반 진단받았다고 하였다. 질경을 통한 검사에서 질 내에 주먹만한 혈종이 있어서 제거하였고, 자궁경부를 통한 출혈은 없었다. 하지만, 1시간 후 다시 패드 한장을 모두 적시는 질 출혈이 있었다.

초음파 검사: 두위, 예측태아체중 2,364 g (34 백분위수), 양수지수 14.5 cm.
비수축 검사: 반응성, 자궁수축은 없었으나, 이후, 2–3분 간격 20 mmHg 정도 불규칙적 자궁수축
혈액 검사: Hb 10.9 g/dL, Hct 32.5%

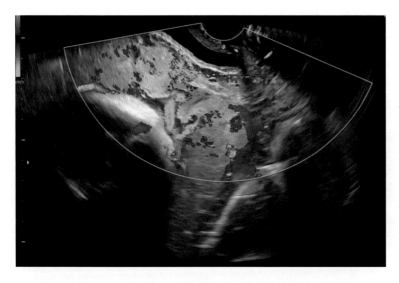

그림 16–6 경질 초음파를 이용한 초음파 검사결과

질문 4-1. 위 산모의 진찰과 검사 결과를 종합하여 적절한 추후 처치로 고려하여야 할 사항은 무엇인가?

해설 4-1. 임신 34주 4일이고, 초음파 예측태아 몸무게가 2,300 g (34 백분위)로 주수에 맞는 성장을 보였으며, 전치태반 소견과 계속되는 출혈로 제왕절개 분만을 고려할 수 있다. 제

왕절개술을 시행하기 전, 다량의 출혈 가능성에 대해 충분한 혈액준비, 중심정맥 혈관 확보 등 대비하여야 한다.

초음파 검사에서 방광 벽은 잘 유지되는 소견을 보이고 있으나, 태반이 자궁 하부의 앞부분과 자궁경부, 자궁 뒷부분에 걸쳐 있는 전치태반 상태로, 태반의 융모조직이 자궁근층으로 침투 가능성, 즉 태반유착(accrete syndromes) 가능성을 고려하여야 한다.

또한, 다학제적 진료가 필요하므로 수술을 진행하는 산과 전문의, 자궁적출술을 시행할 경우 부인과 전문의, 요관과 방광 손상 가능성에 대비하여 비뇨기과 전문의, 제왕절개술 진행과 수술 중 다량의 출혈 등 상황에서 마취과적 처치, 임신 34주 4일에 분만되는 신생아에 대한 신생아 전담 전문의 진료, 자궁동맥 색전술이 필요한 경우 영상의학과의 중재적 처치, 그리고, 분만 후 환자상태 관리 등에 대한 중환자의학 전문의 진료가 필요하다.

경과

제왕절개술을 시행하여, 여아 2.03 kg, 아프가 점수는 5분에 2점, 10분에 6점이었다. 제대동맥혈가스분석 결과는 pH 7.30, PCO_2 45.2 mmHg, PO_2 23.8 mmHg, HCO_3 22.3 mmol/L, BE -4.1 mmol/L이었다.

질문 4-2. 태아 만출 후 태반이 자궁벽에서 떨어지지 않고 다음 소견을 보이며 수혈에도 불구하고 혈압 50 mmHg, 맥박 분당 130회였다. 적절한 진단과 처치는 무엇인가?

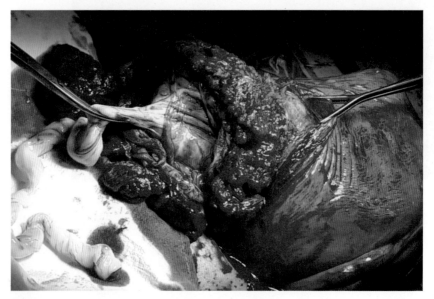

그림 16-7 수술 소견. 태반 융모가 자궁 근층까지 침범되어있는 소견

해설 4-2. 진단은 전치태반에 동반 된 감입태반(placenta increta)이다. 제왕절개술 중 출혈을 동반한 감입태반으로 진단되면, 자궁적축술을 결정할 수도 있으며 본 예에서는 태반이 잘 떨어지지 않고 산후 산모의 생체 징후가 불안정하며 출혈이 지속되어 자궁적출술을 시행하기로 하였다. 만약, 다학제적 진료가 어려운 1, 2차 병원에서 태아 분만 후 태반이 떨어지지 않는 경우, 수술을 더 진행시키지 않고, 태반을 그대로 놔둔 상태로, 충분한 수혈과 다학제 진료가 가능한 3차병원으로 즉각 전원하여야 한다. 분만 전 초음파 검사를 시행하지만, 대부분 감입태반은 예측하기 어렵다. 이전 제왕절개분만력이 있으면서 자궁 하부의 앞쪽을 포함하는 전치태반일 경우 감입태반을 예측할 수도 있다. 드물게, 태반 전체가 아니라 1–2개의 엽(codyleton)이 감입태반으로 되어 자궁 근육 층에 붙어 자궁 내에 남게 될 수도 있다. 초음파 검사, 또는 MRI 검사가 도움이 될 수 있다. 질식분만에서 태반 일부가 감입태반일 경우에는 충분한 자궁수축제, 감염 예방을 위한 항생제 치료가 필요하다. 출혈과 감염의 징후가 없다면, 경과 관찰을 시행할 수 있으며, 필요에 따라 자궁동맥색전술, methotrexate 치료, 자궁절제술이 필요하기도 하다.

경과

수술 중 출혈량은 대략 3,000 mL 정도였으며, 수혈(농축적혈구 5단위, 신선동결혈장 5단위)을 시행하였다. 다음날 혈액검사에서 Hb/Hct 8.5 g/dL 26%, 혈소판 150,000/μL이었다.

05

산도 열상(기본)

임신 39주 4일 초임부가 5분 간격의 규칙적 자궁수축으로 병원에 왔다. 이전 산전진찰에서 특이소견은 없었다고 하였다. 혈압 120/80 mmHg, 맥박 88회/분이었다. 골반 내진검사에서 자궁경부 2 cm 개대, 50% 소실, −1 하강도로 측정되었다. 자궁수축은 5-6분 간격으로 60 mmHg이었으며, 태아심박동 모니터에서 심박동 가속(acceleration)이 있으면서 보통의 변이도를 보였다. 분만진통이 진행되는 중에, 자궁경부 7-8 cm 개대부터 임신부가 힘주기를 시도하였고, 이후 30분 지나서 정상질식분만 하였다. 남아 3.78 kg, 아프가 점수 5분 8점, 10분 9점이었다. 태반은 분리되어 만출되었고, 옥시토신을 주입하였다. 단단한 자궁수축 소견을 보였지만, 선홍색 질출혈이 지속되었다. 질경을 통한 질벽과 자궁경부 시진 검사에서 자궁경부 2시 방향에 열상이 관찰되었다. 고리겸자(ring forcep)로 자궁경부를 잡아서 보았을 때, 상방으로 3-4 cm 열상이 관찰되었다.

질문 5-1. 위 산모에서 자궁경부 열상에 대한 처치와 주의하여야 할 것은 무엇인가?

해설 5-1. 위 산모에서 시야 확보가 중요하여 직각질견인자를 사용하여 열상된 자궁경부를 노출시키고, 봉합을 시행한다. 그 외에 질구개 부위와 질벽의 열상 유무도 반드시 체크하여야 한다.

자궁경부 열상은 1 cm 미만인 경우가 대부분이고, 출혈이 없다면 2 cm 열상까지도 그대로 두어도 산욕기 후 정상적인 자궁경관 모양으로 회복하기도 하며 지혈 시 거즈 압박이 도움이 되기도 한다.

자궁경부 열상은 진통 및 분만 과정이 순조로운 질식분만에서도 발생할 수 있으며 그외 자궁경부 개대가 완전히 이뤄지지 않은 상태에서 분만될 때, 또는 수술적 질식 분만 시에도 일어나며 매우 드물지만 자궁경부열상은 자궁하부와 자궁 동맥분지, 복막까지 확장될 수도 있다.

06

Maternal-fetal medicine

잔류태반(기본)

37세 여성이 6시간 전부터 지속된 심한 질출혈로 응급실로 내원하였다. 9일 전 39주 1
일에 3.5 kg의 여아를 질식 분만하였으며 분만 후에는 출혈이 있었으나 심한 정도는 아
니였다고 한다. 생체징후는 혈압 100/65 mmHg, 맥박 92회/분, 체온은 37.0도이다. 자
궁은 배꼽 부위에서 딱딱하게 만져졌고, 골반검사에서 자궁 경부와 질 내에 열상은 보
이지 않았으며 자궁경부 안쪽에서 지속적인 출혈이 관찰되었다. 혈액 검사와 초음파 검
사를 시행하였다.

Hb 8.3 g/dL, Hct 25.9%, WBC 12.12 ×10⁹/L, Plt 218 ×10³/μL

PT 93.5% (80–130), PT (INR) 1.04 (0.87–1.12), PT 12.3 sec (10.3–13.2), aPTT 33.7 sec
(27.0–42.0)

AST 20 IU/L, ALT 25 IU/L, LDH 292 IU/L

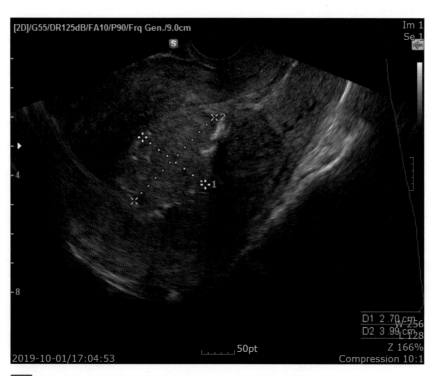

그림 16-8 질식초음파상 자궁 내에 3.99×2.70 cm의 고음영 덩이가 관찰됨

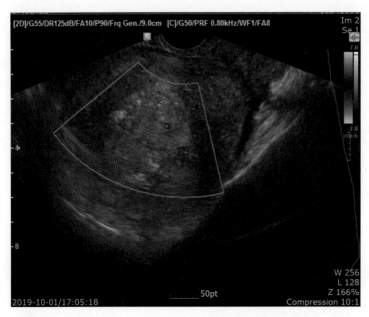

그림 16-9 질식초음파상 고음영 덩이로 혈관이 연결되는 것이 관찰됨

질문 6-1. 산후출혈의 원인을 규명하기 위해 필요한 검사는?

해설 6-1. 자궁수축이 잘 이루어지는지 여부를 관찰하기 위해 먼저 자궁촉진을 통해 자궁이 딱딱하게 만져지는지 확인해야 하고, 열상을 감별하기 위해 골반검사를 시행하여 자궁경부나 질 안쪽으로 출혈이 일어나는 곳이 없는지, 열상이 있는지, 혈종이 고인 부분이 없는지 확인해야 하며 초음파 검사를 통해 자궁내에 잔류태반 여부를 확인한다. 혈액응고검사를 시행하여 응고부전이 없는지 확인한다.

질문 6-2. 산후출혈의 원인은?

해설 6-2. 산후 출혈의 원인은 자궁수축부전(tone-uterine atony), 열상(trauma), 잔류태반(tissue-retained placenta)과 응고부전(thrombin-coagulation disorders)으로 나눌 수 있다. 원인에 따라서 치료방침이 달라지기 때문에 산후 출혈 산모가 왔을 때 출혈의 원인을 신속하고 명확하게 감별하는 것이 중요하다. 이 환자의 경우 자궁이 딱딱하게 만져진 것으로 자궁수축부전은 배제되고, 골반 검사상 질이나 경부에 열상 보이지 않아서 열상에 의한 원인을 배제할 수 있으며 초음파 검사상 고음영의 덩이가 자궁내에 발견되어 잔류태반을 의심해 볼 수 있다.

질문 6-3. 산후 출혈이 일어났을 때 처치는?

해설 6-3. 출혈량을 가늠하여 다음과 같이 치료한다.

1) 병원을 방문하여 확인한다.

2) 도움을 요청한다.

3) 생체징후와 출혈양을 지속적으로 모니터링 하고 large gage catheter를 이용해서 정맥주사를 할 수 있게 확보한다.

4) Bimanual uterine massage를 시행하고 oxytocin을 주입한다.

5) 실혈양을 가늠하여 수혈과 volume resuscitation을 시행한다.

6) 열상 또는 잔류태반이 없는지 확인한다. 필요시 수술적인 치료를 진행한다.

7) Uterine artery embolization이나 uterine artery/ovarian artery ligation, uterine compression sutures 를 시행한다.

8) 출혈량이 1,000 mL 이상 1,500 mL 이하인 경우 위의 치료를 진행하면서 intrauterine balloon for tamponade를 고려한다.

9) 출혈량이 1,500 mL 이상인 경우 massive transfusion을 시행하면서 자궁을 보존하면서 출혈을 멈추게 하기 위해서 하는 시술이나 수술이 잘 진행되지 않을 경우 cesarean hysterectomy를 시행한다.

10) oxygen saturation >95%로 유지한다.

경과

골반내진 검사상 자궁경부나 질 내에 열상 소견 보이지 않고 초음파 검사에서 자궁내에 고음영의 덩이 소견이 관찰되어 잔류태반 의심하에 수술실에서 잔류태반제거술 시행하였다. 이후 자궁출혈 있어 자궁내 풍선삽입술을 시행하였고 24시간 경과관찰 후 제거하였다.

07

자궁파열(심화)

35세 초산모가 내원 4시간전부터 시작된 하복부 통증을 주소로 응급실로 내원하였다. 28일 주기의 규칙적인 생리주기를 보였으며 산전진찰은 임신 초기부터 받았으며 특이 소견 없었으나 친정 방문 중 상기 증상이 시작되었다고 한다. 분만예정일은 2019년 04월 15일로 현재 임신 35주였다. 질출혈은 많지 않았으며 복부 통증은 처음은 소화가 잘 안 되는 느낌이었으나 점점 심해져 허리를 펴기가 힘들다고 한다. 생체징후는 혈압 100/62 mmHg, 맥박 90회/분, 체온은 36.3도이다. 태아심음은 규칙적으로 확인되었으며 하복부 촉진상 좌측 상복부의 압통을 호소하였다. 과거력상 2015년에 복부 개복수술로 자궁근종을 제거한 적이 있다고 하였다. 응급 제왕절개수술에 대비한 혈액 검사, 통상 뇨검사, chest PA 및 심전도검사를 시행하였으며 전자태아감시장치검사에서 다음과 같은 소견을 보였다.

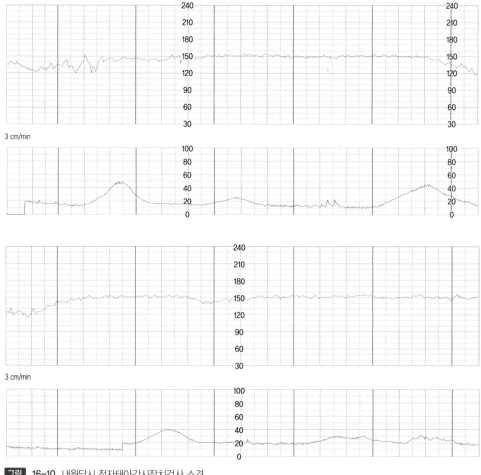

그림 16-10 내원당시 전자태아감시장치검사 소견

질문 7-1. 전자태아감시장치검사 소견은?

해설 7-1. 최대 높이의 자궁수축을 지난 부분에서부터 태아심수가 느려지는 late deceleration을 보인다.

질문 7-2. 태아절박의 원인을 규명하기 위해 필요한 검사는?

해설 7-2. 산모의 증상 및 진찰소견상 출혈, 복부 압통 소견으로 태반조기박리의 가능성도 있어 자궁내 혈종이 보이는지 초음파검사를 시행해볼수 있으나 진단을 위한 필수소견은 아니다. 산모의 증상 및 진찰소견상 출혈, 복부 압통 소견으로 태반조기박리의 가능성도 있으나 산모의 과거력상 myomectomy site의 uterine rupture로 인한 fetal distress 가능성이 가장 높다.

질문 7-3. 가장 적절한 처치는?

해설 7-3. 태아절박소견으로 가능한 빨리 응급제왕절개분만을 실시하며 분만중 및 분만 후 산후 출혈에 대비하여 PPH에 준하여 지속적인 생체징후와 출혈양을 모니터링한다.

경과 및 수술소견

산모는 응급제왕절개분만을 시행하였으며 hemoperitoneum 및 과거 myomectomy site의 결손 및 uterine rupture 관찰되어 repair를 시행하였으며(그림 16-10) 수술 후 산모 및 신생아 상태 양호하였다. 본 증례는 임신 후반부인 35주 uterine rupture가 진단되어 신생아 상태 양호하지만 임신 제1삼분기 및 임신 제2삼분기 초반에도 발생한 증례보고들이 있어 자궁근종 절제술 기왕력을 가진 산모에서는 항상 자궁파열의 가능성을 열어두어야 한다.

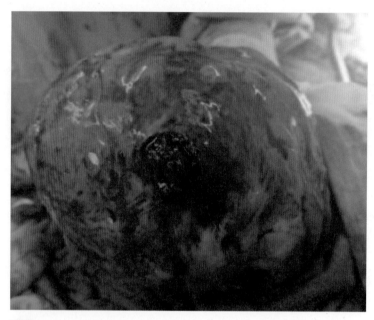

그림 16-11 과거 myomectomy site의 결손 및 uterine rupture site 관찰됨

참고 문헌 ....

1. Alouini S, Megier P, Fauconnier A, Huchon C, Fievet A, Ramos A, Megier C, Valéry A. Diagnosis and management of placenta previa and low placental implantation. J Matern Fetal Neonatal Med 2019:1-6

2. American Society of Anesthesiologists Task Force on Perioperative Blood Transfusion and Adjuvant Therapies. Practice guidelines for perioperative blood transfusion and adjuvant therapies: an updated report by the American society of anesthesiologists task force on perioperative blood transfusion and adjuvant therapies. Anesthesiology 2006;105:198-208.

3. Centraal Beleids Orgaan (CBO). Blood Transfusion Guideline 2011. Utrecht: CBO, 2011.

4. D'Antonio F, Bhide A. Ultrasound in placental disorders. Best Pract Res Clin Obstet Gynaecol 2014;28:429-42.

5. Evensen A, Anderson JM, Fontaine P. Postpartum Hemorrhage: Prevention and Treatment. Am Fam Physician 2017;95:442.

6. Gambacorti-Passerini Z, Gimovsky AC, Locatelli A, Berghella V. Trial of labor after myomectomy and uterine rupture:a systematic review. Acta Obstet Gynecol Scand 2016;95:724-34.

7. Gibbins J, Einerson D, Varner W, Silver M. Placenta previa and maternal hemorrhagic morbidity. J Matern Fetal Neonatal Med 2018;31:494-99.

8. Iacovelli A, Liberati M, Khalil A, Timor-Trisch I, Leombroni M, Buca D, Milani M, Flacco ME, Manzoli L, Fantani F, Calì G, Familiari A, Scambia G, D'Antonio F. Risk factors for abnormally invasive placenta: a systematic review and meta-analysis. J Matern Fetal Neonatal Med 2020;33:471-81.

9. Jansen C, de Mooij YM, Blomaard CM, Derks JB, van Leeuwen E, Limpens J, Schuit E, Mol BW, Pajkrt E. Vaginal delivery in women with a low-lying placenta: a systematic review and metaanalysis. BJOG 2019;126:1118-26.

10. Jauniaux E, Bhide A. Prenatal ultrasound diagnosis and outcome of placenta previa accreta after cesarean delivery: a systematic review and meta-analysis. Am J Obstet Gynecol 2017;217:27-36

11. Jauniaux E, Collins S, Burton J. Placenta accreta spectrum: pathophysiology and evidence-based anatomy for prenatal ultrasound imaging. Am J Obstet Gynecol 2018;218:75-87

12. Jenabi E, & Fereidooni B. The uterine leiomyoma and placenta previa: a meta-analysis. J Matern Fetal Neonatal Med 2019;32:1200-04.

13. Karami M, Jenabi E, & Fereidooni B. The association of placenta previa and assisted reproductive techniques: a meta-analysis. J Matern Fetal Neonatal Med 2018;31:1940-47.

14. Mulla B, Weatherford R, Redhunt AM, Modest AM, Hacker MR, Hecht JL, Spiel MH, Shainker SA. Hemorrhagic morbidity in placenta accreta spectrum with and without placenta previa. Arch Gynecol Obstet 2019;300:1601-06.

15. Reddy M, Abuhamad AZ, Levine D & Saade R, Fetal Imaging Workshop Invited Participants. Fetal imaging: executive summary of a joint Eunice Kennedy Shriver National Institute of Child Health and Human Development, Society for Maternal-Fetal Medicine, American Institute of Ultrasound in Medicine, American College of Obstetricians and Gynecologists, American College of Radiology, Society for Pediatric Radiology, and Society of Radiologists in Ultrasound Fetal Imaging workshop. Obstet Gynecol 2014;123:1070-82.

16. Royal College of Obstetricians and Gynaecologists (RCOG). Blood Transfusion in Obstetrics. Green Top

Guidelines. London: RCOG. 2015.

17. Ruiz Labarta FJ, Pintado Recarte MP, Alvarez Luque A, Joigneau Prieto L, Perez Mart□n L, Gonzalez Leyte M, Palacio Abizanda F, Morillas Ramirez F, Perez Corral A, Ortiz Quintana L, De Leon-Luis J. Outcomes of pelvic arterial embolization in the management of postpartum haemorrhage: a case series study and systematic review. Eur J Obstet Gynecol Reprod Biol 2016; 206:12-21.

18. Shobeiri F. & Jenabi E. Smoking and placenta previa: a meta-analysis. J Matern Fetal Neonatal Med 2017;30:2985-90.

19. Taga A, Sato Y, Sakae C, Satake Y, Emoto I, Maruyama S, Mise H, Kim T. Planned vaginal delivery versus planned cesarean delivery in cases of low-lying placenta. J Matern Fetal Neonatal Med 2017;30:618-622

20. Takashima A, Takeshita N, Kinishita T. A case of scarred uterine rupture at 11 weeks of gestation having a uterine scar places induced by in vitro fertilization- embryo transfer. Clin Pract 2018;10:8:1038.

Chapter **17**

임신 중 고혈압성질환

모체태아의학

17

임신 중 고혈압성질환

박현수(동국의대)
성지희(성균관의대)

Maternal-fetal medicine

01

전자간증(기본)

41세 임신력 0-1-0-1인 임신부가 임신 33주 5일에 정기 산전 진찰을 왔다. 이전 임신 시 임신 36주 0일에 조기양막파수로 조산한 기왕력이 있어, 이번 임신 16주부터 조산 예방을 위한 프로게스테론 질정 200 mg을 투약 중이었다. 고혈압의 가족력은 없으며 임신 전 혈압은 정상이었고, 임신 초기 혈액, 소변검사 및 비침습적 산전검사, 중기정밀 초음파에서 특이소견은 관찰되지 않았고 내원할 때마다 측정한 혈압도 정상범위였다. 내원 당일 측정한 체질량 지수 28 kg/m², 혈압 148/90 mmHg였고 소변막대 검사에 서 요단백은 음성이었다. 두통, 시야흐림, 부종, 상복부 통증은 호소하지 않았다.

질문 1-1. 이 임신부의 향후 처치는?

해설 1-1. 적어도 네 시간 간격으로 두 번 이상 측정한 혈압이 수축기 140 mmHg 또는 이완 기 90 mmHg 이상일 경우, 임신 20주 이후에 처음 발생한 고혈압으로 진단할 수 있다. 요단 백이 음성이고 전자간증의 임상증상은 보이지 않으나 전자간증을 배제하기 위해 혈소판 감 소증, 신장기능저하, 간침범, 폐부종여부를 확인해 볼 수 있다. 혈액검사(CBC, creatinine, AST, ALT) 및 흉부 방사선 검사와 태아 성장 및 안녕을 확인하기 위한 초음파 검사를 시행 해 볼 수 있다.

경과

환자의 혈액검사상 백혈구 6,700/mm³, 혈색소 12.8 g/dL, 혈소판 175,000/mm³, 혈액요소 질소(BUN) 6.0 mg/dL, 크레아니틴(creatinine) 0.52 mg/dL, 간효소수치(AST/ALT) 24/25

IU/L, 흉부 방사선 검사 정상, 태아 초음파 검사에서 태아는 두위, 심음은 정상, 예측태아체중은 주수에 합당하였고 양수양은 정상이었다.

질문 1-2. 이 임신부의 향후 처치는?

해설 1-2. 임신 20주 이후에 처음 발생한 고혈압이 있고 전자간증을 시사하는 다른 소견이 관찰되지 않으므로 임신성 고혈압의 가능성이 높은 상태이다. 임신성 고혈압은 출산 후 12주 이내에 정상혈압으로 회복되는 것을 확인한 이후에 진단을 내릴 수 있으므로 현재로서는 임신성 고혈압을 잠정진단으로 생각할 수 있다. 임신성 고혈압 환자의 최대 50%에서 전자간증이 발생할 수 있다고 알려져 있으므로 주 1회 이상의 정기적인 산전 진찰을 하면서 매 외래 방문 시마다 혈압과 소변막대 요단백검사 또는 요단백크레아티닌비(urine protein:creatinine ratio)를 확인하고 전자간증의 증상 유무를 확인하는 것을 고려할 수 있다. 또한 환자가 자가혈압을 측정하도록 하고 160/110 mmHg 이상의 중증 고혈압이 발생할 경우 즉시 내원할 것을 교육한다.

경과

환자는 수축기 혈압 130–140 mmHg, 이완기 혈압 80–95 mmHg의 혈압을 유지하였고 매 외래마다 시행한 요단백크레아티닌비는 0.1–0.16 사이였다. 태아도 임신 주수에 합당하게 발달하고 있었다. 임신 34주까지 프로게스테론 질정을 유지하였다. 임신 35주 4일 측정한 혈압 135/96 mmHg, 요단백크레아티닌비는 0.21이었고 예측태아체중이 2,244 g으로 10백분위수 미만으로 확인되었으나 태아 혈관 도플러 검사와 생물리학적 계수는 정상이었다. 환자는 임신 36주 6일에 재방문하였고 혈압이 141/97 mmHg, 요단백크레아티닌비 0.32로 측정되었고 태아는 두위였으며 예측체중은 2,418 g으로 10백분위수 미만으로 확인되었다.

질문 1-3. 적절한 처치는?

해설 1-3. 단백뇨는 24시간 소변에서 300 mg 이상의 단백이 보이거나 요단백크레아티닌비 0.3 이상 또는 소변막대검사 요단백 2+ 이상이거나 지속적인 단백뇨(일주일 이내의 기간에 4시간 이상의 간격으로 2회 이상 소변막대검사 요단백 1+ 이상일 때)를 보이는 것으로 정의한다. 임신 20주 이후에 발생한 고혈압이 있던 산모에서 단백뇨가 새롭게 발생하였으므로 전자간증으로 진단할 수 있다. 전자간증의 치료는 임신 종결로, 현재 임신 36주 6일로 임신

34주 이후이므로 분만을 고려할 수 있다. 환자는 다분만부이고 두위태아임을 고려하여 유도분만을 시행할 수 있다.

경과

환자는 입원하여 유도분만을 진행하였고 임신 37주 0일 2,460 g 여아를 분만하였다. 출산 후 혈압은 수축기 혈압 135–140 mmHg, 이완기 혈압 90–95 mmHg로 유지되어 항고혈압 약제 투약 없이 출산 후 3일째에 퇴원하였다. 이후 외래 내원을 통해 혈압을 확인하였고, 출산 일주일 후에 수축기 혈압 145 mmHg 미만, 이완기 혈압 95 mmHg 미만으로 유지되다가 2주째에 수축기 혈압 136 mmHg 미만, 이완기 혈압 91 mmHg 미만으로 유지되었고, 출산 12주째 수축기 혈압 120 mmHg 미만, 이완기 혈압 80 mmHg 미만으로 정상화된 것을 확인하였다.

02

중증 전자간증(기본)

31세, 체질량지수 27.3 kg/m² 미분만부가 임신 28주 1일에 부종과 두통을 주소로 왔다. 환자는 임신 전 고혈압의 병력 및 가족력은 없으며 이번 임신 기간 동안 측정한 혈압은 정상 범위였다. 측정한 혈압은 165/100 mmHg였으며 양측 하지에 함요부종 2+인 소견이 관찰되었고 소변막대 검사에서 요단백 3+를 보였다.

질문 2-1. 이 산모에게 추가적으로 시행해야 하는 검사는 무엇이며 향후 치료 계획은 무엇인가?

해설 2-1. 임신 20주 이후에 발생한 고혈압이 있고(4시간 이후 측정한 혈압이 수축기 140 mmHg 또는 이완기 90 mmHg 이상일 경우에 고혈압으로 진단하나, 이 환자와 같이 중증 고혈압일 경우 수 분이 경과한 후에 혈압을 재측정하여 항고혈압제가 필요한지 평가한다), 단백뇨가 동반되어 전자간증으로 진단할 수 있으며 수축기 혈압이 160 mmHg 이상이므로 중증 전자간증으로 볼 수 있다. 임신 34주 이후의 중증 전자간증의 경우 즉시 분만을 해야 하나, 임신 34주 이전의 중증 전자간증이면서 모체와 태아의 상태가 안정적이라면 기대요법을 통해 임신기간을 연장하고 신생아 예후를 향상시키는 것을 기대해 볼 수 있다. 따라서 입원하도록 하여 임신부 및 태아의 상태에 대해 철저히 감시하고, 자간증 또는 HELLP 증후군으로의 진행여부를 관찰하며 분만 시점을 정할 수 있다. 산모의 혈압, 증상, 소변량을 지속적으로 확인하고 신부전(혈중 크레아티닌 1.1 mg/dL 이상으로 증가), 간침범(liver involvement, 간효소가 정상의 두 배 이상 증가), 폐부종 등을 확인하기 위해 혈액검사(CBC, BUN, creatinine, LDH, AST, ALT) 및 흉부 방사선 검사와 요단백크레아티닌비를 확인해 볼 수 있다. 태아 성장 및 안녕을 확인하기 위해 초음파 검사 및 태아 심박동 감시를 시행한다.

경과

입원한 후 측정한 혈압이 지속적으로 160/100 mmHg였고, 두통이 지속되었으며 혈액 검사 결과 크레아티닌이 1.5 mg/dL로 확인되었고 그 외의 혈액검사는 정상소견을 보였다. 태아 초음파 검사 및 심박동 감시에서는 특이 소견이 관찰되지 않았다.

질문 2-2. 향후 치료 계획은 무엇인가?

해설 2-2. 재측정한 수축기 혈압이 160 mmHg 이상이고 두통이 있으므로 중증 전자간증을 진단할 수 있다. 중증 전자간증 환자에서 두통은 경련의 위험이 있음을 의미하므로 경련 방지를 위한 마그네슘황산염 치료를 시작한다. 이 때 크레아티닌이 상승해 있으므로 마그네슘황산염의 부하용량은 4 g을 사용하고 유지 용량을 감량하여 사용하며 분만 후 24시간까지 유지한다. 마그네슘황산염의 사용법은 아래 표와 같다(표 17-1). 또한 혈압 조절을 위해 항고혈압 약제를 투여하는데 목표 혈압은 수축기 혈압 140-150 mmHg 미만, 이완기 혈압 90-100 mmHg 미만으로 한다. 미국산부인과학회에서 권고하는 일차약제로는 hydralazine, labetalol, nifedipine이 있다. Hydralazine은 가장 흔히 쓰이는 정맥주사약제로 1회에 5-10 mg을 투약하고 목표혈압에 도달할 때까지 20분 간격을 두고 10 mg씩 투여한다. 미국산부인과학회에서는 hydralazine을 2회 투약한 이후에도 목표혈압에 도달하지 못하면 labetalol을 사용할 것을 권고한다. 이 때 labetalol은 20 mg을 정맥주사로 투약하기 시작하여 10분 간격으로 투약하고, 투약 용량을 40 mg으로 증량한다. Labetalol을 일차 약제로 사용할 경우 20 mg을 정맥주사로 투약하기 시작하여 목표 혈압에 도달할 때 까지 10분 간격으로 투약한다. 이때 투약 용량을 40 mg, 80 mg으로 증량하고 labetalol을 3회 투약한 후에도 효과가 없을 경우 hydralazine 10 mg을 정맥주사한다. Nifedipine은 10 mg을 경구투여하고 20분마다 20 mg을 투여한다. Nifedipine 3회 투약 후에도 효과가 없을 경우 labetalol 20 mg을 정맥 주사한다. 위의 세 가지 일차 약제를 사용해도 목표 혈압에 도달하지 못할 경우 내과, 중환자의학과, 마취과와의 협진을 통해 이차 약제로 변경할 것을 권고한다. 이차 약제는 nicardipine이나 esmolol을 지속적 정주하여 사용할 수 있다.

HELLP 증후군으로 진행하는지 확인하기 위해 매일 혈액검사를 시행할 수 있고 태아 폐성숙을 위한 산전 스테로이드 주사를 투여한다. 기대요법 시행 중 임신부와 태아의 상태가 악화될 때에는 즉시 분만을 고려한다. 약물치료에 반응하지 않는 중증 고혈압이 지속되거나, 치료에 반응하지 않는 지속적인 두통, 상복부 또는 우상복부 통증, 시야흐림, 심근경색, HELLP 증후군, 신기능 악화, 폐부종, 자간증, 태반 조기 박리 또는 질출혈이 생길 경우 즉시 분만이 필요하다. 또한 태아 심박동 감시의 이상소견이 발생하거나 자궁내 태아 사망, 제대동맥 도플러 이상소견이 발견될 경우에도 즉시 분만이 필요하다. 마그네슘황산염의의 치료 농도는 4.8-8.4 mg/dL로 알려져 있으나 경련을 막기 위한 최소농도는 확실치 않다. 또 마그네슘황산염을 사용하는 동안 nifedipine같은 칼슘통로억제제를 사용하는 경우 이론적으로 신경근차단을 강화하고 심각한 저혈압을 일으킬수 있다는 위험이 제기되었으나 실제 위험은 크지 않은 것으로 생각된다.

표 17-1 중증 전자간증 또는 자간증에서의 마그네슘황산염 사용법

지속적 정주법	
초기부하량	100 ml 용액 내 마그네슘황산염 4-6 g을 15-20분에 걸쳐 정맥 주사한다.
유지량	매 시간당 100 ml 용액 내 2 g을 정맥 주사한다. 일부에서 시간당 1 g를 주사하기도 한다.
관찰	주기적으로 심부건반사를 확인한다. 일부에서 마그네슘 투여 4-6시간 사이 혈청 마그네슘 농도를 확인 후 4-7 mEq/L (4.8-8.4 mg/dL)가 되도록 투여 속도를 조절한다. 혈중 크레아티닌 수치가 1 mg/dL 이상일 경우 혈중 마그네슘 농도를 측정한다.
중지	분만 후 24시간 경과 후
간헐적 근주법	
초기부하량	마그네슘황산염
유지량	50% 마그네슘황산염 용액 10 g을 양쪽 엉덩이에 5 g씩 근육 주사한다. 만약 15분 후에도 경련이 지속되면, 20% 마그네슘황산염 용액을 분당 1 g 미만의 속도로 2 g 정맥주사한다. 체격이 큰 산모라면 4 g까지 천천히 정주할 수 있다. 4시간 간격으로 50% 마그네슘황산염 용액으로 5 g 근육 주사한다.
관찰	무릎반사 유무, 호흡부전 유무, 소변량 감소 유무(<100 mL/4 hr)
중지	분만 후 24시간 경과 후

경과

임신부는 hydralazine 10 mg을 2회 투여한 이후 혈압이 140/90 mmHg으로 유지되었고 마

그네슘황산염을 사용하며 경과 관찰하던 중 임신 28주부터 매일 하루에 1회 이상 혈압이 160 mmHg를 넘어서 hydralazine을 투여하는 경우가 발생하였고, 임신 29주부터 하루 2-3회 정도 hydralazine 10 mg 2회, labetalol 20 mg, 40 mg, 80 mg을 각각 1회씩 투약하여도 지속적으로 160/110 mmHg 이상의 고혈압 소견 보여 유도분만을 시행했다. 임신 29주 2일에 자궁개대실패(arrest of dilatation)로 응급 제왕절개를 통해 1,250 g의 남아를 출산하였다. 이후 수술 후 1주일 후에도 혈압이 155/110 mmHg으로 지속되었다.

질문 2-3. 처치는 무엇인가?

해설 2-3. 분만 전의 중증 고혈압의 치료와 같이 항고혈압 약제를 정맥주사하여 혈압을 낮춘다. 혈압이 지속적으로 높은 경우 경구로 labetalol, nifedipine을 사용할 수 있고, 정맥 또는 경구 furosemide를 추가하는 것도 도움이 될 수 있다.

중증 전자간증 산모에서 출산 후에 경구 furosemide 20 mg을 5일간 투약하였더니 혈압 조절에 도움이 되었다는 연구가 보고되었다.

경과

약 1개월 후 외래에서 추적관찰하였고 혈압약을 끊고 측정한 혈압은 125/85 mmHg였고 집에서 측정한 혈압도 비슷하다고 하였다. 단백뇨 및 부종도 소실되었다. 정기적인 건강검진을 권유하고 귀가하도록 하였다.

03 전자간증의 예측(심화)

41세 미분만부가 무월경 7주에 산전 진찰을 왔다. 내, 외과적 과거력 및 가족력은 없었으며 체질량지수 23 kg/m²이고, 혈압은 110/65 mmHg 였다. 본인은 건강하다고 생각하지만 친구들 중에 전자간증으로 조산을 한 경우가 많아 본인도 전자간증에 이환될 수 있다고 생각하였다. 또 이를 예측할 수 있는 검사가 있다 하여 이에 대해 상담을 원하고 있다.

질문 3-1. 이 임신부에서 전자간증을 예측하는 방법은 무엇인가?

해설 3-1. 전자간증의 고위험군 임신부가 임신 초기부터 아스피린을 복용할 경우 조기 전자간증(preterm preeclampsia)의 발생을 줄일 수 있다는 연구가 보고되면서 임신초기에 전자간증을 예측하는 연구들이 진행되었다. 임신 11–13주 사이에 평균 동맥 혈압(mean arterial pressure), 자궁동맥 박동지수(uterine artery pulsatility index), 혈중 임신관련혈장단백 A (serum pregnancy–associated plasma protein–A, PAPP–A), 혈중 태반성장인자(serum placental growth factor, PlGF)가 전자간증 예측에 잠재적으로 이용 가능한 생체표지자(biomarker)로 확인되었다.

자궁동맥 도플러 검사는 전자간증이 일어나기 전 자궁동맥의 혈류 변화를 임신 초기에 감지하는 것으로 자궁동맥 저항성의 증가, 박동지수의 증가, 이완기 맥박 패임(diastolic notch)의 지속 등을 초음파를 통해 확인하는 것이다. 그러나 자궁동맥 도플러 검사만으로는 전자간증의 발생에 대한 양성예측도가 낮기 때문에 모든 산모에 대해 자궁동맥 도플러 검사를 시행하는 것은 권고되지 않고 있다.

혈관형성인자와 혈관형성억제인자의 불균형이 전자간증의 병태생리에 관련이 있으며 이 현상이 전자간증 발생 수 주, 수 개월 전에 나타나므로 이것을 전자간의 예측에 이용하려는 많은 연구들이 있었다. Soluble fms–like tyrosin kinase (sFlt–1), 태반성장인자, soluble endoglin 등에 대한 연구가 진행되었다. 특히, sFlt–1과 태반성장인자의 비(sFlt–1/PlGF)를 이용하여 전자간증을 예측하는 방법에 대한 연구가 진행되었고 현재 상업적으로 이용할 수 있다. 임신 제1삼분기에 이러한 인자들과 자궁동맥 도플러 등 여러 가지 생체지표를 조합하여 전자간증을 예측하는 연구들이 시행되었다. 한 연구에서는 임신 제1삼분기에 낮은 혈중 태반성장인자 농도, 높은 자궁동맥 박동지수 및 전자간증의 고위험군을 시사하는 모체의 지표가 있을 경우 임신 34주 이전에 분만이 필요한 전자간증을 93.1%까지 발견할 수 있다고 보고하였으나 양성 예측도가 21.2%에 불과하다는 한계가 있었다. 임신 20주 이후의 예측에 있어 혈관형성억제인자인 sFlt–1의 혈중 농도가 높아져 있는 경우 또는 태반성장인자의 농도가 낮아져 있는 경우 전자간증의 발생을 예측할 수 있고, 이는 민감도가 높고 음성우도비가 높아 선별검사로의 가능성을 보여주기는 하나 양성예측도가 높지 않은 문제점이 있었다. 아직까지 임상적으로 유용한 모델은 연구단계에 있다.

미국산부인과학회의 지침에 따르면 위 임신부는 전자간증 발생의 중등도 위험요소 1개 이상을 만족하므로 조기 전자간증예방을 위해 아스피린 복용을 임신 16주 이전부터 시작하여 분만 전까지 사용하는 것을 고려할 수 있겠다. 미국산부인과학회의 전자간증의 위험요소 및 아스피린 사용에 대한 지침은 아래와 같다.

표 **17-2** 전자간증의 위험요소 및 아스피린 사용지침

	위험요소	권고사항
고위험군	전자간증의 병력, 특히 나쁜 임신결과와 동반된 경우 다태임신 만성고혈압 제1,2형 당뇨병 신질환 자가면역성 질환(예: 전신성 루프스, 항인지질항체증후군)	하나 이상 있는 경우 아스피린 복용을 권유
중등도 위험군	미분만부 비만(체질량지수 >30 kg/m²) 전자간증의 가족력(엄마, 자매) 사회경제적 특성(흑인, 사회경제적지위가 낮은 경우) 35세 이상 개인의 특성(예: 저체중아, 이전 나쁜 임신결과, 이전 임신이 10년 이전)	몇 개가 동시에 있는 경우 아스피린 복용을 고려
저위험군	이전의 문제없는 만삭분만	아스피린 복용을 권고하지 않음

요약하면, 전자간증의 예측을 위해 평균 동맥 혈압, 자궁동맥 박동지수, 혈중 임신관련혈장
단백 A, 혈중 태반성장인자를 사용해 보았지만 양성예측도가 낮아서 임상적으로 이용되고
있지 않다. 최근에 상업적으로 많이 이용되고 있는 sFlt-1/PlGF 농도 측정 역시 양성예측도
가 낮아 아직은 임상적으로 이용하기 어렵다. 현재로서는 전자간증의 위험인자를 파악하여
임신 초기 아스피린 투여를 고려함으로써 전자간증을 예방하는 전략을 사용할 수 있다.

04

Maternal-fetal medicine

비전형적 전자간증(심화)

31세 임신력 0-0-0-0인 미분만부가 임신 28주 2일에 정기 산전 진찰을 왔다. 산전 진찰에서 특이소견이 없던 임신부로 체질량지수 28 kg/m², 혈압은 115/72 mmHg 이었으나 소변막대 검사에서 요단백 2+로 확인되었다. 두통, 시야흐림, 상복부 통증 등의 증상은 호소하지 않았다. 태아 초음파 검사에서 예측태아체중은 1,120 g (75 백분위수), 양수지수는 11이었다.

질문 4-1. 이 임신부에게 추가적으로 시행해야 하는 검사는 무엇인가?

해설 4-1. 임신성 단백뇨는 임신 20주 이후에 정상 혈압을 보이면서 단백뇨가 있는 것을 의미한다. 임신성 단백뇨 환자의 유병률은 정확히 알려진 것이 없으며 임신성 단백뇨 환자 중에서 추후 전자간증으로 진행하는 경우가 어느 정도인지 또한 그 위험인자는 무엇인지 연구가 부족한 상태이다. 그러나 최근 연구에 따르면 0.5-1.9%의 임신부에서 임신성 단백뇨가 관찰되고 임신성 단백뇨를 보이는 임신부의 25-34%가 전자간증으로 진행하였다. 이러한 결과는 임신성 단백뇨가 전자간증의 위험요소임을 뒷받침하며 임신성 단백뇨 단독으로도 전자간증의 초기 징후로 볼 수 있음을 시사한다. 따라서 고혈압이 없더라도 임신성 단백뇨가 관찰될 경우 전자간증으로의 진행을 확인하기 위한 면밀한 관찰이 필요하다. 또한 기저 신장질환(만성 신우신염, 루프스 신장염, 면역글로불린 A 신장병, 그 외 신장병)이 있을 가능성 있으므로 그에 대한 평가도 필요하다. 만약 출산 8주 이후까지 단백뇨가 지속되면 기저 신장질환에 대한 평가를 해야 하며 간혹 신장 조직검사가 필요할 수도 있다. 단백뇨와 함께 심폐증상, 복수 또는 폐부종이 동반될 경우에는 울혈성 심부전, 산후 심근병증과 같은 심장질환에 대한 평가도 이루어져야 한다.

이 임신부는 임신 20주 이후에 소변막대 검사에서 요단백 2+인 소견을 보여 임신성 단백뇨로 볼 수 있으며 전자간증을 감별하기 위해 요단백크레아티닌비를 측정하고, 혈소판감소증, 신기능부전, 간침범, 폐부종을 확인하기 위해 혈액검사(CBC, creatinine, AST, ALT) 및 흉부 방사선 검사를 시행해 볼 수 있다.

경과

환자에게 추가로 단백뇨를 확인하기 위해 요단백크레아티닌비를 측정하였고 0.5의 결과를 보여 혈액검사 및 소변검사, 흉부 방사선 검사를 시행하였고 단백뇨를 제외하면 특이소견이 관찰되지 않았다. 이후 외래를 통해 경과 관찰하면서 매 외래 방문마다 임신부의 요단백크레아티닌비, 혈압, 전자간증의 증상을 확인하며 산전진찰을 시행하였다. 임신 37주 2일에 환자는 새로 생긴 두통, 부종, 시야흐림을 주소로 응급실로 내원하였다. 내원하여 시행한 검사에서 혈압은 119/75 mmHg로 정상이었고, 요단백크레아티닌비 1.6이었으나 그 외의 혈액검사 및 흉부 방사선 검사는 정상소견이었다. 초음파 및 태아안녕검사에서 태아는 두위, 정상 발달을 보였고 및 안심할 만한 태아 심박동 감시 소견을 보이고 있었다.

질문 4-2. 추후 치료 계획은 무엇인가?

해설 4-2. 혈압이 정상이지만 단백뇨가 관찰되고 전자간증의 증상을 호소하므로 비전형적 전자간증(atypical preeclampsia)을 감별해야 한다. 전형적인 전자간증의 증상을 보이지 않거나 임신 20주 이전 또는 분만 48시간 이후에 전자간증이 나타나는 등 전형적인 전자간증의 진단기준을 충족시키지 않는 경우를 비전형적 전자간증이라 한다(표 17-3). 비전형적 전자간증은 전형적 전자간증과 유사하게 그 예후가 불량하여 시기 적절한 진단과 치료가 모체 및 주산기의 불량한 예후를 예방하는 데 매우 중요하다. 비전형적 전자간증은 단백뇨를 동반하지 않은 임신성 고혈압, 고혈압을 동반하지 않은 임신성 단백뇨, 임신 20주 미만에 발생한 전자간증-자간증 그리고 출산 48시간 이후에 발생한 전자간증-자간증과 HELLP 증후군으로 분류할 수 있다. 위 증례는 고혈압을 동반하지 않은 임신성 단백뇨에 속한다. 고혈압이 동반되지는 않으나 단백뇨 및 전자간증의 증상을 보여 비전형적 전자간증이라고 진단할 수 있다. 비전형적 전자간증은 전자간증과 동일하게 치료하면 되므로 임신 종결을 위해 유도분만을 고려할 수 있다.

표 17-3 비전형적 전자간증의 분류

임신성 고혈압과 다음 중 하나 이상의 소견이 동반
전자간증의 증상, 용혈, 혈소판감소(<100,000/mm³), 간효소증가(AST/ALT의 정상의 두 배 이상)
임신성 단백뇨와 다음 중 하나 이상의 소견이 동반
전자간증의 증상, 용혈, 혈소판감소, 간효소증가
전자간증 혹은 자간증의 증상이 임신 20주 이전에 나타나는 경우
분만 후 48시간 이후에 나타나는 전자간증, 자간증 혹은 HELLP 증후군

자간증(기본)

39세 임신력 1-0-0-1인 임신부가 임신 36주 5일에 상복부 통증과 두통으로 오전에 응급실에 왔다. 증상은 모두 내원 두 시간 전부터 발생하였으며 상복부 통증은 명치 아래 부분이 지속적으로 찌르는 듯이 아프다고 하였고 강도는 NRS (numeral rating scale) 7이었다. 두통은 머리가 전반적으로 아픈 양상이었으며 강도는 NRS 4로 표현하였다. 산전진찰 소견상 특이소견 없었고 수축기 혈압이 내원 약 1개월 전부터 150 mmHg 이상으로 증가해 있었으나 약물치료는 받지 않고 있었으며 단백뇨의 여부는 알지 못했다. 환자는 약 10년 전 37주에 남아를 자연분만하였고 지난 임신 중 합병증이나 검사 이상은 없었다고 하였다. 활력징후는 혈압 211/114 mmHg, 맥박수 84회/분, 호흡수 20회/분, 체온 36.5도였다. 요단백은 4+로 측정되었다. 골반진찰 결과 자궁경부는 부드러웠고 10% 소실, 1 cm 개대, 하강도는 –5 cm이었다. 자궁수축검사 상 약 2-3분 간격의 자궁수축이 있었으나 통증은 전혀 없다고 하였다. 초음파검사상 예측태아체중은 2,658 g (25–50 백분위수), 양수지수 7.82, 제대동맥파형은 정상이었다.

질문 5-1. 이 임신부에게 적절한 처치는 무엇인가?

해설 5-1. 혈압이 160/110 mmHg 이상, 심한 상복부 통증, 두통, 요단백 4+의 소견으로 중증 전자간증을 의심할 수 있다. 중증 전자간증이 의심되는 경우 혈액검사, 흉부 방사선 검사, 소변검사를 시행하여 중증도를 판단하고 HELLP 증후군을 배제하여야 한다. 혈관확장제를 사용하여 혈압을 160/100 mmHg 미만으로 낮추고 두통, 상복부 통증 등의 증상이 있을 때 경련을 예방하기 위하여 마그네슘황산염을 투여하는 것이 좋다. 중증 전자간증의 치료는 임신 종결이므로 분만을 고려하여야 하는데 질환의 중증도에 따라 분만 방법을 결정할 수 있다. 이 증례의 경우 경산이므로 유도분만을 시도할 수 있으나 진행이 느리거나 태아 상태가 좋지 않을 경우 제왕절개를 시행할 수 있다. 특히 임신 32–34주 이전에 자궁경부가 숙화되지 않은 경우는 제왕절개 분만을 시행하는 경우가 많다.

경과

응급실에서 시행한 검사 소견은 다음과 같다.

> 백혈구 11,580/mm^3 혈색소 13.2 g/dL 혈소판 200,000/mm^3, AST/ALT 433/323 IU/L, 요단백 4+, 프로트롬빈시간(PT INR) 0.97, 활성화부분트롬보플라스틴시간(aPTT) 29.8초, 흉부방사선검사 정상

혈압은 30분에서 1시간 간격으로 측정하였고 혈압이 160/110 mmHg 이상으로 높아진 경우hydralazine을 투여하여 160/110 mmHg 미만으로 혈압을 낮추도록 하였다. 자궁의 수축이 확인되었고 경산이기 때문에 정규시간에 유도분만을 시행하기로 하였다. 오전 7시 38분경 산모가 갑자기 심한 두통을 호소하다가 갑자기 의식을 잃으며 경련을 시작하였다. 활력징후는 혈압 179/114 mmHg, 맥박 98회/분, 호흡수 22회/분, 체온 36.6도였다. 경련은 약 2분간 지속되었고 안구의 편위(eye ball deviation), 입맛을 다시는 행동(lip smacking)을 보인 후 근강대성 경련으로 발전하였다. 그림은 경련을 하기 두 시간 전의 태아심박감시결과와 경련 직후의 태아심박감시결과이다.

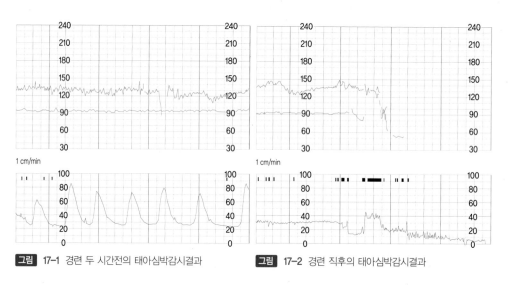

그림 17-1 경련 두 시간전의 태아심박감시결과   **그림** 17-2 경련 직후의 태아심박감시결과

질문 5-2. 이 환자에게 적절한 처치는 무엇인가?

해설 5-2. 중증 전자간증 환자가 경련을 일으켰으므로 자간증으로 진단할 수 있다. 전통적으로 자간증의 치료는 마그네슘황산염의 투여이다. 경련이 발생하면 도움을 요청하고 임신

부의 자세를 측와위로 하고, 기도흡인을 방지한다. 산소를 투여하면서 활력징후를 확인하고 마그네슘황산염 투약을 준비한다. 마그네슘황산염 4-6 g을 15-20분에 걸쳐 정맥주사하고 시간당 2 g의 속도로 정맥투여한다. 분만 후에도 경련의 가능성이 있기 때문에 분만 후 24시간 동안 마그네슘황산염 투여를 지속한다. 이와 함께 혈압을 낮추고, 태아의 상태도 빨리 확인하여 태아에 대한 적절한 조치를 시행할 수 있도록 한다. 이 산모에서는 태아의 지속심박감소소견(prolonged deceleration)이 보이기 때문에 응급제왕절개술로 분만하는 것을 고려해볼 수 있다. 다른 원인으로 인한 경련인지 확인하여야 하며 신경과와 신경외과와의 협진을 통해 환자의 예후를 호전시킬 수 있도록 하는 것이 좋겠다. 경련을 막을 수 있는 최소 농도는 알려지지 않았지만, 가능하다면 마그네슘황산염의 혈중 농도를 측정하여 적정한 투약이 되고 있는지 확인하는 것도 좋을 것이다.

경과

경련이 시작된 직후 마그네슘황산염을 투여하였고 태아심박감시 결과 지속심박감소소견을 보이고 회복되지 않아 응급제왕절개수술을 시행하였다. 태아는 2,410 g의 남아였고 1분과 5분 아프가점수는 8점 10점이었다. 수술은 특별한 문제 없이 시행되었고 마그네슘황산염은 분만 후 24시간 동안 투여한 후 종료하였다. 산모는 분만 후 고혈압이 지속되어 혈압강하제를 투여하였으며 특별한 후유증 없이 퇴원하고 산부인과와 신경과 외래에서 추적관찰하기로 하였다.

HELLP 증후군(기본)

33세 임신력 0-0-0-0인 임신 35주 0일의 산모가 상복부 통증을 주소로 왔다. 환자는 체외수정배아이식술을 통해 임신하였고 임신 중 시행한 검사 중 50 g 경구당부하검사에서 163 mg/dL, 100 g 내당능검사에서 87-155-166-156 mg/dL의 소견으로 임신성당뇨병으로 진단받았다. 혈당은 식이조절과 운동으로 조절되고 있었다. 그 외 산전검사에서 이상소견은 보이지 않았다. 내원 약 3주 전부터 혈압이 약간 높으나 단백뇨는 없다고 들었다. 내원 전일 밤 10시부터 갑자기 발생한 상복부 통증을 주소로 응급실을 내원하였다. 활력징후는 혈압 136/90 mmHg, 맥박수 76회/분, 호흡수 20회/분, 체온 36.5도였다. 통증의 강도는 NRS 6, 위경련 양상과 비슷하다고 하였으며, 윗 배가 쥐어짜는 듯한 통증이 지속되었고 배뭉침이 동반되는 듯하여 산부인과에 의뢰되었다. 초음파 검사에서 태아는 두위였고 태아 심박수는 정상, 예측태아체중은 2,400 g (25-50 백분위수)였고 양수지수는 9였다.

질문 6-1. 이 환자의 향후 진단을 위한 검사는 무엇인가?

해설 6-1. 임신 중 혈압 상승과 상복부 통증이 동반된 경우에는 중증의 임신성 고혈압이나 전자간증을 감별해야 한다. 이를 위해 주기적인 혈압측정, 요단백검사, 혈액검사(CBC, creatinine, AST, ALT 등), 흉부 방사선 검사를 시행해 볼 수 있다. 또한 두통과 시야흐림 등의 증상이 있는지 확인한다. 태아 안녕을 확인하기 위해 비수축 검사를 시행하거나 생물리학계수를 확인할 수 있다. 또한 간효소수치가 높은 경우 HELLP 증후군을 확인하기 위한 검사를 시행을 고려한다. 용혈을 확인하기 위해 말초혈액펴바른표본(peripheral blood smear) 검사에서 분열적혈구(schistocyte), 무딘톱날적혈구(burr cell) 등을 확인할 수 있고, 젖산탈수소효소(lactate dehydrogenase, LDH) 600 IU/L 이상(혹은 정상의 두 배 이상), 빌리루빈(bilirubin) 1.2 mg/dL 이상, 합토글로빈(haptoglobin) 25 mg/dL 이하 등을 확인할 수 있다. 간효소수치의 증가는 AST/ALT가 정상 상한의 두 배 이상 증가된 것으로 확인하고 혈소판은 100,000/mm³ 이하로 감소되어 있는지를 확인한다. 미국산부인과학회에서는 HELLP 증후군의 진단적 기준으로 젖산탈수소효소 600 IU/L 이상, AST와 ALT 모두 정상의 두 배 이상, 혈소판 수치 100,000/mm³ 이하를 제시하고 있다.

경과

이 환자에서 두통, 시야 흐림 등의 증상은 없었고 문진, 검진, 검사 소견은 다음과 같아 HELLP 증후군으로 진단할 수 있었다.

백혈구 14,840/mm^3, 혈색소 9.8 g/dL, 혈소판 93,000/mm^3, AST 1,450 IU/L, ALT 572 IU/L, 총 빌리루빈 4.6 mg/dL, 젖산탈수소효소 1,132 IU/L, 혈액요소질소 10.5 mg/dL, 크레아티닌 0.93 mg/dL, 합토글로빈 <20 mg/dL, 프로트롬빈시간(PT INR) 1.22, 활성화부분트롬보플라스틴시간 (aPTT) 31초, 말초혈액바른표본: 호중구증가(neutrophilia), 정구성정색소성 빈혈(normocytic normochromic anemia), 흉부 방사선 검사 정상

질문 6-2. 이 산모의 적절한 처치는 무엇인가?

해설 6-2. HELLP 증후군 산모의 처치에 있어 고려해야 할 사항들은 분만 시점, 분만 방법, 합병증을 줄이기 위한 투약 등이다. HELLP 증후군이 진단되는 경우에는 임신 주수와 상관없이 분만한다. 분만 방법은 여러 가지 사항을 고려해야 하지만 자궁경부가 숙화되어 있는 경우는 자연분만을 시도할 수도 있다. 자궁경부가 숙화되어 있지 않은 경우, 특히 미분만부의 경우에는 유도분만을 통해 분만이 되기까지 상대적으로 많은 시간이 걸릴 수 있고, 그 동안 산모의 상태가 악화될 수 있기 때문에 제왕절개분만을 우선적으로 고려한다. 특히 32주 이전 조산의 경우에는 유도분만에 시간이 많이 걸리기 때문에 유도분만보다는 제왕절개분만을 선택하는 것이 현명하다. 임신 34주 이전의 경우에는 신생아의 폐합병증을 줄이기 위하여 베타메타손(betamethasone) 등의 스테로이드를 투여할 수 있다. 34주에서 37주의 경우에는 스테로이드를 투여할 수 있으나 이에 대한 근거가 부족하다는 주장도 있다. 마그네슘황산염을 투여하여 경련을 예방하고 24주에서 32주의 경우에는 신생아 뇌의 보호를 도모할 수 있다. 합병증의 진행 또는 완화를 확인하기 위해 간기능검사, 혈소판 검사 등을 자주 시행하는 것을 고려해야 한다. 간효소수치(AST) 2,000 IU/L 또는 젖산탈수소효소 3,000 IU/L 이상일 경우 사망위험이 증가한다. 혈액응고장애가 발생한 경우에는 근막하 혈종이 생길 가능성을 고려하여 피부절개방법을 결정한다. 질병이 악화되면 간효소수치는 상승하고, 혈소판 수치는 감소하는 경향을 보인다. 출산 후 평균 23시간에 가장 낮은 혈소판 수치를 관찰할 수 있고, 보통 출산 후 첫 2일간 질병이 가장 악화된다. 만약 출산 4일 이후에도 혈소판이 지속적으로 감소하고 간효소수치가 지속적으로 상승할 경우 HELLP 증후군 외의 질환을 감별해야 한다. 90% 이상의 환자에서 대증적 치료만으로도 출산 7일 이내에 혈소판은 100,000/mm^{3}이상으로 회복되고, 간효소수치는 감소하는 경향을 보인다. HELLP 증후군

환자는 폐부종의 위험이 높고 급성 호흡부전 증후군과 신부전의 위험이 증가할 수 있으므로 면밀한 관찰이 필요하다.

경과

이 산모는 골반진찰 결과 자궁경부는 닫혀있었고 소실되지 않았으며 하강도는 −3으로 제왕절개 분만을 시행하기로 하였다. 하부 횡절개를 통해 제왕절개를 시행했고 2,800 g 여아를 분만하였으며 수술 중 농축적혈구 2팩, 신선냉동혈장 2개, 혈소판농축액 12개를 수혈하였다. 수술 후 자궁수축이 좋지 않아 자궁내풍선압박술(intrauterine balloon tamponade)을 시행하였고 수술 후 1병일째 제거하였다. 입원 후부터 마그네슘황산염을 투여하여 출산 24시간 후 종료하였다. 혈소판은 수술 후 1병일째부터 100,000/mm³로 증가하였고, 간효소수치는 수술 후 1병일째부터 감소하기 시작하여 분만 후 6병일째 49/107 IU/L로 감소하였다. 산모는 신생아와 함께 분만 후 7일째 퇴원하였다.

07
Maternal-fetal medicine

이전 전자간증의 기왕력(심화)

36세 임신력 0-1-2-1인 임신부가 무월경 6주 6일에 왔다. 월경주기는 30일 간격으로 규칙적이었고 복통, 오심, 구토, 질 출혈은 없었다. 1년 전 첫째 임신에서 임신 초기부터 혈압이 높아서 임신 기간 중 hydralazine, nifedipine을 복용하였으며 임신 35주에 혈압이 160/110 mmHg로 높아지고 24시간 소변단백 500 mg 소견보여 유도분만 시행하였으나 실패하여 제왕절개분만 시행한 병력이 있다. 지난 임신 이후로 주기적으로 내과에서 진료받으며 nifedipine, bisoprolol을 복용하고 있었다 혈압은 160/92 mmHg, 소변막대 검사에서 요단백은 음성이었다. 골반진찰 결과 자궁은 부드러웠고 약 7-8 cm 정도의 크기를 보였다. 자궁경부는 닫혀있었고 소실되지 않았다. 초음파 검사상 머리엉덩길이(crown-rump length)는 8.2 mm로 임신 6주 5일에 합당한 크기였고 태아 심음은 정상, 난황낭도 확인되었다. 자궁 내부에 출혈은 없고 부속기는 정상이었다.

자궁경부세포진 검사 정상, 전체혈구계산(CBC)에서 백혈구 9,780/mm³, 혈색소 12.8 g/dL 혈소판 360,000/mm³, 소변검사에서 요단백, 요당은 음성, 흉부 방사선검사 정상, 심전도 정상, 심초음파 검사 정상

질문 7-1. 이 임신부에게 적합한 항고혈압약제는 무엇인가?

해설 7-1. 임신 전부터 항고혈압약제를 복용하던 만성고혈압을 앓는 임신부가 약물치료를 지속해야 하는지 여부는 논란이 있다. 미국산부인과학회 및 미국모체태아의학회에 따르면 경증 또는 중등도의 만성고혈압 환자에서는 임신 제1삼분기에는 약물치료를 중단하고 중증 고혈압이 되었을 때 약물치료를 시행할 수 있다고 보고하고 있다.

미국산부인과학회에서는 수축기 혈압 160 mmHg 이상, 이완기 혈압 105 mmHg 이상일 경우 약물치료를 시작할 것을 권고하고 있다. 임신 중 사용 가능한 항고혈압 약제는 대표적으로 아래와 같은 약물들이 있다.

아드레날린 차단제(Adrenergic–receptor blocking agent): 대표적으로 methyldopa, labetalol, bisoprolol 등이 있으며 여러 연구에서 태아에 부작용을 유발하지 않는다고 알려져 있어 일차 약제로 널리 사용되고 있다. Methyldopa는 항고혈압효과가 약한 편이므로 경증의 고혈압에 적합하며, 중증 고혈압일 경우 다른 약물을 추가로 사용해야 할 수 있다. Labetalol은 200 mg 으로 시작하여 최고 2,400 mg까지 증량할 수 있으며 천식, 심장질환, 울혈성 심부전 환자에서 는 사용하지 않는다. Bisoprolol은 임신 제1삼분기에는 비교적 안전하게 사용할 수 있으나, 장 기적인 사용 시 태아발육지연을 유발할 수 있고 현재 장기예후에 대한 연구가 부족하다.

칼슘통로차단제(Calcium channel blocker): 임신 중 안전하게 사용되는 항고혈압약제로 nifedipine이 대표적이다. 이 약제는 심장의 수축력을 감소시키는 효과가 있어 심실기능이상 및 울혈성 심부전을 악화시킬 수 있다.

이뇨제: Thiazide 이뇨제와 furosemide는 일반 고혈압 환자에서 널리 쓰이는 약물이고 여러 연구에서 이 이뇨제를 사용한 산모들의 주산기 예후가 사용하지 않은 산모들과 차이가 없다 고 보고하여 thiazide 이뇨제는 임신 중 사용이 가능하다고 여겨진다. 그러나 전자간증 치료 에는 적합하지 않다.

혈관이완제(Vasodilator): Hydralazine이 대표적인 약제인데 항고혈압 효과가 약하고 반사빈 맥을 유발할 수 있어 단일 약제로 사용되기 보다는 다른 항고혈압약제와 함께 장기 복용할 경우에 사용한다. 한 연구에서는 만성고혈압 임신부에서 혈관이완제를 사용하면 저체중아 와 태아 성장제한의 위험이 2배 증가한다고 보고하였다.

앤지오텐신전환효소억제제(Angiotensin–converting enzyme inhibitor) 또는 앤지오텐신수용 체차단제(angiotensin receptor blocker): 이 약물들은 임신 제2삼분기 및 제3삼분기에 사용할 경우 양수과소증, 두개관이상, 신부전, 태아기형 등을 유발하므로 임신 중 사용을 금한다.

Webster 등은 만성고혈압 임신부에서 labetalol과 nifedipine이 동등한 효과를 보인다고 보고한 바 있고, Parkland 병원에서는 labetalol과 같은 베타차단제(beta blocking agent) 또는 amlodipine과 같은 칼슘통로차단제를 단일약제로 주로 사용하고 있다.

환자는 지난 임신 이후 만성고혈압으로 약물치료 중이었고 현재 수축기 혈압이 160 mmHg 이상이므로 약물치료를 유지할 필요가 있다. 기존에 사용하던 nifedipine과 bisoprolol이 모두 임신 중 사용 가능한 약제이므로 혈압 조절을 위해 용량을 조절하여 사용할 수 있으며, 정해진 원칙이 있지는 않으나 칼슘차단제나 베타차단제 단일 요법으로 조절해 볼 수 있겠다.

질문 7-2. 이 임신부에서 전자간증을 예방할 방법이 있는가?

해설 7-2. 전자간증은 혈관수축, 혈관내피세포 기능부전, 염증의 증가를 특징으로 하며, 혈소판의 활성화와 혈액응고기전의 활성화가 중요한 역할을 한다. 따라서 항응고제를 사용하여 전자간증을 예방하려는 노력이 시도되었다. 2018년에 미국산부인과학회와 미국모체태아의학회는 전자간증 예방을 위한 임신 중 아스피린 사용에 대한 권고사항을 표 17-2와 같이 제시하였다. 미국 산부인과학회에서는 전자간증의 고위험군인 경우 저용량 아스피린(81 mg/일)을 임신 12주에서 28주 사이에(임신 16주 이전이 가장 좋다) 복용하기 시작하고 분만 직전까지 복용하는 것을 권고한다. 전자간증의 중등도 위험인자를 두 개 이상 가지고 있는 경우에도 저용량 아스피린 치료를 고려할 수 있다. 미국 U.S. Preventive Services Task Force에서 제시한 전자간증의 예방을 위한 아스피린 사용의 권고지침은 표 17-2와 같다.

이 임신부는 이전 임신에서 전자간증의 기왕력이 있고 만성고혈압이며 35세 이상이므로 위험인자를 2개 이상 갖추고 있어 전자간증 예방을 위한 저용량 아스피린(81 mg/day) 사용을 권할 수 있다.

경과

이 임신부는 임신 확인 후 고혈압약제는 nifedipine 단일 요법으로 사용하였고, 전자간증의 예방을 위해 임신 12주부터 36주까지 aspirin 100 mg을 복용하였다. 임신 경과는 잘 조절되는 임신성 당뇨병 외에 특별한 문제를 보이지 않았고 임신 38주 5일에 제왕절개분만으로 건강한 3,100 g 여아를 분만하였다.

참고 문헌

1. 대한산부인과학회. 산과학. 제6판. 파주: 군자출판사; 2019.

2. ACOG Committee Opinion No. 743: Low-Dose Aspirin Use During Pregnancy. Obstet Gynecol 2018;132:e44-52.

3. ACOG Practice Bulletin No. 202: Gestational Hypertension and Preeclampsia. Obstet Gynecol 2019;133:e1-25.

4. Agrawal S, Cerdeira AS, Redman C, Vatish M. Meta-Analysis and Systematic Review to Assess the Role of Soluble FMS-Like Tyrosine Kinase-1 and Placenta Growth Factor Ratio in Prediction of Preeclampsia: The SaPPPhirE Study. Hypertension 2018;71:306-16.

5. American College of Obstetricians Gynecologists Task Force on Hypertension in Pregnancy. Hypertension in pregnancy. Report of the American College of Obstetricians and Gynecologists' Task Force on Hypertension in Pregnancy. Obstet Gynecol 2013;122:1122-31.

6. LeFevre ML, U. S. Preventive Services Task Force. Low-dose aspirin use for the prevention of morbidity and mortality from preeclampsia: U.S. Preventive Services Task Force recommendation statement. Ann Intern Med 2014;161:819-26.

7. Poon LC, Kametas NA, Maiz N, Akolekar R, Nicolaides KH. First-trimester prediction of hypertensive disorders in pregnancy. Hypertension 2009;53:812-8.

8. Roberge S, Bujold E, Nicolaides KH. Aspirin for the prevention of preterm and term preeclampsia: systematic review and metaanalysis. Am J Obstet Gynecol 2018;218:287-93.

9. Rolnik DL, Wright D, Poon LC, O'Gorman N, Syngelaki A, de Paco Matallana C, Akolekar R, Cicero S, Janga D, Singh M, Molina FS, Persico N, Jani JC, Plasencia W, Papaioannou G, Tenenbaum-Gavish K, Meiri H, Gizurarson S, Maclagan K, Nicolaides KH. Aspirin versus Placebo in Pregnancies at High Risk for Preterm Preeclampsia. N Engl J Med 2017;377:613-22.

10. Sibai BM, Stella CL. Diagnosis and management of atypical preeclampsia-eclampsia. Am J Obstet Gynecol 2009;200:481 e1-7.

11. Tan MY, Wright D, Syngelaki A, Akolekar R, Cicero S, Janga D, Singh M, Greco E, Wright A, Maclagan K, Poon LC, Nicolaides KH. Comparison of diagnostic accuracy of early screening for pre-eclampsia by NICE guidelines and a method combining maternal factors and biomarkers: results of SPREE. Ultrasound Obstet Gynecol 2018;51:743-50.

심혈관질환

모체태아의학

문종수(한림의대)
김연희(가톨릭의대)
송지은(한림의대)
이수정(울산의대)

18

01

승모판협착(심화)

37세의 0-0-1-0인 임신부가 임신 36주에 1주일 전부터 발열, 오한, 기침, 가래로 개인 병원에서 치료하였으나, 기침 증상이 지속되고 간헐적 호흡곤란이 발생하여 병원에 왔다. 환자의 과거력에서 내과적 질환이나 수술 기왕력은 없었으며, 심장질환이나 돌연사의 가족력도 없었다. 혈압 100/60 mmHg, 맥박 78회/분, 호흡 20회/분, 체온 36.5℃였으며 혈액검사 결과는 아래와 같다. 환자의 호흡기 증상과 흉부 X-선 이상 소견으로 호흡기 내과에서 폐렴 의심으로, 진단과 증상호전을 위해 좌측 폐엽 흉수 삼출액에 돼지꼬리형 카테터(pigtail catheter)를 삽입하여 배액하였다(그림 18-1). 삼출액은 누출액(transudate) 소견을 보였다. 심전도 검사에서 좌측 심방 이상을 시사하는 부정맥이 관찰되어 시행한 24시간 홀터 검사와 경흉부 심장초음파 검사(transthoracic echocardiogram, TTE)에서 중등도 승모판막협착증이 진단되었다.

CBC : WBC 9,260/uL, seg.-neutrophils 86.1%, Hct 40.2%, Hb 13.9 g/dL Plt 211,000/uL

CRP 6.13 mg/dL (<0.3 mg/dL), ESR 75 mm/h (0-15 mm/h)

Maternal-fetal medicine

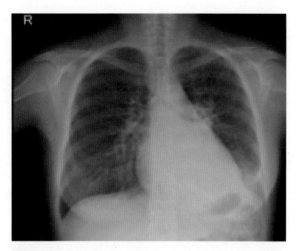

그림 18-1 환자의 흉부 X-선. 좌측 폐 흉수(pleural effusion)와 좌측 폐 아래엽 폐렴 소견을 보인다.

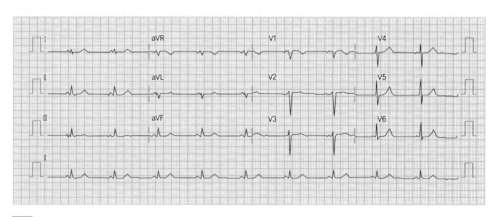

그림 18-2 환자의 심전도. PR 간격단축(short PR interval), 부정맥, 좌심방이상이 의심되는 소견을 보인다.

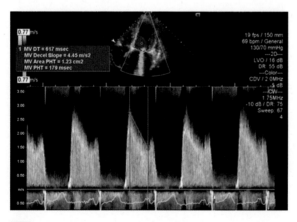

그림 18-3 환자의 경흉부 심장초음파. 중등도 승모판협착(승모판막 면적 1.23 ㎠), 좌측 심장박출률 60%, 폐동맥고혈압(폐동맥 수축기혈압 59 mmHg) 등의 소견을 보인다.

질문 1-1. 승모판협착이 있는 임신부에서 가장 흔한 증상은?

해설 1-1. 가장 특징적인 증상은 폐동맥고혈압과 폐부종에 의한 호흡곤란이다. 그 외 저혈압, 피로감, 실신, 두근거림, 기침, 객혈 등의 증상을 보이기도 한다.

질문 1-2. 임신 중 치료는?

해설 1-2. 내과적 치료와 중재시술, 수술적 방법을 모두 고려해야 하므로 상급병원으로 전원해야 한다. 경증 환자는 일반적으로 임신과 분만을 잘 견디지만, 무증상 중등 또는 중증 승모판협착 임신부는 주로 임신성 혈류역학적 변화가 최고조에 달하는 임신 제2삼분기에 심부전 증상을 나타낸다. 중증 승모판협착증 임신부는 약 50%가 임신 중 심부전 증상을 보이게 된다. 따라서 중증 승모판협착 환자는 임신 전 증상이 없다 하더라도 임신 전에 치료해야 하므로 임신 전 산과전문의 및 심장전문의와의 상담이 필요하다.

폐울혈에 의한 증상이 발생하면 활동을 제한하고 이뇨제로 치료할 수 있다. 이뇨제 투여 시에는 태반관류를 감소시키지 않도록 태아 모니터링이 필요하다. 승모판협착 환자에서 심방세동과 같은 부정맥 발생 시 심부전 증상을 유발하기 때문에 심박수를 적절하게 조절하여야 한다. 임신 중 베타차단제인 프로프라놀롤(propranolol), 아테놀롤(atenolol)은 임신 중 비교적 안전하게 사용할 수 있다. 칼슘통로차단제인 베라파밀(verapamil), 딜티아젬(diltiazem)과 디곡신(digoxin) 사용시에는 태아의 자궁내 성장제한이나 서맥을 유발할 수 있으므로 약물로 인한 이점이 위험성보다 큰 경우에 한하여 사용해야 한다. 내과적 치료에 효과가 없는 경우에는 임신 중이라도 풍선 판막성형술이나 개복 승모판성형수술을 시행해야 하며, 대개 임신 4개월 이후에 시행한다.

심방세동, 심방잔떨림과 같은 빠른 심박수를 보이거나 과거 색전증이 있었던 경우에는 항응고제 치료가 필요하다. 임신 제1삼분기에 저분자량 헤파린(low molecular weight heparin) 또는 비분획 헤파린(unfractionated heparin)으로 변경하였다가, 이후 임신 36주까지 와파린(warfarin)으로 전환하여 투여하고 분만 직전에 다시 헤파린으로 변경한다.

질문 1-3. 승모판협착 임신부의 분만방법은?

해설 1-3. 경증협착, 폐동맥고혈압이 없는 NYHA I/II의 중등협착은 질식분만을 시도할 수 있으나, NYHA III/IV의 중증협착이나 폐동맥고혈압이 있는 경우에는 제왕절개술을 시행해야 한다. 분만진통 중에는 통증 및 불안으로 인해 빠른맥과 그에 따른 심장기능상실이 발생할 수 있는데, 이를 예방하기 위하여 경막외마취를 시행하고 과도한 수액 투여를 피해야 한다. 경막외마취 후 저혈압이 발생하면 빠른맥을 유발하지 않는 α-작용제인 페닐네프린을 소량 투여하는 것이 좋다.

경과

상기 37주의 임신부는 흉수와 부정맥이 확인되어 홀터검사와 경흉부 심장초음파 검사를 시행하여 승모판협착이 진단되었다. 흉수 배액 후 항응고제와 항생제 투여하여 증상이 호전되었다. 임신 37주 3일째에 제왕절개술을 시행하여 여아 2.45 kg(아프가점수 1분 7점, 5분 9점)을 분만하였다. 분만 전후 항응고제는 저분자량 헤파린을 투여하였으며 퇴원 시에 와파린으로 변경하였다.

심방중격결손(심화)

35세의 임신 38주인 미분만부가 2일 전부터 맑은 질분비물과 아랫배 통증이 발생하여 산전 진찰하던 병원에 갔다가 흉부 X-선 검사에서 이상 소견을 보여 전원되었다. 임신부는 과거에 만성 질환을 진단받거나 수술을 받은 적은 없었으며 평소 건강한 편이었다. 혈압 110/60 mmHg, 맥박 87회/분, 호흡 20회/분, 체온은 36.4℃이었다. 최근 호흡곤란과 숨참(shortness of breath) 증상이 시작되었으나, 평상시 신체활동에는 문제가 없었다고 한다. 내원 후 시행한 경흉부 심장초음파 검사에서 둘째사이막 심방중격결손이 진단되었다. 질경 검사에서 양막파열이 확인되었으며 비수축검사(non stress test)에서 반응성 태아 심박수와 불규칙한 자궁수축이 관찰되었다.

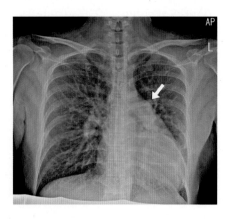

그림 18-4 환자의 흉부 X-선 검사. 폐팽창저하(hypoinflated lungs), 심장비대(mild cardiomegaly), 폐동맥원추팽출(pulmonary conus bulging : 화살표) 등의 소견을 보인다.

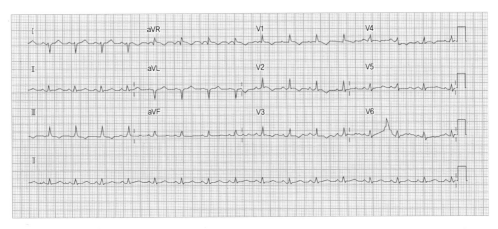

그림 18-5 환자의 심전도. 굴빠른맥(sinus tachycardia), 불완전우측각차단(incomplete right bundle branch block), 우심실비대(right ventricular hypertrophy) 등의 소견을 보인다

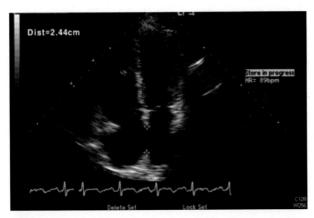

그림 18-6 환자의 경흉부 심장초음파검사. 둘째 사이막 심방중격결손(atrial septal defect, secundum type) 2.44 cm, 좌-우측 지름길(left to right shunt), 정상 좌심실 수축기능(normal LV systolic function), 박출계수(ejection fraction) 66%, 우심실확장(dilated RA), 경증 휴지기 폐고혈압 동반 우심실(RV with mild resting pulmonary hypertension) 등의 소견을 보인다.

질문 2-1. 위 임신부에 필요한 다음 조치는?

해설 2-1. 교정되지 않은 심방중격결손 임신부의 분만을 준비해야 하는 상황에서, 병력 청취 및 기본 검사를 통하여 기저 상태를 파악하여야 한다. 본 증례에서는 흉부 X-선 검사와 심전도에서 경증의 우심실비대가 관찰되어, 분만 전 임신부의 심기능에 대해 심장초음파와 같은 추가적인 검사가 요구된다. 심장의 결손부위가 교정되지 않아 혈전이 발생할 수 있으므로, 압박 스타킹을 착용하고 활동량을 제한하는 것이 혈전과 색전증 예방에 도움이 된다. 심내막염 저위험군이므로 예방적 항생제는 필요하지 않다. 분만방법은 평소 무증상의 NYHA I 군이거나 폐동맥 고혈압과 같은 합병증이 없는 경우에는 산과적 적응증에 따라 결정할 수 있다.

질문 2-2. 선천성 심방중격결손 임신부의 분만관리 시 주의사항은?

해설 2-2. 좌–우 단락(left to right shunt)이 존재하는 심장질환에서는 분만 중이나 분만 전후 좌–우 단락을 통한 혈류 증가와 심장기능상실(heart failure)이 발생할 수 있으므로 임신부의 활력징후와 심장기능 모니터링이 필요하다.

1) 분만통증으로 인한 카테콜라민 증가는 심박동수와 동맥압이 상승하여 좌–우 단락 혈류증가와 심장기능상실을 발생할 수 있으므로, 분만 중에는 정맥을 통해 진통제를 투여하는 것이 좋다. 경막외마취 시에는 저혈압이 되지 않도록 주의하여야 한다. 혈압이 떨어지게 되면 혈류가 우측에서 좌측으로 단락을 통해 이동하여 폐순환 장애와 저산소증에 빠질 수 있기 때문이다.

2) 분만 중 자궁수축으로 인한 자가수혈 현상과 분만 직후 자궁크기 감소로 대정맥압박이 해소됨에 따라 전부하량(preload)과 심장 박출량이 급속히 증가하여 심장기능상실이 발생할 수 있으므로 임신부의 활력징후를 자주 측정하여야 한다.

3) 분만 후 출혈 등의 처치로 수액을 투여할 때 수액과부하(volume overload)가 발생하게 되면 좌측에서 우측으로 단락을 통한 혈류가 증가하고 이로 인한 오른심실기능상실(Right sided heart failure) 등의 합병증이 발생할 수 있으므로 수액투여 시에 주의하여야 한다.

질문 2-3. 선천성 심방중격결손 임신부의 주산기 예후는 어떠한가?

해설 2-3. 선천성 심장질환 임신부의 임신에서 신생아 주산기 사망의 주요 원인은 태아의 선천성심장기형이다. 심방중격결손 임신부의 임신에서 태아의 선천성 심장기형 발생율은 약 4.6–11% 정도이며, 임신 18–22주 사이에 태아심장을 평가하여야 한다. 선천성 심장질환 임신부의 임신에서는 자궁내 태아성장지연이 자주 동반된다. 태아성장지연이 의심되면 생물리학계수를 주 1회 이상 시행하는 것이 좋다. 산모의 임신 중 경과는 비교적 양호하다.

경과

2,920 gm 여아를 질식분만 하였으며, 분만직 후 특이사항은 없었다. 하지만 분만 후 2시간 사이에 다량의 질출혈과 활력징후의 변화(혈압 70/40 mmHb, 맥박수 120회/분)가 있었고, 혈색소 검사가 7.6 g/dL으로 측정되었다. 생리식염수와 산소를 투여하여 산소포화도(SpO2) 97–98%를 유지하였고, 적혈구 2파인트를 수혈하였다. 더 이상의 출혈은 없었고 활력징후와

산소포화도가 적절히 유지되어 일반 병실로 이실하였다. 이후 합병증 없이 퇴원하였으며, 분만 후 3개월에 심방결손에 대한 복구수술을 받았다.

03 심장박동조율기(기본)

Maternal-fetal medicine

무월경 6주인 26세 미분만부가 소변임신반응검사에서 양성으로 나와서 병원에 왔다. 초음파검사에서 머리엉덩길이는 6주 크기이고 배아심박동은 150회/분이다. 8년 전 완전방실차단으로 진단받고 영구적 심장박동조율기(permanent pacemaker, DDD type)를 가지고 있는 상태로 규칙적으로 심장내과 진료를 받고 있다고 한다. 이후 특이사항 없이 건강하게 지냈으며 현재 특별히 불편한 사항은 없다고 한다. 혈압 110/70 mmHg, 맥박 50회/분, 호흡 16회/분, 체온 36.8℃이다. 심장박동조율기 시술 전과 시술 직후 그리고 임신 중에 검사한 심전도 결과 및 흉부 X-선 검사 결과는 다음과 같다.

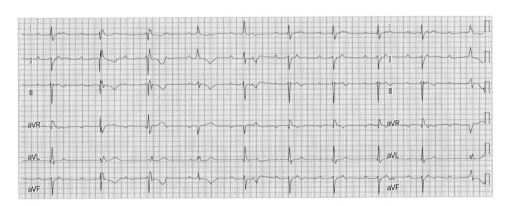

그림 18-7 환자의 심전도. 심장박동조율기 시술 전

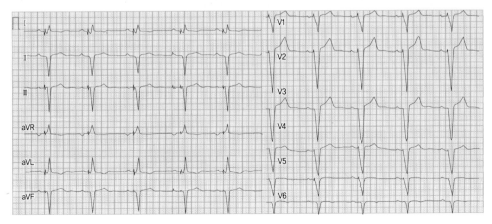

그림 18-8 환자의 심전도. 심장박동조율기 시술 후

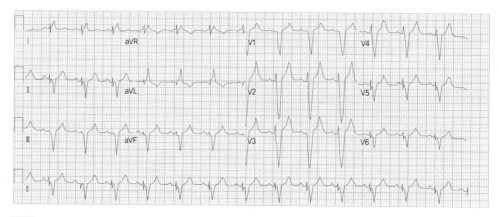

그림 18-9 환자의 심전도. 임신 중 심전도

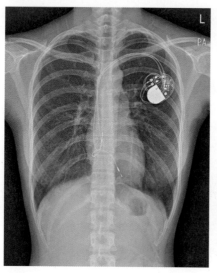

그림 18-10 환자의 흉부 X-선 검사. 심장박동조율 기 시술 후

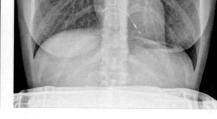

그림 18-11 환자의 흉부 X-선 검사. 임신 중

질문 3-1. 산전관리 중의 주의사항은?

해설 3-1. 첫 내원 시에 문진 및 심전도 검사를 통하여 평상시의 맥박수와 심기능을 파악하여야 한다. 규칙적으로 심장내과 진료를 받고 있는 임신부는, 새로운 증상의 발생이 없다면 임신 상태 확인만으로 새롭게 심기능 평가를 위한 심장초음파 검사를 시행할 필요는 없다. 하지만 삽입된 심장박동조율기의 유형을 미리 확인하여, MRI 검사가 가능한지 파악하고 있어야 한다. 심장박동조율기 조작이 가능한 심장내과 전문의와 미리 협진하여 응급상황에 대비하여야 한다.

질문 3-2. 임신 36주 이후에 의료진이 주의해야 할 사항은?

해설 3-2. 질식분만을 시도하게 될 경우에는 전기소작기를 사용하지 않는 것이 통상적이라 질식분만 중에는 임신부의 활력 징후를 살피는 것 외에 특이사항은 없다. 하지만 제왕절개수술을 시행해야 하는 상황이 발생한다면 수술 중에 전기소작기를 사용하게 되면 이때 사용하는 전기적 에너지가 확률이 높진 않지만 박동조율기의 작동에 영향을 미칠 수 있다. 접지전극(return electrode, ground electrode)을 가능한 심장에서 먼 곳에 부착하여야 하고, 일극전기수술장치(monopolar electrosurgery device)를 사용하는 것보다 양극전기수술장치(bipolar electrosurgery device)를 사용하는 것이 안전하다. 그리고 상황에 따라 박동조율기의 모드를 바꿔주는 것이 필요할 수 있으므로, 응급수술이 결정되면 즉시 심장내과팀과 협진하여 박동조율기 모드 변경에 대하여 상의할 수 있도록 해야 한다.

04

Maternal-fetal medicine

분만전후 심장근육병증(심화)

임신 38주에 개인병원에서 반복제왕절개술을 받은 37세의 1-0-0-1인 임신부가 수술 후 1일째에 가슴이 답답하고 호흡곤란과 220/140 mmHg까지 혈압이 상승하여 응급실로 왔다. 수술 후 투여량과 배출량은 각각 2,000 mL와 1,600 mL이었으며, 혈압 상승 후 하이드랄라진 정맥투여와 아달락트(adalact) 설하투여를 하였다고 한다. 혈압 150/120 mmHg, 맥박 178회/분, 호흡 35회/분, 체온 37.6°C였으며 혈액검사 결과는 아래와 같다. 임신부는 3년 전 첫 번째 임신 때에는 전자간증 과거력이 있었으나, 이번 임신에서는 특이소견은 없었다. 내과적 질환이나 수술받은 기왕력은 제왕절개수술 외에는 없었으며, 가족력에서도 특이소견은 없었다.

WBC 27,640/uL, Segmented neutrophils 76.9%, Hct 39.6%, Hb 13.3 g/dL,
Plt 515,000/uL,
CRP 63.8 mg/L (<0.3), ESR 54 mm/h (2-25), AST 24 IU/L, ALT 12 IU/L,
CK-MB 11.15 ng/mL (0-5), Troponin1 216.71 pg/mL (0-34.1),
Myoglobin 71.6 ng/mL (0-110),
BNP 1490.5 pg/mL (0-100) Osmolality 283 mOsm/kg (284-298),
Lactic acid 2.4 mmol/L (0.7-2.5)

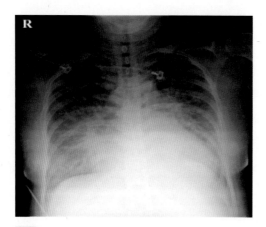

그림 18-12 환자의 흉부 X-선. 폐부종(pulmonary edema), 양측 흉막삼출액(pleural effusion), 심비대(cardiomegaly), 폐실질침윤, 폐렴 등의 소견을 보인다.

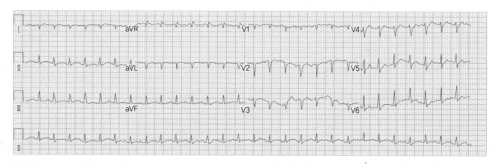

그림 18-13 환자의 심전도. 굴빠른맥(sinus tachycardia, 173/min), 좌측후다발차단(Lt. post. fascicular block), 비특이적 ST 이상(non specific ST abnormality) 등의 소견을 보인다.

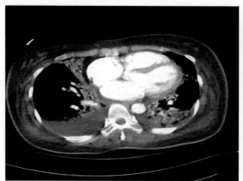

그림 18-14 환자의 흉부 CT. 양측성폐부종, 양측성흉막삼출 소견을 보인다.

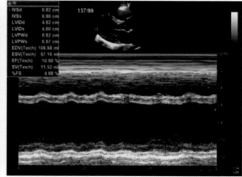

그림 18-15 환자의 경흉부 심장초음파 검사. 좌심실 중증운동감소증(severe hypokinesia of LV), 좌심방 경계성 확장(borderline enlarged LA), 좌심실 박출기능 저하(reduced LV systolic function) 박출계수(EF) 10%, 중등도 폐고혈압(moderate pulmonary hypertesion) RVSP: 53 mmHg, RAP: 15 mmHg 등의 소견이 보인다.

질문 4-1. 본 증례의 진단명과 진단기준은?

해설 4-1. 분만전후 심장근육병증(peripartum cardiomyopathy)

울혈성심장기능상실 소견을 보인다. 흉부 X-선에서 특징적으로 현저한 심장비대를 보인다. 심장초음파검사에서 좌심실확장 및 좌심실기능저하가 관찰되고, 심장박출량 감소와 분율단축(fractional shortening)과 같은 좌심실수축기능장애가 진단기준이 된다. 박출계수가 45% 미만이거나, M-방식에서 분율 단축이 30% 미만이면서 이완기말 용적이 2.72 cm^2/m^{2}을 넘는 경우에 진단할 수 있다.

질문 4-2. 이 임신부의 관리 및 예후를 결정하는 중요한 소견은?

해설 4-2. 치료는 울혈심장기능상실에 준해서 치료한다. 염분과 수분섭취를 제한하고 이뇨제와 혈관확장제를 투여하여 심장 전부하를 낮추도록 한다. 안지오텐신전환효소억제제는 임신 중에는 금기이므로 하이드랄라진, 니트로글리세린, 암로디핀을 투여할 수 있다. 혈전색전증 위험이 높으므로 절대안정은 권장하지 않고 예방목적으로 항응고제 투여가 필요할 수 있다.

예후에서 가장 중요한 소견은 분만 후 6개월 이내 심실기능의 회복여부이다. 환자의 50% 정도는 분만 후 6개월 이내에 심실기능이 회복되지만, 6개월 내에 심장이 정상으로 돌아오지 않는 경우는 예후가 극히 불량하다. 5년 사망률이 85%에 이르고, 심장이식을 해야 하는 경우도 있다.

질문 4-3. 향후 임신과 관련된 상담에서 중요한 부분은?

해설 4-3. 심장근육병증은 다음 임신에서 재발하는 경향이 있으므로, 다음 임신 전까지 지속적으로 심실기능을 검사해야 한다. 좌심실기능 이상이 있는지가 예후에 중요하다. 지속적으로 좌심실 기능이상을 보이는 경우에는 모성사망과 심장기능상실의 발생율이 높다. 특히 심장비대가 있고 좌심실박출계수가 50% 미만인 경우에는 임신을 금해야 한다.

경과

환자는 중환자실에 입원하여 심장내과 및 호흡기내과의 협진치료를 받았다. 심장내과에서 분만전후 심장근육병증(peripartum cardiomyopathy), 박출률감소를 동반한 심장기능상실

(heart failure with reduced ejection fraction, HFrEF)로 진단하고 이뇨제와 혈관확장제 치료 등을 받았으며, 호흡기내과에서 폐렴 관련 치료를 받았다. 입원 후 7일째부터 흉부 X-선 사진이 정상화되었고, 심장초음파 검사와 심장표지자 검사가 호전되어 퇴원하였다. 분만 후 3개월 심장초음파 검사에서 정상소견을 보였다.

05

폐색전증(심화)

평소 기저질환 및 심혈관질환 가족력이 없는 32세의 미산부가 임신 10^{+4}주에 집에서 갑자기 의식을 잃으며 실신하여 응급실에 왔다. 응급실에서 의식은 회복하였으나, 호흡곤란을 호소하였다. 질출혈이나 복부통증은 없었다. 초음파검사에서 태아는 10주 크기, 태아심박동 153회/분, 융모막하 혈종(subchorionic hematoma)은 없었다. 심전도검사에서 이상소견을 보였으며, 심초음파와 흉부 CT에서 혈전이 관찰되었다. 혈압 65/54 mmHg, 맥박 175회/분, 호흡 35회/분, 체온은 36.5°C였다. 혈액검사 결과는 다음과 같다.

D-dimer 30.4 ug/mL, troponin I 613.9 pg/mL (0-34.1), pH 7.34

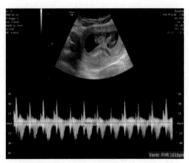

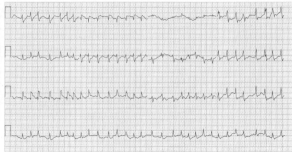

그림 18-16 환자의 태아초음파 검사. 임신 주수에 적절한 정상소견을 보인다.

그림 18-17 환자의 심전도. 심방잔떨림(atrial fibrillation) 소견을 보인다.

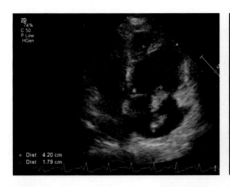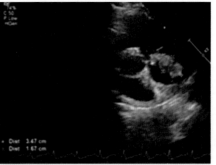

그림 18-18 환자의 심장초음파. 우심방 내 혈전(4×2 cm)이 보인다.

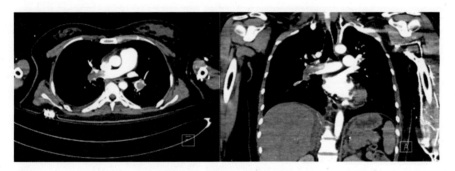

그림 18-19 환자의 흉부 CT. 우심방, 폐동맥, 하대정맥 내 다발성 혈전 소견을 보인다.

경과

임신부의 생명이 임신유지보다 우선시되는 응급상황으로 본인 및 보호자들 상담 후 항응고 요법을 시작하고, 체외막형산소섭취(extracorporeal membrane oxygenation, ECMO)하에 응급 혈전-색전 제거술(emergent thromobo-embolectomy)을 시행하였다. 색전제거술 후 시행한 초음파검사에서 태아는 계류유산되었다. 수술 후에 임신부는 ECMO를 유지하면서 중환자실 치료를 하였고, 혈역학적으로 안정화된 후에 계류유산에 대한 자궁내막소파수술을 하기로 하였다. 하지만 혈색전제거술 3일 후에도 심박출율(ejection fraction, EF) 14%와 운동불능성좌심실(akinetic left ventricle) 소견(그림 18-20)을 보이고, 발열(37.9℃)과 C-반응성단백질이 상승(35.1 mg/L)이 지속되었다. 혈역학적으로도 불안정하여 ECMO 유지하였다. 수술 후 4일째에 심박출율이 55%(그림 18-21)로 호전되어 응급소파수술을 시행하였다.

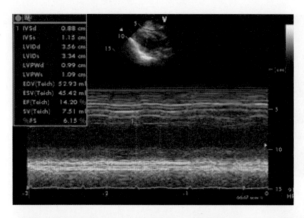

그림 18-20 환자의 심장초음파. 혈색전제거 술 후 3일, 심박출율 14% 및 운동불능성좌심실 소견을 보인다.

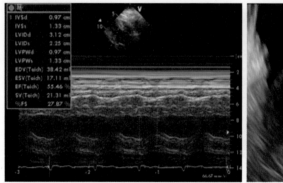 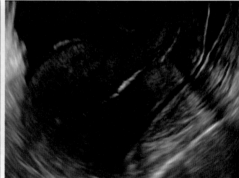

그림 18-21 환자의 심장초음파. 혈색전제거술 후 4일, 심박 출율 55% 소견이다.

그림 18-22 환자의 자궁초음파. 소파수술 후 상태

질문 5-1. 진단은?

해설 5-1. 폐색전증(pulmonary embolism)

폐색전증은 혈전이 정맥 벽에서 떨어져 나가 심장을 통해 폐동맥으로 이동하면서 발생하는데, 급성경과를 보여 예후가 매우 불량하다. 임신부의 폐색전증은 주로 제왕절개술 후에 발생하며, 분만 후 48시간 내에 대부분 발생한다. 폐색전증이 발생한 산모의 15%는 치명적이며, 사망한 산모의 2/3가 폐색전증 발생 후 30분 이내에 발생한다. 폐색전증으로 인한 사망률은 예방 및 조기 치료와 연관이 있으므로, 위험군으로 판단되는 경우에는 신속하게 평가와 치료를 해야 한다. 임신 전 항응고제 치료를 받던 여성들은 임신기간과 산욕기에도 치료를 지속해야 한다. 장기간 항응고제 치료를 받는 여성이 임신을 하게 되면 미분획 헤파린이나 저용량 헤파린으로 전환하여야 한다. 우리나라 산모의 폐색전증 빈도는 0.023% 정도이다.

질문 5-2. 임신이 정맥색전혈전증의 위험요인인 이유는?

해설 5-2. 정맥내혈전증의 3대 요인인 과응고성(hypercoagulability), 정맥울혈(venous stasis), 외상성혈관손상(vascular damage)이 임신의 생리학적 변화와 일치하기 때문이다. 임신 중에는 생리적으로 응고인자의 합성이 증가하고, 운동량의 감소와 늘어난 자궁으로 인한 하대정맥의 압박으로 하지정맥혈류의 속도가 정체하게 된다. 또한 임신성고혈압, 결합조직질환, 신질환 등이 동반되는 경우에는 혈관내피 손상이 촉진된다. 특히 혈전증 기왕력, 혈전성향증(thrombophilia), 수술과거력, 고혈압성 질환, 전자간증, 다분만부, 고령산모, 당뇨, 빈혈, 비만, 제왕절개수술 등은 임신부 폐색전증의 주요한 위험인자이다.

질문 5-3. 임신 중 폐색전증 진단에 도움이 되는 진단방법은?

해설 5-3. 임신 중 대부분의 정맥혈전은 하지에서 발생하며, 가장 흔한 초기 증상은 종아리와 허벅지 부위의 통증과 부종이다. 임신 중 종아리 둘레가 2 cm 이상 증가한 경우에 의심해볼 수 있다. 초기 진단적 검사로는 근위부 정맥(proximal vein)의 압박 초음파 검사(compression ultrasound)를 시행한다. 또한 컴퓨터단층촬영, 혈관조영검사(angiography)와 환기-혈류스캔(ventilator-perfusion scan)을 시행하는데, 이 검사들은 태아에 대한 방사능 노출양이 상대적으로 낮은 것으로 알려져 있다.

경과

소파수술 후 1일(색전술 후 5일)에 임신부는 혈역학적 안정화 및 심초음파에서 심기능의 호전이 확인되었고 의식도 회복되었다. 다음 날인 소파수술 후 2일(색전술 후 6일)에 ECMO 치료를 중단(weaning)후 심장 초음파(그림 18-23)를 시행했다. 소파수술 후 3일(색전술 후 7일)에 일반병동으로 이실하였다. 이후 항응고제 치료를 지속하였고, 저용량 헤파린으로 교체하여 퇴원하였다.

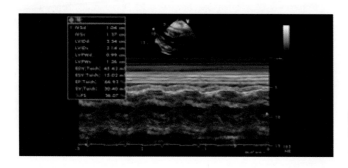

그림 18-23 환자의 심장초음파. ECMO weaning 후, 심박출율 55% 소견이다.

참고 문헌 ···

1. American College of Obstetricians and Gynecologist. Practice Bulletin No.123: Thromboembolism in pregnancy. Obstet Gynecol 2011;118:718-29.

2. Bredy C, Mongeon FP, Leduc L, Dore A, Khairy P. Pregnancy in adults with repaired/unrepaired atrial septal defect. J Thorac Dis 2018;10:S2945-52.

3. Elkayam U. Clinical characteristics of perpartum cardiomyopathy in the United States: diagnosis, prognosis, and management. J Am Coll Cardiol 2011;58:659-70.

4. Hameed A, Karaalp IS, Tummala PP, Wani OR, Canetti M, Akhter MW, Goodwin I, Zapadinsky N, Elkayam U. The effect of valvular heart disease on maternal and fetal outcome of pregnancy. J Am Coll Cardiol 2001;37:893-9.

5. Januzzi JL Jr, Chen-Tournoux AA, Christenson RH, Doros G, Hollander JE, Levy PD, Nagurney JT, Nowak RM, Pang PS, Patel D, Peacock WF, Rivers EJ, Walters EL, Gaggin HK; ICON-RELOADED Investigators. N-terminal pro- B-type natriuretic peptide in the emergency department: the ICON-RELOADED Study. J Am Coll Cardiol 2018;71:1191-200.

6. Lee MY, Kim MY, Han JY, Park JB, Lee KS, Ryu HM. Pregnancy-associated pulmonary embolism during the peripartum period: An 8-year experience at a single center. Obstet Gynecol Sci 2014;57:260-5.

7. Leung AN, Bull TM, Jaeschke R, Lockwood CJ, Boiselle PM, Hurwitz LM et al. An official American Thoracic Society/ Society of Thoracic Radiology clinical practice guideline: evaluation of suspected pulmonary embolism in pregnancy. Am J Respir Crit Med 2011;184:1200-8.

8. Moioli M, Valenzano MM, Bentivoglio G, Ferrero S. Peripartum cardiomyopathy. Arch Gynecol Obstet 2010;281:183-8.

9. Moon CS, Kyung KS, Lee SJ. Cardiovascular disorders. Korean Society of Obstetrics and Gynecology. Obstetrics. 6th ed. Seoul:Koonja;2019. p.783-813.

10. Nanna M, Stergiopoulos K. Pregnancy Complicated by valvular heart disease: An update. J Am Heart Assoc 2014;3:e000712.

11. Nishimura RA, Otto CM, Bonow RO, Carabello BA, Erwin JP, Guyton RA, O'Gara PT, Ruiz CE, Skubas NJ, Sorajja P, Sundt TM, Thomas JD; ACC/AHA Task Force Members. 2014 AHA/ACC Guideline for the Management of Patients With Valvular Heart Disease: executive summary: a report of the American College of Cardiology/American Heart Association Task Force on Practice Guidelines. Circulation 2014;129:2440-92.

12. Ware JS, Li J, Mazaika E, Yasso CM, DeSouza T, Cappola TP, Tsai EJ, Hilfiker-Kleiner D, Kamiya CA, Mazzarotto F, Cook SA, Halder I, Prasad SK, Pisarcik J, Hanley-Yanez K, Alharethi R, Damp J, Hsich E, Elkayam U, Sheppard R, Kealey A, Alexis J, Ramani G, Safirstein J, Boehmer J, Pauly DF, Wittstein IS, Thohan V, Zucker MJ, Liu P, Gorcsan J, McNamara DM, Seidman CE, Seidman JG, Arany Z; IMAC-2 and IPAC Investigators. Shared Genetic Predisposition in Peripartum and Dilated Cardiomyopathies. Am J Respir Crit Med 2011;184:1200-8.

Chapter 19

만성고혈압

모체태아의학

19 만성고혈압

이경진(차의과학대)
김수현(차의과학대)

Maternal-fetal medicine

01 만성고혈압과 임신(기본)

산과력 0-0-0-0인 40세 여자가 임신 준비를 위하여 내원하였다. 내원 당시 혈압은 178/130 mmHg, 맥박 76회/분이었고, 어제 밤에 자가로 측정한 혈압도 수축기 혈압이 180 mmHg라고 하였다. 키 161 cm, 체중 78 kg, BMI 30 kg/m²이었고, 가족력 상 친정 부모 모두 고혈압이라고 했다. 내과적 평가를 통해 일차성 고혈압으로 진단 후 nifedipine 60 mg QD로 복용하였다. 이후 혈압은 120/80 mmHg, 맥박 90회/분 정도로 잘 조절되었다.

질문 1-1. 고혈압이 임신에 어떤 영향을 미치는지 상담을 요청하였다. 해줄 수 있는 상담내용은?

해설 1-1. 임신 이전에 이미 수축기혈압 140 mmHg 이상 혹은 이완기혈압 90 mmHg 이상에 해당하여 만성고혈압(chronic hypertension)에 해당한다. 임신 초기에는 말초혈관저항이 감소하기 때문에 혈압이 다소 떨어지는 경향이 있다. 임신합병증으로 임신성당뇨, 태아성장제한, indicated preterm birth의 위험성이 높아진다. 임신 후반기에 예측할 수 없이 중복자간전증(superimposed preeclampsia)이 발생할 수도 있다. 또한, 심각한 합병증인 태반조기박리의 위험성이 2-3배 증가한다. 특히 치료에도 불구하고 이완기혈압이 110 mmHg 이상인 경우, 여러 가지 고혈압약제를 같이 복용해야 하는 경우, 혈청 크레아티닌이 2 mg/dL인 경우, 이전에 stroke, MI (myocardial infarction), 또는 심부전의 과거력이 있었던 경우는 산모는 물론이고 임신의 예후도 매우 나쁘다.

질문 1-2. 시험관시술을 통하여 임신을 확인한 뒤 정기적인 산전검사를 받았다. 임신중독증 예방을 위하여 저용량아스피린을 복용하였다. 임신초기에 혈압약은 nifedipine 30 mg으로 감량하였다가 임신 12주경 nifedipine 다시 60 mg으로 증량하였다.

임신 중 만성고혈압 환자의 약물치료는 어떻게 해야 하며, 목표 혈압은 얼마인가?

해설 1-2. 경증에서 중등도의 만성고혈압이 있는 임신한 여성의 경우, 임신기간 동안 항고혈압약제의 사용 여부 및 사용방법에 대해 아직 정립된 바는 없다. 하지만 혈압의 심각한 상승은 급성 뇌혈관질환, 관상동맥질환 등과 깊은 관련이 있기 때문에 중증 고혈압을 보이는 산모는 이러한 급성 심혈관계질환의 발생위험을 낮추기 위해 항고혈압약제를 사용하여야 한다. 수축기혈압이 160 mmHg 이상이거나 이완기혈압이 110 mmHg 이상인 경우 신부전, 심폐부전(cardiopulmonary dysfunction), 또는 뇌출혈의 위험성이 급격히 증가한다. Mild to moderate hypertension 환자의 경우 약제치료는 수축기 혈압 160 mmHg 미만, 이완기 혈압 105 mmHg 미만인 경우 보류할 것을 권고한다. 하지만 Parkland Hospital에서는 혈압이 150/100 mmHg 이상인 경우 고혈압약제를 시작한다. 선호되는 regimen은 베타차단약제(labetalol 등) 또는 칼슘차단제(amLodipine 등)이다. End-organ dysfunction을 동반한 severe hypertension의 경우 이완기혈압을 90 mmHg 이하로 조절하는 것이 타당하다.

고혈압약제를 복용하던 산모가 임신초기 약제를 유지해야 하는지에 대한 문제는 아직 논란이 있다. 2013년 ACOG, 2015년 SMFM에 따르면 Mild to moderate hypertension 환자의 경우 임신 1삼분기에는 약제를 끊어보고 혈압이 오르면 다시 시작하는 것이 타당하다고 하였다. Parkland Hospital에서는 이미 고혈압약제를 먹고 있는 산모의 경우 임신초기에도 그 약제를 유지하고 있다. 단, 안지오텐신전환효소억제제(Angiotension converting enzyme inhibitor)이거나 안지오텐신수용체차단제(Angiotension receptor blocker)는 임신 중 사용을 금하여야 한다.

02

임신합병증의 예방 및 처치(심화)

32세 미분만부가 임신 12주에 내원하였다. 환자는 임신전부터 고혈압을 진단받고 약을 복용하고 있었으며, 현재는 nifedipine 30 mg을 QD로 복용하고 있다. 초음파 검사상 두융모막 두양막의 쌍태아 임산부였다. 현재 혈압은 125/83 mmHg, 맥박 76회/분이었고, 집에서 자가로 측정한 혈압도 정상범위로 잘 유지되고 있었다.

질문 2-1. 향후 임신합병증을 예방하기 위하여 환자에게 처방해 줄 약이 있을까?

해설 2-1. 환자는 임신 전부터 진단된 만성고혈압과 다태임신이라는 두 가지 전자간증 고위험요소를 가지고 있다. Cochrane 체계적 고찰연구에 의하면 고위험군을 대상으로 항혈소판제제(저용량 아스피린)를 투여한 경우 전자간증의 발생을 18% 정도 줄일 수 있으며(36,716명, 상대위험도 0.82, 95% 신뢰구간, 0.77–0.88), 조산, 태아 혹은 신생아사망, 저체중출생아의 빈도를 의미있게 감소시킬 수 있다고 하였다. 또한 이들은 결론에서 저용량의 아스피린으로 전자간증과 그 합병증에 대하여 경도 또는 중등도의 효과를 가져올 수 있다고 하고 있다. 비록 500 mL 이상의 산후출혈의 빈도가 약간 증가하고 태반조기박리의 위험도도 조금 증가하는 것처럼 보이나 빈도가 낮으므로, 전자간증 발생의 고위험군(만성고혈압, 이전 임신에서 전자간증발생, 다태임신 등)에서 고려해 볼 수 있는 예방 방법이다.

만성고혈압 임신부에서 16주 이전에 저용량아스피린을 시작한 경우 중복자간전증으로의 이행을 41%나 줄인다고 보고하였다(18% vs 31%). 2014년 미국 U.S. Preventive Services Task Force (USPSTF)에서 전자간증의 고위험군에서 전자간증의 예방을 위하여 임신 12주 이후부터 저용량아스피린(81 mg/d)을 복용할 것을 권고하였다. 2018년 미국산부인과학회(ACOG)와 미국모체태아의학회(SMFM)도 전자간증의 고위험군의 경우 저용량아스피린을 임신 12주에서 28주 사이(특히 16주 이전으로 권유)에 시작하고 분만직전까지 복용할 것을 권고하였다.

질문 2-2. 임신 32주까지 혈압약을 다소 증량하였지만 125–130/85 mmHg 정도로 잘 조절되었으며, 단백뇨도 없었다. 임신 33주 2일에 내원 시 혈압 160/100 mmHg이면서 소변단백뇨 2+ 관찰되었다. 그날 입원하여 태아상태 확인하였다. 초음파 상 태아는 둔위/두정위 1,800 g/1,700 g으로 확인되었고 양수량은 정상이었다. NST에서 자궁수축은 없었고 태아심박동은 중등도 변이성을 보였다. 일반혈액검사 및 간효소수치는 정상소견을 보이고 있었다. 다음으로 고려할 수 있는 처치는?

해설 2-2. 만성고혈압으로 혈압약을 복용하고 있는 경우 중복자간전증의 진단이 다소 어려울 수 있는데, 악화된 혈압, 새로 발생한 단백뇨, 신경계증상(중증의 두통, 시력장애 등), 전반적 부종, 요감소, 발작(convulsion), 폐부종, 혈청크레아티닌증가, 혈소판감소, 간효소수치 증가 등의 비정상 혈액검사 등으로 중복자간전증을 진단할 수 있다.

임신 37주 이전에 중복자간전증이 발생한 산모 중 선별된 경우에 한해 기대요법(expectant management)을 시도해 볼 수 있음이 제시된 바 있고 34주 이전에 발생한 중증의 자간전증 산모들 중 신중하게 선택된 경우에 대해 기대요법이 합리적인 대안이라고 발표된 바 있다. 하지만 중증의 중복자간전증이 발생된 산모들은 태반조기박리, 폐부종, 뇌출혈, 심부전, 모성 사망 등의 위험도가 증가하므로 기대요법으로 인한 주산기 예후의 현저한 향상이 기대되지 않는다면 분만을 진행하는 것이 합리적이다.

임신 26-34주 사이의 중증 전자간증 산모를 대상으로 시행한 전향적 이중맹검 무작위 연구에서 betamethasone을 투여한 산모들이 위약을 투여한 산모들보다 신생아 호흡곤란증후군, 뇌실 내 출혈, 신생아 감염 및 사망을 포함하는 신생아 합병증의 빈도가 유의하게 낮았고, 산모 측 합병증은 두 군 간에 차이가 없었다. 따라서 임신 34주 미만의 중증 전자간증 산모에서 신생아 합병증의 빈도를 줄이기 위해 스테로이드를 사용해야 한다.

입원 후에도 좋아지지 않는 중증의 전자간증 산모에게는 자간증으로의 진행을 예방하기 위하여 마그네슘황산염을 고려할 수 있다. 분만과 진통이 임박하여 경련을 하는 경우가 많으므로 마그네슘황산염을 진통동안과 산후 24시간동안 사용하는 것을 권고한다.

경과

입원 후 신생아 합병증을 줄이기 위하여 스테로이드를 사용하였고 다음날 혈압이 190/110 mmHg까지 오르고 하이드랄라진 반복 투여에도 160/100 mg 이상으로 유지되었다. NST에서 태아심박동의 변이성이 소실되었다. 24시간소변단백질은 1,500 mg이었고 간효소수치가 58/39 IU/L 로 상승하였다. 중복자간전증 진단하에 응급제왕절개수술을 시행하였다. 태아는 1,860 g/1,730 g으로 분만 후 신생아집중치료실에서 관찰하였고 이후 경과는 양호하였다.

03 적절한 분만시기(기본)

36세 미분만부가 임신 14주에 내원하였다. 5년 전부터 고혈압 진단받고 혈압약을 복용하고 있다. 현재는 Nifedipine 30mg QD로 복용 중이고 산전검사에서 특이소견 없었다. 전자간증의 예방을 위하여 저용량아스피린(100 mg)을 처방하였다.

질문 3-1. 앞으로 임신 중 주의해야 할 식생활 습관에 대하여 상담을 요청하였다. 어떤 조언을 해줄 수 있을까?

해설 3-1. 항산화제(특히 비타민C와 비타민E)를 이용한 여러 가지 연구가 시도되었으나 아직까지 유의한 차이를 증명하지 못하였다. 그러므로 현재까지는 전자간증 예방을 위하여 항산화제를 투여하는 것은 권고하지 않는다. 다만 적절한 체중관리를 권할 수 있고, 내과적 또는 산과적 합병증이 없는 경우 중등도의 운동을 권할 수 있겠다.

질문 3-2. 이 환자가 만삭까지 합병증이 없이 임신이 잘 유지되었다면 적절한 분만시기와 분만방법은 어떤 것일까?

해설 3-2. 분만방법은 산과적 요인에 따라야 한다. 중증의 중복자간전증의 경우 조산이더라도 분만하는 것이 좋다. 분만을 지연시킬 경우 태반조기박리, 뇌출혈, peripartum heart failure의 위험성이 증가하기 때문이다. Preeclampsia가 동반되지 않은 chronic hypertension의 경우 expectant management 할 수 있으나, 39주 이상에서는 severe preeclampsia가 증가하고, 37주 이전의 planned delivery는 adverse neonatal outcome이 증가한다. 2019년 ACOG에서는 38 0/7주 이전에 분만은 권하지 않고, Spong 등은 임신 38주에서 39주 사이를 제시하고 있다. 만약 자궁수축이 없다면 유도분만방법이 선호되고, 많은 경우 성공적으로 질식분만을 한다.

04

Maternal–fetal medicine

분만진행 중 합병증(기본)

32세 미분만부가 임신 20주경 산전검사를 위해 내원하였는데 혈압 144/94 mmHg, 맥박 100회/분 이다. 환자는 임신 4년 전부터 고혈압을 진단받고 혈압약을 복용하고 있었으며, 임신 확인 후 Nifedipine 30 mg QD로 혈압이 잘 조절되고 있었다고 하였다. Nifedipine 60 mg QD로 증량 후 임신 28주에 다시 혈압이 증가하여 오전 Nifedipine 60 mg에 오후 30 mg 추가하였다.

임신 34주 내원 시 혈압 134/98 mmHg, 맥박 98회/분, 집에서 이완기 혈압 90 mmHg 이상 및 맥박이 90–100회/분 정도였다. 소변검사상 단백뇨는 없었다. 오전 Nifedipine 60 mg에 오후 60 mg으로 증량 및 베타차단제 추가하였다(Metoprolol 50 mg).

질문 4-1. 37주에 질출혈 및 복통으로 내원하였다. 초음파상 태아는 두정위, 예상체중 2,700 g, 양수는 정상이었다. NST상 5분 간격으로 80 torr의 자궁수축이 관찰되고 태아심박동은 정상소견을 보이고 있다. 골반내진검사에서 니트라진검사 양성, 자궁경부 2.5 cm 개대, 소실도는 70%였다. 다음 계획은?

해설 4-1. 합병증 없이 경증에서 중등도의 고혈압이 지속적으로 유지되는 만성고혈압 산모의 경우 비교적 주산기 예후가 좋은 것으로 알려져 있다. 위 임신부는 질식분만이 가능한 상황이고 양막파수가 동반되어 있으므로 입원시켜 분만을 진행시킨다.

질문 4-2. 자궁경부 5 cm 개대, 소실도 80%, 하강도 −2로 분만 진행 중에 산모가 극심한 통증을 호소하였다. 태아 심장박동수가 120 bpm이었다가 60−80 bpm으로 점차 태아 서맥(fetal bradycardia)을 보이고 있다. 의심할 수 있는 진단 및 적절한 처치는?

해설 4-2. 만성고혈압 임신부는 태반조기박리의 위험성이 2−3배 증가한다. 상기 증상은 태반조기박리를 의심할 수 있는 상황이며 태아절박가사가 의심되므로 응급제왕절개수술이 필요하다.

경과

상기 환자는 응급제왕절개수술로 2,730 g 여아를 분만하였고 신생아는 특별한 합병증 없이 퇴원하였다. 수술 중에 육안적으로 태반조기박리를 확인할 수 있었다.

참고 문헌

1. American College of Obstetricians and Gynecologists. ACOG Practice Bulletin No. 203: Chronic Hypertension in Pregnancy. Obstet Gynecol. 2019;133:e26-e50.

2. Amorim MM, Santos LC, Faundes A. Corticosteroid therapy for prevention of respiratory distress syndrome in severe pre-eclampsia. Am J Obstet Gynecol 1999;180:1283-88

3. Clark SL, Hankins GD. Preventing maternal death: 10 clinical diamonds. Obstet Gynecol 2012;119:360-4

4. Duley L, Meher S, Hunter KE, Seidler AL, Askie LM. Antiplatelet agents for preventing pre-eclampsia and its complications. Cochrane Database Syst Rev 2019;10:CD004659.

5. Harper LM, Biggio JR, Anderson S, Tita AT. Gestational age of delivery in pregnancies complicated by chronic hypertension. Obstet Gynceol 2016;127:1101-9.

6. Martin CL, Brunner Hurber LR. Physical activity and hypertensive complications during pregnancy: findings from 2004 to 2006 North Carolina Pregnancy Risk Assessment Monitoring System. Birth 2010;37:202-10

7. Martin JN, Thigpen BD, Moore RC, Rose CH, Cushman J, May W. Stroke and severe preeclampsia and eclampsia: a paradigm shift focusing on systolic blood pressure. Obstet Gynecol 2015;105:246-54.

8. Moore GS, Allshouse AA, Post AL, Galan HL, Heyborne KD. Early initiation of low-dose aspirin for reduction in preeclampsia risk in high risk women: a secondary analysis of the MFMU high risk aspirin study. J Perinatol 2015;35:328-31.

9. Samuel A, Lin C, Parviainen K, Jeyabalan A. Expectant management of preeclampsia superimposed on chronic hypertension. J Matern Fetal Neonatal Med 2011;24:907-11

10. Spong CY, Mercer BM, D'alton M, Kilpatrick S, Blackwell S, Saade G. Timing of indicated late-preterm and early-term birth. Obstet Gynecol 2011;118:323-33

Chapter 20

호흡기질환

모체태아의학

20

호흡기질환

서용수(인제의대)
권하얀(연세의대)

01

Maternal - fetal medicine

폐렴(기본)

24세 임신 27주 5일인 초산모가 3일 전부터 열이 나고 기침을 많이 한다고 병원에 왔다. 혈압 100/67 mmHg, 맥박 95회/분, 호흡 24회/분, 체온 38.8°C였다. 의식은 명료하였고 열감이 있으면서 오한이 있고, 기침 시 누런 가래, 근육통과 두통을 호소하였고 청진 시 양쪽 가슴에서 거품소리가 들렸다. 초음파 검사상 태아는 임신 주수에 합당한 크기였고 양수지수는 13으로 정상이였다. 태아심박동-자궁수축검사상 태아심박동은 160회/분으로 반응성(reactive)이였고, 자궁수축은 관찰되지 않았다. 질식 초음파 검사상 자궁 경관은 길이가 4.5 cm이었으며 경부누두(funneling)는 관찰되지 않았다. 인플루엔자 신속 항원반응검사 결과는 음성이었다. 흉부x-선 사진(그림 20-1)과 흉부 전산화단층촬영사진(그림 20-2)상 양쪽 폐에 증가된 음영이 관찰되고 다발성 경결(multilobular consolidation)과 흉수(pleural effusion)가 관찰되었다. 검사 결과는 다음과 같았다. 입원 시 시행한 가래 그람 염색(그림 20-3)상 Few (1-9) WBC, Moderate (6-30) G(+) cocci, Rare (<1) Yeast like cell로 관찰되었다.

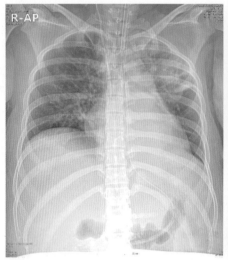

그림 20-1 흉부 x-선 사진

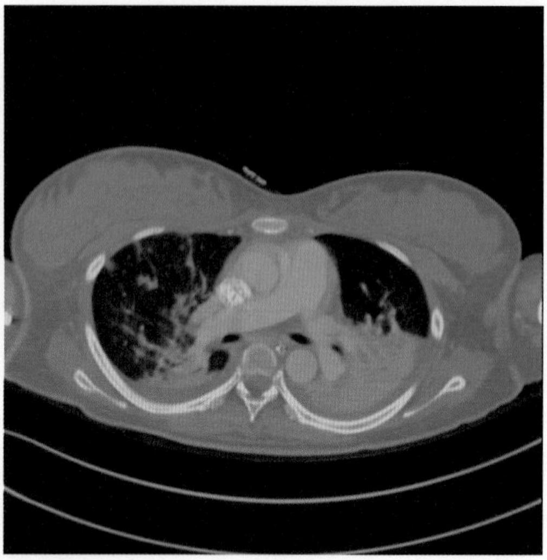

그림 20-2 흉부 컴퓨터 단층 사진

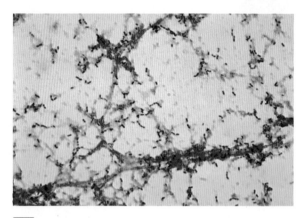

그림 20-3 그람염색

> 혈액 : 혈색소 14 g/dL, 혈소판 150,000/㎟, 백혈구 18,000/㎟(중성구 89%, 림프구 12%), C-반응단백 2.74 mg/dL(참고치 0-0.5 mg/dL)
> 간기능검사 및 소변 검사: 정상

질문 1-1. 위와 같이 폐렴이 의심될 경우 진단을 위해 시행할 수 있는 검사들은 무엇인가요?

해설 1-1. 흉부 X-선 검사, 호흡기 바이러스 PCR, 객담 그람염색과 배양검사, 폐결핵이 의심될 경우 객담의 항산균 도말검사, 입원이 필요한 경우 혈액배양검사와 그람염색 및 배양검사를 시행하고 증증 폐렴환자의 경우 혈액배양검사와 Legionella, S. pneumonia에 대한 소변

항원검사, 객담 그람염색 및 배양검사를 시행해야 한다. 폐색전증 등 다른 동반 가능한 질환에 대한 감별이 필요한 경우나 진균성 감염이 의심되는 경우, 폐렴 치료에 잘 반응하지 않을 경우에는 흉부 전산화단층촬영을 고려해볼 수 있다. 역학적으로 인플루엔자 등이 의심될 경우에는 진단을 위한 검사를 시행하는 것이 좋다.

질문 1-2. 위와 같은 임신부에서 시행해야 할 항생제 치료는 무엇인가?

해설 1-2. 임신부의 폐렴 치료는 원칙적으로 비임신 여성과 동일하다. 입원을 요하지 않는 환자에서의 경험적 항생제는 β-lactam (amoxicillin, amoxicillin-clavulanate, cefditoren, cefpodoxime) 단독 또는 β-lactam과 macrolide (azithromycin, clarithromycin, roxithromycin)의 병용, 또는 respiratory fluoroquinolone (gemifloxacin, levofloxacin, moxifloxacin) 사용이 권장된다. Quinolone 계열은 동물실험에서 태아의 연골형성에 부정적인 영향을 주는 것으로 나타나 임산부에게는 잘 처방되지는 않으나 인간에서는 이러한 부작용이 보고된 바는 없으며 임신 1분기에 quinolone을 복용한 산모에게서 기형 및 조산의 위험성은 증가되지 않았다는 분석이 있다. 일반병동에 입원하는 경증-중증도 폐렴에 대해서는 β-lactam 또는 respiratory fluoroquinolone 항생제 단독 투여를 권장한다. 그러나 비정형 세균(Mycoplasma spp., Chlamydia spp., Legionella spp.) 감염 또는 중증폐렴에서는 β-lactam과 macrolide의 병용투여가 권장된다. 중환자실로 입원하는 경우 P. aeruginosa의 감염이 의심되지 않는 경우 β-lactam + azithromycin 또는 β-lactam + fluoroquinolone이 권장되고, Pseudomonas 감염이 의심되는 경우에는 Anti-pneumococcal, anti-pseudomonal β-lactam+ ciprofloxacin 혹은 levofloxacin이 권장된다. 항생제는 적어도 5일 이상 투여한다. 치료 반응을 판단하기 위해 C-reactive protein (CRP) 검사를 반복 측정할 수 있으며 임상적으로 호전을 보이면서 혈역학적으로 안정되고 정상적인 경구섭취 및 소화기능을 보이면 경구치료로 전환이 가능하다(기준: ①기침 및 호흡 곤란의 호전, ②해열: 8시간 동안 체온 <37.8°C 유지, ③혈액검사에서 백혈구 수의 정상화, ④충분한 경구섭취량 및 정상적인 위장관 흡수 기능).

질문 1-3. 폐렴이 임신부에서 발생한 경우 주산기 예후는 어떤가?

해설 1-3. 임신부는 임신이라는 특수한 상황에 의해 T 림프구 면역, 산소 요구도 증가, 폐활량 감소 등의 변화로 인해 비임신부에 비해 폐렴에 걸렸을 때 더 심각한 합병증이 생기게 된다. 임신 중 감염된 환자에서 입원, 심폐기능의 합병증 및 심한 경우 사망에 이르는 빈도가 약 5배 높은 것으로 보고되었다. 임신 중 폐렴으로 인해 발생하는 임신경과에 대한 영향은 매우 다양 하다. 직접적인 영향은 없다는 보고도 있으나 다수의 연구에서 유산, 사산, 조산, 저체중아, 그리고 신생아 중환자실 입원 및 사망빈도 등의 증가를 보고하였다.

경과

임신부는 입원하여 amoxicillin-clavulanate + azithromycin을 사용하면서 경과관찰 하였으나 지속적으로 열이 나고 3일째에 호흡곤란을 호소하면서 빈맥(150회/분), 호흡수 40회/분으로 증가하여 중환자실 입실, 산소 8L를 공급하였으며 동맥혈 검사(ABGA)상 pH 7.261, pCO_2 36.8, HCO_3-13.7 소견을 보여 기관삽관하였으며 항생제는 tazolactam으로 변경하였고 이후 4일째부터 호흡은 안정화되고 열은 나지 않아서 기관삽관 제거를 고려하고 있었으나 5일째되는 날 2분 간격의 자궁수축이 생기면서 자궁경부가 2.8 cm까지 짧아지는 소견을 보여 자궁수축억제제(atosiban)를 사용하였다. 그러나 자궁수축억제제를 사용함에도 불구하고 지속적으로 자궁경부가 짧아지는 소견을 보여 임신 28주 6일 응급제왕절개수술을 시행하였다. 입원 시 시행한 혈액배양검사는 음성, 객담배양검사상 Streptococcus pneumoniae로 확인 되었다. 수술 후 기관삽관제거하였고 항생제는 지속적으로 사용하여 7일째 되는 날 일반병실로 이동하였고 10일째 되는 날 시행한 흉부 X-선상 이전에 비해 호전된 양상을 보였다(그림 20-4).

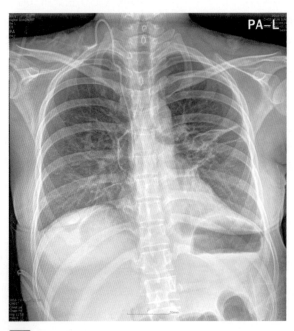

그림 20-4 흉부 X-선 사진

신생아 소견

출생 시 태아는 여아 1.13 kg이었고 아프가 점수는 1분 5점, 5분 8점이었다. 출생 시 청색증 (cyanotic appearance)이 관찰되고 맥박수 60회/분 미만으로 양압환기(PPV)를 시행하였고 출생 1분째 맥박수 120회/분, 울음 확인되고 출생 4분째 맥박수 140회/분 확인되어 신생아 집중치료실로 입원하였다. 호흡이 불안정하여 기관삽관 후 인공폐표면활성제(surfactant)를 사용하였다. C-반응 단백질(CRP) 수치 0.8 mg/dL로 항생제를 사용하였고 균배양검사상 이상소견을 보이지 않고 열나는 소견이 없어 항생제 치료를 중단하였다. 임신주수 35주, 몸 무게 2 kg 초과를 목표로 신생아 집중치료실에서 치료를 진행하였다.

02

알레르기 비염(기본)

35세 경산모. 임신 18주에 맑은 콧물과 코막힘, 코 가려움증과 충혈로 내원하였다. 최초 진찰 시 활력 증후는 혈압 100/80 mmHg, 체온 36.5°C, 맥박 83회, 호흡수 20회로 특이 소견 없었다. 의식은 명료하였고 전신 쇠약감, 열감, 두통, 복통 등의 통증도 없었고 청진상 심장과 폐에서 잡음도 들리지 않았다. 초음파 검사상 태아는 임신 주수에 합당한 크기였고 양수양은 정상이었다(Single deepest pocket 6 cm). 임신부는 임신 전에도 코와 눈주위에 가려움증, 재채기, 코 킁킁거림, 코막힘이 있었고 혈청특이 IgE 검사를 시행하여 알레르기 비염 진단을 받고 항히스타민제를 복용하면서 증상조절을 했다고 한다.

질문 2-1. 위와 같이 알레르기 비염이 의심될 경우 진단을 위해 시행할 수 있는 검사들은 무엇인가?

해설 2-1. 임신 중에는 기존의 알레르기 비염이 더 심해지거나 호전될 수 있고 변화가 없는 경우도 있다. 임신 시에는 비강점막이 충혈되는데 이전에 알레르기 비염이 없던 사람 중에도 20-30% 가량은 코막힘과 재채기, 콧물 등의 증상을 가지는 비염이 발생하게 된다. 임신성 비염은 대부분 출산 후 2-4주가 지나면 저절로 사라지게 된다. 알레르기비염은 임상적으로 콧물, 재채기, 코 가려움증, 코막힘 등의 증상이 있으면서, 비강 검진에서 맑은 콧물 및 창백하게 부어있는 하비갑개 소견이 관찰되면 알레르기비염으로 의심할 수 있다. 비강이물, 비용종, 비중격만곡 등을 감별하기 위해 전비경 또는 내시경을 통한 비강 검진을 시행할 수 있다. 알레르기 비염을 확진하기 위해 피부단자시험이나 혈청 특이 IgE 항체검사로 원인 알레르겐을 확인할 수 있으나 임신 중에는 피부단자검사를 무리하게 진행하기보다는 혈청검사를 주로 시행한다. 부비동염, 비용종, 비강 내 종양 등이 의심되는 경우 단순 X선검사나 컴퓨터단층촬영을 시행할 수 있다.

알레르기비염의 중증도와 치료 효과를 평가하는 방법 중 시각아날로그척도(visual analogue scale)는 간단하면서 유용한 검사로, 재채기, 콧물, 코 가려움증, 코막힘 각각의 증상을 0-10 cm로 척도화하여 주관적 증상을 정량화한 검사이다. ARIA (allergic rhinitis and its impact on asthma) 중증도와도 잘 부합하여 0-3.0 cm까지 경증, 3.1-7.0 cm는 중등증, 7.1 cm 이상은 중증에 해당한다. 코막힘의 정도는 음향비강통기도검사(acoustic rhinometry), 비강통기도검사(rhinomanometry), 비최대흡기유속(nasal peak inspiratory flow), 비최대호기유속(nasal peak expiratory flow) 등을 이용하여 정량적으로 측정할 수 있다.

질문 2-2. 위와 같은 임신부에서 시행해야 할 알레르기비염의 치료는 무엇인가?

해설 2-2. 임신 중 비염의 치료에 대해서는 연구가 부족하기 때문에 치료를 할 때에는 임신부와 태아에 미칠 수 있는 이득과 손실을 고려하여 신중하게 접근해야 한다.

비약물적 치료는 특별한 부작용 없이 비염 증상을 완화해줄 수 있기 때문에 임신 중 알레르기비염 치료에 우선적으로 고려할 수 있다. 우선 수면 시 30도 이상 머리를 올리는 것만으로 비충혈을 완화시키는 효과가 있다. 비강 확장기는 상기도의 가장 좁은 부위인 코 밸브 부위를 기계적으로 넓혀주어 비호흡을 향상시키는 기구이고 임부의 수면의 질을 향상시킬 수 있다. 하루에 2-3회 식염수를 이용한 비강세척은 비염 증상의 해소에 도움이 된다. 계절성 알레르기비염이 있는 45명의 임부를 대상으로 비강세척군과 대조군으로 6주간 치료하였을 때 비강세척군에서 증상 점수나 비강 저항이 유의하게 향상되는 결과를 보였다.

약물 치료는 일반적으로 임신 첫 12주 동안은 태아의 인체기관 발달에 영향을 줄 수 있기 때문에 자제하는 것이 좋고 약제를 선택할 때에는 FDA 안전성 등급을 고려한다. 경구 항히스타민제 중 loratadine, cetirizine, levocetirizine, chlorpheniramine은 FDA 안전성 등급 B로 분류되어 임신 중 알레르기비염 치료에 우선적으로 고려할 수 있다.

비강 내 cromolyn sodium은 FDA안전성 등급 B약제로 알레르기비염에 사용할 수 있으나 하루에 4번씩 코 안에 분무해야 하며 다른 약제에 비하여 상대적으로 효과가 떨어진다.

비강 내 스테로이드제는 안전성과 효과를 고려할 때 알레르기비염 치료를 위해 임신 기간 중 사용할 수 있다. 임신 기간 중 비강 내 스테로이드제가 심각한 기형, 조산, 저체중아 출산과 같은 부작용의 위험을 증가시키지 않는다고 알려져 있다. 그러나 budesonide를 제외한 비강

내 스테로이드제는 FDA안전성 등급 C로 분류되어 있어 실제 처방 시 이득과 위험성에 대한 논의를 충분히 해야 한다.

국소 혈관수축제의 안전성에 대해서는 연구 결과가 부족하다. Oxymetholone은 일반적인 용량에서 전신 흡수가 되지 않기 때문에 임신 중 비염의 경험적 치료에 이용할 수 있다.

임신 전에 시작한 알레르겐면역요법은 임신 중에도 유지할 수 있다. 그러나 임신 중 면역요법을 새로 시작하거나, 알레르겐 용량을 증가시키지는 않는다.

질문 2-3. 임신부에서 알레르기비염이 있을 경우 약물 치료 시 주산기 예후는 어떤가?

해설 2-3. 17,776건의 출산을 대상으로 시행된 임신 초기 항히스타민제의 안전성에 대한 전향적조사에서 증상조절을 위해 항히스타민제를 사용하는 것은 임신결과에 영향을 주지 않았다.

류코트리엔 수용체 길항제의 경우, 보험자료를 이용한 대규모 후향적 분석에서 montelukast가 태아의 기형발생에 영향을 주지 않는 것으로 나타났다.

임신 기간 중 비강 내 스테로이드를 사용한 53명의 산모를 대상으로 한 무작위 대조군 연구에서도 태아에 위해성이 없음을 보고하였다.

경구 혈관수축제는 임신 첫 12주 동안 pseudoephedrine을 복용하였을 때 배벽갈림증(gastroschisis) 등의 선천성 기형을 유발할 위험도가 증가한다는 보고가 있어 임신 기간 중 사용하지 않으며 특히 첫 12주 동안에는 사용하지 않는다.

경과

임신부는 항히스타민제를 사용하고 증상이 심할 때 비강 내 스테로이드를 사용하며 경과관찰 하였고 임신 20주에 시행한 정밀 초음파상 이상소견을 보이지 않았다.

03

결핵(심화)

29세 초산모. 임신 20주에 1달 전부터 시작된 기침과 소량의 가래로 내원하였다. 최초 진찰 시 활력 증후는 혈압 110/70 mmHg, 체온 36.7°C, 맥박 88회, 호흡수 24회로 특이 소견 없었다. 의식은 명료하였고 전신 쇠약감, 두통, 어지러움, 복통 등의 통증도 없었고 청진상 심장과 폐에서 잡음도 들리지 않았다.

초음파 검사상 양수지수는 8.2로 다소 감소된 소견이 관찰되었으나 태아는 임신 주수에 합당한 크기였다. 입원 당시의 혈액검사에서 백혈구 8,800/uL, 혈색소 11.0 g/dL, 혈소판 254,000/uL개였고 간기능 검사와 소변검사상 특이 소견은 없었다.

혈중 단백질과 알부민 수치는 각각 6.6 g/dL, 3.3 g/dL였고, C-반응단백은 2.98 mg/dL로 증가되어 있었다. 입원 시 촬영한 흉부 X-선 가슴 사진과 고해상도 흉부 전산화단층촬영소견에서 양쪽 폐 전야에 속립성 결절이 퍼져 있는 소견이 관찰되었다(그림 20-5, 6). 첫 입원 시 시행했던 객담 배양 검사에서 8주 배양결과에서 myocobacterium tuberculosis가 자랐다.

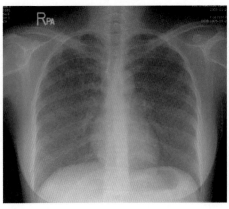

그림 20-5 흉부 X-선 소견

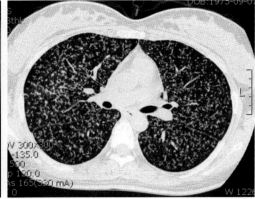

그림 20-6 고해상도 흉부 전산화단층촬영 소견

질문 3-1. 위와 같이 결핵이 의심될 경우 진단을 위해 시행할 수 있는 검사들은 무엇인가요?

해설 3-1. 흉부 X-선 검사, 흉부 전산화단층촬영, 객담의 항산균 도말검사, 균배양검사, 결핵균 핵산증폭검사, 면역학적검사를 시행한다. 면역학적 검사로는 전통적인 튜베르쿨린 검사(tuberculin test, TST)와 인터페론감마 분비검사(interferon-gamma releasing assay, IGRA)가 있다. 결핵균이 검출되면 진단할 수 있지만 검출할 수 없는 경우가 많고 배양 검사의 경우

시간이 오래 걸린다. 따라서 임상 소견, 흉부 X-선 검사, 전산화단층촬영, 면역학적 검사를 종합하여 진단한다. 면역학적 검사 중 TST는 비씨지 백신이나 비결핵 항산균 감염에 의해서도 양성이 나타날 수 있다. IGRA는 결핵균항원에만 양성 소견이 나오지만 고가이고 TST처럼 잠복 감염과 활동성 감염을 구별할 수 없는 동일한 문제점이 있다.

질문 3-2. 위와 같은 임신부에서 시행해야 할 결핵 치료는 무엇인가?

해설 3-2. 임신부의 결핵 치료는 원칙적으로 비임신 여성과 동일하다. 일차 항결핵제인 이소니아지드(isoniazid), 리팜핀(rifampin), 에탐부톨(ethambutol), 피라진아미드(pyrazinamide)를 사용한다. 모두 태반을 통과하지만 태아 기형을 유발하지 않는다. 이소니아지드의 말초신경염 발생 가능성 증가로 예방을 위해 피리독신(비타민 B6)을 하루 10-50 mg 같이 투여한다. 다제내성(multi-drug resistant, MDR) 결핵의 경우 이차 항결핵제를 사용하는데 이차 항결핵제 대부분은 안정성에 대한 검증이 되지 않았으므로 임신 주수, 결핵의 중등도, 치료 약제의 위험-이익(risk-benefit)을 고려하여 결정해야 하며 결핵전문가에게 의뢰할 것을 권고한다.

질문 3-3. 결핵 질환이 임신부에서 발생한 경우 주산기 예후는 어떤가?

해설 3-3. 활동성 결핵이 임신과 동반되어 있을 경우 저체중아, 조산, 주산기 사망이 증가한다. 조기에 항결핵제로 치료했을 때 그 치료 효과가 좋고 활동성 결핵이라도 주산기 태아와 임신부의 예후는 양호하다고 알려져 있어 빠른 진단과 치료가 산모와 신생아의 합병증을 줄이는 데 중요하다. 또한 위의 증례와 같이 속립성 결핵 감염(military tuberculosis)을 가진 경우 혈관벽의 미란을 통해 태반과 태아에게 혈행성 전파가 가능하다. 전신적인 결핵을 가진 산모일지라도 신생아의 선천성 결핵의 발생은 매우 드물지만, 일단 발생되면 신생아에 치명적이다. 신생아 결핵 감염은 선천적인 감염과 후천적인 감염이 있다. 모체에서 태아로의 균이 전이될 확률은 매우 낮지만 위와 같은 속립성 결핵의 경우 감염이 증가하며 주요 감염 경로는 감염된 양수의 흡입, 감염된 태반을 통한 혈행성 전파, 자궁내막의 육아종이 양수내로 파열, 조기 양막파열에 의해 역행성 감염, 산도에서의 호흡기를 통한 감염이다. 따라서 산모가 활동성 결핵으로 진단된 경우 조기 치료와 더불어 분만 최소 2주 전부터는 항결핵제를 투여할 것을 권고하고 있다.

경과

흉부의 X-선 검사와 전산화단층촬영소견으로 속립성 결핵이 진단되어 면역학적 검사는 시행하지 않고 즉시 항결핵제인 이소니아지드, 리팜핀, 에탐부톨을 임신 20주경부터 투여하기 시작했다. 21주에 시행한 태아의 정밀 초음파 검사에서 양수량은 양수 지표 7-8 cm으로 감소해 있었으며 양측 뇌실이 9.1 mm로 정상범위 안에서 약간 증가한 소견을 보였으며 분만시까지 태아 크기는 주수에 적합한 소견을 보였다. 객담 검체의 배양검사에서는 2주에서는 균이 발견되지 않았으나 8주 배양결과 myocobacterium tuberculosis가 자랐다. 내과에 1주 입원 치료 후 퇴원하였고, 내과와 산부인과 외래에서 정기적으로 추적 관찰하였다. 항결핵제 복용 1달 후인 임신 24주에 환자는 두통과 시야감소를 호소하였고, 뇌혈류 초음파(transcranial doppler, TCD)와 시각 유발 전위 검사(visual evoked potential, VEP), 그리고 시야검사를 시행하였다. 뇌혈류 초음파와 시각 유발 전위검사는 정상 소견이었으나 시야검사 상 양이측 4분맹(Bitemporal quadrantanopsia)이 보여 Pyridoxine 50 mg의 복용을 시작하였다. 그 후 임신 27주 4일에 조기진통 소견으로 입원 치료 후 퇴원하였다. 흉부 가슴사진상 처음 입원할 당시의 흉부 가슴 사진에서 보이던 결절들이 많이 감소된 양상을 보였다(그림 20-7). 임신 31주 3일에 외래에서 태아의 대뇌 측내실이 9.5-10.5 mm로 경중의 뇌수두증 소견이 관찰 되었으나 다른 중추 신경계 이상 소견은 보이지 않았다. 환자는 임신 33주 4일에 양수 조기 파막으로 입원하였다. 다음날 태아 심장 박동양상이 다양성 심박동감소 형태를 몇 차례 보여 초음파 검사 및 내진을 시행하였고, 관찰 결과 자궁 경부 밖으로 양막낭과 더불어 제대가 탈출된 소견이 발견되어, 전신 마취하에서 응급 제왕절개 수술을 시행하였다.

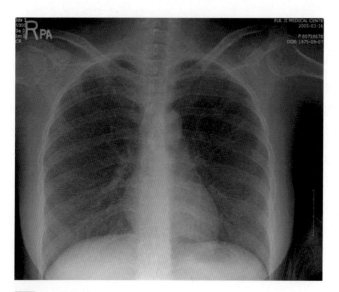

그림 20-7 흉부 X-선 소견

신생아 소견

출생 시 태아는 남아 2.03 kg이었고 아프가 점수는 1분 6점, 5분 9점이었다. 전신 상태는 양호하였고, 모로 반사, 빨기 반사(sucking reflex), 움켜잡기 반사(grasp reflex)는 정상 소견을 보였다. 신생아의 뇌 척수액 검사에서 PH 7.9, 백혈구 수치 218/μl, 적혈구 수치 7/μl, 당수치 73 mg/dL, 단백수치 138.9 mg/dL의 뇌수막염 소견을 보였고, 결핵에 의한 뇌수막염을 의심하여 예방적인 결핵 치료를 시작하였다. 뇌 척수액 배양검사에서는 어떤 균도 자라지 않았고, 뇌 척수액의 항산균도말검사도 음성이었다. 그 후 촬영한 뇌 자기공명영상 검사에서 뇌 기질에서는 이상 소견은 없었으나 양쪽 뇌실이 경도로 증가되어 있었고, 뇌량이 조금 얇아져 있는 양상을 보였다. 생후 11일경에 왼쪽 목의 사경이 관찰되었고, 목 초음파를 시행한 결과 왼쪽 흉쇄유돌기근의 근위부가 직경 7 mm로 두꺼워져 있는 섬유종증(fibromatosis colli)의 소견이 보였다. 추적 관찰 중이다.

04

Maternal–fetal medicine

양수색전증(기본)

임신 40주 5일. 39세 경산부로 20분 전 시작된 반혼수 상태를 주소로 응급실에 내원하였다. 산부인과 전문병원에서 정기적으로 산전 진찰 받았으며 내과 질환 및 산모와 태아에 비정상 소견 없었다. 마지막 산전 진찰은 5일 전에 시행하였으며 금일 유도분만 시작하였다. 자궁경부 2 cm 열린 상태에서 갑자기 호흡곤란 호소하며 수축기 혈압 60 mmHg로 측정되며 의식 소실되었다. 응급실 내원 당시 청색증 관찰되며 혈압 66/44 mmHg, 맥박수 분당 112회였다. 태아 심박수는 분당 70–80회 관찰되었으며 점차 감소하였다. 기관삽관 및 승압제 사용하며 응급실 내원 12분 후 응급제왕절개수술 시작하였다. 남아 3.75 kg 분만하였으며 아프가 점수는 1/5/10분이 1/3/4점이었으며 출생 직후 기관삽관 및 심폐소생술을 시행하였다. 산모는 자궁이완증 소견을 보여 전자궁적출술을 시행하였다. 입원 당시 ABGA 소견상 PH 7.318, PO_2 16.7 mmHg, PCO_2 73.37 mmHg, HCO_3 8.7 mEq/L, BE 9.3 mEq/L, Anion gap −14.6 mmol/L이었으며 이후 PH는 7.232까지 감소하였다. CBC는 Hb 11.5 g/dL, Hct 35.0%, PLT 41,000/μL였다. PT, PTT는 처음 시행한 검사에서 혈액응고 관찰되지 않아 '측정불가'였다. 이후 검사소견에서 Fibrinogen 67.3 mg/dL, FDP 416.6 μg/ml, D–dimer >35, Anti–thrombin 43.9%로 DIC 소견이 관찰되었다. 다른 검사소견에서는 이상 소견은 관찰되지 않았다. 심전도 검사에서는 T–wave inversion 소견이 관찰되었다(그림 20–8). 흉부 X–선, 흉부 전산화단층촬영 검사에서 혈전색전증(thromboembolism) 소견은 관찰되지 않았으며 양쪽에 폐부종과 흉막삼출 소견 관찰되었다(그림 20–9). 수술 중 시행한 경식도 초음파 검사에서는 약한 내지 중간 정도의 폐동맥 고혈압소견이 관찰되었다.

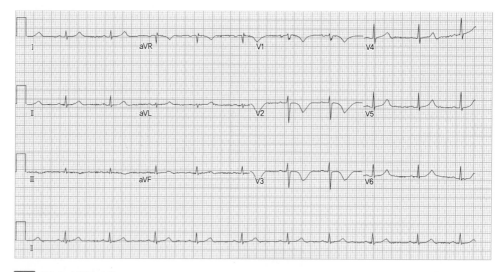

그림 20-8 심전도 소견

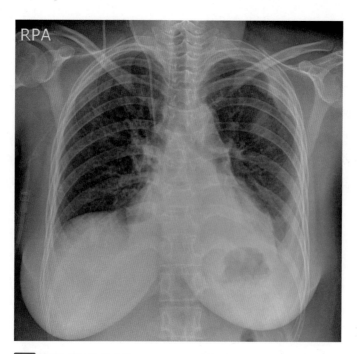

그림 20-9 흉부 X-선 소견

질문 4-1. 가장 가능성 있는 진단과 감별 진단은 어떤 것들이 있는가?

해설 4-1. 양수색전증의 가능성이 가장 높다. 감별진단 중 가장 중요한 것은 폐색전증(pulmonary embolism)이다. 폐색전증의 진단을 위해서는 폐의 컴퓨터 단층촬영, 혈관조영검사, 환기-혈류 스캔을 시행한다. 그 외 감별진단으로는 태반조기박리, 자간증, 자궁파열, 산후출혈, 패혈증, 수혈반응, 위내용물 폐흡인, 대동맥박리, 출산기심근증, 심부정맥, 심근경색, 약물 아나필락시스 등이 있다. 양수색전증의 진단에 특이적인 검사 소견이나 임상 소견은 없으며 진단기준에 대한 일치된 의견도 부족한 상태이다. 분만 전후에 갑작스런 심폐기능 저하 시 의심해 보며 다른 질환과의 감별을 통해서 진단한다.

질문 4-2. 치료에서 중요한 점은 어떤 것들이 있는가?

해설 4-2. 심폐기능의 보존적인 치료는 원인에 상관없이 동일하므로 갑작스런 심폐기능 저하 시 즉각적인 치료를 시행한다. 가장 먼저 심폐소생술팀에 도움을 요청해야 한다. 분만 전이라면 소아과에도 연락한다. 임신 23주가 지났으면 즉각적인 분만을 고려한다. 초기 소견인 우심실 확장 및 기능 부전은 심초음파 검사를 통해 확인할 수 있으며 과도한 수액 보충은 우심실 확장을 증가시켜 우심실 심근경색을 일으킬 수 있으므로 피해야 한다. 혈압을 상승시키기 위해 노르에피네프린과 같은 승압제를 사용하며 우심실과 좌심실 부전 치료를 위해 도부타민이나 밀리논(milrinone)과 같은 심근수축촉진제를 사용한다. 폐동맥의 후부하를 줄이기 위해 아산화질소(nitric oxide)나 프로스타사이클린을 사용할 수 있다. 적절한 환기 및 산소포화도를 유지하도록 한다. 자궁이완증 및 출혈부위의 시술 및 치료를 시행하며 동반되는 혈액응고장애, 출혈의 관리를 위해 즉각적인 대량 수혈을 시행한다. 수혈은 농축적혈구, 신선냉동혈장, 혈소판을 1:1:1 비율로 시행하는 것이 예후에 가장 좋다. 폐부종이나 흉막 삼출은 이뇨제를 사용하며 이뇨제에 반응이 없는 경우 투석을 시행한다.

경과

산모는 분만 17일째 합병증 없이 퇴원하였으며 신생아는 출생 후 저산소허혈뇌병증 진단을 받았고 현재, 만 5세로 뇌성마비를 가지고 있는 상태이다.

참고 문헌 ···

1. 대한산부인과학회. 산과학 제6판. 파주: 군자출판사;2019.

2. 질병관리본부. 성인 지역사회획득 폐렴 항생제 사용지침. 2017.

3. Bar-Oz B, Moretti ME, Boskovic R, O'Brien L, Koren G. The safety of quinolone-a meta-analysis of pregnancy outcomes. Eur J Obstet Gynecol Reprod Biol 2009;143:75-8.

4. Ellegård EK, Hellgren M, Karlsson NG. Fluticasone propionate aqueous nasal spray in pregnancy rhinitis. Clin Otolaryngol Allied Sci 2001;26:394-400.

5. Farhadi M, Ghanbari H, Izadi F, Amintehran E, Eikani MS, Ghavami Y. Role of spirometry in detection of nasal obstruction. J Laryngol Otol 2013;127:271-3.

6. Garavello W, Somigliana E, Acaia B, Gaini L, Pignataro L, Gaini RM. Nasal lavage in pregnant women with seasonal allergic rhinitis: a randomized study. Int Arch Allergy Immunol 2010;151:137-41.

7. Gilbert C, Mazzotta P, Loebstein R, Koren G. Fetal safety of drugs used in the treatment of allergic rhinitis: a critical review. Drug Saf 2005;28:707-19.

8. Källen B. Use of antihistamine drugs in early pregnancy and delivery outcome. J Matern Fetal Neonatal Med 2002;11:146-52.

9. Kim HI, Kim SW, Chang HH, Cha SI, Lee JH, Ki HK, Cheong HS, Yoo KH, Ryu SY, Kwon KT, Lee BK, Choo EJ, Kim DJ, Kang CI, Chung DR, Peck KR, Song JH, Suh GY, Shim TS, Kim YK, Kim HY, Moon CS, Lee HK, Park SY, Oh JY, Jung SI, Park KH, Yun NR, Yoon SH, Sohn KM, Kim YS, Jung KS. Mortality of community-acquired pneumonia in Korea: assessed with the pneumonia severity index and the CURB-65 score. J Korean Med Sci 2013;28:1276-82.

10. Lee JC, Hwang HJ, Park YH, Joe JH, Chung JH, Kim SH. Comparison of severity predictive rules for hospitalised nursing home-acquired pneumonia in Korea: a retrospective observational study. Prim Care Respir J 2013;22:149-54.

11. Mathad JS, Gupta A: Tuberculosis in pregnant and postpartum women: epidemiology, management and research gaps. Clin Infect Dis 2012;55:1532-49.

12. Nelsen LM, Shields KE, Cunningham ML, Stoler JM, Bamshad MJ, Eng PM, Smugar SS, Gould AL, Philip G. Congenital malformations among infants born to women receiving montelukast, inhaled corticosteroids, and other asthma medications. J Allergy Clin Immunol 2012;129:251-4.

13. Postma DF, van Werkhoven CH, van Elden LJ, Thijsen SF, Hoepelman AI, Kluytmans JA, Boersma WG, Compaijen CJ, van der Wall E, Prins JM, Oosterheert JJ, Bonten MJ; CAP-START Study Group. Antibiotic treatment strategies forcommunity-acquired pneumonia in adults. N Engl J Med 2015;372:1312-23.

14. Seidman MD, Gurgel RK, Lin SY, Schwartz SR, Baroody FM, Bonner JR. Clinical practice guideline: Allergic rhinitis. Otolaryngol Head Neck Surg 2015;152:S1-43.

15. Society for Maternal-Fetal Medicine (SMFM) with the assistance of Luis D, Pacheco LD, Saade G, Hankins GD, Clark SL. Amniotic fluid embolism: diagnosis and management. Am J Obstet Gynecol 2016;215:B16-24.

16. Wallace DV, Dykewicz MS, Bernstein DI, Blessing-Moore J, Cox L, Khan DA, et al. The diagnosis and management of rhinitis: an updated practice parameter. Am J Obstet Gynecol 2016;215:B16-24.

17. WHO. Companion handbook to the WHO guidelines for the programmatic management of drugresistant tuberculosis. 2014.

hapter **21**

혈전색전증

모체태아의학

21

혈전색전증

호정규(한양의대)
나성훈(강원의대)
이경아(이화의대)

01 폐색전증 & 심부정맥혈전증(기본)

35세 산과력 2-0-0-2인 임신부가 타병원에서 질식분만으로 출산한 당일 산후출혈로 왔다. 혈압 65/51 mmHg, 심박수 103회/min, 호흡수 22회/min, 체온 36.1°C였고, 질 출혈 지속되어 자궁동맥색전술(UAE)을 시행하였으며, 혈압 130/80 mmHg, 심박수 92회/min, 호흡수 24회/min, 체온 37.3°C로 활력징후는 안정화되었다. 약 1시간 30분 후부터 갑작스러운 호흡곤란을 2차례 호소하였고 혈압은 116/74 mmHg이었으나 심박수가 40-50회/min로 감소하였다. 환자의 키는 161 cm, 체중은 51 kg (BMI 19.69 kg/m²)이었다. 임신성당뇨 이외 특이 병력은 없었다. 내원당시 혈액검사 결과는 다음과 같다.

Hb 8.5 g/dL Plt 83,000/uL

PT 17% INR 4.32

aPTT 81.1 sec

NT-ProBNP 44.52 pg/mL

CK-MB 7.37 ng/mL

Troponin T 0.011 ng/mL

질문 1-1. 진단으로 의심되는 질환과 시행해야 할 검사는?

해설 1-1. 혈전색전증 발생의 위험요소 중 가장 중요한 것은 혈전증의 기왕력이고, 임신과 관련하여서는 제왕절개를 받는 경우, 당뇨, 빈혈, 다분만부, 전자간증/자간증 등이 있다. 본 증례에서 산후출혈이 안정화되었지만 출혈로 인한 빈혈과 다분만부라는 위험 요소가 있다.

혈압은 정상이나 심박수가 감소되고 호흡곤란을 호소하는 경우, 심장질환과 폐질환 감별이 필요하다. 특히, 폐색전증은 0.023%의 빈도로 매우 드물게 발생하나 이로 인한 모성사망률과 이환율의 주된 원인 중 하나이다. 폐색전증이 발생한 산모 중 약 15%가 치명적인 임상경과를 거치고, 사망의 3분의 2가 30분 내 급격하게 발생한다.

미국흉부협회(The American Thoracic Society)와 흉부방사선협회(The Society of Thoracic Radiology)에서는 폐색전증이 의심되는 경우 하지 증상이 없는 경우 일차적으로 흉부 X-ray 촬영을 하고 이상이 있는 경우 컴퓨터단층촬영혈관조영검사(computed tomography [CT] angiography)를 시행하고 흉부 X-ray 촬영이 정상일 경우 환기-혈류 스캔(ventilation-perfusion scan) 시행을 권고하고 있다.

경과

응급 심초음파(echocardiography)를 시행하였고 그 결과 하대정맥(inferiorvena cava)에 혈전(thrombus)이 관찰되어 폐색전컴퓨터단층촬영(pulmonary embolism CT)검사와 컴퓨터단층촬영정맥조영술(CT venogram)을 시행하였다. 폐색전CT에서 우측 폐색전증이 진단되었고, CT 정맥조영술에서 심부정맥혈전(DVT)으로 진단되었다. 당시 시행한 흉부 X-ray 검사 소견은 특이 사항 관찰되지 않았다.

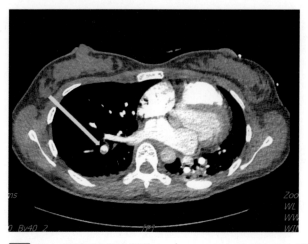

그림 21-1 폐색전컴퓨터단층촬영(pulmonary embolism CT) 검사. 우측폐색전(right pulmonary embolism) 소견 관찰됨(노란색 화살표)

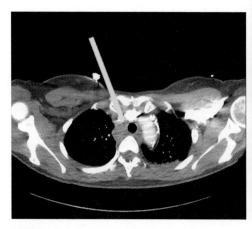
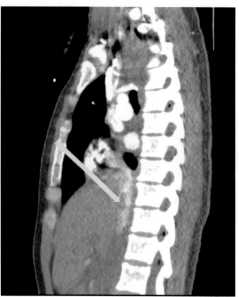

그림 21-2 컴퓨터단층촬영정맥조영술(CT venogram). 우측 생식선정맥(Right gonadal vein)부터 이어지는 저감쇠병변(low atttenuating lesion)이 하대정맥(inferior vena cava)의 부신 위치(suprarenal level)까지 이어져 있는 심부정맥혈전(Deep vein thrombosis)(노란색 화살표)

질문 1-2. 처치는?

해설 1-2.

항응고제를 투여한다. 항응고제로는 미분획 헤파린(unfractionated heparin)과 저용량 헤파린(low molecular weight heparin, LMWH), 와파린(warfarin)이 있다. 미국흉부외과의사협회(the American College of Chest Physicians)에서는 출혈 에피소드가 적고, 헤파린 유도성 혈소판감소증의 위험도가 낮으며, 혈장 내 반감기가 길 뿐 아니라, 골 미네랄 소실률도 더 적어서 저용량 헤파린을 우선적으로 사용하도록 제안한다. 저용량 헤파린의 치료용량은 다음과 같다.

Enoxaparin	1 mg/kg every 12 hours
Dalteparin	200 units/kg once daily, 100units/kg every 12 hours
Trizaparin	175 units/kg once daily
Dalteparin	100 units/kg every 12 hours

임신 외의 기간에 가장 장기간 보편적으로 항응고제를 사용해야할 경우 경구용으로 변경한

다. 대표적인 경구용 응고제로는 와파린이 있는데 이는 임신 제1삼분기인 6-12주에 노출되었을 때 기형유발물질로 알려져 있으므로 사용에 유의해야 한다.

출혈이 있거나 폐색전증의 위험이 있는 경우 항응고요법의 보조적인 방법으로 대정맥여과장치(vena cava filter) 삽입을 고려한다.

경과

하대정맥에 대정맥여과장치를 삽입하였고 7일간 저용량헤파린인 Enoxaparin 60 mg 피하주사하였고, 환자 상태양호하여 퇴원하였으며, 이후 60일간 경구용 항응고제 중 Xa 인자 억제제인 Edoxaban을 복용하였다.

* 현재 널리 사용되고 있는 항응고제인 와파린은 좁은 치료 범위, 긴 반감기에 의해 효과가 늦게 나타나는 점, 많은 약물 및 음식물과의 상호작용 등에 의해 PT INR을 일정하게 유지하기 힘들며, 자주 PT INR 검사를 해야 하는 단점이 있다. 이러한 부작용을 최소화하면서, 효과는 같거나 더 좋은 작용을 나타내고, 용량 조절 및 검사가 필요하지 않는 새로운 항응고제들이 개발되고 있는데 Xa 억제제가 새로운 경구용 항응고제 중 하나이다.

** 와파린과 저용량헤파린 및 미분획헤파린 모두 모유에 축적되지 않고 신생아 또는 영아에 항응고 작용을 유도하지 않으므로 항응고제 사용은 수유 중 가능하다.

02

폐색전증(기본)

35세 산과력 2-0-0-2인 임신부가 타병원에서 제왕절개술로 출산한 다음날 호흡곤란으로 왔다. 혈압 80/60 mmHg, 심박수 148회/min, 호흡수 36회/min, 체온 36.1도였고, 의사소통 가능한 의식수준이었다. 특이 병력은 없었다. 환자의 키는 165 cm이고 체중은 71.9 kg (BMI 26.4 kg/m²)이었다. 내원 당시 질경검사에서 출혈 없었고 복부 초음파 검사에서 자궁내 hematoma 소견이 관찰되지 않았으며 진찰상 자궁 수축 양호하였다. 혈액검사 결과는 다음과 같다.

ABGA: pH 7.44, PCO₂ 20.1, PO₂ 51.5, HCO₃-13.9, BE -7.4, O₂ sat 88.6%
Hb 11.1 g/dL Hct 32.9%, Plt 214,000/uL, WBC 14.400/uL

질문 2-1. 진단으로 의심되는 질환과 시행해야 할 검사는?

해설 2-1. 폐질환과 심장질환의 평가가 필요하다. 드물지만 치명적인 폐색전증을 고려해야 한다. 폐색전증의 경우 신속하게 진단되고 적절한 시간 내에 치료되지 못하는 경우 급격한 사망에 이르게 된다. 임신과 관련된 폐색전증 발생 위험 요인으로는 수술과거력, 자간전증, 3회 이상의 출산력, 35세 이상의 고령산모, 폐색전증의 과거력, 빈혈, 체질량지수 30 이상인 경우 등이 알려져 있고 폐색전증의 대부분 제왕절개술 후에 발생하며 분만 후 48시간 내에 가장 빈도가 높다. 본 증례에서도 제왕절개술로 출산한 다음날 발생한 호흡곤란 증상이었고 고령임신, 비만 등의 위험요인이 있었다. 이와 같이 폐색전증이 의심될 때, 우선 흉부 X-ray 촬영을 하고 이상 소견이 확인되는 경우 다음 단계로 컴퓨터단층촬영혈관조영검사 (computed tomography angiography)를 시행하도록 미국흉부협회(The American Thoracic Society)와 흉부방사선협회(The Society of Thoracic Radiology)에서는 권고하고 있다.

경과

흉부 X-ray 검사를 시행하였고 폐울혈(pulmonary congestion)을 시사하는 저명한 양측 폐문주위 음영(prominent bilateral perihilar shadows)과 경도의 심비대(mild cardiomegaly) 소견을 보였다. 다음으로 시행한 폐색전컴퓨터단층촬영(pulmonary embolism CT)검사에서는 폐색전증이 진단되었다. 심전도 검사는 동성빈맥(sinus tachycardia)과 우측편위(right axis deviation) 결과를 보였다.

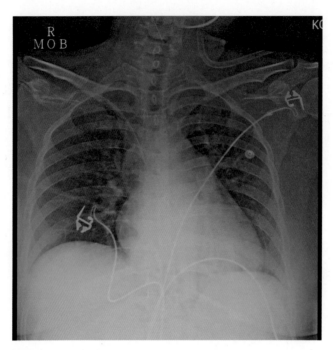

그림 **21-3** 흉부 X-ray 검사(Chest AP). 폐울혈(pulmonary congestion)을 시사하는 저명한 양측 폐문주위 음영(prominent bilateral perihilar shadows)과 경도의 심비대(mild cardiomegaly)

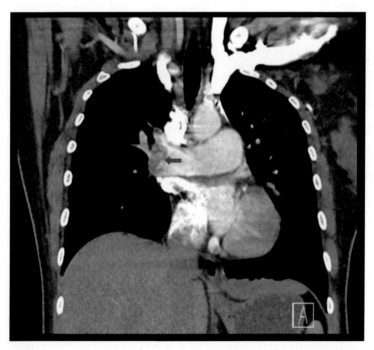

그림 **21-4** 폐색전컴퓨터단층촬영(pulmonary embolism CT) 검사. 폐색전(pulmonary embolism)에 합당한 폐동맥 분지들(loabar and segmental pulmonary arteries)에서 혈관내 충만결함(intravascular filling defect) 소견 관찰됨

질문 2-2. 처치는?

해설 2-2. 일차적 치료는 항응고제 투여이다. 그 외 보조적인 치료방법으로 대정맥여과장치(vena caval filter)가 있는데 이는 경정맥(jugular vein)이나 대퇴정맥(femoral vein)을 통해 삽입할 수 있으며, 헤파린 치료에 반응이 없는 환자에게도 고려해 볼 수 있다. 헤파린보다 폐색전을 녹이는 데에 더 빨리 작용하는 것으로 알려진 조직 플라스미노겐 활성인자(tissue plasminogen activator)를 혈전용해제(thrombolytic agent)로 사용하는 것을 고려할 수 있으나 수혈, 자궁적출술, 혈종 제거술과 같은 부작용이 보고된 바 있으므로 사용 시 유의해야 한다.

흔한 치료 방법은 아니지만 지속되는 저혈압(sustained hypotension)과 우심실부전(right ventricular dysfunction) 등을 동반하는 중증 색전증(massive embolism)의 경우 카테터색전제거술(catheter embolectomy) 또는 수술적 색전제거술(embolectomy)을 고려할 수 있다.

경과

본 증례에서는 색전의 크기가 크고 환자의 활력징후가 불안정하여 수술적 색전제거술을 시행하였다. 퇴원 후 와파린 복용하며 호흡기 내과, 흉부외과 경과 관찰하였다.

03

Maternal - fetal medicine

폐색전증(기본)

36세 산과력이 3-0-0-3인 임산부가 타병원에서 2일 전 제왕절개술로 출산한 후 1일 전 화장실을 다녀오다가 쓰러지고 난 후 숨이 차고 답답해서 출산 이틀째 왔다. 두 차례 5-10초간 실신(syncope)했다고 한다. 혈압 107/76 mmHg, 심박수 106회/min, 호흡수 23회/min, 체온 36.8도이었다. 키는 165.5 cm이었고, 몸무게는 83 kg이었으며(BMI 30.3 kg/m^2) 특이 병력은 없었다. 응급실 내원당시 혈액검사 결과는 다음과 같다.

ABGA: pH 7.43, PCO$_2$ 30.1, PO$_2$ 123.8, HCO$_3^-$ 20.2, BEvv −2.7, O$_2$ sat 99%

CBC Hb 9.9 g/dL, Hct 30.6%, Plt 118,000/uL, WBC 12,500/uL

FDP 82.95 ug/mL, Fibrinogen 312 mg/dL, D-dimer >20ug/mL-FEU

CRP 59.32 mg/L

질문 3-1. 진단으로 의심되는 질환과 시행해야 할 검사는?

해설 3-1. 폐질환과 심장질환의 평가가 필요하다. 드물지만 치명적인 폐색전증을 고려해야 한다. 폐색전증의 경우 신속하게 진단되고 적절한 시간 내에 치료되지 못하는 경우 급격한 사망에 이르게 된다. 임신과 관련된 폐색전증 발생 위험 요인으로는 수술과거력, 자간전증, 3회 이상의 출산력, 35세 이상의 고령산모, 폐색전증의 과거력, 빈혈, 체질량지수 30 이상인 경우 등이 알려져 있고 폐색전증의 대부분 제왕절개술 후에 발생하며 분만 후 48시간 내에 가장 빈도가 높다. 본 증례에서도 제왕절개술로 출산한 다음날 발생한 호흡곤란 증상이었고 고령임신, 비만 등의 위험요인이 있었다.

이와 같이 폐색전증이 의심될 때, 우선 흉부 X-ray 촬영을 하고 이상 소견이 확인되는 경우 다음 단계로 컴퓨터단층촬영혈관조영검사(computed tomography angiography)를 시행하도록 미국흉부협회(The American Thoracic Society)와 흉부방사선협회(The Society of Thoracic Radiology)에서는 권고하고 있다.

경과

흉부 X-ray 검사를 시행하였고 폐울혈(pulmonary congestion)을 시사하는 저명한 양측 폐문주위 음영(prominent bilateral perihilar shadows)과 경도의 심비대(mild cardiomegaly) 소견을 보였다. 다음으로 시행한 폐색전컴퓨터단층촬영(pulmonary embolism CT)검사에서는 폐색전증이 진단되었다. 심전도 검사는 동성빈맥(sinus tachycardia)과 우측편위(right axis deviation) 결과를 보였다.

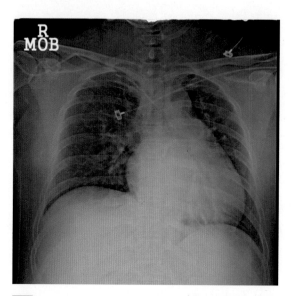

그림 21-5 흉부 X-ray 검사(Chest AP). 폐색전(pulmonary embolism). 경색 또는 출혈(infarct or hemorrhage)이 의심되는 우측에 간유리 음영(ground glass opacity, GGO) 소견 관찰됨

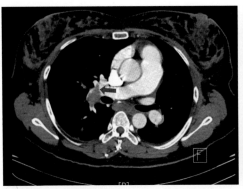 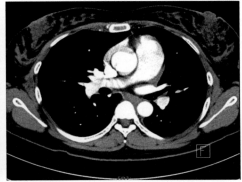

그림 21-6 폐색전컴퓨터단층촬영(pulmonary embolism CT) 검사. 폐색전(pulmonary embolism)에합당한 폐동맥 분지들 (loabar and segmental pulmonary arteries)에서 혈관내 충만결함(intravascular filling defect) 소견 관찰됨

질문 3-2. 처치는?

해설 3-2. 항응고제 투여를 우선적으로 고려한다. 항응고제는 크게 저용량헤파린(low molecular weight heparin, LMWH), 미분획헤파린(unfractionated heparin, UFH)과 Xa 인자 억제제(factor Xa inhibitor, fondaparinux) 로 분류할 수 있는데 산과 영역에서는 주로 LMWH과 UFH을 사용한다. UFH는 antithrombin III와 결합하여 빠른 억제제(rapid inhibitor)로 전환되어 항응고 작용을 하고, 반감기가 30-60분으로 비교적 짧아서 출혈이나 혈종 발생 등이 예상되는 침습적 수술 또는 시술 전에 유용하며, 체내 축적이 되지 않아 신기능 저하 환자에서 선호된다. 혈액검사로서 aPTT를 4-6시간마다 측정하여 치료 목표 INR 1.5-2.5에 도달할 때까지 용량을 조절해야 한다. 부종이 있거나 비만한 환자에서 정맥주입 (intravenous injection)이 선호되는 항응고제이다. 이에 비해 LMWH은 UFH 분자량의 3분의 1 정도이고 Xa에 비해 상대적으로 트롬빈(thrombin)에 대한 억제활성을 감소시키며 장시간의 반감기를 갖는다. 약물이 신장으로 배설되므로 현저한 신장기능 이상(CrCl ≤30 mL/min)이 있는 환자에서는 모니터링 및 용량 조절이 필요하다.

경과

본 증례에서는 UFH과 LMWH을 사용하였고 용량은 다음과 같다.

1 일차
Heparin 8,000 IU (87kg) / bolus IV / Heparin 25,000 IU/ IV 12 mL/hr (4gtt) via infusion pump
2-5 일차
Clexane 80mg / SC 2회(12시간마다)

Heparin 사용 후 복부 팽만과 복강내 출혈 시작되어 pig tail drainage 삽입하였고, 24시간 동안 2,000 cc가량의 복강내 출혈이 있었으며, 수혈 병행하며 보존적 치료 지속하였다. 환자는 치료 후 상태 양호하여 퇴원하였다.

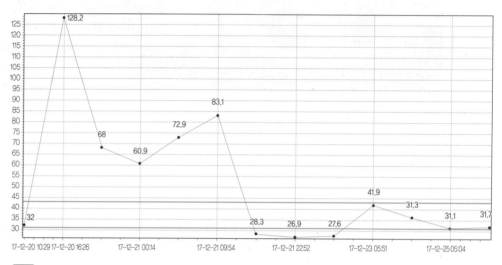

그림 21-7 aPTT 결과 추이

04 폐색전증(기본)

Maternal-fetal medicine

38세 산과력 2-0-0-2인 다분만부가 임신 37주 3일에 세 번째 제왕절개술로 출산한 다음날 보행 시도 중 창백한 얼굴(anemic face), 손가락 청색증(finger cyanosis)을 보이며 호흡곤란을 호소하였다. 혈압 90/60 mmHg, 심박수 120회/min, 호흡수 20회/min, 체온 36.5도, 산소포화도 67%이었다. 이전 반복제왕절개술 시행받은 임산부로 유도분만 실패로 첫 번째 제왕절개술 후 산후출혈로 자궁동맥색전술 시행받았던 병력이 있었다. 환자의 수술 전날 키는 157 cm, 체중은 57 kg (BMI 23.12 kg/m^2)이었다. 혈액검사 결과는 다음과 같다.

Hb 10.2 g/dL

PT/ a PTT 1.03 INR/27.6 sec

Fibrinogen 393.1 mg/dL [180-400]

FDP 197.9 μg/mL [0-5]

D-dimer >35.2 μg/mL [0-0.55]

Troponin-I 0.028 ng/mL [0-0.05]

CK-MB <1.42 ng/mL [0-5]

proBNP 379.5 pg/mL

질문 4-1. 진단으로 의심되는 질환과 시행해야 할 검사는?

해설 4-1. 특히 제왕절개술의 경우 폐색전증의 발생빈도가 매우 증가하기 때문에 제왕절개술 후 산모에 대한 보다 주의 깊은 관리가 요구된다. 본 증례에서와 같이 세 번의 제왕절개술을 시행받았고, 3회 이상의 출산력을 가진 고령 산모가 제왕절개술 24시간 이내 급작스러운 호흡곤란을 호소하는 경우 폐색전증을 의심하고 이에 대한 평가를 해야 한다.

미국흉부협회(The American Thoracic Society)와 흉부방사선협회(The Society of Thoracic Radiology)이 제시한 가이드라인에 의하면 흉부 X-ray 촬영을 하고 이상 소견이 확인되는 경우 컴퓨터단층촬영혈관조영검사(computed tomography (CT) angiography)를 시행하도록 한다.

호흡곤란이 유발되는 원인은 폐질환뿐 아니라 심장질환도 고려해야 하므로 관련 혈액 검사와 심전도, 심초음파 등도 진단에 도움이 된다.

경과

제왕절개술 이후부터 폐색전증이 진단되어 내과 전과 시점까지 질출혈을 비롯한 출혈 증상은 없었다. 호흡곤란이 있어 우선적으로 산소 공급(O2 10L)을 시도했고 혈압 90/60 mmHg, 심박수 120회/min, 호흡수 20회/min, 체온 36.5°C, 산소포화도 67%에서 혈압 100/60 mmHg, 심박수 120회/min, 호흡수 20회/min, 체온 36.5°C, 산소포화도 95-96%으로 상승되었으나 빈맥은 130-140회/min으로 지속되었으며 이후 산소포화도 90%로 감소된 상태 지속되었다. 이 때 시행한 흉부 X-ray 소견은 특이사항 없었다. 지속적 호흡곤란 증상으로 흉부컴퓨터단층촬영혈관조영검사(chest CT angiography) 시행하였고 양측 폐색전증이 진단되었다. 심전도 검사는 동성빈맥(sinus tachycardia)과 T파 이상, 전벽 허혈(T wave abnormality, anterior ischemia) 결과를 보였다.

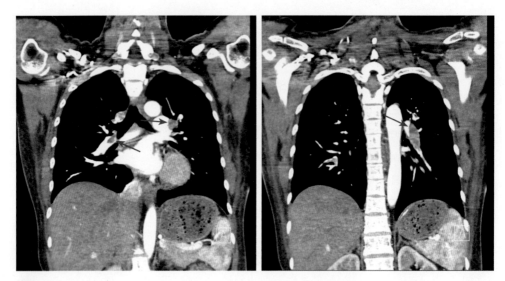

그림 21-8 흉부 컴퓨터단층촬영 혈관조영검사(chest CT angiography)검사. 폐동맥간(main pulmonary trunk) 상부와 양측 폐동맥(both main pulmonary arteries)에서 혈전성 충만결함(thrombotic filling defect) 소견 관찰됨(붉은 색 화살표)

질문 4-2. 처치는?

해설 4-2. 항응고제를 투여한다(증례 1, 2, 3의 처치 내용을 참고).

경과 출혈성 경향 없어 심장내과와 협진하여 헤파린 투여 시작하였다. 제왕절개술 후 2일째, 헤파린 투여 다음날 혈압 100/60 mmHg, 심박수 98-115회/min, 산소포화도 95-98% 보였고 심초음파 시행하였으며 결과는 우측심실부전을 동반한 폐색전증이 진단되었다. 제왕절개술 후 3일째 혈압 100/60 mmHg, 심박수 80-95회/min, 산소포화도 98-99% 유지되는 상태에서 심장내과로 전과하였다.

제왕절개술 후 5일째 진통제(tramadol)에도 호전되지 않는 복통 호소, 빈호흡과 호흡곤란 동반되고 혈압 70-80/50-60 mmHg, 심박수 110-120회/min, 호흡수 18회/min, 체온 36.0°C, 산소포화도 95-97% 소견보였다. 복부CT검사를 시행하였고 혈복강과 복벽과 복강내혈종 소견 및 양측 신장경색병변(infarcted lesions)이 관찰되었다.

환자는 혼수상태(coma)의 의식수준을 보였다. 응급개복수술 시행하였으며, 혈종제거술 시행 후 활동성 출혈 지속되지 않음을 확인하였다. 수혈 및 승압제(inotropics) 등 보존적 치료를 시행하였고, 급성신부전 동반되어 지속적 신대체요법(Continuous Renal Replacement Therapy, CRRT)을 시행하였으나, 제왕절개술 후 6일째 파종성혈관내응고(disseminated intravascular coagulopathy, DIC) 및 다발성장기부전(multiorgan failure, MOF)으로 사망하였다.

05

혈전색전증 – 심부정맥혈전증(기본)

임신 28주 5일인 30세 미분만부가 원인불명의 양수파막 3일 후 진통이 발생하였으며, 양수과소와 fetal deceleration 소견으로 응급제왕절개술을 시행 받았다. 수술 후 특이소견은 없었으나 퇴원 4일후부터 발생한 좌하복부 통증으로 다시 병원에 왔다. 혈압 100/80 mmHg, 맥박 72회/분, 호흡 20회/분, 체온 36.3℃였다. 키는 161.5 cm, 몸무게 57.8 kg으로 BMI 22.1 kg/m²이었다. 내진소견으로 좌하복부 압통 및 자궁경관의 motion tenderness가 관찰되었으나 좌측 다리부종과 발열은 없었다. 혈액검사 소견은 다음과 같으며, 초음파검사 및 소변검사에서는 특이소견이 발견되지 않았다.

Hb 11.1 g/dL (9.5–15), Hct 34.4% (28–40), WBC 8.22 x10³/mm³ (5.9–16.9), PLT 246,000/uL (146,000–429,000)

AST 13unit/L (4–32), ALT 6unit/L (2–25)

BUN 6.4 mg/dL (3–11), Creatinine 0.5 mg/dL (0.4–0.9)

Na 140 mEq/L (130–148), K 3.8 mEq/L (3.3–5.1), Cl 99 mEq/L (97–109)

CRP 11.6 mg/L (0.4–8.1)

질문 5-1. 진단 및 감별진단은?

해설 5-1. 임신 중 대부분의 정맥혈전은 하지의 심부정맥계(deep venous system)에 호발한다. 대략 70% 정도가 장골대퇴골정맥(iliofemoral vein)에 발생한다. 임상양상은 매우 다양하게 나타나며, 폐색 정도와 염증반응의 강도에 따라 다르다. 임신 중 발생하는 대부분의 경우는 좌측에서 발생한다. 이는 좌측 장골 정맥(iliac vein)이 그 위를 가로지르는 우측 장골동맥(iliac artery)과 난소동맥(ovarian artery)에 의해 눌리기 때문이라는 가설이 제시되고 있다. 하지에 발생하는 혈전증은 갑자기 발생하는 경우가 많으며, 다리와 허벅지 부위의 통증과 부종을 야기한다. 보통 동맥의 반사적 경련으로 하지가 차갑고 창백해지며, 박동이 줄어들게 된다. 그러나 반대로 혈전이 형성되면서 통증, 발열, 또는 부종을 동반하기도 한다. 자연적인 종아리의 통증이 생기거나, 종아리를 쥐어짜거나 아킬레스건(archilles tendon)을 늘릴 때 반동적인 종아리 통증이 생기게 되는데, 이는 긴장된 근육이나 좌상(contusion)으로 인해 생기는 것이다(homans sign). 하지에 급성 심부정맥혈전증을 진단받은 30–60%의 여성에서는 무증상의 폐색전증을 동반하기도 한다. 심부혈전이 의심되는 경우 근위부 정맥(proximal vein)의 압박초음파검사(compression ultrasound)를 초기 진단적 검사로서 시행할 것을 권고하고 있다. 압박초음파검사 결과가 음성이고 장골정맥의 혈전증이 의심되지 않으면 일반적인 관리를 하도록 한다. 결과가 음성이거나 모호한 상태에서 장골정맥의 혈전증이 의심되는 경우에는, 자기공명영상(magnetic resonance imaging)을 통한 추가적 확진검사가 권고된다. 그렇지 않으면 임상적 상황에 따라 경험적 항응고제를 사용하는 것이 합리적인 선택이다. D-dimer 측정이 비임신군에서는 정맥혈전색전증을 배제할 수 있는 유용한 선별검사이지만, 임신시에는 D-dimer의 지속적인 상승이 동반되기 때문에 D-dimer의 측정으로 정맥혈전색전증을 예측하는 것은 쉽지 않다.

이 환자의 경우 양막파열로 인하여 응급제왕절개술을 시행받았던 분으로 골반염증이 가장 먼저 생각될 수 있는 합병증이다. 그 외에 요로감염이나 골반혈전정맥염 등도 의심해 볼 수 있기는 하나 이 환자의 경우에는 CRP의 증가 이외에 WBC의 변화는 관찰되지 않으며, 발열도 없는 상태로 위의 질환들을 의심해 볼 수는 있으나 진단을 내리기는 어려운 상태이다.

질문 5-2. 환자는 입원 후 항생제를 투여 받으며 경과관찰 하던 중 입원 다음날부터 38-39℃의 발열이 나기 시작하면서 입원 2일째부터 좌측 종아리가 붓는 소견이 관찰되었다. 다음은 환자의 CT angiogram이다. 생각할 수 있는 진단 및 치료는?

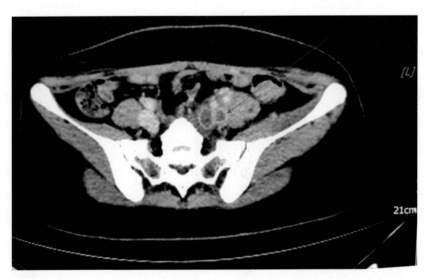

그림 **21-9** 복부 컴퓨터단층촬영 혈관조영(Abdomen CT angiography)검사. 좌측 총장골 정맥(left common iliac vein), 좌측 외장골 정맥(left external iliac vein, left) 좌측 내장골 정맥(internal iliac vein)들을 따라 혈관내 충만결함(intravascular filling defect) 소견 관찰됨

해설 5-2. 다리의 부종 및 발열 소견으로 보아 심부정맥혈전증을 의심해 볼 수 있으며, 진단

을 위하여 근위부정맥(proximal vein)의 압박초음파를 할 수 있다. 이 환자의 경우 하복부통증이 동반되어 장골정맥의 혈전증도 의심되므로 CT angiogram이나 MRI를 통하여 진단을 할 수 있다. 정맥혈전색전증이 발생했을 때 즉각적인 치료는 항응고요법에 의해 이루어지지만, 그 외 보조적인 치료방법들이 쓰여지기도 한다. 와파린과 헤파린은 모유에 축적되지 않으므로, 수유모에 투여 시에도 신생아에게는 항응고 효과를 나타내지 않는다.

경과

환자는 헤파린으로 항응고요법을 시작하였으며 이후 흉부외과로 전과되어 thrombectomy 및 stent insertion 시행받았다. 이후 와파린으로 처방변경하고 경과관찰 하였으며 추가치료 없이 퇴원하였다.

06

Maternal–fetal medicine

> **혈전색전증–심부정맥혈전증(기본)**
>
> 임신 26주 산과력 0-0-0-0인 33세 미분만부가 2주전에 생긴 좌측 하지부종과 통증으로 외래에 왔다. 혈압은 128/80 mmHg, 맥박 95 회/분 호흡수 22회/분, 체온 36.5℃이다. 키는 160 cm, 체중은 62.9 kg, BMI는 24.5 kg/m²이었다. 다른 과거력은 없었다.

질문 6-1. 진단 및 감별진단은?

해설 6-1. 혈전색전증은 지금까지는 비교적 드물었지만, 서구화된 생활습관이나 고령화 사회 등으로 급속히 증가되는 추세이며 그 발병 빈도가 서구에 가까워지고 있으며 임신 중 발병이 증가하고 있다. 임신 중 대부분의 정맥혈전은 하지의 심부정맥(deep venous system)에 호발한다. 임신과 관련된 심부혈전증의 가장 흔한 초기 증상은 통증과 부종이다. 보통 종아리가 갑자기 2 cm 이상 증가한 경우는 하지의 심부혈전증을 의심해 보아야 한다. 지금까지 알려진 바로는 임신초기와 후반기 및 산욕기에서 잘 발생하는 것으로 되어 있다. 2017년의 미국산부인과학회(ACOG)에서는 초기 진단적 검사로 근위부 정맥(proximal vein)의 압박초음파 검사(compression ultrasound)를 시행할 것을 권유하고 있다. 결과가 음성이거나 모호한 상태인 경우에는 자기공명영상(MRI)를 통한 추가적인 검사가 권유된다. D-dimer 측정이 비임신일 경우에는 유용한 선별검사이지만, 임신 시에는 지속적인 상승이 되기 때문에 D-dimer 측정으로 진단하거나 예측하기에는 부정확 한 것으로 알려져 있다.

경과

이 산모에게 시행한 심장초음파는 정상소견이었고, 하지 압박초음파 검사는 좌측 총대퇴정맥(common femoral vein)에 부분적으로 막혀있으면서 혈류가 약하게 흘러가는 소견으로 심부정맥혈전으로 진단되었다.

입원 후 검사 소견

D-dimer : 529 (0-243 ug/mL)

Fibrinogen : 725 (235-465 mg/dL)

CBC : Hb/Hct 10.7 g/dL/32.4%, WBC 9,850/uL, Platelet count 193,000/uL

Antithrombin III 63 (83-128%)

Lupus Anticoagulant 음성

Protein C 81.7 (72-160%)

Protein S (free) 25 (50-150%)

Protein S (Ag) 60.8 (60-150%)

Chest X-ray 정상소견

Compression Ultrasound

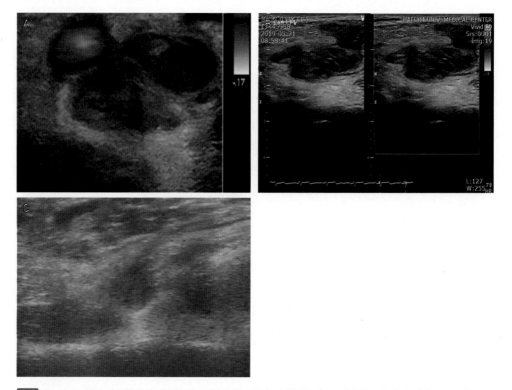

그림 21-10 A: 압박 전 초음파 사진(입원 시), B: 압박 후 초음파 사진(입원 시), C: 압박 후 초음파 사진(치료 2달 뒤)

질문 6-2. 처치는?

해설 6-2. 임신 중인 산모에게 항응고제 치료를 하는 것은 산모와 태아에게 각별한 주의를 기울여야 한다. 보통은 다른 전문과인 혈관외과나 흉부외과 등과 협진이 필요하다. 산모의 급성 정맥혈전증의 경우 치료적 항응고제 사용이 권고된다. 임신중 선호되는 항응고제는 헤파린 종류이며 미분획 헤파린(unfractionated heparin)과 저용량 헤파린(low molecular weight heparin, LMWH)은 태반을 통과하지 않기 때문에 안전하게 임신 중에 쓸 수 있는 것으로 되어 있다. 산모를 대상으로 한 연구가 많지는 않지만 저용량 헤파린이 미분획 헤파린보다는 부작용도 적고, 환자의 출혈도 적고, 반감기가 길어서 미국흉부외과의사협회(American College of Chest Physicians)에서는 우선 사용하는 것을 권고하는 것으로 알려져 있다. 통상 12시간마다 투여하며 혈역학적으로 불안정하거나 혈전이 큰 경우에는 처음 사용할 때 입원하도록 한다. 스타킹을 예방적으로 사용하게 하며, 호흡곤란 등의 증상이 갑자기 생기면 즉시 병원에 오도록 교육을 한다. 정맥혈전색전증이 발생했을 때 즉시 항응고요법 치료를 시작하지만 그 외의 보조적인 방법으로는 장시간 서있거나 앉아 있는 자세를 피하고 하지의 안정과 압박 요법을 시행한다. 급성기에 하지의 부종이 심하거나 혈전성 정맥염이 발생한 경우에는 탄력 붕대를 사용하며 증상이 조금 경감되었을 때는 탄력스타킹을 착용 시킬 수 있다. 심부혈전증이 경감되면 지속적으로 탄력 스타킹 착용, 충분한 수분 공급, 하지 운동을 권하여 하지의 혈류 울혈을 방지하는 것이 재발 예방법이다.

경과

이 산모는 흉부외과와 협진하에 저용량 헤파린인 크렉산을 하루 두 번 사용하면서 다리에 생긴 증상은 호전되었다. 집중적인 산전진찰 받다가 제왕절개술을 하면 정맥혈전색전증이 증가하기 때문에 임신 39주에 유도분만으로 분만 방법을 결정하였다. 치료적 항응고제를 일시적으로 중단한 후 24시간 내에 분만을 유도하는 것으로 알려져 있다. 전날 저녁 저용량헤파린 크렉산을 중지하고 다음 날 아침 입원하여 압박스타킹은 유지하면서 옥시토신을 이용한 유도분만으로 자연분만 하였다. 분만 후 4시간 후 다시 크렉산 투여를 시작하였다. 이후 퇴원 후 외래에서 와파린으로 교체해서 3개월 정도 복용하고 이후 경과 관찰 중이다. 피임으로 경구용 피임약은 혈전증의 발생 가능성을 높이기 때문에 자궁내 장치나 콘돔 같은 차단 피임법을 사용을 권유하였다.

분만 시 자연분만이 제일 안전한 것으로 되어 있는데 제왕절개술로 분만을 하게 되면 정맥 혈전색전증의 위험도가 2배 가량 증가하게 되기 때문이다. 분만 후 항응고제를 다시 투여하기 시작하는 시기는 명확치 않다. 통상적으로 알려진 바로는 분만 후 4-6시간, 제왕절개 분만 후 6-12시간 후에 헤파린을 투여를 시작하는 것이 좋은 것으로 알려져 있다. 6주 이상 항응고제를 투여해야 한다면 와파린으로 변경하는 것이 좋으며 이때 헤파린을 같이 사용하게 된다. 최근 보고에 따르면 임신 3분기에 진단된 경우 분만후 6주 이상 와파린 복용이 좋은 것으로 알려져 있으며, 3-6개월간 복용하는 것이 권고되기도 한다. 모유수유를 원한다면 헤파린과 와파린 모두 모유에 축적되지 않기 때문에 가능하다.

참고 문헌

1. American Academy of Pediatrics, American College of Obstetricians and Gynecologists: Guidelines for Perinatal Care, 8th ed. Elk Grove Village: AAP; 2017.

2. American College of Obstetricians and Gynecologists. Practice Bulletin No. 132: Antiphospholipid syndrome. Obstet Gynecol 2012; 120: 1514-21.

3. American College of Obstetricians and Gynecologists. Practice Bulletin No. 138: Inherited thrombophilias in pregnancy. Obstet Gynecol 2013; 122: 706-17.

4. American College of Obstetricians and Gynecologists. Practice Bulletin No. 123: Thromboembolism in pregnancy. Obstet Gynecol 2011; 118: 718-29.

5. Blanco-Molina A, Trujillo-Santos J, Criado J, Lopez L, Lecumberri R, Gutierrez R, Monreal M; RIETE Investigators. Venous thromboembolism during pregnancy or postpartum: findings from the RIETE Registry. Thromb Haemost. 2007; 97: 186-90.

6. Chan WS, Spencer FA, Ginsberg JS. Anatomic distribution of deep vein thrombosis in pregnancy. CMAJ 2010; 182: 657-60.

7. Clark SL, Porter TF, West FG. Coumarin derivatives and breast-feeding. Obstet Gynecol 2000; 95: 938-40.

8. Ginsberg JS, Brill-Edwards P, Burrows RF, Bona R, Prandoni P, Büller HR, et al. Venous thrombosis during pregnancy: leg and trimester of presentation. Thromb Haemost 1992; 67: 519-20.

9. James AH. Prevention and management of venous thromboembolism in pregnancy. Am J Med 2007; 120: S26-34.

10. Richter C1, Sitzmann J, Lang P, Weitzel H, Huch A, Huch R. Excretion of low molecular weight heparin in human milk. Br J Clin Pharmacol 2001; 52: 708-10.

Chapter **22**

신장 및 요로질환

모체태아의학

22

신장 및 요로질환

홍준석(서울의대)
오경준(서울의대)

Maternal–fetal medicine

01

요로감염(기본)

34세 경산모가 자가로 시행한 임신 테스트에서 양성을 확인하여 병원에 왔다. 첫 내원 시 산전 검사를 시행하였고 중간뇨에서 시행한 소변검사에서 이상소견이 확인되어 추가적으로 소변배양검사를 시행하였다. 소변배양검사 결과 *Escherichia coli*가 동정되었다. 환자는 불편한 증상이 전혀 없다고 하였다.

표 **22-1** 내원 당시 소변검사(A)와 소변배양검사 결과(B)

(A)

요검사	SG	1.015	RBC	<1 (4.3/μL)
	PH	6.0	WBC	20–29 (141.8/μL)
	PRO	–	SQE	<1 (0.7/μL)
	GLU	–	TRE	
	KET	–	RTE	
	BIL	–	Bact.	3+ (49873.7/μL)
	URO	+/–	Casts	
	NIT	Positive	Crystal	
	WBC(s)	1+	Yeast like org	
	Color	담황	Sperm	
	Turbidity	경탁	Others	
	Tigecycline: S			

(B)

정도:>10^5mL		
항생제 감수성 결과	동정결과: Escherichia coli	
	Amikacin : S	
	Ceftazidime: S	
	Ciprofloxacin: R	
	Cefotaxime: R	
	Gentamicin: S	
	Imipenem: S	
	Trimeth/sulfa: S	
	Piperacillin/Tazobactam: S	
	Colistin: S	
	Fosfomycin: S	
	Tigecycline: S	

질문 1-1. 어떤 진단을 의심해야 하며 적절한 치료는 무엇인가?

해설 1-1. 깨끗하게 받은 요 1 mL당 동종의 균이 10^5보다 많을 때(10^5 colony-forming units per milliliter, CFU/mL) 의의 있는 세균뇨라고 한다. 임신 중 요로감염을 일으키는 원인균들은 정상적인 장내 세균들이며, E.coli가 전체의 65-80%를 차지한다. 무증상 세균뇨는 임신 중 2-7%에서 생기는 것으로 보고되고 있다. 임신 중에 무증상 세균뇨를 치료하지 않은 경우 25-30%에서 급성방광염이나 급성신우신염으로 진행하는 것으로 알려져 있다. 그러므로 임신 중에는 무증상 세균뇨를 치료해야 한다. 뿐만 아니라 무증상 세균뇨의 치료는 조산 및 저체중아의 위험도를 낮춘다는 보고도 있다. 미국 소아과학회와 미국 산부인과학회 등에서는 모든 산모에서 첫 산전 방문 시 무증상 세균뇨에 대한 선별검사를 시행할 것을 권하고 있다. 우리나라에서도 대부분의 병원에서 산모가 첫 진찰 시 소변검사를 시행하고 있다. 소변검사에서 세균이 확인되면 이후 소변배양검사로 확진한다. 치료는 다음과 같이 단회 치료, 3일 치료, 그리고 그 외 여러 가지 용법이 있다. 3일 치료 용법의 대부분은 90%의 효과를 보인다.

1) 단회 치료: amoxicillin 3 g, ampicillin 2 g, cephalosporin 2 g, nitrofurantoin 200 mg, 또는 trimethoprim–sulfamethoxazole 320/1,600 mg

2) 3일 치료: Amoxicillin 500 mg 매일 3회, Ampicillin 250 mg 매일 4회, Cephalosporin 250 mg 매일 4회, ciprofloxacin 250 mg 매일 2회, levofloxacin 250 mg 또는 500 mg 매일 1회, nitrofurantoin 50-100 mg 매일 4회 또는 100 mg 매일 2회, trimethoprim–

sulfamethoxazole 160/800 mg 매일 2회

3) 그 외: 하루에 두 번 100 mg nitrofurantoin을 5-7일간 사용, 하루에 한 번 취침 전 100 mg nitrofurantoin을 10일간 사용

표 22-2 3일 치료 용법 경구용 항생제 종류와 태아 위험성

약제	용법	태아 독성	비고
penicllins			
ampicillin	250 mg 4회	저위험도	FDA category: B
amoxicillin	500 mg 3회	저위험도	E.coli 내성이 흔함
cephalosporins			
cephalexin (1세대)	500 mg 4회	저위험도	FDA category: B enterococcus에 비효과적
cefuroxime (2세대)	250 mg 2회	저위험도	
cefpodoxime (3세대)	100-200 mg 2회	저위험도	
fluoroquinolone			
ciprofloxacin	250 mg 2회	고위험도	임신 중 사용금기 fluoroquinolones은 힘줄, 근육, 관절, 신경, 중추신경계통에 장애 및 잠재적으로 영구적인 영향을 미칠 위험성이 있음
levofloxacin	250-500 mg 1회	고위험도	
nitrofurans			
nitrofurantoin	50-100 mg 4회 100 mg 2회	신생아가 포도당-6-인산탈수소효소(G6PD) 결핍인 경우 임신 38-42주 때 노출되면 용혈성 출혈 가능성 있음	FDA category: B E.coli나 enterococcus에 효과적, pseudomonas에는 비효과적, 포도당-6-인산탈수소효소(G6PD) 결핍 환자에서 hemolytic anemia 일으킴
sulfonamides			
tremethoprime-sulfamethoxazole	160/800 mg 2회	고위험도	FDA category: C trimethoprim이 심혈관 기형, 신경관 결손, 구순구개열과 연관이 있음

포도당-6-인산탈수소효소(G6PD) 결핍: glucose-6-phosphate dehydrogenase 결핍

질문 1-2. 위 산모에서 소변배양검사 결과가 만약 *E.coli* 10^4/mL이었을 경우 치료가 필요한가?

해설 1-2. 임산부에서는 증상이 없더라도 소변배양검사 결과에 10^5 이상의 균이 동정되면 치료가 필요함에 대하여 앞서 설명하였다. 증상이 없고, 소변배양검사에서 10^5 미만의 균이 동정되었을 때에는 검체의 오염(contamination)으로 판단하고 치료가 필요하지 않다. 그러나, 증상이 있는 경우에서는 10^5 CFU/mL 이하의 균이 동정되었을 경우라도 급성신우신염으로 발전할 가능성이 있기 때문에 치료를 고려하여야 한다.

질문 1-3. 산모가 균이 음전 된 이후 다시 반복적으로 세균뇨를 보인다면 이에 대한 치료는?

해설 1-3. 무증상 세균뇨는 치료 방법과 상관없이 재발률이 30%나 되기 때문에 초기치료 후에 재발을 막기 위하여 정기적인 검사를 시행하여야 한다. 재발된 세균뇨에 대해서는 하루에 네 번 100 mg nitrofurantoin을 21일 동안 사용한다. 또한 잦은 재발 또는 음전되지 않고 지속되는 세균뇨에 대해서는 하루에 한 번 취침 전 100 mg nitrofurantoin을 남은 임신 기간 동안 유지한다.

경과

이 임신부는 항생제 5일간 치료 후 다시 소변배양검사 시행하여 균이 음전된 것을 확인하였고 추후 임신 기간 내내 특이 소견 없이 임신 38주에 분만하였다.

02 급성 신우신염(기본)

34세 경산모가 임신 28주에 일주일 전부터 지속된 오한으로 개인병원을 방문하여 독감 검사 및 소변검사를 시행하였다. 독감 검사에서는 음성을 확인하였으나 소변검사에서 감염 소견이 있다고 듣고 경구 항생제를 복용하였다. 하지만 항생제 복용에도 불구하고 40℃까지 고열이 발생하여 대학병원 외래로 내원하였다. 최근에 소변볼 때 불편하고 잔뇨감이 있었으며 신체 검진에서 오른쪽 늑골척추각압통이 확인되어 입원하였다.

질문 2-1. 어떤 진단이 가장 의심되는가?

해설 2-1. 급성신우신염은 임신 중 가장 흔한 내과적 합병증 중의 하나로 약 1-4%에서 발생한다. 본 증례와 같이 임신 2삼분기에 빈도가 높게 발생하고, 젊은 초산부에서 발생 빈도가 높은 것으로 알려져 있다. 급성신우신염은 50% 이상에서 한쪽 신장에만 발생하는데 오른쪽 신장에 더 많이 발생하며 25%에서는 양쪽 신장에 발생한다. 증상은 한쪽 또는 양쪽 요추 부위에 동통 또는 요통, 열과 오한이 특징적이다. 식욕부진, 구역질, 구토 등이 동반될 수 있으며 신체 검진상 늑골척추각압통 소견을 확인할 수 있다. 소변검사에서 많은 백혈구 및 세균을 확인할 수 있으며 원인균은 보통은 그람 음성균이다. 배제해야 할 감별 진단은 분만진통, 융모양막염, 맹장염, 태반조기박리, 그리고 근종경색증 등이다. 본 증례의 환자도 급성신우신염의 특징적 증상인 열과 오한이 동반되어 있었고, 신체검진에서 늑골척추각압통 소견이 있었으며 개인병원에서 시행한 소변검사에서도 정상소견이 아니었다는 것을 통해 급성신우신염을 의심해야 할 것이다.

질문 2-2. 적절한 치료는 무엇인가?

해설 2-2. 급성신우신염의 전신 증세를 가진 임산부는 치료시작에서 임상 증세가 호전될 때까지 입원을 해야 한다. 먼저 적절한 소변량을 유지할 수 있도록 충분한 정맥 내 수분 공급이 필요하다. 한 시간당 50 cc 이상의 소변량이 유지되도록 한다. 즉각적인 항생제 사용도 필요하며 치료 개시 후 95%에서는 72시간 내에 열이 떨어지며, 열이 떨어지면 경구 항생제를 처방하여 총 항생제 투여일이 10-14일은 되도록 유지한다. 열이 24시간 이상 없으면 퇴원을 고려할 수 있으며 항생제의 선택은 ampicillin과 gentamicin을 병행하여 사용할 수 있고, cefazolin 또는 ceftriaxone, 또는 광범위한 항생제를 사용할 수 있다. 또한 소변배양검사와 혈액배양검사를 시행해야 하며 소변배양검사는 항생제 치료가 끝나고 1-2주 후에 재검을 시행한다. 온혈구 계산(complete blood count, CBC), 전해질, 혈청 크레아티닌 수치를 치료과정 중에 모니터해야 하며 검사는 48시간 후 재검한다. 약 15-20%의 환자에서는 균혈증을 가지 므로 치료 기간 동안 세균성쇼크를 나타내는 증상이 없는지를 주의 깊게 관찰하여야 하며 요배설량과 혈압, 체온 등을 자주 검사한다.

경과

이 임신부는 임신 28주에 급성신우신염과 이로 인한 패혈증으로 입원하여 치료 받은 후 경 과 호전되고 태아도 특이 소견 없어 퇴원하였다. 이후 정기적 산전 진찰을 받고 임신 38주에 분만하였고 산모, 태아 모두 특이 소견 없었다.

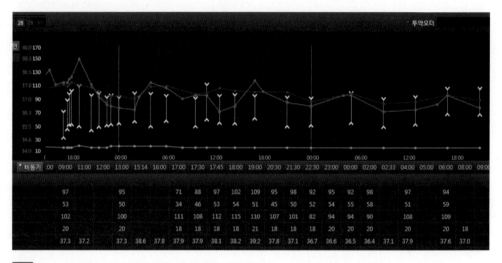

그림 22-1 발열을 주소로 내원한 28주 산모의 활력징후 기록지

요로 결석(기본)

31세 초산모가 임신 31주에 1일전 시작된 극심한 좌측 옆구리통증으로 산부인과 방문 하였고, 시행한 소변검사에서 혈뇨가 확인되었다.

질문 3-1. 가장 의심되는 진단과 진단을 위해 먼저 고려해 볼 수 있는 영상진단 방법은?

해설 3-1. 요로 결석과 신장 초음파

요로 결석은 2,000 임신당 한 명에서 발생하며, 비임신 중의 발생빈도와 비슷하고, 임신 제

2,3삼분기에 80-90% 환자에서 발견된다. 인산칼슘석(calcium phosphate stone), 수산화인회석(hydroxyapatite stone)이 임신 중 가장 흔한 결석이다. 임신 중에는 장관에서 칼슘의 흡수가 증가되고 신장에서의 배설도 증가되지만 신장 결석 형성이 증가되지는 않으며, 산모에서 증세가 훨씬 덜 나타나며 요관 확장 때문에 결석이 더 잘 빠져나온다. 임상증상으로 통증과 혈뇨가 나타나고, 오심, 구토, 복통 및 배뇨통, 농뇨와 동반될 수 있으며 급성 충수염, 게실염, 태반 조기박리와 감별 진단 해야 한다. 임신 중 요로결석의 영상진단방법으로는 신장초음파가 우선적으로 선호된다. 그러나 임신 중 생리적 수신증으로 결석을 진단하기에는 어려움이 따른다. 전산화 단층촬영은 비임신 여성에서의 요로결석 진단 시 선호되며, 임신한 경우에는 방사선 노출의 위험을 고려해야 하므로 임신한 여성에서 신장 초음파 다음으로 고려할 수 있는 진단 방법은 자기공명영상이다. 경정맥요로촬영 또한 방사선 노출 문제로 가능한 적은 노출을 하도록 변형하여 적용해야 한다.

질문 3-2. 초음파에서 좌측 수신증(hydronephrosis), 요관결석(ureter stone) 의심 소견을 보이고 심한 통증으로 입원하였다. 가장 먼저 고려해 볼 수 있는 치료는?

해설 3-2. 수분 공급과 진통제

임신 중 요로결석은 진단 및 치료에 있어 제한점이 많지만 임산부는 호르몬 영향으로 요관이 확장되어 보존적 치료만으로도 65-80%에서 결석이 자연 배출된다. 일반적으로 폐쇄, 감염, 난치성 통증, 출혈이 심할 때 결석 제거의 적응증에 해당하며 특히 요로 폐쇄와 감염이 함께 있는 경우는 응급상황으로 즉각적인 치료가 필요하다. 보존적 처치로 안정과 적절한 수분공급, 진통제와 필요시 진토제를 투여한다. 진통제로는 산모에게서 사용 가능한 아세트아미노펜(acetaminophen)이나 마약성 진통제(opioid)를 사용한다. 보존적 치료에 반응하지 않는 경우에는 침습적 치료방법을 고려할 수 있다. 침습적 처치로는 경피적 신루술, 요관경, 외과적 결석제거 등이 있으며 체외충격파 쇄석술은 임신 중 금기이다.

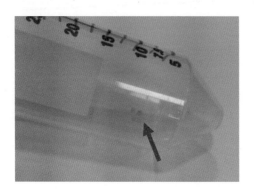

그림 22-2 자연 배출된 요로결석 사진

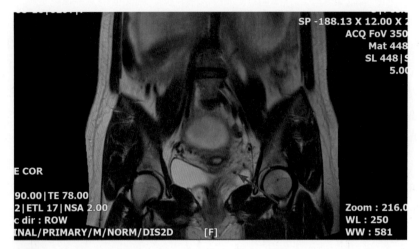

그림 22-3 좌측 옆구리통증을 주소로 내원한 31주 산모의 MRI 사진. 요로결석(화살표)이 관찰된다

경과

상환 입원 중 수분공급과 진통제를 투약하며 경과 관찰 하였고 조기진통에 대해서는 수축억제제를 사용 하다가 소변으로 결석이 자연배출 되었고 조기진통 호전되어 입원 5일째 퇴원하였다. 이후 외래에서 정기적으로 진료를 보다가 임신 38주 1일에 자연진통으로 입원하여 3.3 kg의 남자아이를 자연분만하였다.

04

Maternal-fetal medicine

신장 이식 환자의 관리(심화)

45세 초산모가 임신 13주에 정기검진을 위해 내원하였다. 체외수정을 통해 쌍둥이 임신하였고, 이후 임신 7주에 쌍둥이 소실(vanishing twin)을 하여, 현재 단태아 임신 중이었다. 15년 전 말기신부전을 진단받고, 혈액투석을 받았던 과거력이 있으며, 12년 전 신장이식을 받은 바 있다. 수정란 이식 전에 시행한 검사상 혈액 요소질소농도(BUN) 21 mg/dL, 혈청 크레아티닌 1.26 mg/dL을 확인하였다. 약물로는 Prednisolone 5 mg, Tacrolimus 3 mg, Azathioprine 50 mg, Atorvastatin 20 mg을 복용 중이었다. 내원 시 활력징후는 정상이었고, 골반 진찰에서 자궁경부는 닫혀 있었고 개대되지 않았다. 초음파 검사에서 머리엉덩길이(crown-rump length)는 6.41 cm로 12주 6일에 합당한 크기였고 태아심음은 정상, 목덜미투명대도 1.2 mm로 확인되었다. 자궁 내부에 출혈은 없었고 자궁부속기는 정상이었다.

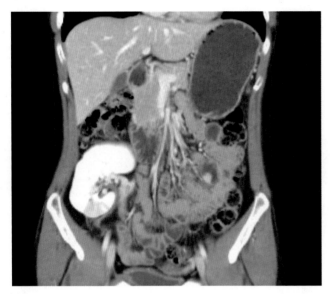

그림 22-4 환자의 신장 이식 후 복부 CT 사진. 우측 골반에 이식받은 신장이 위치

질문 4-1. 상기 환자에서 증가하는 합병증은 무엇이 있을까?

해설 4-1. 임신중독증, 임신성 당뇨, 조산

최근 Coscai 등은 신장이식 후 임신한 2,000례의 임신 중 71-76%는 생존아를 출생한 것으로 보고하였다. 이후 호주/뉴질랜드 및 영국에서도 비슷한 결과를 보고하였는데, 주산기 생존율은 94-99%로 비교적 양호한 임신 예후를 보고하였다. 그럼에도 정상 임신에 비해서는 임신 합병증이 많이 발생하는 편인데 임신중독증은 약 24%, 임신성 당뇨는 약 5%에서 발생하는데 면역 억제제와 관련이 있을 것으로 여겨진다. 선천성기형의 위험은 3-5%로 정상 임신에 비해 그렇게 높지는 않으나, mycophenolate mofetil의 경우에는 선천성기형의 위험도를 높이는 것으로 보고되었다.

질문 4-2. 상기 환자에서 주기적으로 검사해야 할 항목들은?

해설 4-2. 환자의 신기능을 살피기 위해 2주마다 혈액 요소질소농도, 혈청 크레아티닌, 전해질 수치, 매달 초음파 및 분기별 신장 스캔(renal scan)을 시행해야 한다.

질문 4-3. 상기 환자에서 수유 시까지 사용할 수 있는 약물은?

해설 4-3. 임신 동안 tacrolimus, cyclosporine, azathioprine, prednisolone과 같은 면역억제제의 사용이 가능하고 수유 시에도 안전하다. mycophenolate mofetil은 기형을 유발하므로 적어도 임신 3개월 전에는 중단하는 것이 좋다. azathioprine은 mycophenolate mofetil 대신에 사용할 수 있는 임신 중과 수유 중에 안전한 약제이다. azathioprine은 미국 Food and Drug Administration에서 카테고리 D이며, 태아에게 노출 시 선천성 기형이 증가한다는 보고도 있지만, 국제이식임신등록(National transplant pregnancy registry)에서는 입증된 바가 없다.

경과

이 임신부는 37주 6일까지 면역억제제를 지속적으로 사용하면서 임신을 유지하였고, 임신 기간 중 특별한 합병증을 보이지 않았다. 둔위로 제왕절개분만을 예정하였고, 수술 전날부터 수술 후 7일까지 prednisolone을 증량하였다. 수술 후 1일째 크레아티닌 1.65 mg/dL으로 상승하는 소견을 보였으나, 소변량 감소 등 다른 증상은 보이지 않았고, 탈수 상태(dehydrated state)로 인한 일시적인 증상으로 수분 공급 후 정상범위로 호전되었다. 37주 6일 제왕절개로 건강한 3.19 kg의 남아를 분만하였다.

05

Maternal-fetal medicine

급성 신부전(심화)

36세 기저 질환 없는 경산모로, 개인 산부인과에서 임신 40주에 자연분만 후 자궁 경부 열상으로 봉합 시행하였고, 이후 출혈 지속되어 대량 수혈하며 자궁적출술을 시행하였다. 그 이후에도 출혈 소견 보이며 파종성혈관응고(disseminated intravascular coagulation, DIC) 소견 의심되어 즉시 응급실로 전원되었다. 검진 결과 질 내벽에서 지속적으로 출혈 소견 보여 자궁동맥색전술(uterine artery embolization) 시행하였다. 다음 날, 생체활력징후는 안정적이었으나 혈액요소질소 농도(BUN)가 23 mg/dL, 혈청 크레아티닌(serum creatinine)이 2.34 mg/dL로 증가되어 있는 소견 보였다.

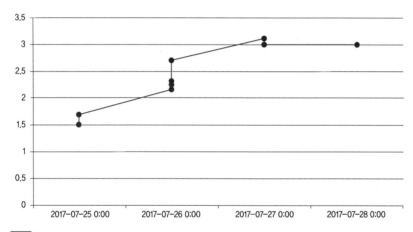

그림 22-5 상기 환자의 크레아티닌 수치

질문 5-1. 가장 의심되는 원인은?

해설 5-1. 대량 출혈과 조영제 사용으로 인한 급성 신부전(acute renal failure)

급성신부전은 수 일에서 수 주 내에 일어나는 급격한 신장 여과 기능 및 배출 기능의 저하로, 질소폐기물(nitrogenous waste)의 배출 및 전해질 균형에 문제가 생기는 경우를 말한다. 임신 시 발생하는 급성신부전은 발생 시기에 따라 주요 원인이 다르다. 임신 초 급성신부전의 주원인은 입덧이나 패혈유산에 의한 것이 많으며, 임신 3분기에는 주로 임신중독증, 혹은 분만과 연관된 출혈 질환에 의하여 급성신부전이 발생한다. 급성신부전의 진단은 보통 48시간 내 혈청 크레아티닌의 수치가 1 mg/dL 이상이 되거나 기준 수치보다 0.5 mg/dL 이상 올라가는 경우 진단하게 된다.

질문 5-2. 신전성/신성/신후성 신부전을 감별하기 위해 혈액 검사 및 요검사를 재검하였다. 검사결과가 아래와 같을 때 합당한 진단은?

> 검사 결과: 혈액요소질소 농도(BUN) 36 mg/dL, 혈청 크레아티닌(serum creatinine) 3.01 mg/dL, 혈청 나트륨(serum Na) 144 mmol/L, 소변 나트륨(urine Na) 70 mmol/L, 소변 크레아티닌(urine creatinine) 75 mg/dL, 나트륨 분획배설률(FeNa) 2.0%

해설 5-2. 신성(renal) 신부전

급성 신부전의 원인은 신전성(prerenal)/신성(renal)/신후성(postrenal)으로 나눌 수 있으며 소변 검사의 결과를 통해 이를 구별할 수 있다. 신전성은 신장으로 가는 혈류의 부족으로 생기며, 신후성은 요로의 폐색으로 생긴다. 소변화학 검사상 나트륨의 분획배설률(fractional excretion of sodium, FENa)이 1% 이하인 경우 신전성이며, 2% 이상인 경우 신성, 4% 이상인 경우 신후성으로 판단할 수 있는데, 혈류 부족에 의한 신전성으로 시작하였더라도 이 상황이 악화되어 급성 세뇨관 괴사로 진행되거나 신피질 괴사가 발생하면 3% 이상으로 측정된다. 또한 신부전 초기에 BUN/Cr 비율이 높으면(20:1 이상) 신전성이며 신성은 이 비율이 15 이하로 낮고, 신후성은 15 이상으로 높다. 이 환자의 경우, 나트륨의 분획배설률이 2.0%이며 BUN/Cr 비율이 12로 신성 신부전이 의심되었고, 대량 출혈과 수혈, 조영제 사용으로 인한 급성 세뇨관 괴사(acute tubular necrosis)가 신부전의 원인으로 추정된다.

질문 5-3. 위 환자에서 급성신부전의 치료는?

해설 5-3. 급성신부전의 치료는 신부전을 초래한 원인을 교정하는 데 있지만, 공통적인 몇 가지는 다음과 같다. 첫째로 혈역학적으로 적절한 상태를 유지하고, 수액과 전해질 불균형을 교정한다. 둘째로 신독성 약물(magnesium sulfate, iodinated contrast agents, aminoglycoside, NSAIDs 등)을 중지한다. 만약 고질소혈증이 심해지고 심각한 무뇨가 생긴다면 투석이 필요할 수도 있다. 이런 경우 늦지 않게 투석하는 것이 모성사망을 낮추고 신기능의 정상 회복을 도와준다. 급성신부전의 원인과 임상적 경과, 신체 진찰, 혈액 검사 등과 맞지 않으면 신장 조직검사도 고려해 보아야 한다. 위 환자의 경우 원인으로는 조영제 사용 및 출혈로 인한 급성 세뇨관 괴사로 신독성 약물을 사용중지하고 적절한 수액을 공급하며 소변량을 추적관찰하였다.

경과

신장내과와 협진하여, 알부민 투여, 적절한 수액 투여와 철저한 소변량 감시, 크레아티닌 재검을 시행하였다. 입원 5일째 혈청 크레아티닌 2.01 mg/dL, 6일째 1.58 mg/dL로 감소 추세 보였고 입원 7일째 1.36 mg/dL로 정상화되었다. 이후 환자는 보존적 치료만으로 후유증 없이 신기능이 회복되어 9일째 퇴원하였다.

참고 문헌

1. 대한산부인과학회. 산과학. 제6판. 파주: 군자출판사; 2019.

2. Cleary BJ, Kallen B. Early pregnancy azathioprine use and pregnancy outcomes. Birth Defects Res A Clin Mol Teratol 2009;85:647-654.

3. Cunningham FG, Leveno KJ, Bloom SL, Dashe JS, Hoffman BL, Casey BM, Spong CY. Williams obstetrics. 25ed ed. New York: McGraw-Hill Education;2018.

4. Lumbiganon P, Villar J, Laopaiboon M. One-day compared with 7day nitrofunratoin for asymptomatic bacteriuria in pregnancy. Obstet Gynecol 2009;113:339-45.

5. Michelle J, Brian R. Kidney stones and pregnancy. Adv Chronic Kidney Dis 2013;20:260-4.

6. Miller LK, Cox SM. Urinary tract infections complicating pregnancy. Infect Dis Clin North Am 1997;11:13-26.

7. Romero R, Oyarzun E, Mazor M, Sirtori M, Hobbins JC, Bracken M. Meta-analysis of the relationship between asymptomatic bacteriuria and preterm delivery/low birth weight. Obstet Gynecol 1989;73:576-82.

8. Schneeberger C, Geerlings SE, Middleton P, Crowther CA. Interventions for preventing recurrent urinary tract infection during pregnancy. Cochrane Database Syst Rev 2015;26:CD009279

9. Sheffield JS, Cunningham FG. Urinary tract infection in women. Obstet Gynecol 2005;106:1085-92.

10. Waikar SS, Bonventre JV : Acute Kidney injury. In Kasper DL, Fauci AS, Hauser SL : Harrison's Principles of Internal Medicine, 20th ed. New York, McGraw-Hill Education;2018.

hapter **23**

간 및 위장관질환

모체태아의학

23

간 및 위장관질환

최규연(순천향의대)
황한성(건국의대)

Maternal-fetal medicine

01

임신과다구토, 임신입덧(기본)

임신 10주 0일의 34세 경산모가 심한 구역감과 구토, 식사량 저하로 내원하였다. 하루 5-6회가량 구토하였으며 식사는 하루에 밥 반공기도 섭취하지 못하였다. 피부 긴장도의 감소와 구강 건조, 소변량 감소가 관찰되었다. 임신 전 체중은 54 kg였고 현재 체중은 49 kg이다. 혈압 95/45 mmHg, 맥박 97회/분, 호흡 20회/분, 체온 36.9℃이고 혈액검사 및 소변검사 결과는 아래와 같다.

혈액검사 : Hb(혈색소) 11.7 g/dL(참고치, 12-16 g/dL), WBC(백혈구) 6,800/μL(참고치, 4,000-10,000 μL), Na 129 mmol/L(참고치, 136-145 mmol/L), Cl 92 mmol/L (참고치, 98-107 mmol/L), AST(아스파르테이트아미노전이효소) 11U/L(참고치, 0-40 U/L), ALT(알라닌아미노전달효소) 6 U/L(참고치, 0-41 U/L), Creatinine(크레아티닌) 0.8 mg/dL(참고치, 0.5-1.2 mg/dL) TSH(갑상선자극호르몬) 0.25 μIU/ml(참고치, 0.3-4.0 μIU/ml), freeT4(유리형 T4) 1.08 ng/dL(참고치, 0.89-1.78 ng/dL)

소변검사 : Ketone : 2+, Glucose : 음성

질문 1-1. 상기 환자의 적절한 진단은?

해설 1-1. 임신 중 구역, 구토를 일으킬 만한 다른 질환을 감별해야 하는데 혈액검사상 전해질불균형 이외에 이상소견은 관찰되지 않는다. 또한 임신 전 체중에 비해 5% 이상 감소하였고 탈수, 염산의 소실로 인한 전해질 불균형, 케톤뇨증이 나타났다. 따라서 임신과다구토로 정의할 수 있다.

질문 1-2. 상기 환자에 대한 적절한 처치는?

해설 1-2. 체내 탈수를 교정하기 위해 충분히 수분 공급을 해주고 전해질을 교정한다. 베르니케 뇌병증을 예방하기 위해 티아민을 먼저 보충해주고 포도당을 투여한다. 식이 섭취량이 현저히 저하되면 총정맥영양을 고려한다. 구역감 완화를 위해 디클렉틴(doxylamine, pyridoxine)이나 항구토제인 온단세트론, 메토클로프라마이드 등을 투여할 수 있다. 장기간 구역, 구토가 지속될 경우 심리적인 문제가 발생할 수 있으므로 약물치료와 동시에 정서적 지지도 필요하다.

경과

입원하여 수액 투여, 전해질 교정, 비타민 공급하며 항구토제를 투여하였으나 증상은 호전되지 않았다. 약 한 달가량 식이 섭취량 거의 없었고 입원 후 체중은 49 kg에서 46 kg로 감소하였다. 가슴 답답함과 호흡곤란 호소하고, 심한 우울감 및 자살사고 동반되어 정신건강의학과 협진하 임신의 지속이 모체의 건강을 심각하게 해치는 것으로 판단하여 임신종결하였다.

02

임신 중 충수돌기염 및 자연 조기진통(기본)

임신 28주 0일의 37세 초산모가 어제부터 시작된 복부통증과 구역감으로 응급실에 내원하였다. 우상복부 통증을 호소하였고 해당 부위에 압통과 반발압통이 있었다. 혈압 120/75 mmHg, 맥박 97회/분, 호흡 20회/분, 체온 38.0°C였다. 초음파에서 태아는 임신주수에 합당한 성장을 보였고, 비수축검사(그림 23-1)와 복부초음파검사(그림 23-2), 혈액검사 결과는 다음과 같았다.

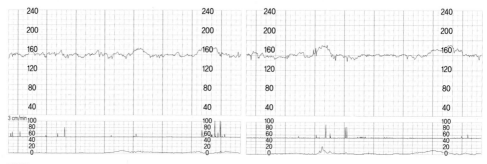

그림 23-1 전자태아심박동-비수축검사 결과. 자궁수축이 관찰되지 않으며, 태아심음은 정상의 변동성을 보임

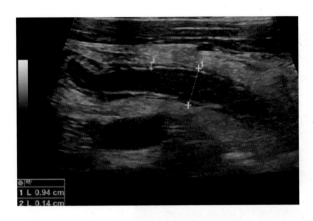

그림 23-2 복부초음파검사 사진. 우하복부에서 지름 9.4 mm의 관상구조물이 관찰됨

혈액검사 : WBC(백혈구) 19,900/µL(참고치, 4,000-10,000 µL), Neutrophil(중성구) 89.66%(참고치, 40-74%), CRP (C-반응단백질) 8.03 mg/dL(참고치, 0.0-0.5 mg/dL)

질문 2-1. 가장 적절한 진단과 치료는?

해설 2-1. 상기 환자는 우상복부 통증과 해당부위의 압통, 반발압통이 있다. 백혈구의 상승과 발열이 있고 복부초음파에서 지름 9.4 mm의 관상구조물이 관찰되었다. 따라서 급성 충수돌기염이 가장 의심되며, 충수돌기파열이나 복막염으로 진행하면 모체 및 태아의 이환율이 증가하므로 가능한 빨리 수술해야 한다. 임신 중에는 비대해진 자궁으로 인해 충수돌기가 우상방으로 이동하게 되어 비임신 시의 전형적인 충수돌기염 소견과 일치하지 않을 수 있다.

질문 2-2. 내원 당일 응급 복강경충수돌기절제술을 받은 후 규칙적인 복부통증을 호소하여 비수축검사(그림 23-3)와 질식초음파(그림 23-4)를 시행하였다. 가장 적절한 처치는?

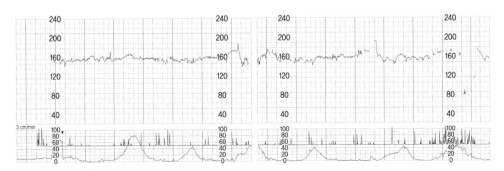

그림 23-3 전자태아심박동-비수축검사 결과. 3-4분 간격의 규칙적인 자궁수축이 관찰되며, 태아심음은 정상의 변동성을 보임

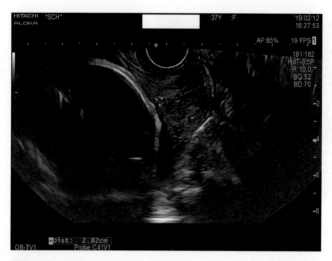

그림 23-4 질식초음파검사 사진. 자궁경부길이가 약 28 mm이며, T-shape을 보이고 있음

해설 2-2. 규칙적인 복부통증을 호소하여 시행한 비수축검사에서 3–4분 간격의 자궁수축이 확인되었다. 질식초음파로 측정한 자궁경부길이는 약 28 mm이고 T-shape을 보였다. 임신 제2삼분기에서 평균 자궁경부길이는 35 mm 정도이며, 자궁경부길이가 25 mm 미만이면서 깔때기형 변화를 보일 때를 짧은 자궁경부(short cervix)라고 한다. 따라서 이 환자는 복부수술 후 규칙적인 자궁수축이 발생하였지만 의미있는 자궁경부의 변화를 보이지 않고 있으므로 현재 자궁수축억제제의 투여 적응증에 해당하지 않는다. 보존적치료를 하며 비수축검사와 질식초음파를 추적관찰하고, 추후 규칙적인 자궁수축이 지속되거나 자궁경부길이의 변화를 보인다면 자궁수축억제제와 태아 폐성숙을 위한 스테로이드제제를 투여를 고려한다.

최종 경과

규칙적인 복부 통증이 지속되고, 비수축검사에서 규칙적이고 강한 자궁수축이 확인되며 질식초음파에서 자궁경부길이가 21 mm로 짧아지고 깔때기형 변화를 보였다. 자궁수축억제제와 태아 폐성숙을 위한 스테로이드를 투여하였다. 자궁수축억제제를 투여한 후 규칙적인 자궁수축은 소실되어 이틀 뒤 자궁수축억제제 투여를 중단하였다. 수술 일주일 뒤에 자궁경부길이 27 mm, T-shape 관찰되고 자궁수축 없어 퇴원하였다. 퇴원 후 정기진찰에서 자궁경부길이는 30 mm, T-shape으로 측정되었으며, 임신 38주 2일에 질식분만하였다.

03

헬프증후군(심화)

임신 34주 1일의 34세 초산모가 오심, 구토, 우상복부 통증과 부종, 호흡곤란을 호소하며 응급실로 내원하였다. 신체진찰에서 중등도의 양하지부종이 관찰되었고 어제부터 소변량 감소가 있었다고 하였다. 혈압 150/90 mmHg, 맥박 94회/분, 호흡 22회/분, 체온 36.9℃, 산소포화도 91%였다. 이전에 고혈압을 진단받은 적은 없었고, 임신 20주 이전의 혈압도 정상이었다. 초음파에서 태아 예측몸무게는 약 2.1 kg, 양수지수 8 cm였다. 비수축검사(그림 23-5) 및 혈액검사, 소변검사 결과는 다음과 같다.

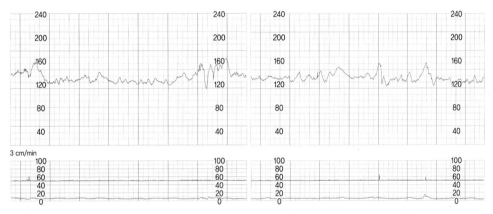

그림 23-5 전자태아심박동-비수축검사 결과. 자궁수축이 관찰되지 않으며, 태아심음은 정상의 변동성을 보임

혈액검사 : Hb(혈색소) 10.4 g/dL(참고치, 12-16 g/dL), WBC(백혈구) 12,000/μL(참고치, 4,000-10,000μL) Plt(혈소판) 98,000/μL(참고치, 130,000-450,000/μL), AST(아스파르테이트아미노전이효소) 2,658U/L (참고치, 0-40U/L), ALT(알라닌아미노전이효소) 3,124 U/L(참고치, 0-4 1U/L). BUN(혈액요소질소) 34.2 mg/dL(참고치, 6-20 mg/dL), Creatinine(크레아티닌) 1.91 mg/dL(참고치, 0.5-1.2 mg/dL), Amylase 179 U/L(참고치, 28-100U/L), LDH(젖산탈수소효소) 2,575 U/L(참고치, 0-250U/L), Lipase(리파아제) 72 U/L(참고치, 13-60 U/L), Bilirubin, total(총빌리루빈) 1.0 mg/dL(참고치, 0-1.2mg/dL), Bilirubin, Direct(직접빌리루빈) 0.5 mg/dL(참고치, 0-0.3 mg/dL), Na(나트륨) 132mmol/L(참고치, 136-145 mmol/L), K(칼륨) 6.0mmol/L(참고치, 3.5-5.1 mmol/L), Cl(염소) 107 mmol/L(참고치, 98-107 mmol/L), Anti-HAV IgM(-), Anti-HAV IgG(+), HBsAg(-), Anti-HBs(+), Anti-HCV(-)

소변검사 : Blood 3+, Protein 2+

질문 3-1. 상기 환자의 적절한 진단과 처치는?

해설 3-1. 구역, 구토와 우상복부 통증을 호소하고 발열과 백혈구증가증, 심한 간기능부전, 신기능부전이 있다. 감별질환으로 급성 간염이나 췌장염, 담낭염 등을 고려해볼 수 있으나 감염표지자에서 급성 간염을 의심할 근거는 없고 amylase, lipase도 의미있게 증가하지 않아 췌장염의 가능성도 떨어진다. 부종, 호흡곤란, 신기능감소, 혈소판감소, 혈압상승, 단백뇨 등이 동반된 것을 고려할 때 헬프증후군(HELLP syndrome)으로 진단할 수 있다. 헬프증후군이 의심된다면 즉각 분만하여야 하고, 경련 예방을 위해 예방적으로 황산마그네슘을 투여하도록 한다.

질문 3-2. 상기 환자에게 응급 제왕절개수술을 시행하였다. 앞으로의 처치 방향은?

해설 3-2. 분만 후 경련을 예방하기 위해 분만 후에도 24시간동안 황산마그네슘 투여를 유지한다. 황산마그네슘을 투여하는 동안 독성에 유의하고, 치료농도에서도 경련할 수 있으므로 주의깊게 관찰하여야 한다. 헬프증후군의 경우 분만 후 상태가 악화되는 경우가 있으므로 분만 후 48시간까지는 최소 12시간 간격으로 혈액검사를 지속적으로 확인하여야 한다.

최종경과

응급 제왕절개수술 후 중환자실에서 생체징후와 전신상태를 집중관찰하며 혈액검사를 추적관찰하였다. 혈압은 수축기 160 mmHg, 이완기 90 mmHg 정도로 유지되어 경구 니페디핀 복용하였다. Creatinine(크레아티닌)은 수술 3일 뒤, AST(아스파르테이트아미노전이효소), ALT(알리닌아미노전달효소), LDH(젖산탈수소효소)는 수술 12일 뒤에 정상범위로 회복되어 퇴원하였다. 산후 정기검진에서 혈압과 혈액검사 정상소견 보여 경구 니페디핀 투여 중단하였다.

04

위식도역류질환(기본)

임신 29주 2일의 29세 초산모가 구역, 구토와 심한 속쓰림, 소화불량으로 내원하였다. 임신 전 진단받았던 질환은 없으며 현재 복용 중인 약물도 없다. 임신 초반부터 속쓰림이 있었으나 경과 관찰하였고, 현재 증상은 더 악화되었다고 하였다. 초음파에서 태아는 주수에 맞게 성장한 상태였고 특이소견 관찰되지 않았다. 혈액검사는 정상이었고 복부 진찰에서도 압통이나 반발압통은 없었다.

질문 4-1. 상기 환자의 가장 적절한 진단은?

해설 4-1. 임신 중 속쓰림 증상은 임산부의 80%에서 나타날 정도로 흔하며 임신 시 하부식도괄약근의 저긴장성과 프로게스테론의 영향으로 위장관 저류가 지연되어 위식도역류가 빈발한다. 상기 환자는 구역, 구토와 속쓰림, 소화불량 외에 복부 진찰이나 혈액검사에서 이상이 없고 임신이 지속되면서 증상이 더 악화되었으므로 임신주수 증가에 따른 위식도역류질환의 가능성이 가장 높다.

질문 4-2. 상기 환자에게 적절한 처치는?

해설 4-2. 위식도역류질환에서는 생활습관의 개선이 가장 중요하다. 카페인, 알코올, 흡연을 삼가고 조이는 옷이나 벨트는 피하도록 한다. 또한 음식 섭취 후 바로 눕지 않도록 하고 취침 3시간 전에는 음식 섭취를 금하는 것이 좋다. 생활습관교정과 더불어 임신 중 안전하게 사용할 수 있는 제산제인 파모티딘과 란소프라졸, 라베프라졸, 판토프라졸과 같은 프로톤펌프억제제의 투여를 고려한다.

질문 4-3. 상기 환자에게 약물치료를 하였음에도 불구하고 속쓰림과 소화불량이 지속되고 검붉은 구토를 하였다고 재내원하였다. 그 다음으로 고려할 처치는?

해설 4-3. 제산제에 반응하지 않는 위식도역류질환에서 위장관 출혈, 삼킴곤란이 지속되거나 심한 구역과 구토 또는 복통을 동반할 때 상부위장관내시경검사를 시행하여 출혈, 천공 등의 합병증 유무를 확인한다. 임신 중 내시경은 조산 위험성을 약간 증가시킬 수 있지만 이는 임산부가 가지고 있는 위장관 질환 자체로 인한 조산 위험도와 유사하다. 또한 임신 중 내시경 시 약제 사용으로 인한 태아의 영향과 저혈압, 저산소증 등의 합병증에 유의하며 숙련된 전문가에 의해 시행되도록 한다

최종경과

상부위장관내시경에서 중등도의 역류성식도염이 확인되었고 활동성 출혈은 관찰되지 않았다. 제산제와 PPI(프로톤펌프억제제) 복용 유지하다가 임신 38주 5일에 질식분만하였고, 산후 외래 정기검진에서 속쓰림 호전되어 약물 복용 중단하였다.

05 임신성 급성 지방간(심화)

임신 34주 3일의 35세 초산부가 3일 전부터 지속된 오심, 구토, 상복부 통증 및 설사가 있어서 병원에 왔다. 산모는 전신 쇠약감을 호소하였다. 우상복부에 약간의 압통이 있었으나, 만져지는 것은 없었고, 부종의 소견도 보이지 않았다. 병원에 내원 했을 때 임신부는 체중 68 kg, 키 159 cm, 이었고, 활력 징후는 혈압 100/70 mmHg, 호흡 21회/분, 맥박 89회/분, 체온 36.9℃이었다. 초음파검사에서 태아의 크기는 50 백분위수였고, 두위, 자궁경부길이는 3.0cm, 양수량은 정상범위였다. 입원 후 진행하던 전자태아심박동-자궁수축 검사에서 갑작스럽게 (그림 23-6)과 같은 소견이 관찰되었다. 그리고 산모는 갑자기 의식이 혼미해지는 의식의 변화 소견이 보여서 응급제왕절개술을 시행하게 되었다.

입원 당시 혈액검사에서 Hb(혈색소) 12.5 g/dL, WBC(백혈구) 18,300/μL, Plt(혈소판) 102,000/μL였으며, 간기능 검사상 AST(아스파르테이트아미노전이효소) 1,623 IU/L, ALT(알라닌아미노전달효소) 1,483 IU/L, total bilirubin(총빌리루빈) 2.7 mg/dL, direct bilirubin(직접빌리루빈) 1.2 mg/dL, glucose(포도당) 112 mg/dL, ammonia(암모니아) 68 μmol/L, PT(프로트롬빈시간) 11.9sec, aPTT(활성부분트롬보플라스틴시간) 25.8sec였다. 신장 기능은 BUN(혈중요소질소) 14.1 mg/dL, Cr(크레아티닌) 1.1 mg/dL으로 정상소견을 보였으나, 소변을 보지 못해서 소변검사는 시행하지 못하였다. 매독검사는 음성이었고, 간염 검사상 HBsAg(−), HBsAb(+), anti−HBc IgM(−), anti−HCV(−)였다.

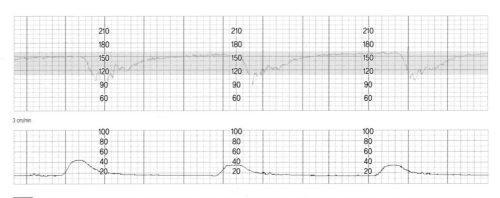

그림 23-6 전자태아심박동-비수축검사 결과. 규칙적인 자궁수축과 함께, 반복적인 늦은 태아심박동감소(late deceleration)의 소견을 보임

제왕절개수술 후 신생아는 출생체중 2,100 g, 1분과 5분 아프가점수 각각 3, 6점이었다. 제왕절개수술 중에는 출혈이 많지는 않았지만, 소변이 시간당 10-15 mL로 핍뇨현상이 관찰되었다.

제왕절개수술 후 시행한 혈액검사에서 Hb(혈색소) 10.4 g/dL, WBC(백혈구) 16,100/μL, Plt(혈소판) 41,000/μL이었으며, 간기능 검사상 AST(아스파르테이트아미노전이효소) 1,933 IU/L, ALT(알라닌아미노전달효소) 1,642 IU/L, total bilirubin(총빌리루빈) 6.8 mg/dL, direct bilirubin(직접빌리루빈) 3.8 mg/dL, , glucose(포도당) 95 mg/dL, ammonia(암모니아) 75 μmol/L, PT(프로트롬빈시간) 21.1 sec, aPTT(활성부분트롬보플라스틴시간) 31.8 sec이었다. 신장 기능은 BUN(혈중요소질소) 15.9 mg/dL, Cr(크레아티닌) 1.3 mg/dL으로 나타났다. Fibrinogen(피브리노겐) 158 mg/dL, D-dimer (D-이합체) >1,000 mg/dL였다.

질문 5-1. 상기 환자의 적절한 진단은?

해설 5-1. 임신 중 간수치가 상승하는 소견은 급성 간염, 간내 담즙정체, 자간전증, 자간증, HELLP 증후군, 임신성 급성 지방간 등을 들 수 있다. 입원 당시 임신부의 검사결과들을 종합하면 임신성 급성 지방간을 생각할 수 있으며, 간부전 및 간성혼수가 동반된 경우로 볼 수 있다. 임신성 급성 지방간은 초기에 권태, 식욕부진, 오심, 구토, 상복부통증 등의 비특이적 증상을 나타내는 경우가 있어서 특히 주의를 요한다.

질문 5-2. 상기 환자에 대한 적절한 처치는?

해설 5-2. 상기 임신부의 경우 임신성 급성 지방간이면서, 동시에 간부전, 간성혼수, 급성신부전, 고빌리루빈혈증, 혈소판 감소증이 동반된 경우로 태아의 상태를 고려해서 응급제왕절개수술이 결정되었다. 임신성 급성 지방간은 진단이 되면 조기분만 및 적극적인 보존적치료가 필요하다. 질식분만으로 분만이 이루어지면 더 유리할 수도 있지만, 태아의 상태를 고려할 때 어쩔 수 없이 응급제왕절개수술로 분만하게 되었다. 일반적으로 적절한 대증적 치료가 효과적이라면, 분만 후 1주일 정도가 지나면 회복이 될 수 있다. 하지만, 지속적인 간기능 이상이 나타나면 간이식을 고려할 수 있다. 충분한 범발성 혈액내응고장애의 교정, 저혈당교정, 이뇨제 및 수액요법, 혈액투석, 혈압의 조절이 필요하다. 특히 치료 기간에는 패혈증, 흡인성

폐렴, 췌장염, 소화기출혈, 뇌출혈 등이 동반되어 발생할 수 있으므로 주의를 요한다.

경과

수술 후 혈액투석을 포함한 대증적인 치료를 하면서 중환자실에서 경과 관찰을 하던 중 황달이 심해지면서, 점차 의식이 혼미해져 갔다. 수술 후 약 18시간 경과 후에 활력징후가 불안정해지면서 의식이 소실되고 양쪽의 동공산대, 대광반사가 소실되었다. 응급 뇌 CT 촬영에서 뇌출혈이 관찰되었다. 환자의 혈액응고장애의 정도가 심하여 수술을 할 수 없어서 뇌압을 낮추기 위한 mannitol, steroid 등을 투여하였다. 이후 의식이 회복되지 않고 있다가 수술 후 7일째 산모는 사망하였다. 신생아는 입원 10일만에 건강하게 퇴원하였다.

참고 문헌

1. American College of Obstetricians and Gynecologists. Practice Bulletin No.130: Prediction and Prevention of Preterm Birth. Obstet Gynecol 2012;120:964-73.

2. American College of Obstetricians and Gynecologists. Practice Bulletin No.202: Gestational Hypertension and Preeclampsia. Obstet Gynecol 2019;133:e1-25.

3. American College of Obstetricians and Gynecologists: Practice Bulletin No. 171 Management of Preterm Labor. Obstet Gynecol 2016;128:e155-64.

4. Amon E, Allen SR, Petrie RH, Belew JE. Acute fatty liver of pregnancy associated with preeclampsia: management of hepatic failure with postpartum liver transplantation. Am J Perinatol 1991;8:278-9.

5. Chao AS, Chao A, Hsieh PC. Ultrasound assessment of cervical length in pregnancy. Taiwan J Obstet Gynecol 2008;47:291-5.

6. Fesenmeier MF, Coppage KH, Lambers DS, Barton JR, Sibai BM. Acute fatty liver of pregnancy in 3 tertiary care centers. Am J Obstet Gynecol 2005;192:1416-9.

7. Kennedy S, Hall PM, Seymour AE, Hague WM. Transient diabetes insipidus and acute fatty liver of pregnancy. Br J Obstet Gynaecol 1994;101:387-91.

8. Lee NM, Saha S. Nausea and Vomiting of Pregnancy. Gastroenterol Clin N Am 2011;40:309-34.

9. Ludvigsson JF, Lebwohl B, Ekbom A, Kiran RP, Green PH, Höijer J, Stephansson O. Outcomes of Pregnancies for Women Undergoing Endoscopy While They Were Pregnant: A Nationwide Cohort Study. Gastroenterology 2017;152:554-63.

10. Mahadevan U, Kane S. American gastroenterological association institute technical review on the use of gastrointestinal medications in pregnancy. Gastroenterology 2006;131:283-311.

11. Mostbeck G, Adam EJ, Nielsen MB, Claudon M, Clevert D, Nicolau C, Nyhsen C, Owens CM. Owens, How to diagnose acute appendicitis: ultrasound first. Insights into imaging 2016;7:255-63.

12. Noel M. Lee, MD, Sumona Saha, MD, Nausea and Vomiting of Pregnancy, Gastroenterol Clin N Am. 2011;40:309-334

13. Nurten Savas. Gastrointestinal endoscopy in pregnancy. World J Gastroenterol 2014; 20:15241-52.

14. Patricia A. Pastore, MSN, RN, FNP, Dianne M. Loomis, MSN, RN-CS, FNP, and John Sauret, MD, FAAF. Appendicitis in Pregnancy. J Am Board Fam Med 2006;19:621-6.

15. Sheehan HL. The pathology of acute yellow atropy and delayed chloroform poisoning. J Obstet Gynecol Br Emp 1940;47:49-62.

16. Sibai BM. Magnesium sulfate prophylaxis in preeclampsia: Lessons learned from recent trials, Am J Obstet Gynecol. 2004;190:1520.

17. Vigil-De Gracia P. Acute fatty liver and HELLP syndrome: two distinct pregnancy disorders. Int J Gynaecol Obstet 2001;73:215-20.

hapter **24**

혈액질환

모체태아의학

24

혈액질환

홍순철(고려의대)
안기훈(고려의대)

01

Maternal-fetal medicine

빈혈, 철분 결핍성 빈혈(기본)

37세 P(0) 체외수정(IVF ET)으로 DCDA 쌍태아(dichorionic diamniotic twin) 임신하신 분으로, 임신 19주 1일에 하복부 통증으로 입원하였다. 환자는 임신 15주 1일 외래에서 vanishing twin 진단받아 외래 경과 관찰 중이었다. 입원하여 시행한 혈액 검사상 Hb 9.8 g/dL, Hct 30.6%, MCV 97.1, MCH 31.1, MCHC 32, Platelet 277,000/uL, WBC 11,650/uL이었고 혈액형은 AB형, Rh(+)이었다. Plasma Protein S activity 37%, Protein C activity 130%이었다.

질문 1-1. 임신 중 빈혈의 정의는?

해설 1-1. 미국 질병관리본부에서는 임신중 빈혈을 임신 제 1, 3삼분기에는 11 g/dL, 제2삼분기에는 10.5 g/dL 미만으로 정의한다. 적당한 철 저장분을 가진 여성은 분만 후 1-6주경 혈색소 수치가 정상으로 돌아온다(그림 24-1).

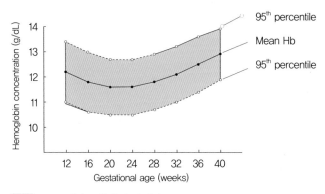

그림 24-1 임신 중 혈색소(Hb) 변화

질문 1-2. 임신 중 빈혈의 원인은?

해설 1-2. 10 g/dL 미만의 혈색소는 원인을 찾기 위한 검사를 하는 것이 좋다. 혈색소 6 g/dL 미만의 심한 빈혈은 양수량 감소, 태아뇌혈관확장, 태아심박동 이상과 연관된다. 또한 조산, 유산, 저체중아, 태아사망과도 관련 있다. 혈색소 7 g/dL 미만은 모성사망률을 높인다. 가장 흔한 임신 중 빈혈의 원인 2가지는 철결핍성 빈혈과 출혈에 의한 빈혈이다. 임신 중 빈혈의 원인은 아래 표와 같다(표 24-1).

표 24-1 임신중 빈혈의 원인

후천성	선천성
철결핍성빈혈	지중해빈혈증(thalassemias)
출혈에 의한 빈혈	낫적혈구혈색소병증
염증, 악성 종양에 의한 빈혈	기타혈색소병증
큰적혈구빈혈	유전성용혈성빈혈
용혈성 빈혈	
재생불량성 빈혈	

질문 1-3. 임신 중 철분 결핍성 빈혈의 진단 기준은?

해설 1-3. 철결핍성 빈혈은 비생리적 빈혈이 생기는 주요원인(90%)이다. 정상단태임신에서 여성은 1,000 mg의 철을 태아, 태반, 적혈구의 확장, 불감상실(insensible loss)로 사용한다. 이중 300 mg은 태아와 태반, 500 mg은 산모의 혈색소양 증대, 200 mg은 장, 소변, 피부를 통해 정상적으로 배출된다.

철결핍성 빈혈의 진단은, 혈청 페리틴(ferritin) 검사가 유용한 선별검사이며 90% 민감도, 85% 특이도를 가진다. 페리틴(ferritin) 수치가 10-15 mg/L 미만이면 철결핍성 빈혈로 진단할 수 있다. 진단을 위해 트랜스페린, 혈색소, 헤마토크리트, 적혈구지수, 말초혈액도말, 혈청철 또는 페리틴 검사가 있다.

경과

환자는 임신 기간 iron acetyltransferrin 200 mg를 식전에 복용하였고, 분만직전에는 Hb 13.0 g/dL, Hct 38.9%, MCV 95.8, MCH 32, MCHC 33.4, Platelet 262,000/μL, WBC 11,950/μL으로 개선되었다. 임신 37주2일에 자궁근종과 아두골반 불균형으로 제왕절개 분

만 후 일시적으로 빈혈이 발생하였으나, 출산 후 호전되었다(그림 24-2).

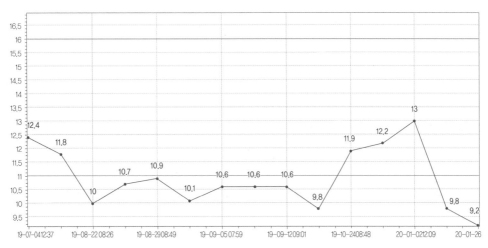

그림 24-2 임신중, 출산후 혈색소의 변화

02

Maternal-fetal medicine

출혈에 의한 빈혈(기본)

37세 P(0) 임산부로 평소 갑상선 기능저하증 있었으며, 난임센터 IVF-ET 시술 후 DCDA (Dichorionic diamnionic) 쌍태 임신으로 산전진찰중 혈압 147/96mmHg로 전자간증이 의심되어 임신 35주 6일에 검사 및 제왕절개 분만을 위해 입원하였다.

입원 전 시행한 CBC상 Hb 12.1g/dL, Hct 35.6%, Platelet 157,000/μL이었고, 입원 후 urine protein 2+, pulmonary edema 등 전자간증 심해지는 소견 보여 임신 36주 2일에 제왕절개로 남아 2.44 kg/ 여아 2.08 kg 분만하였다.

수술 후 첫째날 CBC상 Hb 7.7 g/dL, Hct 22.0%, MCV 102.3, Platelet 111,000/μL, WBC 8,660/μL

수술 후 넷째날 CBC상 Hb 6.6 g/dL, Hct 19.5%, MCV 105.4, platelet 202,000/μL, WBC 5,360/μL

질문 2-1. 수술 후 4일째 환자의 생체 징후는 BP 130/90 mmHg, PR 78/min, RR 18/min, BT 36.7℃였고 보행이 가능하였다. 산부인과 진찰 및 초음파 검사상 추가 출혈은 관찰되지 않았다. 이 환자의 빈혈 치료로 적절한 방법은 무엇인가?

해설 2-1. 출혈로 인한 빈혈중 혈색소수치가 7 g/dL 미만의 중등도 빈혈이라도 혈역학적으로 안정되어 있고 다른 부작용 없이 걸을 수 있으면서 패혈증이 동반된 것이 아니라면 수혈은 적응증이 되지 않는다. 철분 치료는 최소 3개월 정도 시행한다. 출산후 빈혈치료를 위하여 경구용 철분제 또는 정맥 철분치료(carboxymaltose etc.)가 효과적이다.

경과

• 환자는 ferric hydroxide carboxymaltose complex 180 mg/mL (50 mg as iron) 정맥주사 후, 경구용 철분제 복용처방 후 퇴원함

• 분만 2주 후 Hb 9.8 g/dL, Hct 29.3%, MCV 108.4, Platelet 433,000/μL, WBC 5,470/μL(그림 24-3).

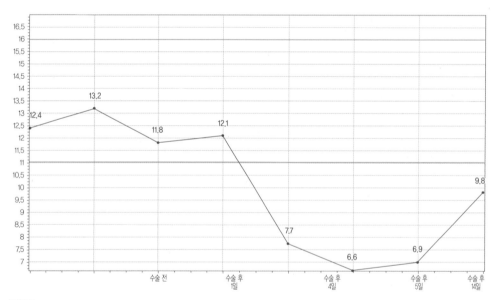

그림 24-3 제왕절개 출산 후 혈색소 변화

03 혈소판 감소증(기본)

Maternal-fetal medicine

30세 P(0) 이전 자연유산력 1회 있었고 ITP (immune thrombocytopenic purpura) 진단받은 후 혈액내과 진료 중이었고 임신을 위해 산부인과 협진 진료하였다. 환자는 하루에 prednisolone 20 mg 씩을 복용하였다. 환자는 5개월 후 임신 확인되었고, 주기적으로 시행한 CBC 검사상 혈소판은 임신초기 136,000/μL이었으나, 이후 임신기간 중에는 70,000-100,000/μL으로 유지되었다. 환자의 전반적인 건강상태는 양호하였으나 임신 33주경 자궁조기수축이 보이고 지속적으로 양수량의 감소 및 태동감소로 인해 산부인과 입원하여 보존적 치료 중에 태아곤란증(fetal distress) 소견이 반복적으로 관찰되어 제왕절개술을 결정하였다.

질문 3-1. ITP가 임신과 태아에 미치는 영향과, 이를 고려할 때 분만 방법의 결정은?

해설 3-1. ITP 때 증가하는 임신 합병증은 stillbirth, fetal loss, preterm birth 등이 있는데 이전에 연구에 밝혀진 바에 따르면 ITP는 immunoglobulin G (IgG)로 알려진 혈소판의 glycoprotein Ib–IX, IIb–IIIa complex에 대한 자가 항체가 혈소판을 파괴하기 때문에 일어난다. 이러한 모체 혈중의 IgG 자가 항체는 태반을 통과하여 태아의 혈소판 또한 파괴하므로, 분만 중에 발생할 수 있는 사소한 충격으로도 태아 혈소판 감소증에 의한 두부외상 또는 두개내 출혈 등이 태아 또는 신생아에서 발생할 가능성이 있으나 확률은 높지 않다. 이를 고려할 때 질식 분만 도중에 발생할 수 있는 태아 두부외상이나 두개내 출혈 등의 잠재적 위험성 때문에 ITP 산모의 분만 방식으로 제왕절개술이 선호되고 또한 질식분만 중 심한 질 열상이 발생했을 때 지혈방법이 오히려 제왕절개술보다 어려울 수 있으며, 정확한 분만 시간의 예측이 어려워 분만에 따른 과다 출혈 시 혈소판 준비 및 투여에 어려움이 있기 때문에 제왕절개술을 선택하는 것이 유리하다. 하지만, 최종적인 분만방법은 산과적 적응증에 따라 시행한다.

질문 3-2. ITP 치료 위해 내과에서 처방한 prednisolone에 의한 태아 영향 가능성은 어떠한가?

해설 3-2. prednisolone은 clefts위험성과 태아 성장장애(impaired fetal growth)위험성이 제기되고 있는 약제이다. corticosteroids는 동물실험에서 clefts 관련성이 보고되어 왔고, 한 메타분석 연구에서 clefts위험도가 3배 증가한다고 보고되었다. 하지만 10년 전향연구에서는 주요 기형이 증가하지 않는다는 보고도 있다. 해당 임산부는 임신전부터 분만시까지 prednisolone을 사용한 경우로 clefts 발생 또는 태아성장장애가 나타나는가 여부에 대한 추적관찰이 필요하다.

경과

• 환자는 임신 35주 2일 태아곤란증 진단하에 제왕절개 시행 후 여아 2.17 kg를 분만하였고 Apgar score는 1분 8점, 5분 9점으로 신생아는 혈소판 저하증이나 다른 특이사항을 보이지 않았다. 출생 이틀째 Hb 24.1 g/dL, Hct 71%, 채혈 시 끈적이는 양상의 thick blood , polycythemia 양상을 하루 정도 보인 후 해소되었다.

04

혈소판 감소증(심화)

29세 미분만부 임신 22주 2일에 산부인과 의원 진찰중 혈소판 67,000/uL 감소 소견 보여 상급종합병원으로 의뢰되었다. 혈액내과 검사상 ITP로 진단되었다.

외래에서 시행한 CBC상 Hb 11.3 g/dL, Hct 33.3%, MCV 93.6, Platelet 117,000/uL, WBC 9,200/uL, folate 11.3 ng/mL이었다. 환자는 내과에서 3주후 추적관찰상 Platelet 81,000/uL관찰되어 하루에 prednisolone 20 mg(상품명 solondo 4T)씩을 처방하였다. 환자는 임신 34주경 Platelet 112,000/uL 으로 증가하고 전반적인 건강상태는 양호하였다. 본인 원해 다시 산부인과 개인의원으로 되의뢰하였다.

환자는 임신 38주 2일 개인의원에서 태동이 감소하고 BPP 2점 소견보여 응급실로 전원하여, 당일 태아 곤란증 진단하에 제왕절개술 시행 후 여아 3.21 kg를 분만하였으나 Apgar score는 1분 1점, 5분 3점이었다.

질문 4-1. ITP가 임신과 태아에 미치는 합병증은 무엇인가?

해설 4-1. ITP 때 증가하는 임신 합병증은 stillbirth, fetal loss, preterm birth가 있다.

경과

병원방문 후 초음파 검사상 태아는 임신 38주 크기, 예상 몸무게 3.2 kg, 양수지수 27.9로 양수과다증이 의심되었고 태아움직임은 감소되어 있었다.

응급 제왕절개로 당일 분만하였으나 분만 직후 Apgar score는 1분 1점, 5분 3점이었고, 환아는 Asphyxia, R/O PPHN(persistent pulmonary hypertension of the newborn), DIC(범발성 혈액응고 장애), Meconium aspiration로 사망하였다.

환아는 분만 당시 asphyxia 상태로, meconium aspiration 되어 있는 상태였으면 20–30분간의 심폐소생술 후에 심박수, 혈압 회복되었으나 인공호흡기(ventilator care) 치료가 필요하였다. 검사 소견상 혈소판 91,000/μL → 41,000/μL으로 크게 감소되어 있었고, AST/ALT 상승, BUN/Cr 상승 등, multi-organ failure, DIC 소견 관찰되었다.

05

Maternal-fetal medicine

HELLP 증후군(심화)

35세 P(0) 임신 28주 1일 임산부로 최근 146/98 mmHg 및 간기능 수치 증가, 혈소판 감소 소견 보여 병원을 방문하였다. 입원하여 시행한 검사상 24시간 단백뇨 1020.8 mg, CRP 75.41 mg/L, CBC상 Hb 10.8 g/dL, Hct 31.3%, MCV 94.3, Platelet 40,000/μL, WBC 6,600/μL, AST/ALT 171/99 IU/L, 자궁경부 ureaplasma(+)소견이었다. 병원 방문전 개인의원에서 베타메타손을 24시간 간격으로 2회 근육 주사를 시행하였다. 초음파 검사상 태아는 둔위였고, 태아크기는 임신 24주 크기 686 g (6 percentile), 양수지수는 8.9 cm이었다. 환자는 두통이 지속되고 있다.

질문 5-1. 이 환자는 응급제왕절개 수술을 계획하고 있다. 제왕절개를 위한 적절한 혈소판 수치 기준은?

해설 5-1. 혈소판 수혈은 임신부 혈소판 50,000/uL 미만이거나 범발성 혈액응고장애(DIC)가 의심될 때 가끔 필요하다. 그러나, 혈소판 수혈 후, 혈소판 파괴가 빠르게 진행되므로, 수혈 효용성은 낮다. 그러므로, 혈소판 수혈은, 활성 출혈을 동반한 혈소판 감소증 환자에게 사용한다. 제왕절개술을 하는 경우 혈소판 수치가 50,000-75,000/uL 이상 유지 위해 수혈을 권한다.

질문 5-2. 임신 중 혈소판 감소의 원인은 어떠한 것이 있는가?

해설 5-2. 임신 중 혈소판 감소의 원인

1) Gestational thrombocytopenia
2) Preeclampsia and HELLP syndrome
3) Obstetrical coagulopathy-DIC, MTP
4) Immune thrombocytopenic purpura idiopathic thrombocytopenic purpura, ITP)
5) SLE and APAS
6) Infection-viral and septic syndrome

7) Drug

8) Hemolytic anemia

9) Thrombotic microangiopathies

10) Malignancies

경과

환자는 임신 28주 1일에 혈소판(platelet concentrates) 8units 수혈 후, 제왕절개술로 630 g 남아를 분만하였다. 임산부는 제왕절개 분만 후 10일째, Hb 10.0 g/dL, Hct 29.9%, MCV 97.1, Platelet 203,000/μL, WBC 6,800/μL로 호전되었고, 수술 후 1일째부터 AST/ALT 63/57 IU/L, 수술 후 5일째 AST/ALT 37/30 IU/L으로 호전되었다.

참고 문헌 ···

1. 대한산부인과학회. 산과학. 6th edition. 군자출판사; 2019. p 905-906

2. ACOG Practice Bulletin No. 207 : Thrombocytopenia in pregnancy. Obstet Gynecol 2019;133:e181-93.

3. F. Gary Cunningham, Kenneth J. Leveno, Steven L. Bloom, Jodi S. Dashe, Catherine Y. Spong, Barbara L. Hoffman, Brian M. Casey, Catherine Y. Spong., Williams Obstetrics 25th McGraw-Hill Education;2018. p 1077. p1086-1087

4. HS Lee, HJ Lee. General Anesthesia for Cesarean Section of a Parturient with Aplastic Anemia Refractory to Platelet Transfusion. Anesth Pain Med 2007;2:242-45.

5. JE Chung, YW Park, YW Coe. A proposal for the proper management of thrombocytopenia in pregnancy based on 10 years of experience. Obstet Gynecol 2000;43:237-42.

6. Teratogenic information service: prednisolone. www.micromedexsolutions.com.

hapter 25

임신성 당뇨병

모체태아의학

25

임신성 당뇨병

김문영(차의과학대)
성원준(경북의대)

01

임신성 당뇨병의 진단과 치료(기본)

31세 산과력이 0-0-0-0인 초임부가 임신 25주에 50 g 경구당부하검사 결과 175 mg/dL로 측정되었다. 산모는 당뇨에 관한 과거력이나 가족력이 없었다. 태아 초음파 결과 태아는 두정위이고 양수지수는 14, 태아 예측체중은 840 g (50 백분위수)이고 태아심박동은 140회/분이었다.

질문 1-1. 다음 단계의 진단은?

해설 1-1. 50 g 경구당부하검사는 임신 24-28주에 임신성 당뇨병의 선별검사로 사용되며 검사양성 기준치는 일반적으로 140 mg/dL을 사용하나, 130 mg/dL을 사용하기도 한다. 미국당뇨병학회와 미국산부인과학회에서는 선별검사 양성의 기준치를 둘 다 사용할 수 있도록 하고 있다. 이 산모에서는 175 mg/dL이므로 검사 양성으로 2단계 검사인 100 g 경구당부하검사를 시행하여야 한다. 미국당뇨병학회에서는 100 g 경구당부하검사 대신 75 g 경구당부하검사를 사용할 수도 있다고 한다. 하지만 미국산부인과학회에서는 100 g 경구당부하검사를 권고하고 있으며 진단의 기준은 Carpenter Coustan 기준이나 NDDG 기준을 따라 결정한다.

경과

3일 후 이 산모에서 시행한 100 g 경구당부하검사 결과는 110-190-175-160 mg/dL으로 측정되었다.

질문 1-2. 이 산모에서의 치료는?

해설 1-2. Carpenter Coustan (95-180-155-140) 기준이나 NDDG 기준(105-190-165-145) 가운데 어느 것을 사용하더라도 최소 2개 이상의 비정상 수치가 확인되므로 임신성 당뇨병 으로 진단된다. 임신성 당뇨병의 1차 치료는 식이요법, 운동요법 및 지속적인 혈당조절이다. 미국당뇨병학회에서는 모든 임신성 당뇨병 환자는 정식 영양사에게 상담을 받고 체질량지수 에 따른 개별화된 식이요법을 권고하고 있다. 탄수화물 40%, 단백질 20%, 지방 40%의 탄 수화물 제한식이는 식후 혈당을 개선시켜 태아의 과도한 성장을 예방한다. 낮은 당지수를 가진 복합 탄수화물 섭취가 더 유리하며 하루 3끼의 식사와 2끼의 간식을 고려한다. 열량을 너무 제한하면 케톤산증을 유발하여 태아 뇌발달에 영향을 줄 수 있으므로 주의한다. 운동 은 인슐린 저항을 개선하므로 하루 30분 이상의 유산소 운동을 주 5회 이상 하거나 1주에 150분 이상하는 것을 목표로 한다. 하루 10-15분 정도의 걷기와 같은 단순 운동도 혈당 조 절에 도움이 된다. 혈당의 측정은 일반적으로 하루 4회(공복 1회, 식후 3회) 측정을 권고하고 혈당 조절 정도에 따라 조절한다. 식후 1시간 혹은 2시간에 혈당을 측정하는 것은 어느 것 을 선택하더라도 예후에 큰 차이는 없다.

경과

이 임신부는 현재 체중이 60 kg으로 영양 상담 후 1,800kcal의 식단을 규칙적으로 섭취하고 하루 30분 이상의 걷기 운동을 매일 시행하였다. 또한 하루 4차례 혈당을 측정하여서 임신 26주 5일에 방문하였다. 아침 공복혈당 105-115 mg/dL, 식후 2시간 혈당 110-120 mg/dL 정도로 꾸준히 측정되었다.

질문 1-3. 이 임신부에게 추가적인 치료는?

해설 1-3. 임신성 당뇨병의 혈당 조절의 목표는 공복혈당 95 mg/dL 이하, 식후 1시간 혈당 140 mg/dL 이하, 식후 2시간 혈당 120 mg/dL 이하이다. 식이 및 운동 요법에도 지속적으 로 이 수치가 넘는 경우 약물치료를 고려하여야 한다. 경구용 혈당 강하제의 경우 미국 FDA 의 승인을 받지 않았고 태반을 통과하여 태아에 관한 안전성이 완전히 입증되지는 않아 일 반적으로 인슐린 주사 요법을 사용한다. 이 임신부와 같이 아침 공복혈당만 높은 경우에는 자기전에 NPH와 같은 중간성 인슐린만으로 치료가 된다. 식후 혈당만 높은 경우에는 식전

속효성 인슐린을 사용한다. 이 임신부는 밤 10시 8단위의 NPH를 매일 피하 주사하였고 임신 28주 5일에 외래에서 혈당을 확인하였을 때 아침 식전 공복혈당 75–85 mg/dL, 식후혈당 110–120 mg/dL로 비교적 잘 유지되었다.

02 분만시기 및 신생아 예후(기본)

34세 산과력이 2–0–0–2인 다분만부가 임신 25주에 시행한 50 g 경구당부하검사 결과 153 mg/dL여서 3일 후 100 g 경구당부하검사를 시행하였다. 결과는 각각 98–198–160–155 mg/dL였다. 임신성 당뇨병으로 진단받고 식이조절과 운동요법으로 혈당 관리를 하였다. 공복 혈당은 80–90 mg/dL, 식후 2시간 혈당은 105–120 mg/dL로 지속적으로 유지되었다. 임신 32주에 시행한 태아 초음파 결과 태아는 두정위, 예측체중은 1,930 g (50 백분위수), 양수지수는 13이고 산모는 태동을 활발하게 느끼고 있었다. 산모는 기존의 2차례 임신에서 임신성 당뇨병을 진단받은 적은 없고 모두 만삭에 자연분만하였다.

질문 2-1. 추가적으로 필요한 검사는?

해설 2-1. 임신성 당뇨병은 공복 혈장 혈당값 및 인슐린 필요 여부에 따라 A1, A2로 구분되고, 공복 혈장 혈당이 105 mg/dL 이상인 경우(A2) 인슐린 투약을 필요로 한다. 인슐린 투약 없이 혈당이 잘 조절되는 A1형 임신성 당뇨병의 경우에는 사산의 위험이 별로 증가하지 않으므로 일관되고 적극적인 태아감시는 요구되지 않고, 각 기관의 방침에 따라 태아감시를 시행하도록 하고 있다. Parkland 병원에서는 임신 3분기의 A1형 임신성 당뇨병 산모에게 매일 태동 횟수를 세도록 권유하고 있다. 이 경우는 인슐린 투약 없이 혈당관리가 잘 되는 A1형 임신성 당뇨병 산모이므로 매일 태동을 스스로 확인하고 필요한 경우 비수축 검사등의 추가 검사를 시행하면 되겠다. 즉 인슐린을 필요로 하지 않는 임신성 당뇨병인 경우 비수축 검사를 시작하는 시기는 정상 임신과 같다.

경과

이 산모가 36주에 유도분만 상담을 위해 왔다. 태동은 잘 느껴지지만 임신성 당뇨병으로 인한 태아의 큰몸증을 염려하여 좀 이른 시기에 유도분만을 원하였다. 태아 초음파 검사결과 두정위, 예측체중은 2,680 g (50 백분위수), 양수지수는 11 cm이었다.

질문 2-2. 분만시기와 방법은?

해설 2-2. A1형 임신성 당뇨병 산모에서는 다른 적응증이 없다면 임신 39주 이전에 유도분만을 해서는 안 되고 산전 태아감시가 적절한 경우에는 임신 40주 6일까지 진통을 기다릴 수 있다. 반면 A2형 임성 당뇨병의 경우에는 임신 39주에서 임신 39주 6일 사이의 분만이 권고되지만 혈당조절이 안 되거나 다른 합병증이 동반된 경우 더 이른 분만을 고려할 수 있다. 당뇨병 임신의 경우 분만 시기는 논란이 있지만 Parkland 병원에서는 임신 38주 경에 분만을 권하고 있다. 이 경우 태아 예측체중이 4,500 g 이상인 경우 제왕절개술이 고려될 수 있다.

경과

이 산모는 유도분만을 시행하지 않고 매주 외래 추적 진료를 하였고, 임신 40주 1일에 3,250 g 남아를 자연분만하였다. 신생아는 1분 및 5분 아프가점수 8/9점이고 태아제대동맥 pH 7.342였다. 신생아는 출생 직후 시행한 혈당 검사에서 25 mg/dL 소견을 보여 3일간 입원하여 수액요법 등의 보존적 치료를 시행한 후 퇴원하였다.

질문 2-3. 추가로 발생할 수 있는 신생아 합병증은?

해설 2-3. 큰몸증으로 출생하는 경우에는 50% 이상에서 신생아 저혈당이 나타나지만 임신 중 혈당조절이 잘 된 경우에는 5-15%에서만 신생아 저혈당이 나타난다. 그 외에 저칼슘혈증, 저마그네슘 혈증이 발생할 수 있지만 대개 증상이 없고 치료없이 회복된다. 당뇨병 임신의 경우에는 신생아에서 고빌리루빈혈증이나 심한경우 심근병증이 나타날 수 있고, 장기적으로 비만, 당뇨와 같은 대사성 질환의 위험이 증가한다.

03

내당능저하와 다낭성난소증후군의 관리(심화)

36세 산과력이 0-0-0-0인 환자가 2년간의 난임으로 임신을 원하여 왔다. 아버지가 당뇨 합병증으로 사망한 가족력이 있다. 생리 주기는 35-40일 간격이고, 골반 초음파 소견에서 다낭성난소증후군으로 진단되었다. 첫 진찰 시 당화혈색소 6.2%, 공복 114 mg/dL, 식후 2시간 혈당 118 mg/dL이었다.

질문 3-1. 이 경우 진단은?

해설 3-1. 다낭성난소증후군을 동반한 공복혈당장애(Impaired Fasting Glucose)

다낭성난소증후군은 고인슐린혈증과 인슐린저항성을 동반한 내당능장애를 나타낸다. 다낭성난소증후군은 제2형 당뇨병과 연관이 있다. 이 경우는 당뇨병의 가족력으로 제2형 당뇨병의 가능성이 높아지기 때문에 임신을 하게 되는 경우 임신 중 임신성 당뇨병의 위험율이 높아 이를 감안하여 관리해야 한다.

질문 3-2. 이 경우 도움이 되는 약처방은?

해설 3-2. Metformin

다낭성난소증후군에서의 Metformin의 약물 기전은 인슐린 감수성을 증가시켜 간에서의 포도당 생성을 줄이고, 비정상적인 LH/FSH의 정상화, 비만 여성에서의 체중 감소의 효과를 가져온다. 또한 임신 초기의 유산의 위험을 감소시킨다.

경과

이 환자는 임신 전 상담을 하고 1년 후 자가 임신테스트로 임신 6주에 방문하여 6주에 맞는 임신낭과 분당 124회의 심박동을 가진 태아를 초음파로 확인하였다.

질문 3-3. 가장 먼저 해야 할 검사는?

해설 3-3. 당화혈색소를 검사하여 6.0% 미만으로 유지하게 해야 하며, 임신성 당뇨병을 선별하기 위해 첫 진찰 시 50 g 경구당부하검사를 실시한다. 이때 128 mg/dL로 정상이 나와 24주에 재검하기로 하였다.

경과

24주 50 g 경구당부하검사를 재검하여 156 mg/dL로 나와, 100 g 경구당부검사 실시하였고 결과, 98-190-163-145 mg/dL였다.

질문 3-4. 이 경우 진단과 적절한 혈당조절을 위한 치료는?

해설 3-4. 임신성 당뇨병, A1으로 공복혈당은 95 mg/dl 이하, 식후 1시간 혈당은 140 mg/dl 이하 또는 식후 2시간 혈당은 120 mg/dl 이하를 유지하도록 하루 4번의 자가혈당 측정을 교육하여야 한다(표 25-1).

표 25-1 임신 중 당뇨병의 분류

임신성 당뇨병(gestational diabetes)
A1 공복 혈장 혈당 <105 mg/dL, 치료: 식이요법
A2 공복 혈장 혈당 ≥105 mg/dL, 치료: 인슐린
당뇨병 임신(pregestational diabetes)

1. 제1형 당뇨병
 a. 혈관 합병증이 없는 경우
 b. 혈관 합병증이 있는 경우
  (다음 중 한 가지라도 있는 경우: 고혈압, 망막병증, 신병증, 신경병증, 심혈관성 질환)
2. 제2형 당뇨병
 a. 혈관 합병증이 없는 경우
 b. 혈관 합병증이 있는 경우
  (다음 중 한 가지라도 있는 경우: 고혈압, 망막병증, 신병증, 신경병증, 심혈관성 질환)

우선 식이요법을 위한 영양상담을 하여, 개별적 체중에 맞춘 1일 칼로리 처방, 탄수화물 40%, 단백질 20%, 지방 40% 정도의 양으로 3끼의 식사, 2번의 간식을 기본으로 식단을 준비한다.

경과

본 임신부는 임신 28주 공복혈당이 지속적으로 약 105-110 mg/dL으로 유지되고, 식후 1시간 혈당이 120 mg/dL 이하로 유지되고 있다.

질문 3-5. 이 경우 치료는?

해설 3-5. 공복 혈당만 높은 경우, 자기 전에 NPH와 같은 중간성 인슐린을 처방하여, 공복 혈당이 95 mg/dL 이하로 유지되도록 NPH 용량을 맞춘다.

경과

본 임산부는 28주 이후 인슐린으로 혈당조절 비교적 잘 되어 39주에 3.2 kg의 건강한 아기를 정상분만 하였다.

질문 3-6. 임신성 당뇨병의 추적을 위해 출산 후 언제 어떤 검사를 하여야 하나?

해설 3-6. 출산 후 4-12주 사이 공복혈당 또는 75 g 경구당부하검사를 하여 당뇨병, 내당능장애, 정상으로 판정한다(표 25-2).

경과

본 임신부는 출산 6주 75 g 경구당부하검사를 하여 162 mg/dL, 당화혈색소 6.0%로 나왔다.

질문 3-7. 이 경우의 진단은?

해설 3-7. 내당능저하로 진단하고 체중감소 및 식이요법, 운동요법을 처방한다. Metformin 처방도 고려할 수 있다. 일년에 한 번씩 혈당 체크를 받아 제2형 당뇨병으로 발전하는 것을 진단하여야 한다.

표 25-2 임신성 당뇨병 임신부의 출산 후 경구당부하검사

	정상	내당능장애	당뇨병
공복 혈당	<110 mg/dL	110–125 mg/dL	≥126 mg/dL
2시간 혈당	<140 mg/dL	140–199 mg/dL	≥200 mg/dL
당화혈색소HbA1c	<5.7%	5.7–6.4%	≥6.5%

04 당뇨병 임신과 태아이상(기본)

34세 산과력이 1-0-0-1인 초산부가 소변 임신반응검사 양성으로 왔다. 이전 임신에서 임신성 당뇨병의 병력이 있었고, 분만 후 당뇨병에 대한 검사는 시행하지 않았다. 산모의 체중은 첫번째 임신 때 보다 더 늘었으며(70 kg, 159 cm, BMI 27.7 kg/m²), 이번 임신은 의도치 않게 이루어졌다고 했다. 임신 초기 검사에서 요당 4+가 측정되었다.

질문 4-1. 다음 시행하여야 할 검사는?

해설 4-1. 임신성 당뇨병의 고위험군으로 가능한 빨리 당뇨병 검사를 시행한다(표 25-3).

표 25-3 임신성 당뇨병의 위험도에 따른 선별검사법

저위험군: 다음 모두를 만족할 경우에는 당부하 검사를 필요로 하지 않는다.

임신성 당뇨병의 유병률이 낮은 민족
1차 직계가족에 당뇨병이 없는 경우
25세 미만
임신 전 체중이 정상인 경우
출생 시 정상체중인 경우
당대사 이상의 병력이 없는 경우
불량한 산과적 병력이 없는 경우

중등도 위험군: 임신 24-28주 사이에 다음 중 한 가지 당부하 검사를 시행한다.

2단계 검사법: 50 g 경구당부하 검사 후 양성으로 나오면 100 g 경구당부하 검사
1단계 검사법: 75 g 경구당부하 검사

고위험: 다음 중 한 가지 이상이 있을 경우 임신진단 후 가능한 빨리 경구당부하 검사를 시행한다.

고도비만
2형 당뇨병의 가족력
임신성 당뇨병, 내당능장애, 또는 요당의 과거력
경구당부하 검사에서 임신성 당뇨병이 진단되지 않으면 다시 24-28주에 재검하거나, 고혈당의 증상이나 징후가 보이면 바로 재검한다.

표 25-4 당뇨병임신의 진단

혈당 측정	기준치
공복 혈당	7.0 mmol/L (126 mg/dL) 초과
당화혈색소(HbA1c)	6.5% 초과
무작위 혈당치	11.1 mmol/L (200 mg/dL) 초과하면서 다음, 다뇨, 원인불명의 체중감소의 당뇨병의 전형적인 증상과 징후가 있는 경우

경과

임신부는 50 g 경구당부하 검사를 시행하였고, 300 mg/dL이 측정되었다. 100 g 경구당부하 검사에서 190-369-337-283 mg/dL가 측정되었다. 당화혈색소는 9.4%로 임신부는 당뇨병 임신으로 진단되었다(표 25-4).

질문 4-2. 치료는?

해설 4-2. 임신부와 태아 모두의 건강을 위해 적극적으로 혈당관리를 하여야 하며, 이를 위해 식이요법, 운동요법, 약물요법을 병행하도록 한다.

식이요법

입원하여 영양사에게 상담을 받고 체질량지수에 따른 개별화된 식이요법을 처방받는다. 식이요법의 목표는 임신부와 태아에 필요한 영양을 공급하면서 정상 혈당을 유지하고 기아에 의한 케톤산증(ketoacidosis)을 예방하며, 적절한 체중증가를 하는 데 있다(복합섬유질, 고섬유질 탄수화물40-50%, 단백질 15-30%, 불포화지방 20-35%).

운동요법

운동은 인슐린 저항성을 줄여주고, 혈당 조절 능력을 개선하며 체중조절에 영향을 주므로 반드시 운동할 것을 권유한다. 매끼 식사 후 최소 10분 정도 빠르게 걷거나 앉아서 팔운동을 하는 것이 좋으며 하루 30분 정도가 적당하다.

약물요법

인슐린의 적절한 치료용량을 결정하고, 혈당측정법 등에 대해 교육을 받도록 한다. 평균적으로 인슐린은 임신 1분기에 0.7-0.8units/kg/day, 2분기에 0.8-1.0units/kg/day, 임신 3분기에 0.9-1.2units/kg/day를 필요로 한다. 처음 시작할 때 용량을 나누어서 투여하며 인슐린제제의 작용시간을 고려하여 사용하도록 한다. 예를 들어 공복과 식후 고혈당이 모두 있으면 중간성 인슐린과 속효성 인슐린을 단독으로 투여하거나 복합으로 투여하며, 시작 용량에 관계없이 하루 중 혈당이 조절되는 정도와 시기에 따라 지속적으로 인슐린 용량을 조절해야 한다.

표 25-5 자가혈당측정 시 목표 혈당치

혈당	값(mg/dL)
공복	≤95
식후 1시간	≤140
식후 2시간	≤120

경과

혈관합병증 관련 검사를 시행하였고, 이상소견은 없었다. 다회인슐린요법이 시작되었고 자가로 혈당체크를 하면서 인슐린 용량을 조절하였다. 인슐린 요구량을 조절하기 위해, 임신 1,2 분기에는 1-2주에 한번씩 기록한 혈당을 확인하고, 24-28주 이후에는 매주 혈당을 확인하였다. 선별검사(integrated test)에서는 저위험군으로 나왔으며, 임신 2분기에는 당화혈색소가 5.7로 조절되기 시작하였다. 정밀 초음파에서 심장의 심방중격결손(atrial septal defect, ASD), 심실중격결손(ventricular sepatal defect, VSD)이 의심되었다(그림 25-1). 그 외 구조적 기형은 산모의 비만과 태아의 자세로 초음파 시야가 좋지 못해 확인하기 어려웠다.

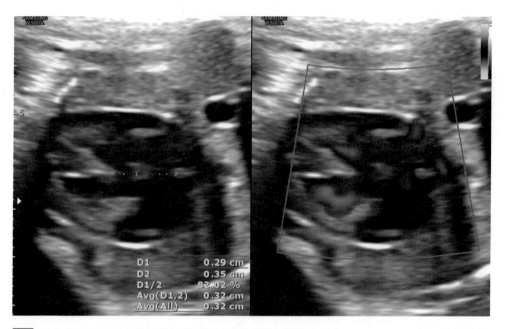

그림 **25-1** 임신 22주경에 시행한 정밀 초음파에서 발견된 심장의 심방중격결손(atrial septal defect, ASD), 심실중격결손(ventricular sepatal defect, VSD) 의심소견

임신 3분기가 되면서 큰몸증(macrosomia) 및 양수과다(polyhydramnios) 소견을 보이기 시작했다. 이때 당화혈색소 6.2, 식전 공복혈당 100대 초반, 식후 2시간 130-150으로 인슐린 용량을 증량하였지만 조절이 되지 않았다(표 25-5). 산모는 이후에도 당조절이 잘 이루어지지 않아 비수축검사를 1주에 2번씩 하면서 경과를 보던 중 37주 3일에 유도분만을 시행하였다. 분만 진통 중 모체 혈당 수준이 신생아 저혈당 위험과 밀접한 연관이 있기 때문에 다음과 같이 인슐린을 조절하며 진통과 분만을 진행하였다(표 25-6).

표 25-6 진통 및 분만 시 인슐린 처치

진통 및 분만 시 인슐린 처치

자기 전 평상시 용량의 중간작용인슐린(intermediate acting insulin)을 투여한다.

아침에 주어야 하는 인슐린은 생략한다. 생리식염수 정주를 시작한다.

활성기가 시작되거나 혈당이 70 mg/dL로 떨어지면, 생리식염수에서 5% 포도당으로 교체하고 100-150 cc/hr (2.5 mg/kg/min)으로 주어 혈당이 약 100 mg/dL가 유지되게 한다.

인슐린 적적량 조절과 포도당 주입율을 조절하기 위해 혈당은 1시간마다 측정한다. 속효성 인슐린 (short-acting regular insulin)은 혈당이 100 mg/dL 초과하면 1.25 U/h로 정주하도록 한다.

아기는 남아, 3,710 g (91 백분위수)으로 1분 아프가 점수(Apgar score) 7, 5분 아프가 점수 9 점이었으며, 분만당시 견갑난산(shoulder dystocia)으로 인한 쇄골골절(clavicle fracture)이 발 생하였다(그림 25-2). 또한 오른쪽 엄지손가락 합지증(syndactyly)이 4번째 5번째에서 심기 형 외에 추가로 확인되었다(그림 25-3).

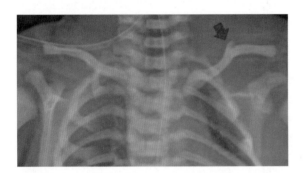

그림 25-2 쇄골골절

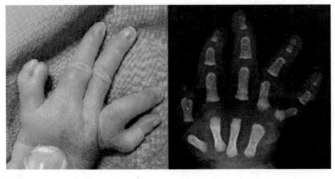

그림 25-3 오른쪽 엄지손가락 합지증과 4,5번째 합지증

분만 후 방문한 산모에게 임신계획을 확인하였다. 당뇨병 임신 여성에서 임신 전, 임신 초기

의 혈당 조절이 태아의 선천성 기형의 위험성을 결정하게 되므로 이후 임신계획이 있다면, 혈당조절이 잘 이루어지는 상태에서 임신을 해야 함을 강조하고, 이때까지는 피임을 하여야 함을 교육하였다.

05
Maternal-fetal medicine

당뇨병을 가진 여성의 임신 전 상담(기본)

34세 산과력이 0-0-0-0이고, 22세 당뇨병 진단을 받아 현재 인슐린 치료를 받고 있는 환자가 임신 전 상담을 위해 왔다.

질문 5-1. 우선적으로 해야 할 검사는?

해설 5-1. 당화혈색소, 공복 혈당, 식후 1시간 또는 2시간 혈당

당화혈색소는 임신 전 혈당 조절의 적정성을 평가하기 위한 검사이다. 6.5% 미만을 유지하도록 추천한다. 당화혈색소가 6.5% 미만인 경우는 당뇨병이 없는 임신과 태아기형의 빈도가 비슷하나, 10%가 넘으면 태아기형의 빈도가 4배 증가한다.

혈당 목표는 공복 95 mg/dL 이하, 식후 1시간 혈당 140 mg/dL 이하, 식후 2시간 혈당 120 mg/dL 이하이다.

질문 5-2. 권장해야 할 영양제는?

해설 5-2. 당뇨병 임신은 엽산 복용을 권장하여야 한다. 용량은 0.4 mg을 권장하는 경우도 있고(미국산부인과학회) 고용량인 4 mg을 권장하기도 한다(영국과 캐나다산부인과학회).

질문 5-3. 그 밖에 검사해야 할 항목은?

해설 5-3. 망막혈관을 통해 기저혈관 질환을 위한 검사, 24시간 뇨 단백량과 크레아티닌 청소율, 심전도 검사를 하여 혈관질환에 대해 확인한다.

06

당뇨병 임신의 산전관리 및 분만(심화)

32세 산과력이 1-0-0-1인 초산부가 산전초음파로 임신 6주로 이미 진단받고 왔다. 임신부는 18세에 발병한 당뇨병의 과거력이 있었다. 첫 진찰에서 초음파로 6주 크기의 임신낭과 분당 124회의 심음을 가진 3 mm의 태아를 확인하였다.

첫 진찰 시 혈압 140/90 mmHg, 당화혈색소는 8.1%, 방문 전 측정한 자가 공복혈당 101 mg/dL, 식후 1시간 혈당 162 mg/dL였다.

질문 6-1. 진단은?

해설 6-1. 당화혈색소, 공복 혈당, 식후 1시간 또는 2시간 혈당

임신 중 당뇨병은 크게 임신성 당뇨병과 당뇨병 임신으로 크게 나뉠 수 있다. 이 경우는 임신 전에 당뇨병 진단이 된 경우이고 발병 시기와 고혈압 동반으로 혈관 합병증이 있는 1형 당뇨병으로 진단한다. 혈관 합병증은 고혈압, 망막병증, 신병증, 신경병증, 심혈관성 질환 중 하나라도 있는 경우에 진단한다. 이 경우 고혈압을 동반하고 있어 임신 경과 중 태반부전으로 인한 자궁내 발육제한의 가능성을 예측하고 산전관리를 하여야 한다.

질문 6-2. 이 임신부에서의 임신 중 당화혈색소와 혈당 목표치는?

해설 6-2. 당화혈색소는 6%를 넘지 않도록 조절해야 하며, 공복혈당은 95 mg/dL 이하, 식전 혈당은 100 mg/dL 이하, 식후 1시간 혈당은 140 mg/dL 이하, 식후 2시간 혈당은 120 mg/dL 이하, 새벽 2-6시 사이는 60-90 mg/dL 정도로 저혈당에 빠지지 않도록 하는 것이 중요하다.

질문 6-3. 임신 중 관리 시 반드시 검사해야 할 항목은?

해설 6-3. 기본적 임신 혈액검사 외에도 안저 검사, 신장기능 검사, 갑상선기능 검사, 소변배양 검사를 추가적으로 실시한다. 특히 본 임신부의 혈압이 상승되어 있기 때문에 혈관합병증을 의심해야 한다. 또한 입덧이 심한 임신초기에는 케톤산증을 배제하기 위해 소변검사로 케톤뇨증이 있는지도 확인해야 한다. 이 경우 당화혈색소가 8.1%로 상승되어 있어 신경관 결손과 같은 태아 기형의 빈도가 15%까지 증가할 수 있으므로, 16-18주 사이 신경관 결손

선별을 위한 모체혈청당단백검사(α-fetoprotein, AFP)를 반드시 시행해야 한다. 당뇨병임신인 경우 모체혈청당단백값이 정상임신에 비해 80% 정도로 감소하기 때문에 MoM 수치 계산 시에 정보를 정확히 입력해야 한다. 태아심장기형의 빈도가 높기 때문에 20주경 태아심장초음파를 실시한다.

질문 6-4. 임신 중 태아의 성장과 안녕검사를 위한 계획은?

해설 6-4. 20주경 태아의 기형 유무를 알기 위한 정밀초음파를 시작으로 4주 간격으로 태아의 성장을 평가하기 위한 초음파를 한다. 당뇨병이 합병된 임신인 경우 큰몸증을 유의하여 보아야 한다. 그러나 이 경우는 임신부 고혈압이 있어 혈관합병증으로 인한 자궁내 발육제한의 가능성을 염두에 두고 도플러 검사도 추가적으로 시행한다.

혈당조절이 잘 될지라도 32주부터 비수축검사를 시작한다. 일주일에 두 번씩 할 것을 권고한다. 그러나 이 경우 임신부의 혈압상승으로 혈관합병증이 의심되기 때문에 28주부터 비수축검사를 하는 것이 바람직하다. 임신 3기부터는 매일 태아태동을 측정하도록 한다.

경과

35주부터 혈압이 160/110 mmHg, 1+ 단백뇨가 동반되었고, 임신 36주 시행한 초음파에서 예측 태아 몸무게가 2.0 kg로 10 백분위수, 양수지수 4 cm, 비수축검사에서 무반응성, 심박동간 변이 감소 결과로 나와 응급제왕절개하였다.

07

당뇨병성 케톤산혈증(심화)

37세 산과력이 1-0-1-1인 초산부가 임신 30주 2일에 자궁내 태아사망(fetal death in uterus, FDIU) 및 의식 저하를 주소로 전원되었다. 4-5일 전 명치 불편감이 있었으나 태아가 자라면서 생기는 증상이라 생각하고 경과를 보던 중 하루 전 조기진통 있어 개인의원에서 자궁수축억제제를 투여하였고, 그 후 1시간 뒤 호흡곤란이 있어 감량하였으나 진통 정도 심해져서 다시 증량 후 호흡곤란 및 의식저하 소견 보였다고 한다. 이때 시행한 태동검사에서 태아사망을 확인하였다. 산모는 산전검사에서 특이소견 없었으며, 당뇨에 관한 과거력이나 가족력은 없었다. 50 g 한 시간 경구당부하검사 결과는 111 mg/dL로 정상이었다.

이학적 소견

키 158 cm, 몸무게 52 kg(임신 전 체중 48 kg)
혈압 138/51 mmHg, 맥박수 118회/분, 호흡수 31회/분, 체온 36.6℃

검사실 소견

백혈구(WBC) 36,950/uL, 혈색소(Hb) 13.6 g/dL, 혈소판(platelet) 365,000/uL

나트륨/칼륨(Na/K) 118/6.6 mmol/L

알부민(albumin) 4.5 g/dL,
간기능검사(asparate aminotransferase/ alanine aminotransferase, AST/ ALT) 30/13U/L

신장기능검사 요소질소/크레아티닌 (Bun/Creatinine) 18.1/1.1 mg/dL

혈장 당 820 mg/dL,

혈장 케톤 15206.9 umol/L, 아밀레이즈(amylase) 138 U/L, 리파아제(lipase) 140 U/L

소변검사 요당 4+, 케톤 3+, 단백뇨 2+,

동맥가스검사
산성도(pH) 7.059 이산화탄소분압(pCO2) 10.7 mmHg 산소분압(PO2) 125.5 mmHg 중탄산염(bicarbonate) 8.1nmol/L

당화혈색소(Hemoglobin A1c, HbA1c) 5.7%

공복 C-peptide 0.05
항 GAD 항체(glutamic acid decarboxylase (GAD) antibody) 음성
인슐린 자가항체(insulin autoantibody) 음성
췌도세포 자가항체(islet cell antibody) 음성

질문 7-1. 진단은?

해설 7-1. 당뇨병성 케톤산증(diabeteic ketoacidosis, DKA)으로 진단하였다. 이전 임신성 당뇨병의 이력이 없고, 특별한 가족력이 없음에도 불구하고 발생한 경우로, 조기진통의 치료를 위해 사용한 Beta-mimetic drugs 계통의 자궁수축억제제로 인해 유발되었을 것으로 생각되었다. 당뇨병성 케톤산증은 당뇨병 임신의 5-10%에서 관찰되는 생명을 위협하는 응급 상황이다. 절대적 또는 상대적 인슐린 결핍에 의해 발생하기 때문에, 1형당뇨병 임신 환자에서 가장 일반적으로 관찰되지만, 2형당뇨병 임신 환자에서도 볼 수 있다. 증가된 인슐린 저항성으로 인해 임신 중 당뇨병성 케톤산증의 발생률이 높아질 뿐만 아니라, 더 빠르게 발병하고, 덜 심한 수준의 고혈당증에서 심지어 정상적인 혈당에서도 발병하는 경향이 있다. 당뇨병성 케톤산증은 심한 입덧, Beta-mimetic drugs 계통의 자궁수축억제제, 독감이나 요로감염과 같은 감염성 질환, 태아 폐성숙을 위한 스테로이드, 인슐린 펌프 오작동 등에 의해 발생할 수도 있다. 임신 중 발생하는 당뇨병성 케톤산증의 특징적인 임상양상에는 복통, 구역과 구토, 변화된 의식상태가 있다. 검사에서의 이상소견으로는 동맥혈 산증(<7.3), 낮은 중탄산염(<15 mEq/L), 증가된 음이온차(anion gap), 혈청 케톤 양성 소견이 있다.

제1형당뇨병은 췌장 베타세포의 파괴와 이로 인한 인슐린 분비기능 결핍이 특징인 질환으로 크게 자가면역성 당뇨병(autoimmune: type 1A)과 특발성 당뇨병(idiopathic: type 1B)으로 나누고 있다. 이후 Imagawa 등은 특발성 당뇨병 환자군 중에 새로운 아형으로 전격성 제1형 당뇨병(fulminant type 1 diabetes)을 제안하였으며 ① 급격한 발병, ② 증상 발현이 1주일 이내, ③ 케톤산증과 같은 심각한 대사합병증을 보이며, ④ 췌도 특이 자가항체 음성, ⑤ C-peptide 분비기능 소실, ⑥ 췌장 효소의 상승을 임상특성으로 들었다. 임신 시 발병하는 제1형당뇨병의 경우 대부분이 전격성 제1형 당뇨병이라고 보고하였다.

이환자의 경우는 1주일 이내의 갑작스러운 증상(복부불편감)을 동반한 당뇨병성 케톤산증, 혈장 당 수치 820 mg/dL인 고혈당과 낮은 당화 혈색소 5.7% 낮은 혈청 c-peptide <0.3 ng/mL, 아밀라아제, 리파아제 등 췌장 효소의 상승을 보여 전격성 제1형 당뇨병의 임상특징과 일치한다.

질문 7-2. 치료는?

해설 7-2. 당뇨병성 케톤산증으로 진단하였고 즉시 다량의 수액공급과 인슐린 정주, 혈청 전해질 교정을 시행하였다. 산증 정도의 확인을 위해 동맥가스검사를 측정하였고, 1-2시간 간격으로 혈당, 혈중 케톤, 전해질수치를 측정하였다. 임신종결은 자연스럽게 진행되었다. 치료 후 환자의 증상은 급격히 호전되었다. 산증이 회복된 이후 다회인슐린 요법으로 변경하였다 (표 25-7).

표 25-7 당뇨병성케톤산증의 처치

혈액검사
산증 정도의 확인을 위한 동맥가스검사, 1-2시간 간격으로 혈당, 혈중 케톤, 전해질 수치 측정

인슐린
저용량으로 정주 초기 부하량: 0.2-0.4 U/kg 유지용량: 2-10 U/hr

수액
등장성 염화나트륨(Isotonic sodium chloride) 첫 12시간 내 전체 4-6 L로 교체(replacement) 첫 1시간에 1L를 교체 2-4시간 동안 500-1,000 mL/hr로 정주 80%가 교체될 때까지 250 mL/hr로 정주

포도당
혈당치가 250 mg/dL (14 mmol/L)에 도달할 때까지 생리식염수에서 5% 포도당을 준다.

칼륨
처음 칼륨 수치가 정상이거나 감소되어 있으면 정주속도를 15-20 mEq/hr까지 올릴 수 있다. 증가되어 있다면 정상수치가 될 때까지 기다린 다음 20-30 mEq/L 농도로 수액에 더한다.

중탄산염
산성도가 7.1 미만이면 0.45 생리식염수 1L에 중탄산염 1앰플[ampule (44 mEq)]을 더하여 준다.

참고 문헌

1. American Diabetes Association. Preconception care of women with diabetes. Diabetes Care 2004;27:S76.

2. American Diabetes Association. 2. Classification and Diagnosis of Diabetes: Standards of Medical Care in Diabetes-2019. Diabetes Care. 2019;42:S13-S28.

3. American Diabetes Association. 14. Management of Diabetes in Pregnancy: Standards of Medical Care in Diabetes-2019. Diabetes Care. 2019;42:S165-S172

4. Coustan DR. Delivery: timing, mode, and management. Diabetes in women: adolescence, pregnancy, and menopause. Philadelphia: Lippincott Williams & Wilkins. 2004:433-440.

5. Committee on Practice Bulletins-Obstetrics. ACOG Practice Bulletin No. 190: gestational diabetes mellitus. Obstet Gynecol 2018;131.2:e49-e64.

6. Ghazeeri GS, Nassar AH, Younes Z, Awwad JT. Pregnancy outcomes and the effect of metformin treatment in women with polycystic ovary syndrome: an overview. Acta Obstet Gynecol Scand 2012;91:658-78.

7. International Association of Diabetes and Pregnancy Study Groups Recommendations on the Diagnosis and Classification of Hyperglycemia in Pregnancy. Diabetes Care 2010;33:676-82.

8. Imagawa A, Hanafusa T, Miyagawa J-i, Matsuzawa Y. A novel subtype of type 1 diabetes mellitus characterized by a rapid onset and an absence of diabetes-related antibodies. Osaka IDDM Study Group. N Engl J Med 2000;342:301-7.

9. Langer O, Anyaegbunam A, Brustman L, Guidetti D, Levy J, Mazze R. Pregestational diabetes: insulin requirements throughout pregnancy. Am J Obstet Gynecol 1988;159:616-21.

10. Sibai BM, Viteri OA. Diabetic ketoacidosis in pregnancy. Obstet Gynecol 2014;123:167-78.

내분비 질환

모체태아의학

26

내분비 질환

황종윤(강원의대)
안태규(강원의대)
이세진(강원의대)

01

Maternal-fetal medicine

임신성 일과성 갑상샘중독증(기본)

34세 산과력이 0-0-0-0인 초임부가 임신 9주에 정기 산전진찰을 위해 내원하였다. 산모는 최근 들어 입덧증상이 생기면서 식사량이 평소보다 1/2 정도 줄었으며, 오심 증상이 지속되면서 하루에 1-2차례 구토 증상을 호소하고 있었다. 과거력상 6년 전 갑상샘항진증으로 치료받은 적이 있었다. 신체검진상 안구돌출 및 갑상샘 종대는 관찰되지 않았으며, 혈역학적 징후는 안정적이었다. 금일 시행한 산전 혈액학적 검사의 결과가 다음과 같았다.

WBC 10,700/mm³, Hb 10.4 mg/dL, Hct 35.1% , PLT 250,000/mm³

Glucose 112 mg/dL, Sodium 141 mEq/L (132–146), Potasium 3.4 mEq/L (3.5–5.5),

Chloride 110 mEq/L (99–109), AST 18 IU/L (0–34), ALT 15 IU/L (10–49)

질문 1-1. 추가적으로 시행할 적절한 혈액학적 검사는 무엇인가?

해설 1-1. 임신 중 갑상샘질환을 진단하기 위해서는 갑상샘자극호르몬(TSH)과 유리 티록신4 (free T4)의 측정이 필수적이다. 모든 산모를 대상으로 TSH 선별검사를 해야 하는가에 대해서는 아직도 논란이 있으나, 갑상샘기능이상이 임신 결과 및 태아에 나쁜 영향을 줄 수 있다는 것은 명백하므로 모든 산모에서 첫 산전 진찰 시 갑상샘기능이상의 병력 등을 물어보아 고위험군에 해당되는 산모에서 갑상샘자극호르몬(TSH)을 할 것을 권고하고 있다. 고위험군에는 갑상샘 질환의 개인 병력, 가족병력, 갑상샘질환의 증상 또는 징후, 갑상샘항체 양성, 유산 또는 조산의 병력, 자가면역질환, 30세 이상의 연령 등이 있다. 갑상샘자극호르몬

(TSH)과 유리 티록신(free T4) 중 갑상샘자극호르몬이 가장 믿을 만한 표지자이며, 그 이유는 뇌하수체에 의해 감지되는 갑상샘 호르몬 수치를 간접적으로 반영하기 때문이다. 2011년에 미국 갑상샘 협회(American thyroid association, ATA)에서는 임신 분기별 갑상샘자극호르몬의 정상 범위를 다음과 같이 제시하였는데, 임신 1삼분기 0.1–2.5 mIU/L; 임신 2삼분기 0.2–3.0 mIU/L; 임신 3삼분기 0.3–3.0 mIU/L를 사용할 것을 권고하였다. 그러나 ATA에서 제시한 임신 1분기의 0.1–2.5 mIU/L는 임신 9–12주 산모들의 자료를 바탕으로 나온 결과이며, 이 시기는 임신 중 혈중 베타–사람융모성생식선자극호르몬(ß–Human chorionic gonadotropin, ß–hCG) 농도가 최고점에 도달하고 갑상샘자극호르몬(TSH) 농도가 가장 낮은 시기이므로 이 결과를 임신 초기 특히 임신 8주 이전의 산모에 적용하기에는 무리가 있었다. 따라서 이후에 발표된 임신 중 갑상샘자극호르몬(TSH) 정상범위를 알아본 대규모의 연구에서 1분기의 갑상샘자극호르몬(TSH) 상한선이 ATA 기준인 2.5 mIU/L보다 높게 나와, 2.5 mIU/L를 상한선으로 사용하게 되면 임신 초기 정상 산모들을 갑상샘저하증으로 진단할 수 있다는 우려가 나오게 되었다. 이러한 문제점을 인식해서인지 2017년 ATA는 지역과 인종의 차이가 있으므로 임신 중 갑상샘자극호르몬(TSH) 농도는 기관별, 임신기간별 정상범위를 사용할 것을 권고하였고, 설정되어 있지 않다면, 임신 7–12주에는 4.0 mIU/L를 정상범위의 상한선으로 사용할 것을 권고하였다. 낮은 갑상샘자극호르몬(TSH) 수치와 높은 유리 티록신(free T4) 수치는 현성 갑상샘항진증의 특징이며, 반면 높은 갑상샘자극호르몬 수치와 낮은 유리 티록신(free T4) 수치는 현성 갑상샘저하증의 특징이다. 현성 갑상샘 질환이나 무증상 갑상샘 기능이상에서도 항갑상샘 항체(antithyroid antibody)의 측정을 제안한 적이 있었다. 몇몇 연구진들은 정상 갑상샘 기능을 가진 여성들에서도 항갑상샘 과산화효소 항체(antithyroid peroxidase Ab, TPOAb) 혹은 항갑상샘 글로불린 항체(antithyroglobulin antibodies)가 측정되었다는 점을 들어 임상적 관련성을 가지고 있을 수도 있다고 제시하였다. 하지만 항체 검사 결과가 정상 갑상샘 기능을 가진 여성이나 갑상샘 질환을 가지고 있는 여성에서 치료방침의 변화를 주지 않기 때문에 최근에는 이런 항체들에 대한 기본 검사를 하지 않고 있다.

추가 혈액학적 검사결과는 다음과 같았다.

갑상샘자극호르몬(TSH): 0.03 mIU/L (0.1–4.0 mIU/L)
유리 티록신4 (free T4): 23.6 pmol/L (11.5–22.7 pmol/L)

〈참고〉 임신 중 정상 갑상샘기능검사 기준

	1st Trimester	2nd Trimester	3rd Trimester
갑상샘자극호르몬(TSH) (μIU/mL)	0.1–2.5**	0.2–3.0*	0.3–3.5*
유리 티록신(free T4) (ng/dL)	0.8–1.2	0.6–1.0	0.5–0.8
삼요오드티로닌(T3) (ng/dL)	97–149	117–169	123–162

* 임신 분기별 TSH의 정상범위가 설정되어 있지 않다면, 다음과 같은 범위가 추천된다.
** 미국 갑상샘 협회 2017 가이드라인에서는 기관별, 임신기간별 정상범위가 설정되어 있지 않다면, 임신 7–12주에는 4.0 mIU/L를 정상범 위의 상한선으로 사용할 것을 권고하였다.

질문 1-2. 진단명 및 치료는?

해설 1-2. 임신 초기 여성의 2–15%에서 일시적으로 갑상샘항진증의 생화학적 특징이 관찰될 수 있다. 입덧 증상을 가진 많은 여성들은 비정상적으로 높은 혈청 유리 티록신(free T4) 수치와 낮은 갑상샘자극호르몬(TSH) 수치를 보인다. 이러한 갑상샘 기능 이상은 높은 농도의 ß–hCG 로부터의 갑상샘자극호르몬(TSH) 수용체 자극에 기인한다. 이런 생리적 갑상샘 기능의 항진은 임신성 일시적 갑상샘항진증으로도 알려져 있으며 다태 임신 또는 임신영양모세포병(Gestational trophoblastic disease)과 관련이 있을 수도 있다. 임신성 일시적 갑상샘항진증이 있는 여성은 거의 증상이 없으며, 티오아미드(thioamide) 약물 치료는 도움이 되지 않았으므로 권장하지 않는다. 또한 임신성 일시적 갑상샘항진증은 불량한 임신 결과와 관련이 없다. 입덧 및 갑상샘 기능 검사 이상이 있는 여성의 기대 요법은 일반적으로 임신 1삼분기 후 ß–hCG 수치의 감소와 동시에 혈청 유리 티록신(free T4) 수치의 감소를 초래한다. 그러나, 유리 티록신(free T4)이 정상 수준으로 회복한 뒤 몇 주 동안 갑상샘자극호르몬(TSH) 수준이 억제된 상태로 유지될 수 있다.

경과

4주 뒤 시행한 혈액 검사에는 갑상샘자극호르몬(TSH) 0.3 mIU/L , 유리 티록신4 (free T4) 20.7 pmol/L로 두 검사 모두 정상 범위로 회복되었다.

02 갑상샘항진증(기본)

36세 산과력이 0-0-0-0인 초임부가 임신 7주에 오심과 구토, 전신 쇠약감을 주소로 응급실에 내원하였다. 최근 오심 증상이 너무 심해 식사를 거의 하지 못했고, 2주 가량 1시간 이상 잠을 제대로 자본 적이 없다고 하였다. 환자는 불안감을 호소하였고, 최근 들어 빈맥 및 어지러움 증상도 동반되어 인근 병원에서 수액 치료를 받았으나, 증상의 호전은 없었다. 신체검진상 안구돌출이 의심 되었고, 갑상샘 종대는 관찰되지 않았다. 혈압은 90/60 mmHg, 맥박은 108회로 측정되었다.

WBC 12,100/mm^3, Hb 9.6 mg/dL, Hct 28.1%, PLT 350,000/mm^3

Glucose 92 mg/dL, Sodium 141 mEq/L (132–146), Pottasium 3.4 mEq/L (3.5–5.5)

Chloride 110 mEq/L (99–109), AST 18 IU/L (0–34), ALT 15 IU/L (10–49)

BUN 11.5 mg/dL (9.0–23.0), Cr 0.7 mg/dL (0.5–1.1)

질문 2-1. 추가적으로 시행할 혈액학적 검사는 무엇인가?

해설 2-1. 임신 초기 갑성샘항진증 관련 증상이 있는 경우 대개의 경우 원인 질환은 그레이브스병 또는 임신성 일과성 갑상샘 기능항진증 중 하나이다. 두 질환 모두 증상은 심계항진, 불안, 손떨림, 더위를 못 참는 증상 등으로 유사하며, 혈중 갑상샘자극호르몬(TSH)의 농도가 저하 또는 현저하게 억제되어 있고, 유리 티록신(free T4) 농도가 증가된 특징을 보인다. 그러므로 감별을 위해서는 주의 깊은 병력 청취와 진찰이 중요하다. 과거에 갑상샘질환을 앓은 병력이 없고, 그레이브스병의 임상증상(갑상샘종, 그레이브스 안병증 등)이 없으면 임신에 따른 갑상샘항진증으로 진단할 수 있으며, 임상 증상만으로 모호한 경우에는 항갑상샘자극호르몬수용체항체(anti-thyrotropin receptor antibody, TRAb)의 역가를 측정하여 참고하도록 한다. 결절성 갑상샘종이 동반되었다면 혈중 총 T3 농도의 증가를 확인함으로써 T3 갑상샘중독증(T3 thyrotoxicosis) 여부를 확인할 수 있다. 그레이브스병으로 인한 T3 갑상샘중독증의 진단에도 혈중 총 T3 농도를 측정하는 것이 유용하다.

혈액검사결과 다음과 같았다.

> 갑상샘자극호르몬(TSH): 0.01 mIU/L
>
> 유리 티록신4 (Free T4): 55.6 pmol/L
>
> 티록신3 (T3): 3.63 ng/mL
>
> 항갑상샘자극호르몬수용체항체(anti-thyrotropin receptorantibody, TRAb): positive (2.51)

〈참고〉 임신 중 정상 갑상샘기능검사 기준

	1st Trimester	2nd Trimester	3rd Trimester
갑상샘자극호르몬(TSH) (μIU/mL)	0.1–2.5**	0.2–3.0*	0.3–3.5*
유리 티록신(free T4) (ng/dL)	0.8–1.2	0.6–1.0	0.5–0.8
삼요오드티로닌(T3) (ng/dL)	97–149	117–169	123–162

* 임신 분기별 TSH의 정상범위가 설정되어 있지 않다면, 다음과 같은 범위가 추천된다.
** 미국 갑상샘 협회 2017 가이드라인에서는 기관별, 임신기간별 정상범위가 설정되어 있지 않다면, 임신 7–12주에는 4.0 mIU/L를 정상범 위의 상한선으로 사용할 것을 권고하였다.

질문 2-2. 진단과 치료는 무엇인가?

해설 2-2. 그레이브스병 갑상샘항진증으로 고려되며, 임신 중 그레이브스병의 치료는 항갑상샘제가 주축을 이룬다. 항갑상샘제는 요오드의 유기화과정 및 요오드티로신의 연결과정을 억제함으로써, 갑상샘호르몬 합성을 억제한다. 항갑상샘제의 부작용은 약 3–5%의 환자에서 나타나는데, 대개는 피부발진 등의 알레르기 반응이다. 임신 중 항갑상샘제를 사용하는 데 있어 가장 큰 우려는 이들 약제가 태아의 기형을 유발할 가능성이 있는가 여부이다. 메티마졸(methimazole, MMI)을 복용한 임신부 중 일부에서 메티마졸 배아병증(MMI embryopathy), 즉, 피부무형성증(aplasia cutis), 식도 및 후비공 폐쇄(esophageal and choanal aplasia), 안면 이형성증(dysmorphic facies) 등이 보고되었으며, 물론 이와 같은 현상이 매우 드물기는 하나, propylthiouracil (PTU)를 사용한 환자에서는 전혀 나타나지 않았다는 점과 대비된다. 한편, 최근에 PTU의 간독성이 보고되면서 미국 FDA가 이에 대한 주의를 환기한 바 있으며, 임신 초기 외에는 PTU의 사용을 가능한 자제할 것으로 권고하였다. 단, 메티마졸에 알레르기성 부작용이 있거나 갑상샘 중독발증 치료에서는 PTU를 사용할 수 있다. 실제로 PTU와 연관된 간독성은 사용기간 중 어느 때나 나타날 수 있으므로 정기적으로 간기능검사를 실시하여 정상 여부를 확인하는 것이 필요하다. 임신 중 항갑상샘제 처방의 초기 용량은 갑상샘항진증이 심한 정도에 따라 결정하는데, 대체로 일일 용량 메티마졸 5–15 mg, 카비마졸(carbimazole) 10–15 mg, PTU 50–300 mg으로 적절히 분복하도록 한다.

경과

	10주	14주	18주	26주	30주
갑상샘자극호르몬(TSH)	0.01	0.36	3.93	2.46	2.88
유리 티록신(Free T4)	20.4	10.9	12.7	13.2	13.3
삼요오드티로닌 (T3)	2.25	0.93	1.18	1.54	1.21

PTU 50 mg bid로 치료를 시작하였으며 이후 갑상샘 기능 검사가 호전되면서 임신 14주경부터 50 mg qd로 감량하였으며, 임신 20주경부터는 항갑상샘제 치료를 중단하였다. 이후 출산 때까지 갑상샘 기능은 정상적으로 유지되었다.

03

Maternal–fetal medicine

갑상샘저하증(기본)

34세 산과력이 0-0-0-0인 초임부가 임신 확인을 위해 내원하였다. 초음파상 태아 심박수 확인하였고, 머리엉덩길이(crown-rump length)는 17.1 mm로 임신 8주 3일 정도되는 크기였다. 이 환자는 6년 전 갑상샘과다증(hyperthyroidism)을 진단받고, 방사성요오드(radioactive iodine) 치료를 받았으며, 이후 갑상샘저하증(hypothyroidism)을 진단 받았고, 현재까지 레보티록신(Levothyroxine) 75 μg을 복용 중이었다. 최근 시행한 갑상샘기능검사 결과는 다음과 같았다.

갑상샘자극호르몬(Thyroid stimulating hormone, TSH) 2.50 μIU/mL
유리 티록신(free thyroxine, free T4) 14.5 pmol/L (=1.13 ng/dL)
삼요오드티로닌(triiodothyronine, T3) 0.81 ng/mL (=81 ng/dL)

〈참고〉 임신 중 정상 갑상샘기능검사 기준

	1st Trimester	2nd Trimester	3rd Trimester
갑상샘자극호르몬(TSH) (μIU/mL)	0.1–2.5**	0.2–3.0*	0.3–3.5*
유리 티록신(free T4) (ng/dL)	0.8–1.2	0.6–1.0	0.5–0.8
삼요오드티로닌(T3) (ng/dL)	97–149	117–169	123–162

* 임신 분기별 TSH의 정상범위가 설정되어 있지 않다면, 다음과 같은 범위가 추천된다.
** 미국 갑상샘 협회 2017 가이드라인에서는 기관별, 임신기간별 정상범위가 설정되어 있지 않다면, 임신 7–12주에는 4.0 mIU/L를 정상범 위의 상한선으로 사용할 것을 권고하였다.

질문 3-1. 상기 산모에서 임신 시 레보티록신(Levothyroxine)의 복용과 갑상샘저하증(Hypothyroidism)의 추적관리 어떻게 해야 하는가?

해설 3-1. 임신 중 명백한 갑상샘저하증(hypothyroidism)이나, 증상이 있는 갑상샘저하증은 전체 임신의 0.2–1.2%를 차지하며, 무증상 갑상샘저하증(subclinical hypothyroidism)의 경우 약 2–3%에서 나타난다. 갑상샘저하증의 주요 원인은, 하시모토갑상샘염(Hashimoto's thyroiditis), 수술이나 방사선치료에 의한 갑상샘 융해(ablation) 등이 있다.

레보티록신(Levothyroxine)의 투여는 산모의 갑상샘저하증의 가장 중요한 치료이다. 임산부는 에스트로겐(estrogen)의 생리적 증가, 모체 티록신(Thyroxine, T4)의 태반 수송 및 대사 증가, 갑상샘호르몬의 분포 증가로 인해 티록신결합글로블린(thyroxine–binding globulin, TBG) 수치가 급격히 상승하기 때문에 더 많은 용량이 필요하다. 특히 임신 중 필요한 티록신(Thyroxine, T4) 용량은 약 2–2.4 μg/kg/day이다. 중증 갑상샘저하증(severe hypothyroidism)에서, 첫 며칠 동안에는 갑상샘 바깥의 티록신을 빠르게 정상화하기 위해, 최종 일일 보충 용량의 2배의 티록신용량이 필요할 수 있다.

상기 증례에서와 같이 임신 전에 이미 티록신을 복용한 여성은 일반적으로 평균 1일 복용량을 임신 전 복용량보다 30–50% 증가시켜야 한다. 티록신의 복용량은 방사성요오드(radioactive iodine) 치료, 광범위한 갑상샘수술과 같이 갑상샘이 매우 일부 남아 있는 경우에 갑상샘 조직이 일부 남아 있는 하시모토갑상샘염(Hashimoto's thyroiditis) 환자보다 더 많은 티록신을 요한다.

치료 중이거나 또는 치료되지 않은 갑상샘저하증(hypothyroidism) 또는 반쪽갑상샘절제술(hemithyroidectomy)을 받았거나 방사성요오드(radioactive iodine) 치료를 받은 여성은 임신 중반까지 최소 4주마다 그리고 임신 30주까지는 적어도 한 번 이상 갑상샘자극호르몬(thyroid stimulating hormone, TSH)를 검사해야 한다.

또한 임신을 계획하거나 임신이 의심되는 갑상샘저하증(hypothyroidism)을 가진 여성은 티록신의 용량을 20–30% 증가시켜야 하므로, 의사에게 검사 및 평가를 알려야 한다. 티록신 용량은 갑상샘자극호르몬(thyroid stimulating hormone, TSH)이 2.5 μIU/mL 미만값을 유지하도록 조절해야 하며, 높은 정상 범위에서 유리 티록신(free thyroxine, free T4) 수준을 유지하도록 한다. 갑상샘저하증(hypothyroidism)이 만약 임신 1삼분기 말까지 진단되지 않은 경우, 태아의 인지 능력의 장애를 보일 수 있으므로 조기 진단 및 치료의 중요성을 강조된다.

질문 3-2. 임신 중 갑상샘저하증(hypothyroidism)이 산모와 태아에게 미칠 수 있는 영향은 무엇인가?

해설 3-2. 일반적으로 치료받지 않은 갑상샘저하증(hypothyroidism)은 불임 및 임신 초기 유산과 더욱 연관이 있어, 정상 임신까지 지속되는 경우는 드물다. 임신 기간 중에 발생할 수 있는 합병증으로 임신성고혈압(gestational hypertension), 태반 조기박리(placental abruption), 심부전(heart failure)의 빈도가 증가한다. 또한 드문 합병증으로 점액부종혼수(myxedema coma)이 발생할 수 있는데 사망률이 20%로 높아서 신속한 치료가 필요하다. 증상으로는 저체온, 서맥, 심부건반사의 저하, 의식의 변화가 있고 혈액학적 검사에서 저나트륨혈증, 저혈당, 저산소증, 고이산화탄소증 등이 발생한다. 치료는 대증적 요법을 하면서 갑상샘호르몬을 투여한다. 치료받지 않은 갑상샘저하증에서 태아는 임신 고혈압으로 인한 저체중과 임신 초기 유산과 연관이 있다. 태아 출생 후 신경 및 지능발달이 약간 저하된다는 보고가 있다. 최근 여러 연구에서 갑상샘저하증이 있는 어머니에게서 태어난 아이들이 IQ 점수, 신경심리학적 발달 지표 및 학습 능력의 손상 위험이 상당히 증가했음을 보고하였다. 한 연구에서는 치료받지 않은 갑상샘저하증을 가진 여성에서 태어난 아이들은 건강한 여성과 티록신을 섭취한 여성의 아이의 평균 IQ보다 7점 낮았다. 요오드 결핍이 있는 어머니에게서 태어난 아이들은 세계 IQ에서 평균 10점 이상 낮은 결과를 보였으며 일부는 주의력 결핍 과잉행동 장애를 보였다. 이러한 연구 결과들은 갑상샘저하증을 가진 여성들은 특히 임신 중 적절하게 추적해야 할 필요성을 강조한다.

경과

상기 산모는 임신18주경 갑상샘자극호르몬(thyroid stimulating hormone)이 3.83 μIU/mL으로 증가하는 소견 보여 레보티록신(Levothyroxine) 100 μg으로 증량하여 복용하였으며, 출산 전까지 상기 용량을 유지하였다. 이후 임신 40주 3일에 분만 진행 중 머리골반불균형(cephalopelvic disproportion)으로 인한 난산으로 제왕절개 시행하였다. 이후 환자는 내분비내과 추적관찰 중이며, 출산 후 2개월 후 다시 갑상샘기능검사를 시행하였고, 레보티록신(Levothyroxine) 75 μg으로 감량하여 복용 중이다. 신생아는 현재 특별한 이상 없이 성장 중이다.

04

임신영양모세포병에서 갑상샘항진증(심화)

39세 산과력이 2−0−2−2인 여성이 질출혈을 주소로 내원하였다. 환자는 한달 전부터 오심과 함께 배에 가스가 차고 불편하며 배가 나오는 것 같다고 하였다. 내원하여 시행한 초음파 소견은 아래 사진과 같았으며(그림 26−1), 베타−사람융모성생식선자극호르몬(ß−Human chorionic gonadotropin, ß−hCG) 검사 및 복부 컴퓨터단층촬영(computerized tomography, CT)을 시행하였고 검사 결과는 아래와 같이(그림 26−2) 임신영양모세포병(gestational trophoblastic disease)이 의심되었다. 갑상샘기능검사를 시행하였고, 결과는 아래와 같다.

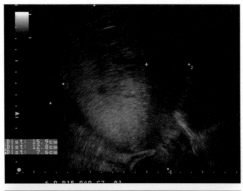

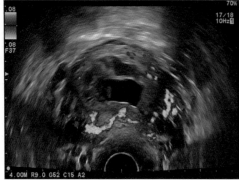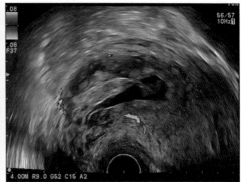

그림 26-1 초음파 소견

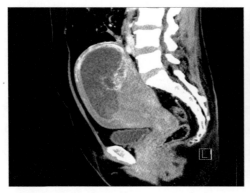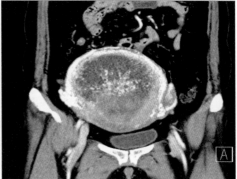

그림 26-2 CT 소견

> 베타-사람융모성생식선자극호르몬(ß-Human chorionic gonadotropin, ß-hCG)
> ; >276,400 mIU/mL
> 갑상샘자극호르몬(Thyroid stimulating hormone) 0.02 μIU/mL
> 유리 티록신(free thyroxine, free T4) 24.2 pmol/L (=1.88 ng/dL)
> 삼요오드티로닌(triiodothyronine, T3) 2.72 ng/mL (=272 ng/dL)

〈참고〉임신 중 정상 갑상샘기능검사 기준

	1st Trimester	2nd Trimester	3rd Trimester
갑상샘자극호르몬(TSH) (μIU/mL)	0.1–2.5**	0.2–3.0*	0.3–3.5*
유리 티록신(free T4) (ng/dL)	0.8–1.2	0.6–1.0	0.5–0.8
삼요오드티로닌(T3) (ng/dL)	97–149	117–169	123–162

* 임신 분기별 TSH의 정상범위가 설정되어 있지 않다면, 다음과 같은 범위가 추천된다.
** 미국 갑상샘 협회 2017 가이드라인에서는 기관별, 임신기간별 정상범위가 설정되어 있지 않다면, 임신 7–12주에는 4.0 mIU/L를 정상범 위의 상한선으로 사용할 것을 권고하였다.

질문 4-1. 환자는 임신영양모세포병(gestational trophoblastic disease) 의심되어 입원하였고, 두근거림을 호소하고 있다. 추가로 해야 하는 검사는 무엇인가?

해설 4-1. 위의 환자처럼 두근거림을 호소하는 환자에서는 심전도 검사를 먼저 해볼 수 있다. 심전도 검사상에서 특별한 이상이 없는 심계항진만 있는 경우 갑상샘기능검사 또한 생각해 볼 수 있다. 실제 임신영양모세포병(gestational trophoblastic disease)을 가진 여성 중 25–65%에서 티록신(Thyroxine)이 증가한다고 알려져 있다. 비정상적으로 높은 사람융모성생식선자극호르몬(human chorionic gonadotropin, hCG)이 갑상샘자극호르몬(thyroid stimulating hormone, TSH) 수용체의 과자극을 유발하기 때문이다. 이러한 종양은 일반적으로 조기 진단되기 때문에 임상적으로 명백한 갑상샘항진증(hyperthyroidism)은 덜 일반적이다. 이런 경우 갑상샘호르몬은 일반적으로 사람융모성생식선자극호르몬(human chorionic gonadotropin, hCG) 농도 감소와 동시에 빠르게 정상화된다.

질문 4-2. 상기 환자는 복식전자궁절제술(total abdominal hysterectomy) 계획하였다. 수술 전 어떤 처치가 필요한가?

해설 4-2. 임신영양모세포병(gestational trophoblastic disease)의 심한 정도에 따라 환자는 임상적으로 무증상의 갑상샘호르몬의 상승소견을 보일 수도 있고, 중증의 갑상샘중독증(thyrotoxicosis)을 보일 수도 있다. 임상적으로 갑상샘항진증 환자는 체중이 줄고, 쉽게 피곤해지고, 발한의 증가, 심계항진, 진전, 안과 병증 및 임상적으로 크기가 커진 갑상샘과 같은 다양한 징후와 증상을 가질 수 있다. 상황에 따라, 심혈관 및 대사 기능을 역전시키기 위해 항갑상샘제(anti-thyroid drug) 및 β-아드레날린 차단제(β-adrenergic blocking agents)가 투여될 수 있다. 갑상샘중독발작(thyroid storm)은 냉각 담요, 포도당 및 전해질 등 수액 공급, 산소, 당질코르티코이드(glucocorticoids), 항갑상샘제(anti-thyroid drug), 혈장교환(plasma exchange), 단트롤렌(dantrolene) 및 B-복합 멀티 비타민(B-complex multivitamins)을 사용하여 치료할 수 있다. 항갑상샘제(methimazole or propylthiouracil)는 갑상샘 호르몬 합성 억제제이며 갑상샘 호르몬 생성 조절을 위해 사용된다.

상기 환자의 경우 복식전자궁절제술(total abdominal hysterectomy) 계획되어 있으므로 수술 후 사람융모성생식선자극호르몬(human chorionic gonadotropin, hCG) 농도 감소와 동시에 갑상샘호르몬은 정상화될 것으로 기대된다. 현재 환자는 두근거리는 증상이 있는 상태로, 이를 조절하기 위하여, β-아드레날린 차단제(β-adrenergic blocking agents)가 투여될 수 있다.

특히 갑상샘항진증 환자에서 수술 전 적절한 항갑상샘제(anti-thyroid drug) 또는 β-아드레날린 차단제(β-adrenergic blocking agents) 등의 치료가 수술 시 사망률과 관련이 있다고 알려져 있다. 갑상샘항진증으로 인해 환자는 빈맥, 부정맥, 고열 및 고출력 심부전을 일으킬 수 있으며 수술 중 생명을 위협하는 갑상샘중독증으로 진행될 수도 있다. 따라서 임신영양모세포병(gestational trophoblastic disease) 치료를 위해 수술 과정에서 발생할 수 있는 합병증을 예측하고 준비하기 위해 임신영양모세포병(gestational trophoblastic disease) 환자에서 갑상샘 수치를 확인하는 것이 중요하다. 또한 이를 숙지하고, 내분비내과와 마취통증의학과와 상의하여 안전한 수술을 계획하는 것이 필요할 것이다.

경과

상기 환자는 39세로 입원하여 복식전자궁절제술(total abdominal hysterectomy) 시행하였으며, 이후 특별한 합병증 없이 퇴원하였다. 수술 후 베타-사람융모성생식선자극호르몬(ß-

Human chorionic gonadotropin, ß–hCG)가 정상화됨에 따라(그림 26-3) 갑상샘기능검사 는 별다른 치료없이 정상 수치를 회복하였으며(그림 26-4), 두근거림 증상 또한 사라졌다.

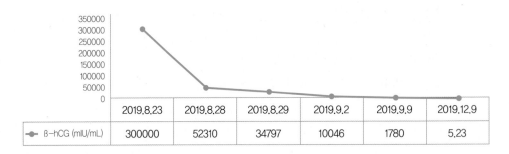

	2019.8.23	2019.8.28	2019.8.29	2019.9.2	2019.9.9	2019.12.9
ß–hCG (mIU/mL)	300000	52310	34797	10046	1780	5.23

그림 26-3 베타–사람융모성생식선자극호르몬의 변화(ß–hCG) (mIU/mL)

A. 갑상샘자극호르몬(TSH) (μIU/mL)

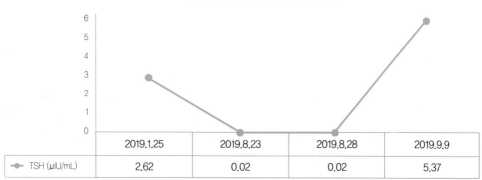

	2019.1.25	2019.8.23	2019.8.28	2019.9.9
●— TSH (μIU/mL)	2.62	0.02	0.02	5.37

B. 유리 티록신(Free T4) (ng/dL)

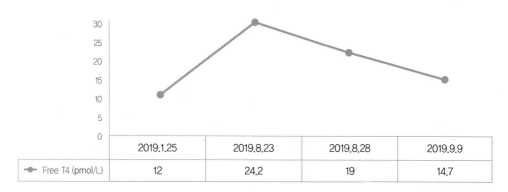

	2019.1.25	2019.8.23	2019.8.28	2019.9.9
●— Free T4 (pmol/L)	12	24.2	19	14.7

C. 삼요오드티로닌(T3) (ng/dL)

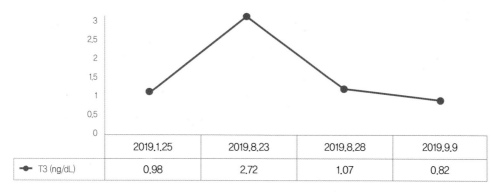

	2019.1.25	2019.8.23	2019.8.28	2019.9.9
●— T3 (ng/dL)	0.98	2.72	1.07	0.82

그림 **26-4** 갑상선기능검사 수치의 변화.
A) 갑상샘자극호르몬(TSH) (μIU/mL), B) 유리 티록신(Free T4) (ng/dL), C) 삼요오드티로닌(T3) (ng/dL)

참고 문헌

1. Adali E, Yildizhan R, Kolusari A, Kurdoglu M, Turan N. The use of plasmapheresis for rapid hormonal control in severe hyperthyroidism caused by a partial molar pregnancy. Arch Gynecol Obstet 2009;279:569-71.

2. Alexander EK, Pearce EN, Brent GA, Brown RS, Chen H, Dosiou C, Grobman WA, Laurberg P, Lazarus JH, Mandel SJ, Peeters RP, Sullivan S. 2017 Guidelines of the American Thyroid Association for the diagnosis and management of thyroid disease during pregnancy and the postpartum. Thyroid 2017;27:315-89.

3. Casey BM, Leveno KJ. Thyroid disease in pregnancy. Obstet Gynecol 2006;108:1283-92.

4. Choi HW HY, Kwak DW, Park SY, Kim SH, Yoon HK, Yim CH. . Maternal thyroid function during the first trimester of pregnancy in Korean women. Int J Thyroidol 2017;10:36-41.

5. Clementi M, Di Gianantonio E, Pelo E, Mammi I, Basile RT, Tenconi R. Methimazole embryopathy: delineation of the phenotype. Am J Med Genet 1999;83:43-6.

6. Dashe JS, Bloom SL, Spong CY, Hoffman BL. Williams Obstetrics. 25ed:McGraw Hill Professional; 2018.

7. Filipescu G, Solomon OA, Clim N, Milulescu A, Boiangiu AG, Mitran M. Molar pregnancy and thyroid storm-literature review. ARS Medica Tomitana 2017;23:121-5.

8. Garber JR, Cobin RH, Gharib H, Hennessey JV, Klein I, Mechanick JI, Pessah-Pollack R, Singer PA, Woeber KA; American Association Of Clinical Endocrinologists And American Thyroid Association Taskforce On Hypothyroidism In Adults. Clinical practice guidelines for hypothyroidism in adults: cosponsored by the American Association of Clinical Endocrinologists and the American Thyroid Association. Thyroid 2012;22:1200-35

9. Glinoer D, Spencer CA. Serum TSH determinations in pregnancy: how, when and why? Nat Rev Endocrinol 2010;6:526.

10. Haddow JE, Palomaki GE, Allan WC, et al. Maternal thyroid deficiency during pregnancy and subsequent neuropsychological development of the child. N Engl J Med 1999;341:549-55.

11. Mandel SJ, Cooper DS. The use of antithyroid drugs in pregnancy and lactation. J Clin Endocrinol Metab 2001;86:2354-9.

12. Sahay RK, Nagesh VS. Hypothyroidism in pregnancy. Indian J Endocrinol Metab 2012;16:364-70.

13. Stagnaro-Green A, Abalovich M, Alexander E, Azizi F, Mestman J, Negro R, Nixon A, Pearce EN, Soldin OP, Sullivan S, Wiersinga W; American Thyroid Association Taskforce on Thyroid Disease During Pregnancy and Postpartum. Guidelines of the American Thyroid Association for the diagnosis and management of thyroid disease during pregnancy and postpartum. Thyroid 2011;21:1081-125.

14. Sullivan SA. Hypothyroidism in Pregnancy. Clin Obstet Gynecol 2019;62:308-19.

15. Tan JY, Loh KC, Yeo GS, Chee YC. Transient hyperthyroidism of hyperemesis gravidarum. BJOG 2002;109:683-8.

16. Vermiglio F, Lo Presti VP, Moleti M, Sidoti M, Tortorella G, Scaffidi G, Castagna MG, Mattina F, Violi MA, Crisà A, Artemisia A, Trimarchi F. Attention deficit and hyperactivity disorders in the offspring of mothers exposed to mild-moderate iodine deficiency: a possible novel iodine deficiency disorder in developed countries. J Clin Endocrinol Metab 2004;89:6054-60.

17. Virmani S, Srinivas SB, Bhat R, Rao R, Kudva R. Transient thyrotoxicosis in molar pregnancy. J Clin Diagn Res 2017;11:QD01-QD02.

18. Yi KH, Kim KW, Yim CH. Guidelines for the diagnosis and management of thyroid disease during pregnancy and postpartum. J Korean Thyroid Assoc 2014;7:7-39.

신경정신과적 질환

모체태아의학

27

신경정신과적 질환

심순섭(제주의대)
강혜심(제주의대)

01

Maternal-fetal medicine

간질(기본)

25세 미분만부가 임신전 상담을 위하여 병원에 왔다. 이 환자는 16세부터 전신적 경련이 발생하여 간질로 진단을 받았고, 라모트리진(lamotrigine)을 100 mg 하루 2회로 투약받고 있으며 최근 2년간은 경련이 없었다.

질문 1-1. 임신 전 상담은?

해설 1-1. 자세한 병력청취를 시행하며, 이에는 간질이나 선천성 기형의 가족력, 약물복용력, 경련의 빈도 등이 포함된다. 임신 전에 경련 조절을 최적화하는 것이 필요하다. 임신 전에 적어도 9개월에서 1년 이상 경련이 없었던 간질 여성은 임신 중에 경련이 없을 가능성이 84-92%로 높다. 반대로, 경련이 자주 있는 경우에는 약물을 조정하거나 하여 좀더 조절이 잘될 때까지 임신을 늦추도록 조언할 수 있다. 경련이 지난 2-5년간 없고 정상 뇌파 소견인 경우에는 신경과의사의 도움 하에 항간질제를 줄이는 것을 시도해 볼 수 있으나, 서서히 줄여가는 과정에서 다시 경련이 재발하여 다시 약물을 사용해야 하는 경우도 많다.

많은 항간질제가 태아기형 및 장기 인지장애와 관련이 있다. 그러나, 조절되지 않은 경련은 부상, 저산소증, 곤란한 사회적 상황, 원인미상의 급사 등을 일으킬 수 있고 이에 따라 임신 예후도 불량해지므로, 임신 중 항간질제를 지속적으로 사용하는 것이 일반적으로 권장된다고 설명해준다. 약제는 가능하면 기형유발성이 적은 것으로, 또한 가능하면 단일 제제를 사용하도록 조정한다. 단일 제제에 비하여 복합 약제를 사용하는 경우에 기형유발성 및 장기 인지장애의 위험이 높았다. 항간질제 중 발프로에이트(valproate)는 신경관결손 등 가장 기형유발성이 큰 약제로 임신 중 사용을 피하는 것이 권장되지만, 불가피한 경우에는 적절한 상담이 필요하고 임신 중에는 태아 기형을 발견하기 위한 초음파 검사를 시행해야 한다. 적어도 임신 1개월 전부터는 엽산 보충(0.4 mg/일)을 시작하며, 항간질제를 복용하는 경우에는 엽산의 용량을 늘려서(4 mg/일) 사용할 수 있다. 항간질제는 활성 비타민 D의 생성을 방해할 수 있으므로, 비타민 D가 포함된 산전 비타민을 섭취토록 한다.

경과

신경과 의사와 상담하여 약제를 유지하고, 산모혈청선별검사(순차적검사: 다운증후군 위험도 1:570, 알파태아단백 1.15 MoM), 정밀초음파 등 정상적인 임신 경과를 보였다. 산모는 임신 41주 1일에 유도분만을 시도하여 오후 3시경에 자연분만으로 여아 3,120 g을 분만하였고, 아프가점수는 1분, 5분에 각각 8점, 9점이었다. 산모는 유도분만 당일에 금식을 하였으나 약물은 소량의 물과 함께 복용하였다. 신생아경과도 양호하였다.

02

Maternal-fetal medicine

중증근육무력증(심화)

임신 8주인 32세 경산부가 산전관리를 위하여 병원에 왔다. 이 환자는 28세부터 사지 골격근의 쇠약, 복시, 안검하수 등의 증상이 나타났고, 이러한 근육의 피로는 낮에 활동하면서 악화되고 휴식 후 호전되었다. 혈액검사에서 아세틸콜린수용체에 대한 항체가 검출되었다. 환자는 중증근육무력증으로 진단을 받고 항콜린에스테라아제인 피리도스티그민을 60 mg 하루 3번 처방받아 복용해오고 있었다.

질문 2-1. 산전 관리는?

해설 2-1. 처음 내원 시 과거력 청취와 상담을 하며, 초기 검사로 각종 근육의 힘을 평가하고, 폐기능검사, 갑상선기능 검사를 시행하고, 정기적으로 근육의 힘 및 호흡기능 등을 평가하고, 초음파 검사 시 태아의 운동과 양수량도 함께 관찰한다. 임신 중에는 충분한 휴식을 취하도록 하고 감염증은 즉시 치료한다. 사용하고 있는 약제는 계속 사용하며, 약제에 반응하지 않는 경우에는 가슴샘절제술도 고려할 수 있다. 심한 근육 쇠약으로 호흡근육 마비가 나타나는 근육무력증 위기(myasthenic crisis)시에는 기도삽관과 기계적 환기가 필요하다. 빠른 호전이 필요한 경우에는 고용량 면역글로불린 G나 혈장교환의 사용을 고려할 수 있다. 중증근육무력증이 임신 예후에 큰 영향을 미치지는 않는 것으로 보이나, 자가항체가 태아에게 증상을 유발하여 양수과다증으로 조기양막파수 및 조산이 발생하는 경우도 있으며, 전자간증의 경우에는 황산마그네슘의 사용을 피해야 한다.

질문 **2-2.** 진통 시 관리는?

해설 2-2. 진통 시에 경구약제는 비경구투여로 바꾸고, 호흡상태를 평가한다. 중증근육무력증에서 평활근이 영향을 받지는 않으므로 진통은 대개 정상적으로 진행되며, 옥시토신의 투여나 제왕절개는 산과적 적응에 따라 시행되는데, 분만2기에 산모의 자발적 힘주기는 저해될 수 있어 흡입분만이 필요할 수도 있다. 경막외마취시에는 T-10 이하로 레벨을 유지하며, 리도카인, 부피바카인 등의 아미드형 약제를 사용하고, 클로르프로카인, 테트라카인 등의 에스터형 약제는 질환을 악화시킬 수 있으므로 피한다. 전신마취와 마약제의 사용은 피한다.

질문 **2-3.** 신생아 관리는?

해설 2-3. 자가항체가 태반을 통과하여 신생아의 10-20%에서 일시적으로 근육무력증 증상이 나타날 수 있는데 산모의 질환 중증도와 신생아의 증상 발생과는 연관이 없다고 한다. 또한, 출생 시에는 무증상이다가 12시간-수 일 후에 신생아의 호흡 및 근육의 쇠약, 안검하수 등의 증상이 뒤늦게 나타나기도 하므로(이는 산모에서 넘어간 약제가 배설되면서 발생하는 것일 수 있음), 첫 1주간은 신생아의 상태를 지속적으로 관찰하는 것이 필요하다.

경과

산모는 항콜린에스테라아제를 복용하였고, 산모혈청선별검사, 정밀초음파 등 정상적인 임신 경과를 보였으나, 임신성당뇨 진단을 받았고 (100 g 당부하검사: 90-194-165-120 mg/dL) 식사조절로 혈당은 양호하게 유지되었다. 산모는 임신 39주 5일에 유도분만을 시도하여 오전 11시경에 자연분만으로 남아 3,380 g을 분만하였으며, 아프가점수는 1분, 5분에 각각 8점, 9점이었다. 산모는 유도분만 당일에 경구약제를 소량의 물과 함께 복용하였다. 아기는 신생아집중치료실에 입원하여 1주간 관찰하였으며 상태는 양호하였다.

임신 중 우울증(기본)

28세인 산과력 0-0-0-0의 미분만부가 임신 28주 3일에 병원에 왔다. 산모는 2년 전 우울증 진단을 받고 플루옥세틴(fluoxetine)을 복용하고 있었으나 산모가 임신가능성을 인지한 후 자의로 약을 중단한 상태였다. 산모는 피로과 불안을 호소하며 현재 식욕이 감소하고 잠을 잘 자지 못하고 우울한 기분이 지속된다고 하였다. 산전 검사에서 특이소견은 없었다.

질문 3-1. 임신 중 우울증의 진단은 어떻게 내리는가?

해설 3-1. DSM-V에서 주요우울장애(major depressive disorder)의 진단은 다음의 9가지 주요 증상 중 5개 이상의 증상이 거의 매일 연속적으로 2주 이상 나타나고, 이러한 증상으로 심각한 고통, 사회적, 직업적 기능 이상을 보이며, 다른 원인(약물, 남용물질이나 의학적 상태에 의한 생리학적 효과)이 배제되어야 한다. 9가지 증상은 다음과 같으며, 이러한 증상이 임신 중이나 분만 후 1달 이내에 시작되면 주산기 우울증(depressive disorder, peripartum-onset)으로 진단하게 된다.

1) 하루의 대부분, 그리고 거의 매일 지속되는 우울한 기분
2) 거의 모든 일상활동에 대한 흥미나 즐거움의 저하
3) 현저한 체중감소나 체중증가 혹은 현저한 식욕 감소나 증가
4) 거의 매일 나타나는 불면이나 과다수면
5) 정신 운동의 초조 또는 지연
6) 거의 매일 나타나는 피로감, 활력 상실
7) 거의 매일 나타나는 무가치함, 부적절한 죄책감
8) 거의 매일 나타나는 사고력이나 집중력의 감소, 우유부단함
9) 죽음에 대한 반복적인 생각이나 자살에 대한 생각, 자살 기도

질문 3-2. 우울증이 임신에 미치는 영향과 주산기 선별검사법은 무엇인가?

해설 3-2. 치료되지 않은 우울증에서는 조산, 저체중아, 태아성장장애 등 주산기 합병증이 증가하며, 습관적 음주로 인한 태아알콜증후군이나 자살시도로 임산부와 태아 모두 위험할

수 있으며, 대부분 산후 우울증으로 연결되어 자녀와의 애착형성이 어려워 자녀의 행동발달에 좋지 않은 영향을 줄 수 있다.

미국산부인과의사협회(ACOG)는 주산기 중 적어도 한 번은 우울과 불안에 대해 표준화되고 검증된 검사법으로 선별검사를 시행하도록 권장한다. 다양한 선별검사법이 있는데, 2005년 국내에 소개된 한국판 에딘버러 산후우울척도(K-EPDS) 10가지 질문은 다음과 같으며, 각 문항 별로 0, 1, 2, 3점을 부여하고 10개의 점수를 합산하여 10점 이상이면 검사 양성으로 분류하여 정신건강의학적 정밀 진단, 평가 및 치료가 필요할 수 있다.

1) 나는 사물의 재미있는 면을 보고 웃을 수 있었다.
2) 나는 어떤 일들을 기쁜 마음으로 기다렸다.
3) 일이 잘못될 때면 공연히 자신을 탓했다.
4) 나는 특별한 이유 없이 불안하거나 걱정스러웠다.
5) 특별한 이유 없이 무섭거나 안절부절 못하였다.
6) 요즘 들어 많은 일들이 힘겹게 느껴졌다.
7) 너무 불행하다고 느껴 잠을 잘 잘 수가 없었다.
8) 슬프거나 비참하다고 느꼈다.
9) 불행하다고 느껴서 울었다.
10) 자해하고 싶은 마음이 생긴 적이 있다.

질문 3-3. 임신 중 우울증의 치료는 어떻게 하는가?

해설 3-3. 우울증의 정도가 덜하거나 임신 초기 약물사용의 위험도가 높은 시기이거나 1년 이상 약을 복용하지 않고 증상이 잘 유지되는 경우는 비약물적 치료(면담기법, 인지치료, 이완요법, 행동치료 등)를 고려하지만, 우울 증상이 중등도 이상 심하거나 불면, 불안, 초조 증상 등을 심하게 보이는 경우 약물치료를 고려한다. 최근 가장 많이 사용되는 약물은 세로토닌재흡수억제제(SSRI)이며, 그 외 모노아민산화효소억제제(MAOI), 삼환계항우울제(TCA), 세로토닌-노르에피네프린재흡수억제제(SNRI) 등이 있다. 6주간 치료 후 증상이 좋아지면 재발 방지를 위해 6개월간 지속하고 치료가 잘 되지 않거나 재발하는 경우 다른 SSRI로 대체하는 것을 고려한다. 약물치료의 위험성은 일부 자연유산과 조산이 약간 증가한다고 하나, SSRI 등 항우울제는 기형 등에 대한 안전성 자료들이 아직은 양호하여 임신 중에 사용 가능한 치료 방법으로 생각된다. 다만 SSRI 중 파록세틴(paroxetine)의 경우 심장기형이나 지속성폐동맥고혈압과의 관련성이 제기되어 미국산부인과의사협회(ACOG)에서는 임신 중 사용을 피할 것을 권장하고 있으나, 그 발생 위험은 있더라도 매우 낮은 것으로 보인다. 노출되었던 신생아에서 금단증상이 30% 정도까지 발생할 수 있으나 장기적인 영향에 대한 증거는 없다. 모유로 분비되는 경우 대부분 그 양이 매우 적지만 SSRI 중 플루옥세틴(fluoxetine)의 경우 모유로 분비되는 양이 많아 다른 약을 고려할 수 있다. SSRI를 복용하는 경우 수유는 가능하나 영아에서 산통, 까탈스러움 등의 증상과 체중증가가 적절한지 등에 대해 잘 관찰하여야 한다. 중증 우울증이 집중적인 약물치료에도 효과가 없는 경우 전기경련요법(electoconvulsive therapy)도 선택가능한 치료 중 하나이다.

경과

산모는 정신건강의학과 협진 후 다시 플루옥세틴을 20 mg 하루 한번으로 복용하기 시작하였고 우울감은 1–2주 안에 호전되었다. 산모혈청선별검사, 정밀초음파 등 정상적인 임신경과를 보였다. 임신 39주에 분만진통이 진행되어 질식분만으로 남아 3210 g을 분만하였고, 아프가점수는 1분, 5분에 각각 7점, 9점이었다. 산모와 아기는 모두 건강하였고, 산모는 모유수유를 하지 않겠다고 하여 약 복용을 지속하였다.

참고 문헌

1. 대한산부인과학회. 산과학. 제6판. 파주: 군자출판사; 2019.

2. ACOG Committee Opinion No. 757: Screening for Perinatal Depression. Obstet Gynecol 2018;132:e208–e212.

3. ACOG Practice Bulletin: Clinical management guidelines for obstetrician–gynecologists number 92, April 2008 (replaces practice bulletin number 87, November 2007). Use of psychiatric medications during pregnancy and lactation. Obstet Gynecol 2008;111:1001–20.

4. Harden CL, Hopp J, Ting TY, Pennell PB, French JA, Hauser WA, Wiebe S, Gronseth GS, Thurman D, Meador KJ, Koppel BS, Kaplan PW, Robinson JN, Gidal B, Hovinga CA, Wilner AN, Vazquez B, Holmes L, Krumholz A, Finnell R, Le Guen C; American Academy of Neurology; American Epilepsy Society. Practice parameter update: management issues for women with epilepsy–focus on pregnancy (an evidence–based review): obstetrical complications and change in seizure frequency: report of the Quality Standards Subcommittee and Therapeutics and Technology Assessment Subcommittee of the American Academy of Neurology and American Epilepsy Society. Neurology 2009;73:126–32.

5. Harden CL, Meador KJ, Pennell PB, Hauser WA, Gronseth GS, French JA, Wiebe S, Thurman D, Koppel BS, Kaplan PW, Robinson JN, Hopp J, Ting TY, Gidal B, Hovinga CA, Wilner AN, Vazquez B, Holmes L, Krumholz A, Finnell R, Hirtz D, Le Guen C; American Academy of Neurology; American Epilepsy Society. Practice parameter update: management issues for women with epilepsy–focus on pregnancy (an evidence–based review): teratogenesis and perinatal outcomes: report of the Quality Standards Subcommittee and Therapeutics and Technology Assessment Subcommittee of the American Academy of Neurology and American Epilepsy Society. Neurology 2009;73:133–41.

6. Kim YK, Won SD, Lim HJ, Choi SH, Lee SM, Shin YC, Kim KH. Validation Study of the Korean Version of Edinburgh Postnatal Depression Scale(K–EPDS). Mood Emot 2005;3:42–9.

7. Varner M. Myasthenia gravis and pregnancy. Clin Obstet Gynecol 2013;56:372–81.

Chapter 28

결합 조직병

모체태아의학

28

결합 조직병

김영한(연세의대)
김민아(연세의대)
정윤지(연세의대)

Maternal-fetal medicine

01 전신홍반루푸스(심화)

25세 0-0-0-0 초임부는 10년 전에 전신홍반루푸스를 진단받았으며 경구 프레드니솔론 5 mg 복용 중 자궁내 임신을 확인하였다. 임신 진단 당시 산모의 혈압은 136/64 mmHg, 소변검사상 단백뇨 및 혈뇨는 검출되지 않았고 루푸스 관련 임상증상 및 신장염의 징후는 보이지 않았다. 임신 전 및 임신 초기에 시행한 자가면역항체 및 보체검사결과는 다음과 같았다.

임신 전 자가항체검사	결과
Antinuclear (ANA)	+
Anti-dsDNA	+
Anti-Cardiolipin IgM	-
Anti-Cardiolipin IgG	-
Anti-β2-glycoprotein I IgG	-
Anti-β2-glycoprotein I IgM	-
Anti-RNP (ribonucleoprotein)	Equivocal (7.6 U/ml)
Anti-Sm (Smith)	+
Anti-Ro (SS-A)	-
Anti-La (SS-B)	-
Lupus anticoagulant	-
임신 초기 보체검사	결과
CH50	37.6 U/ml (정상범위: 36.2-69.6)
C3	81.6 mg/dL (정상범위: 90-180)
C4	13.4 mg/dL (정상범위: 10-40)

질문 1-1. 루푸스 환자의 임신 예후에 미치는 요인과 발생 가능한 산과적 합병증은 무엇인가?

해설 1-1. 루푸스 환자의 임신 예후에 미치는 요인은 임신초기 루푸스의 활동성 유무, 산모의 나이, 분만력, 내과적 질환의 유무, 산과적 합병증의 유무, 항인지질항체의 존재 유무 등이다. 루푸스 환자가 임신하였을 경우에 질환 경과는 1/3에서 호전되고 1/3에서는 변화가 없으며, 1/3에서는 악화된다. 일반적으로 ① 임신 전 6개월 동안 루푸스 활동성이 없는 경우, ② 단백뇨 또는 신기능 저하 등을 동반하는 루푸스 신장염이 없는 경우, ③ 항인지질항체증후군 또는 루푸스항응고인자(lupus anticoagulant)가 없는 경우, ④ 중복자간전증(superimposed preeclampsia)이 동반되지 않은 경우에는 예후가 좋은 것으로 알려져 있다.

루푸스 활동성을 진단하는 검사소견으로는 CH 50, C4, C3의 보체감소, 항 DNA항체의 증가, 항핵항체역가의 상승 등이 있으나, 이러한 소견이 관찰되지 않더라도 활동성 루푸스와 무관하다고 할 수는 없다. 연속적인 혈액검사로 질병활성도의 변화를 알아볼 수 있는데, 그중에서 용혈현상은 쿰즈검사 결과 양성이 나오거나, 그물적혈구증가증(reticulocytosis), 비결합빌리루빈혈증(unconjugated hyperbilirubinemia), 백혈구감소증이 동반될 수 있다. 혈소판감소증, 단백뇨, 얼굴 및 손바닥 홍조 등과 같은 정상적인 임신관련 소견들은 루푸스 환자의 질병활성과 혼동되어질 수 있어 주의를 기울여야 한다. 루푸스 환자에서 나타날 수 있는 모성합병증으로는 루푸스 악화, 신장염, 정맥혈전증, 자간전증 등이 있으며 태아 및 신생아 합병증으로는 유산, 사산, 자궁내발육지연, 조산, 신생아 전신홍반 등이 발생가능하다.

질문 1-2. 루푸스 환자에서 자간전증의 발생위험도 및 루푸스 신장염의 악화(renal flare)와 감별할 수 있는 진단방법은 무엇인가?

해설 1-2. 임신성 고혈압과 자간전증과 같은 고혈압성 질환은 루푸스 환자의 10-30%에서 나타나는 흔한 합병증 중의 하나이다. 루푸스 환자에서 자간전증의 위험요인으로 만성고혈압, 항인지질항체증후군, 만성적인 글루코코르티코이드 사용, 당뇨, 이전 임신에서의 자간전증 기왕력 등을 들 수 있다. 특히, 루푸스 신장염이 있는 환자에서 자간전증의 위험도는 증가하는데 루푸스 신장염 환자의 2/3에서 자간전증이 발병하여 조기분만을 할 수 있다. 루푸스 신장염의 악화는 임신초기 루푸스 활성도의 영향을 받기 때문에 루푸스 신장염이 있는 여성은 임신을 시도하기 6개월 전부터 진정상태를 유지하는 것이 좋다. 활동성 루푸스 신장염의 경우에는 치료경과가 좋아진다고 할지라도 임신성 고혈압과 자간전증과 같은 임신합병증이 발병할 수 있다. 기존의 신장질환이 있었던 여성은 신장질환이 없는 여성보다 자간전증 발병율이 4배 이상 높으며 루푸스 신장염이 있는 여성의 40%에서는 신부전이 발생할 수 있다. 루푸스 신장염은 고혈압, 단백뇨, 부종, 신기능약화 등과 같은 자간전증 증상과 유사하게 나타날 수 있어 루푸스 신장염과 자간전증의 감별은 어려울 수 있다. 자간전증의 치료는 분만을 하는 것이 원칙이나, 루푸스 악화의 치료는 면역억제이기 때문에 루푸스 신장염과 자간전증의 감별은 조기분만 여부를 결정하는 데 있어 중요한 문제이다(표 28-1).

표 28-1 전신홍반루푸스와 자간전증의 감별요소

검사	자간전증	전신홍반루푸스
혈청학적 검사		
보체 C3, C4감소	±	+++
anti-dsDNA 증가	–	+++
Ba, Bb 조각 증가 및 CH 50 감소	±	++
antithrombin III 결핍	++	±
혈액질환		
미세혈관병증용혈빈혈 (microangiopathic hemolytic anemia)	++	–
쿰즈양성 용혈빈혈(coombs-positive hemolytic anemia)	–	++
혈소판감소증	++	++
백혈구감소증	–	++
신장질환		
혈뇨	+	+++
세포성원주	–	+++
크레아티닌 상승	±	++
혈액요소질소/크레아티닌 비 상승	++	±
저칼슘뇨	++	±
간질환		
liver transaminase 증가	++	±

질문 1-3. 임신 중 루푸스 악화의 치료방법은 무엇인가?

해설 1-3. 중추신경계와 신장질환을 동반하지 않는 경도에서 중등도의 증상악화는 글루코코르티코이드 치료를 시작할 수 있으며 치료용량을 증량시킬 수도 있다. 대부분의 경우, 프레드니솔론 15-30 mg/day로 증상완화가 나타난다. 그러나, 중증의 증상악화에는 1.0-1.5

mg/kg/day를 나누어서 사용해야 하며 5-10일 정도는 투여해야 증상완화가 나타나므로 그 후에 감량을 시작할 수 있다. 중추신경계와 신장질환을 동반하는 루푸스 악화에는 3-6일 동안 10-30 mg/kg (500-1,000 mg)의 메틸프레드니솔론의 정맥투여로 시작한다. 그 후에 1.0-1.5 mg/kg/day로 나누어서 치료하고 한달에 걸쳐서 빠른 속도로 감량한다. 이 처치방법으로 75%의 환자에서 치료반응을 볼 수 있으며 심한 경우 세포독성약제 사용대신 1-3개월마다 반복 치료할 수 있다.

경과

이 임신부는 임신 24주 1일에 전신부종, 흉부 불편감, 급격한 체중증가(9 kg/4주)로 내원하여 혈압 150/100 mmHg, 단백뇨, 혈뇨, C3, C4 감소, 혈소판감소증, 항 DNA항체의 역가상승 등을 보여 루푸스 신장염의 악화(renal flare) 진단하에 입원하였으며 이후, 고용량 글루코코르티코이드 치료를 시작하였으나 지속적인 증상악화 소견 보여 임신 26주 5일에 루푸스 신장염의 악화(renal flare) 및 자간전증 의심하에 응급제왕절개술을 시행, female 880 g을 분만하였다.

02 항인지질항체증후군(기본)

Maternal-fetal medicine

35세 2-0-5-2 다분만부는 5회의 반복유산 기왕력이 있으며 항인지질항체증후군을 진단받았다. 과거 2회의 임신 당시 예방적인 헤파린 및 아스피린 치료를 하여 만삭 분만한 분으로, 이번 임신 확인되어 왔다. 혈전증 등의 기왕력은 없었으며 임신 당시 아스피린 유지 중인 상태로 자가항체검사결과는 다음과 같았다.

임신당시 자가항체검사	결과
Antinuclear (ANA)	−
Anti-dsDNA	−
Anti-Cardiolipin IgM	−
Anti-Cardiolipin IgG	+
Anti-β2-glycoprotein I IgG	−
Anti-β2-glycoprotein I IgM	−
Anti-Sm (Smith)	−
Anti-Ro (SS-A)	−
Anti-La (SS-B)	−

질문 2-1. 항인지질항체증후군의 진단기준은 무엇인가?

해설 2-1. 1회 이상의 정맥, 동맥, 혹은 작은 혈관내 혈전증(vascular thrombosis)이나 임신관련 이환(pregnancy morbidity)의 임상기준 중 하나가 있으면서 3개의 검사실 기준 중 하나가 양성일 때 항인지질항체증후군으로 진단할 수 있다. 임신관련 이환에는 ① 임신 10주 이후의 1회 이상의 원인 불명의 유산, ② 자간증, 중증 자간전증, 혹은 태반기능부전으로 인한 임신 34주 이전의 1회 이상의 조기분만, ③ 임신 10주 이전의 3회 이상 원인불명의 반복유산 등이 포함된다. 검사실 기준으로는 루푸스항응고인자, 항카디오리핀 항체, 항베타당단백 I 항체 셋 중에 하나 이상에서 양성이 있을 때 항인지질항체증후군에 합당한 검사소견인 것으로 하였다. 일시적으로 발생할 수 있는 항체양성의 경우를 줄이기 위해 적어도 12주 이상의 간격을 두고 두 번 이상의 양성이 나와야 한다.

질문 2-2. 항인지질항체증후군 환자가 임신을 했을 경우 발생하는 모성 및 태아합병증은 무엇인가?

해설 2-2. 저농도의 비특이적 항인지질 항체는 건강한 여성의 약 5%에서 나타나기도 하지만, 루푸스항응고인자 또는 항카디오리핀 IgG가 중등도 이상의 항체가를 보일 때 탈락막의 혈관병변, 태반경색증, 태아발육부전, 조발형 자간전증, 습관성 유산 및 자궁내 태아사망과의 관련성이 높은 것으로 알려져 있다. 특히, 항카디오리핀항체와 항베타당단백 I 항체가 높은 여성에서 사산 위험성이 3-5배 높은 것으로 알려져 있으며 치료를 받는다고 하더라도 반복유산 발생율은 20-30%에 달한다. 임신 10주 이전의 반복유산의 경험이 있는 여성의 10-20%에서 항인지질항체의 양성결과가 나오며 조기발병의 중증 자간전증 환자에서도 항인지질 항체의 양성율이 건강한 산모군에 비해 높게 나타난다. 고혈압성질환은 항인지질항체증후군 여성의 임신에서 약 32%에서 발생하며 자궁내발육지연은 출생아의 30%에서 나타난다. 또한 항인지질항체증후군 산모에서 조기분만의 위험이 증가하며 임신 중 또는 산욕기에 혈관색전증이 증가하는 것으로 알려져 있다.

질문 2-3. 항인지질항체증후군의 치료방법은 무엇인가?

해설 2-3. 항인지질항체증후군 치료의 1차 목적은 혈전증 예방이다. 혈전증 병력이 다음 임신에서 항인지질항체증후군이 재발할 수 있는 위험요소이기 때문에 임신 전기간부터 분만 후 6주까지 항응고요법을 지속한다. 현재까지 헤파린과 저용량 아스피린이 최우선 치료방법이며 헤파린 치료는 제1삼분기 초기부터 시작한다. 다수의 연구자들은 착상 초기의 이점을 위해 임신전 아스피린 복용을 권장한다. 과거에는 글루코코르티코이드 또는 면역글로불린을 항인지질항체증후군 치료에 사용하기도 하였으나, 치료의 효과가 없다는 것이 보고되면서 사용을 권장하지는 않는다. 일반적으로 저용량 아스피린은 매일 60-80 mg을 복용한다. 미분획화 헤파린(unfractionated heparin)은 12시간마다 5,000-10,000단위를 피하주사한다. 최근에는 헤파린 사용으로 인한 출혈, 혈소판감소, 골량의 감소 등의 합병증을 줄이기 위해 저분자량 헤파린(low molecular weight heparin)으로 대체하여 사용하는 경우가 많은데 enoxaparin 40 mg을 하루에 한 번 투여한다. 면역 글로불린은 자간전증이나 자궁내태아발육지연시 다른 치료에 반응을 안하는 경우에 사용을 고려해볼 수 있다. 이전의 색전증 병력이 없는 항인지질항체증후군 환자는 두 군으로 나뉘어져 치료를 시작한다. 첫 번째는 항인지질항체증후군의 증상없이 임신초기 반복유산이 되는 경우, 두 번째는 1회 이상의 임신 10주 이후 태아사망 기왕력이 있거나, 중증 자간전증 또는 태반부전으로 인해 임신 34주 이전 조기분만 기왕력이 있는 경우로 나누어진다. 이 두 군과 세 번째로 혈전증의 기왕력이 있는 경우로 구분하여 다음과 같은 방법으로 치료를 고려해볼 수 있다(표 28-1). 분만 후 치료는 혈전증의 기왕력이 있을 경우에 는 미분화 헤파린, 저분자량 헤파린 또는 와파린으로 장기간 치료가 필요하며 혈전증의 기왕력이 없을 경우에는 분만 후 6주까지 치료를 지속한다.

표 28-2 항인지질항체증후군의 치료방법

반복적인 임신초기 유산; 혈전증의 기왕력이 없는 경우
저용량 아스피린 단독요법 또는 미분획화 헤파린(unfractionated heparin):
• 제1삼분기에 12시간마다 5000–7500 U 또는
• 저분자량 헤파린(LMWH) (보통 예방적인 용량으로)
기존 태아사망 또는 중증 자간전증이나 중증 태반부전으로 인해 조기분만; 혈전증의 기왕력이 없는 경우
저용량 아스피린+미분획화 헤파린(unfractionated heparin):
• 제1삼분기에 12시간마다 5000–7500 U + 제 2–3삼분기에 12시간마다 10000 U 또는
• aPTT가 정상의 1.5배 유지되도록 8–12시간마다 투여 또는
• 저분자량 헤파린(LMWH) (보통 예방적인 용량으로)
혈전증의 기왕력이 있는 여성에서의 항응고요법
저용량 아스피린+미분획화 헤파린(unfractionated heparin):
• 치료범위내 aPTT 또는 항 Xa 활성도의 유지위해 8–12시간마다 투여
• 저분자량 헤파린(치료범위 용량): 가중치 조정(예: enoxaparin, 12시간마다 1 mg/kg, dalteparin, 12시간마다 200 U/kg

경과

이 임신부는 임신 진단 후 아스피린 100 mg과 enoxaparin 40 mg 투여를 시작하였으며 임신 20주경부터 자의로 enoxaparin투여를 중단, 아스피린만 복용하였다. 24주경 자궁경부 길이가 20 mm로 질식 프로게스테론 투여를 시작하였으며 특별한 합병증없이 39주 6일에 female 3,720 g 질식분만하였다.

03

Maternal-fetal medicine

류마티스관절염(기본)

38세 0-0-1-0 미분만부는 9년전 전신의 다발성 관절통 발생으로 류마티스관절염을 진단받았으며 familial hypercholoestremia, HBV carrier 병력이 있다. 임신준비 전에는 DMARDs 약물과 임신준비기간에는 프레드니솔론 5 mg을 복용 중이였으며 이번 임신 확인되어 왔다.

질문 3-1. 류마티스관절염 환자가 임신을 하였을 경우, 모체와 태아에 미치는 영향은 무엇인가?

해설 3-1. 류마티스관절염이 임신의 결과 및 태아에 미치는 영향이 명확하게 증명된 바는 없다. 그러나, 최근 연구에서는 일반군과 비교했을 때 류마티스관절염 환자에서 조기분만, 과소체중아, 자간간증이 증가한다고 보고된 바는 있다. 류마티스관절염 환자에 있어서 유산율이 증가한다는 것이 여러 연구에서 제시되고 있지만 이에 대해서는 아직 논란이 있다. 분만시에는 분만자세를 취할 때 관절손상이 생기지 않도록 주의가 요구되며 전신마취 시 고리뒤통수관절(atlanto-occipital joint)의 아탈구(subluxation)의 위험성이 있으므로 주의해야 한다. 정확한 기전은 알려져 있지 않으나, 약 90%에 가까운 환자들이 임신중 증상이 호전되며 증상이 좋아졌던 환자는 대부분 다음 임신에서도 비슷한 경험을 하게 된다. 증상이 좋아졌던 환자의 대부분에서 분만 후 3개월 이내에 증상의 악화가 나타나게 되며 수유를 하는 경우 이러한 증상 악화가 더 잘 나타난다고 한다

질문 3-2. 류마티스관절염 임신부의 치료방법은 무엇인가?

해설 3-2. 치료의 목적은 증상의 완화 및 질환의 안정화에 있으며 약물을 조절하여 약이 태아에 미치는 영향을 최소화하는 것에도 의미를 가진다. 임산부에 있어 류마티스관절염 치

료제로 안정성이 확립된 약물은 아직 없으나 다음과 같은 치료제들을 고려해 볼 수 있다. 비스테로이드성 항염증제는 류마티스관절염 환자의 증상 및 염증조절에 있어 많이 사용되고 있으며 아스피린이 대표적인 약물이다. 그러나, 비스테로이드성 항염증제의 장기간 고용량으로 사용하는 것은 추천되지 않으며 30주 이후에도 지속적으로 사용할 경우 동맥관 조기폐쇄가 일어날 수 있으므로 주의하여야 한다. 증상조절을 위해 프레드니손이나 프레드니솔론을 사용할 수 있으나 이 약물들은 낮은 농도지만 태반을 통과 할 수 있는 약물이다. 가능한한 최소 용량을 사용해야 하며 필요시 국소적 스테로이드 주사요법이 도움이 될 수 있다. etanercept, infliximab, adalimumab 등은 TNF-α inhibitor로 FDA category B에 해당하지만 일부 연구에서는 태아 기형이 보고되는 등 안정성에 대해서는 아직 연구가 더 필요하다. DMARDs (Disease modifying antirheumatic drugs)에 속하는 히드록시클로로퀸(Hydroxychloroquine)이나 설파살라진(sulfasalazine)은 임신 중 산모에게서 비교적 안전하다고 알려진 약물이다. COX-2 inhibitor나 적은 용량의 프레드니손(7.5-20 mg)을 같이 복용하면 질병 활성을 치료하는 데 효과적이다. DMARDs 중 Leflunomide는 FDA category X이며 약의 반감기가 길어 약을 복용중인 사람이 임신을 계획 하는 경우에는 약물복용을 조기에 중단해야 한다. Methotrexate도 태아 기형을 유발할 수 있으므로 임산부에 있어서는 절대 사용하지 말아야 한다.

경과

이 임신부는 임신 30주경 관절통이 재발생하여 프레드니솔론 7.5 mg으로 증량하였으며 임신 39주 6일에 female 2,670 g 질식분만하였다. 분만 후 4주 후 모유 수유 중 무릎관절통이 재발생하여 DMARDs 약물복용을 시작하였다.

참고 문헌

1. Barrett JH, Brennan P, Fiddler M, Silman A. Breast-feeding and postpartum relapse in women with rheumatoid and inflammatory arthritis. Arthritis Rheum 2000;43:1010-5.

2. Bermas BL. Non-steroidal anti inflammatory drugs, glucocorticoids and disease modifying anti-rheumatic drugs for the management of rheumatoid arthritis before and during pregnancy. Curr Opin Rheumatol 2014;26:334-40.

3. Branch DW, Silver RM, Porter TF. Obstetric antiphospholipid syndrome: current uncertainties should guide our way. Lupus 2010;19:446-52.

4. Branch DW, Silver RM, Blackwell JL, Reading JC, Scott JR. Outcome of treated pregnancies in women with antiphospholipid syndrome: an update of the Utah experience. Obstet Gynecol 1992;80:614-20.

5. Chin JR, Branch DW. Collagen Vascular Diseases. In: Gabbe SG, Niebyl JR, Simpson JL, Landon MB, Galan HL, Jauniaux ERM, et al. editors. Obstetrics: Normal and problem pregnancies. 6th ed. Philadelphia:Elsevier Saunders;2012. p.1005

6. Clowse ME, Jamison M, Myers E, James AH. A national study of the complications of lupus in pregnancy. Am J Obstet Gynecol 2008;199:127.e1-6.

7. Khamashta MA, Ruiz-Irastorza G, Hughes GR. Systemic lupus erythematosus flares during pregnancy. Rheum Dis Clin North Am 1997;23:15-30.

8. Kutteh WH. Antiphospholipid antibody-associated recurrent pregnancy loss: treatment with heparin and low-dose aspirin is superior to low-dose aspirin alone. Am J Obstet Gynecol 1996;174:1584-9.

9. Lin HC, Chen SF, Lin HC, Chen YH. Increased risk of adverse pregnancy outcomes in women with rheumatoid arthritis: a nationwide population-based study. Ann Rheum Dis 2010;69:715-7.

10. Silver RM, Branch DW. Autoantibodies in systemic lupus erythematosus-there before you know it. N Engl J Med 2003;349:1499-500.

Chapter 29

피부질환

모체태아의학

29

피부질환

김영남(인제의대)
김희선(인제의대)

01

임신아토피발진(기본)

29세 임신 30주 다분만부가 피부 가려움증으로 병원에 왔다. 피부 가려움증은 2주 전부터 시작되었으나 점차 심해졌다고 하였다. 임신부는 어릴 적부터 아토피 피부염으로 간헐적으로 치료받았다고 하였다. 혈압 110/86 mmHg, 맥박 98회/분, 호흡 20회/분, 체온 36.9℃였다. 초음파검사에서 태아는 두위, 양수지수(AFI) 14 cm, 예측태아몸무게는 1,940 g, 태반은 자궁바닥에 있었다. 임신부의 몸통, 다리와 팔의 피부 사진(그림 29-1)이다.

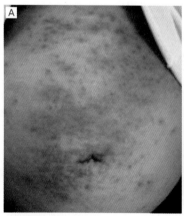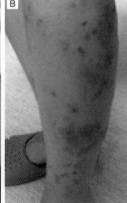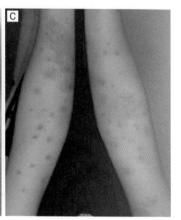

그림 29-1 A. 몸통, B. 다리, C. 팔

질문 1-1. 진단은?

해설 1-1. 임신아토피발진(atopic eruption of pregnancy)이다. 임신아토피발진은 주로 임신 제2삼분기와 제3삼분기에 발생한다. 임신아토피발진은 임신중습진, 임신가려움발진, 임신소양성모낭염을 포함하는 포괄적인 명칭이다. 임신가려움발진은 임신 중 비교적 흔하게 발생하는 질환으로 특징적인 병변은 5-10 mm 크기의 홍반 구진과 결절로 주로 사지의 신전 부위나 몸통에 잘 발생하며 임신성 간내쓸개즙정체의 가족력, 아토피의 가족력과 관련이 있다.

질문 1-2. 임신아토피발진의 원인 및 진단검사는?

해설 1-2. 임신아토피발진의 조직병리 검사나 면역형광염색검사 결과는 비특이적이다. 진단검사에서 임신중습진에서 나타나는 면역글로불린E의 증가 외 특이소견은 보이지 않는다. 임신아토피발진 환자의 약 20%는 임신 전 아토피성 피부염이 악화되어 발생되기도 한다.

질문 1-3. 임신아토피발진의 치료 및 경과는?

해설 1-3. 피부 병변과 가려움증은 주로 항히스타민제와 국소 코르티코스테로이드 연고로 조절한다. 치료에 반응하지 않는 경우 경구 코르티코스테로이드나 시클로스포린을 고려할 수 있다. 병변에 세균 감염이나 세균 중복 감염에 의해 질병이 악화될 수 있는데 이런 경우 항생제 투여가 필요할 수도 있다.

임신아토피발진의 경우 태아에 영향을 주거나 조산 등의 주산기에 영향을 미치지 않으며, 분만 후 보통 자연 회복되나 분만 후 3개월까지는 지속되기도 한다. 다음 임신 시 재발은 다양하나 흔하게 나타난다.

경과

가려움증은 보습제와 항히스타민제, 국소 코르티코스테로이드 연고로 조절하였으며 임신 41주에 유도분만을 통해 질식 분만하였다.

02

Maternal–fetal medicine

임신소양성두드러기성 구진 및 판(기본)

32세 임신 35주 미분만부가 가려움증과 발진을 호소하며 병원에 왔다. 가려움증 및 발진은 3주 전에 복부에서 처음 시작되었으며 점차 사타구니와 겨드랑이로 확대되었다. 혈압 105/87 mmHg, 맥박 98회/분, 호흡 18회/분, 체온 37.1℃였다. 초음파검사에서 태아는 두위, 양수지수(AFI) 12 cm, 예측태아몸무게는 2,620 g, 태반은 자궁바닥에 있었다. 임신부의 몸통 및 겨드랑이 피부 사진(그림 29-2)이다.

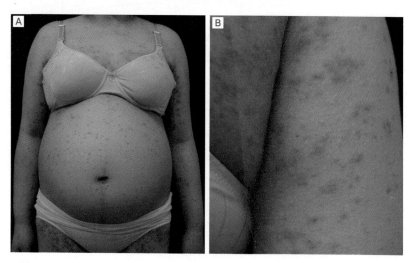

그림 29-2 A. 몸통, B. 겨드랑이

질문 2-1. 진단은?

해설 2-1. 임신소양성두드러기성 구진 및 판(pruritic urticarial papules and plaques of pregnancy)이다. 임신 중 가려움증을 동반한 양성 피부 염증성 질환으로 임신 중 가장 흔하게 나타난다. 주로 초산부에서 잘 발생하며 임신 후기, 특히 제3삼분기에 발생하나 15%에서는 분만 후에 발생한다고 알려져 있기도 하다. 임상적 특성은 심한 가려움증을 동반한 다양한 형태의 발진(polymorphic eruption)으로, 두드러기(ulticaria), 잔수포(vesicle), 찰상(excoriation), 자색반(purpuric) 및 다환식(polycyclic) 등 여러 모양으로 나타날 수 있으나 두드러기 형태로 가장 많이 발생한다. 특징적인 피부 병변은 1–2 mm 크기의 홍반성 두드러기 구진과 판으로 임신선 주위 복부에 발생하여 엉덩이, 넓적다리, 사지로 퍼지며 얼굴, 손발바닥은 잘 침범하지 않는다.

임신 중 가려움증을 발생시키는 임신의 특징적 피부질환은 다음과 같다(표 29-1).

표 29-1 임신의 특징적 피부질환

질환명	임신성 간내쓸개즙정체	임신소양성 두드러기성 구진 및 판	임신유사천포창	임신아토피발진		
				임신 중 습진	임신가려움발진	임신소양성모낭염
임상적 특징	임신 제3삼분기 : 강한 가려움 : 피부병변은 긁은 상처로 인한 이차적 줄까짐 : 전신적	주로 임신 제3삼분기 : 강한 려움 : 홍반성 소양성 구진 또는 판 : 반점형 또는 전신적 : 복부, 넓적다리, 엉덩이, 특히 임신선 주위	임신 제2삼분기 또는 3삼분기, 때때로 분만 후 1–2주 : 심한 가려움 : 복부, 사지 또는 전신 : 홍반성과 소양성 구진, 판, 잔물집, 물집	임신 제2삼분기 또는 3삼분기 : 사지 굴곡부위, 목, 얼굴에 건조하고 붉은 인설이 있는 반 : 아토피 과거력	임신 제2삼분기 후반 또는 3삼분기 초 : 국소적 또는 전신적 : 사지의 신전부위 : 몸통에 1–5 mm 가려운 홍반 구진	임신 제2삼분기 또는 3삼분기 : 국소적 또는 전신적 : 몸통에 작은 홍반 구진과 무균성 고름 물집

질문 2-2. 임신소양성두드러기성 구진 및 판의 원인 및 진단검사는?

해설 2-2. 발병원인은 정확히 밝혀져 있지 않지만, 태반호르몬 및 성호르몬의 변화 등 임신 중 호르몬의 변화와의 연관성, 임신부의 체중증가, 태아의 체중 및 다태 임신 등 복부 결합조직의 변화에 의한 발생, 임신 말기에 모체에 침투한 태아세포의 의한 발진 발생 등 여러 가설들이 제시되나, 자가면역에 의한 질병은 아닌 것으로 생각된다. 조직검사 소견은 대개 비특이적으로 표피 내에서 이상각화증(parakeratosis), 해면화(spongiosis) 등의 소견이 보일 수 있으며, 진피 내에서 호산구 성분을 동반한 경증의 비특이성 림프조직구혈관주위염(nonspecific lymphohistiocytic perivasculitis) 소견을 보일 수 있다. 임신아토피발진과 조직검사상의 명확한 차이는 없는 것으로 알려져 있다.

질문 2-3. 임신소양성두드러기성 구진 및 판의 치료 및 경과는?

해설 2-3. 치료는 대증요법이다. 일부에는 경구 항히스타민제와 피부 연화제로 치료가 되나 대부분의 경우 국소 코티코스테로이드 크림 또는 연고로 치료가 된다. 만일 이런 치료에도 호전되지 않으면 경구 코티코스테로이드를 단기간 사용한다. 증상은 대개 평균 6주 내의 짧은 기간 내에 없어지고 분만 후 수일 내로 흉터를 남기지 않고 자연 회복되나 약 20% 정도는 분만 후 지속되는 경우도 경우도 있다.

경과

가려움증이 점점 심해졌으나 입원하여 항히스타민제 주사제로 치료하면서 39주에 질식 분만하였고 분만 4주 이후 긁은 자국을 제외하고는 피부 병변은 없어졌다.

03

Maternal–fetal medicine

임신성간내쓸개즙정체(심화)

34세 임신 34주 미분만부가 온몸이 가렵다고 병원에 왔다. 가끔 속이 울렁거리고 토할 것 같았다고 하였다. 혈압 112/86 mmHg, 맥박 98회/분, 호흡 22회/분, 체온 36.9℃였다. 초음파검사에서 태아는 두위, 양수지수(AFI) 12 cm, 예측태아몸무게는 2,580 g이었다. 임신부의 다리 피부 사진(그림 29–3)과 혈액 검사 결과이다.

혈색소 12.1 g/dL, 백혈구 5,500/mm^3, 혈소판 165,000/mm^3

혈액요소질소 9 mg/dL, 크레아티닌 0.8 mg/dL

알라닌아미노전달효소 234 IU/L, 아스파르테이트아미노전달효소 250 IU/L
담즙산 15 μmol/L(참고치, 0–6)

총빌리루빈 1.7 mg/dL, 직접빌리루빈: 0.2 μmol/L

젖산탈수소효소 420 IU/L(참고치, 115–221)

요산 4.8 mg/dL(참고치, 2.4–6.2)

프로트롬빈시간 14 sec(참고치, 12.7–15.4)

활성화부분트롬보플라스틴시간 28 sec(참고치, 26.3–39.4)

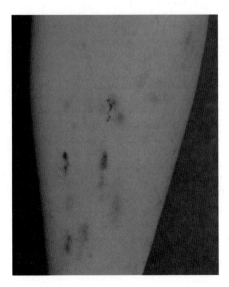

그림 29–3 다리

질문 3-1. 진단은?

해설 3-1. 임신성간내쓸개즙정체(intrahepatic cholestasis of pregnancy)이다. 임신 중 간내쓸개즙정체는 가려움증을 동반한 황달과 황달을 동반하지 않고 가려움증만 보이는 경우도 있다. 가려움증은 거의 모든 경우에 나타나지만 황달은 10-20%, 오심, 구토는 5-75%, 복부 불편감 9-25% 등 임상 경과가 다양하게 나타날 수 있다. 일반적으로 다른 피부질환과는 달리 일차적인 피부 병변은 없으나 긁은 상처로 인한 경미한 줄까짐 등이 이차적으로 나타날 수 있다. 이 임신부의 경우 임신 중 발생 가능한 간질환 중에 특징적인 피부 병변이 없는 가려움증과 혈액 검사상 담즙산이 상승되어 있으므로 임신성간내쓸개즙정체로 진단할 수 있다.

임신 중 임신성간내쓸개즙정체와 구별이 필요한 질환별 구분은 다음과 같다(표 29-2).

표 29-2 임신성간내쓸개즙정체와 감별질환이 필요한 질환

	시기	진단기준
입덧	임신 제1, 2삼분기	↑ Bilirubin (×4 ULN) ↑ ALT/AST (×2-4 ULN)
임신성 간내쓸개즙정체	임신 제1, 2, 3삼분기	↑ Bilirubin (×6 ULN) ↑ ALT/AST (×6 ULN) ↑ bile acids
자간전증	임신 제2, 3삼분기	↑ Bilirubin (×2-5 ULN) ↑ ALT/AST (×10-50 ULN) ↓ platelets
HELLP 증후군	임신 제2, 3삼분기	↑ ALT/AST (×10-20 ULN) ↑ LDH, ↓ platelets ↑ uric acid
임신급성지방간	임신 제2, 3삼분기	↑ Bilirubin (×6-8 ULN) ↑ ALT/AST (×5-10 ULN)

↑, 증가; ↓, 감소; ALT, alanine aminotransferase (알라닌아미노전달효소); AST, aspartate aminotransferase (아스파르테이트아미노전달효소); LDH, lactate dehydrogenase (젖산탈수소효소); ULN, upper limit of normal.

질문 3-2. 임신성간내쓸개즙정체의 원인 및 진단 검사는?

해설 3-2. 이 질환의 원인은 정확히 밝혀져 있지는 않지만, 임신호르몬, 유전, 환경적 요인 등과 관계 있으며, A형간염, B형간염, C형간염, 자가면역성 간질환, EBV (Epstein Barr virus)

감염, CMV (Cytomegalovirus) 감염, 담석증, 원발쓸개관간경화증(primary biliary cirrhosis), 원발경화쓸개관염(primary sclerosing cholangitis) 등의 간질환을 앓고 있는 경우 위험도가 증가한다고 알려져 있다.

임신 중 간내 쓸개즙 정체가 일어남으로써 나타나며 진단은 혈청 담즙산 농도 증가가 중요하다. 담즙산의 증가는 10 μmol/L 이상일 때 강력히 의심이 되지만, 40 μmol/L 이상일 경우 태아 생존에도 영향을 끼칠 수 있다. 진단 기준이 모호하여 자간전증, HELLP 증후군, 임신급성지방간과 구별이 쉽지 않다. 최근에는 가려움증, γ-글루타밀전달효소(gamma-gluthamyl transferase), 담즙산, 아미노기전이 효소(transaminases), 분만 후 호전 여부에 따라 진단하기도 한다.

질문 3-3. 임신성간내쓸개즙정체의 치료 및 경과는?

해설 3-3. 치료는 피부연화제나 국소적신 가려움약이 증상을 완화시키는 데 도움이 된다. 우르소데옥시콜산(ursodeoxycholic acid, UDCA)은 우선적으로 사용가능한 치료약으로 장간순환 내 소수성 담즙산과 간 독성 담즙산을 제거하여 담즙정체를 개선시켜준다. 15 mg/kg/day (500 mg, 하루 2회)를 복용하기를 권하며, 혈청 담즙산, 간기능 검사, 빌리루빈, 혈액 응고 검사를 주기적으로 하면서 면밀히 관찰해야 한다. 가려움증에 콜레스티라민(cholestyramine)보다 효과가 빠르며 지속적이어서 주산기 예후를 향상시키는 것으로 보고되고 있다. 콜레스티라민은 담즙산과 결합하여 장간 순환(enterohepatic circulation) 내 담즙산을 감소시키고 장내 배설을 증가시켜 주어 담즙 정체로 인한 증상을 개선시켜주어 치료 효과가 있다고 보고되었으나 지용성 비타민의 흡수를 저하시켜 비타민 K 결핍을 일으킬 수 있다. 이로 인해 태아 응고병증(fetal coagulopathy)이 생길 수 있으므로 주의를 요한다.

분만은 일반적으로 38주 이후에 할 것을 권하나, 황달이 있거나 혈청 담즙산의 농도가 40 μmol/L 이상일 경우 태아 폐성숙을 고려하여 36주 이후에 분만을 고려할 수 있다. 이러한 증상들의 대부분이 분만 1-2일 후 그리고 황달은 2-4주 후에 사 라지지만, 다음 임신에서 재발률은 40-72%에 이른다.

경과

진단 이후 우르소데옥시콜산(ursodeoxycholic acid, UDCA) 복용하면서 관찰하여 임신 37주에 질식 분만하였으며 임신부 및 태아 모두 건강하였다.

참고 문헌

1. 대한산부인과학회. 산과학. 제6판. 파주: 군자출판사; 2019.

2. Ambros-Rudolph CM. Dermatoses of pregnancy: clues to diagnosis, fetal risk and therapy. Ann Dermatol 2011; 23:265-75.

3. Bechtel MA, Plotner A. Dermatoses of pregnancy. Clin Obstet Gynecol 2015;58:104-11.

4. Bechtel MA. Pruritus in Pregnancy and Its Management. Dermatol Clin. 2018;36:259-65.

5. Bicocca MJ, Sperling JD, Chauhan SP. Intrahepatic cholestasis of pregnancy: Review of six national and regional guidelines. Eur J Obstet Gynecol Reprod Biol. 2018;231:180-7.

6. Joshi D, James A, Quaglia A, Westbrook RH, Heneghan MA. Liver disease in pregnancy. Lancet 2010; 375:594-605.

7. Massone C, Cerroni L, Heidrun N, brunasso AM, Nunzi E, Gulia A, Ambros-Rudolph CM. Histopathological diagnosis of atopic eruption of pregnancy and polymorphic eruption of pregnancy: a study on 41 cases. Am J Dermatopathol 2014;36:812-21.

8. Matz H, Orion E, Wolf R. Pruritic urticarial papules and plaques of pregnancy: polymorphic eruption of pregnancy (PUPPP). Clin Dermatol 2006;24:105-8.

9. Ovadia C, Williamson C. Intrahepatic cholestasis of pregnancy: Recent advances. Clin Dermatol 2016;34: 327-34.

10. Publications Committee Society of Maternal-Fetal Medicine. Understanding Intrahepatic Cholestasis of Pregnancy. 2011. [Accessed Sep 2017]. Available from: https://www.smfm.org/ publications/96-understanding-intrahepatic-chole-stasis-of pregnancy.

Chapter 30

감염질환

모체태아의학

30

감염질환

홍성연(대구가톨릭의대)　　　　　　김승철(부산의대)
배진영(대구가톨릭의대)　　　　　　박지은(경상의대)
이민아(충남의대)

01

Maternal-fetal medicine

B군 연쇄구균 감염(기본)

B군 연쇄구균(GBS) 감염 : 32세 미분만부는 임신 37주에 분만 전 검사로 혈액검사, 소변검사, 가슴 X선촬영검사 등을 시행하였으며 특이 소견은 관찰되지 않았으나, GBS 배양검사는 시행하지 않았다. 이후 임신 39주에 질식분만 하였으며 당시 신생아 아프가 1분, 5분 점수는 9점, 10점이었다. 양수의 태변착색은 없었다. 다음날 신생아는 청색증 소견을 보여 Hood를 통한 산소 10 L/분을 공급 하였으나 심박동 190회/분 이상, 산소포화도는 88%였다. 신생아 청진에서 폐수포음(crackle)이 들렸고, 코벌렁임(nasal flaring) 및 끙끙거림(moaning)이 있었다. 신생아 혈액검사 결과는 다음과 같았고, 가슴 X선촬영검사 결과는 그림(그림 30-1)과 같았다.

백혈구 35,950/mm^3 (참고치, 9,400–34,000), 혈색소 13.6 g/dL (참고치, 13.5–22.5)
혈소판 130,000/mm^3 (참고치, 150–650), C–반응단백질 3 mg/dL (참고치, 0–0.5)
혈액배양검사 : GBS 양성
동맥혈가스분석: pH 7.21, pO$_2$ 31 mmHg, pCO$_2$ 42 mmHg, HCO$_3$ 15.3 mM

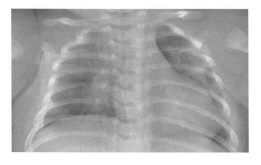

그림 30-1 분만 후 1일째 신생아의 가슴 X선촬영 사진

질문 1-1. 임신 중 GBS 배양검사의 적절한 시기와 검사방법은?

해설 1-1. 2002년 미국 CDC에서 처음으로 모든 임신부에게 GBS 배양검사를 시행하도록 추천하였으며, ACOG (2019)에서는 분만 방법과 관계없이 36주 0일부터 37주 6일까지 GBS 검출을 위한 산전검사를 시행하도록 권고하고 있다. GBS 배양검사는 분만 1-5주 이내 검사가 민감도와 특이도가 높으므로 너무 초기에 검사하는 것은 적절치 않다. 검사는 질-직장 면봉 채취법으로 시행하며 질경을 사용하지 않고 멸균된 면봉을 질에 약 2 cm가량 삽입 후 다시 같은 면봉으로 항문에 약 1 cm가량 삽입한다(그림 30-2).

질문 1-2. GBS 배양검사 양성인 임신부에게 추후 경과에 대해서 어떻게 설명할 것인가?

해설 1-2. GBS 집락형성을 가지고 있는 임신부의 빈도는 보고에 따라 5-40%로 다양하게 나타나며, 국내 연구에서는 임신부 GBS 집락형성의 빈도를 약 11.6%로 보고하였다. 대부분 이러한 집락이 관찰된다고 하더라도 이 중 1-2%만이 신생아 감염으로 연관되기 때문에 임신부에게서 GBS 배양검사 양성소견만으로 신생아 감염을 예측하기는 힘들다. 하지만 Boyer 등이 발표한 논문에 따르면 암피실린과 같은 예방적 항생제 투여 시 투여하지 않은 군에 비해서 신생아 GBS 집락 및 균혈증 비율이 확연히 감소한다고 하였다. 따라서 배양검사를 확인할 수 없는 조산이거나 위험인자가 있는 임신부 혹은 GBS 배양검사가 양성인 임신부에게 신생아 패혈증의 빈도는 높지 않으나 분만 전 예방적 항생제로 이러한 빈도를 감소시킬 수 있다고 설명하면서 안심시키는 것이 좋겠다.

Instructions for the collection of a genital swab for the detection of a group B streptococcus (GBS)

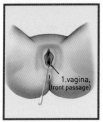 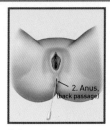  

1.vagina, (front passage)

2. Anus, (back passage)

1. Remove swab from packaging, Insert swab 2 cm into vagina, (front passage). Do not touch cotton end with fingers.

2. Insert the same swab 1 cm into anus, (back passage).

3. Remove cap from sterile tube.

4. Place swab into tube. Ensure cap fits firmly.

5. Make sure swab container is fully labelled with name, u.r. number, date and time of collection. Place swab container into transport bag and hand it to a staff member.

그림 30-2 GBS 배양검사를 위한 질-직장 면봉 검체 채취 방법

질문 1-3. 예방적 항생제 투여는 어떻게 하는 것이 좋은가?

해설 1-3. 예방적 항생제를 투여하는 목적은 두 가지이다. 하나는 신생아 GBS 집락형성의 빈도를 감소시키는 것이고 다른 하나는 태아와 신생아에게 항생제 적정용량을 유지시켜 신생아 패혈증의 위험을 감소시키는 것이다. 신생아 GBS 감염 예방을 위한 항생제 요법의 적응증과 비적응증 권고안은 그림과 같다(그림 30-3). 국내에서 항생제는 페니실린 또는 암피실린을 주로 사용하고 있는데 페니실린 G의 경우는 5백만 단위를 정맥주사 부하용량으로 주고 이후 4시간 간격으로 2.5-3백만 단위를 투여하게 된다. 암피실린의 경우 2 g 정맥주사 부하용량 투여 후 1 g씩 매 4시간마다 분만 전까지 투여한다. 페니실린 알러지가 있는 경우라면 위험도 여부에 따라 저위험군은 세파졸린을, 고위험군은 클린다마이신을 투여할 수 있고 클린다마이신 저항성 GBS의 경우는 반코마이신을 투여할 수 있다(표 30-1). 단 갑작스런 조산이 예상될 때에는 배양검사 결과가 나오기 전에 분만이 진행될 가능성이 있으므로 검사를 시행함과 동시에 예방적 항생제를 투여하는 것이 좋다.

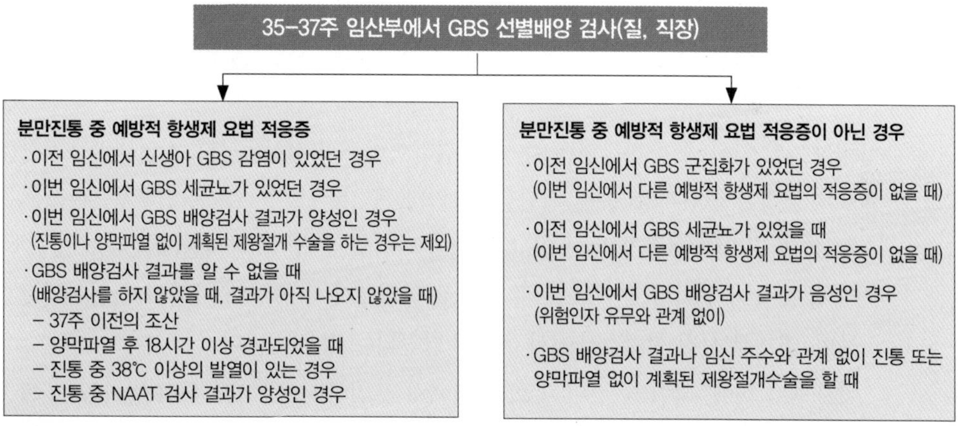

35-37주 임산부에서 GBS 선별배양 검사(질, 직장)

분만진통 중 예방적 항생제 요법 적응증
- 이전 임신에서 신생아 GBS 감염이 있었던 경우
- 이번 임신에서 GBS 세균뇨가 있었던 경우
- 이번 임신에서 GBS 배양검사 결과가 양성인 경우
  (진통이나 양막파열 없이 계획된 제왕절개 수술을 하는 경우는 제외)
- GBS 배양검사 결과를 알 수 없을 때
  (배양검사를 하지 않았을 때, 결과가 아직 나오지 않았을 때)
  - 37주 이전의 조산
  - 양막파열 후 18시간 이상 경과되었을 때
  - 진통 중 38℃ 이상의 발열이 있는 경우
  - 진통 중 NAAT 검사 결과가 양성인 경우

분만진통 중 예방적 항생제 요법 적응증이 아닌 경우
- 이전 임신에서 GBS 군집화가 있었던 경우
  (이번 임신에서 다른 예방적 항생제 요법의 적응증이 없을 때)
- 이전 임신에서 GBS 세균뇨가 있었을 때
  (이번 임신에서 다른 예방적 항생제 요법의 적응증이 없을 때)
- 이번 임신에서 GBS 배양검사 결과가 음성인 경우
  (위험인자 유무와 관계 없이)
- GBS 배양검사 결과나 임신 주수와 관계 없이 진통 또는 양막파열 없이 계획된 제왕절개수술을 할 때

그림 30-3 신생아 GBS 감염 예방을 위한 항생제 요법의 적응증과 비적응증 권고안

표 30-1 분만 중 GBS 예방적 항생제 종류 및 용법

권고 항생제	페니실린 G 500만 단위 정맥 투여 후 250~300만 단위를 4시간 간격으로 분만할 때까지 투여	
대체 항생제	암피실린 2 g 정맥 투여 후 4시간 간격으로 1 g 또는 6시간 간격으로 2 g을 분만할 때까지 투여	
페니실린에 알러지 위험성이 있는 경우	알러지 위험성이 높지 않은 경우	세파졸린 2 g 정맥 투여 후 8시간 간격으로 1 g을 분만할 때까지 투여
	알러지 위험성이 높고 클린다마이신에 감수성이 있는 경우	클린다마이신 900 mg을 8시간 간격으로 분만할 때까지 정맥 투여
	알러지 위험성이 높고 클린다마이신 내성균일 경우	반코마이신 1 g을 12시간 간격으로 분만할 때까지 정맥 투여

풍진 감염(심화)-1

임신 8주인 32세 미분만부가 개인병원에서 2주 전에 시행한 산전검사에서 풍진-특이 IgM 항체가 양성으로 나와서 전원되었다. 혈압 110/70 mmHg, 맥박 65회/분, 호흡 20 회/분, 체온 36.7℃였다. 최근 몇 주 이내에 발열, 관절통, 콧물, 임파절 종창 등의 증상은 없었고, 발진도 없었다고 하였다.

초음파검사에서 태아 머리-엉덩길이(crown-rump length)는 임신 8주 크기였고, 태아 심박동은 정상이었다.

개인병원에서 2주 전 임신 6주에 시행한 혈액검사 결과는 다음과 같았다.

풍진-특이 IgG 171 IU/mL (참고치, 음성; <5, 경계성; 5-10, 양성; >10)
풍진-특이 IgM 1.7 IU/mL (참고치, 음성; <0.8, 경계성; 0.8-1.2, 양성; >1.2)

질문 2-1. 산전검사에서 풍진-특이 IgM이 양성으로 나왔다면 추가적인 검사와 처치는?

해설 2-1. 임신 중 풍진감염은 증상, 풍진바이러스 역전사 중합효소연쇄반응검사(RT-PCR) 또는 혈청학적 검사를 통해 진단할 수 있다. 증상은 발열, 두통, 인후통, 관절통, 안구충혈, 콧물, 귀 뒤 임파절종창 등이 있고, 발진이 나타날 수 있다. 하지만, 약 50% 정도에서 무증상 이며, 증상이 경미할 수 있으므로 실제로 임산부에서 증상이 나타나서 진단되는 경우는 드 물며, 대부분 산전 혈액검사에서 우연히 발견되는 경우가 많다.

임산부의 혈액, 비인두, 소변 등의 검체에서 풍진바이러스 RT-PCR검사를 통해 진단할 수 있지만, 풍진바이러스의 동정은 급성기 약 1주일 이내에서 가능하므로, 대부분 무증상으로 급성기를 지난 경우가 많아서 실제로 진단에 도움이 되는 경우는 거의 없다.

대부분의 풍진감염의 진단은 혈청학적 풍진바이러스 항체검사에 의해 이루어진다. 풍진-특 이 IgM이 양성으로 나오면 최근 초회감염(primary infection)일 가능성이 있지만, 검사의 해 석에 주의를 필요로 한다. 풍진-특이 IgM 항체는 발진 후 3일 이내에 나타나고 7-10일에 정 점을 나타내고, 대부분 8-12주까지 검출된다. 풍진-특이 IgG 항체는 IgM 항체가 나타나고 2-3일 후에 나타나고, 발진 후 1-2주에 최고치를 보이며 일생 동안 검출된다.

임산부의 풍진감염은 혈청학적 검사에서 다음과 같은 소견을 보일 때 고려할 수 있다.

- 풍진-특이 IgM 양성
- 풍진-특이 IgG 항체의 혈청변환(seroconversion)이 있는 경우
- 회복기 풍진-특이 IgG 항체가 급성기에 비해 4배 이상 증가하는 경우

풍진-특이 IgM이 양성으로 나오면 최근 2개월 내의 초회감염(primary infection)일 가능성이 있지만, 해석에 주의를 필요로 한다. 풍진-특이 IgM 항체는 대부분 8-12주 내에 소실되지만, 간혹 1년 이상 또는 평생 지속되는 경우도 있으며, 다른 바이러스 감염이나 자가면역질환 등에 의한 교차반응(cross reaction)이 일어나서 위양성으로 나타나기도 한다. 우리나라의 경우 1990년대 말에 국가적인 MMR 예방접종사업과 2000년에 발생한 홍역대유행으로 국가적인 추가접종이 이루어졌으므로 실제 풍진 초회감염, 특히 임산부의 초회감염은 드물다. 풍진-특이 IgM 항체가 양성으로 나올 수 있는 경우는 다음과 같다.

- 최근의 초회감염
- 지속성(persistent) 풍진-특이 IgM 항체
- 교차반응으로 인한 위양성
- 재감염(reinfection)

풍진-특이 IgM 항체가 지속적으로 검출되는 경우는 MMR 예방접종 후에 간혹 나타날 수 있으며, 교차반응이 나타나는 경우는 매독, TORCH 바이러스, 수두-대상포진, 파르보바이러스, 콕사키바이러스, 엡스타인-바르(Ebstein-Barr) 바이러스 등의 감염이나 루푸스, 류마티스양관절염, 쉐그렌증후군, 자가면역성 갑상선질환 같은 자가면역질환이 있다.

풍진-특이 항체검사의 결과의 해석이 애매한 경우에는 2-3주 이내에 풍진-특이 항체검사를 재검하고, 풍진-특이 IgG 항체결합능(avidity) 검사를 시행하는 것이 급성 감염을 과거 감염, 지속적인 IgM 및 재감염으로부터 감별하는 데 도움을 줄 수 있다. 풍진-특이 IgG 항체결합능검사가 도움이 되는 경우는 다음과 같고, 해석은 표 30-2와 같다.

- 풍진-특이 IgM 항체가 양성인 경우
- 풍진-특이 IgG 항체역가 매우 높은 경우(>250 IU/mL)

낮은 항체결합능(<40%)은 감염 후 최대 6주까지 나타나며, 높은 항체결합능(>60%)은 감염 후 13주 이내에는 나타나지 않는 것으로 알려져 있어, 항체결합능이 60% 이상인 경우 최소한 3개월 이내에는 감염이 일어나지 않은 것으로 해석할 수 있다.

풍진 혈청학적 검사 결과에 따른 도식적인 해석은 다음과 같다(그림 30-4).

표 30-2 풍진 IgG 항체결합능 검사의 해석

Avidity		Interpretation
low	<40%	recent primary infection
indeterminate(borderline)	40-60%	recent vaccination or persistent IgM
high	>60%	past immunity, reinfection or persistent IgM

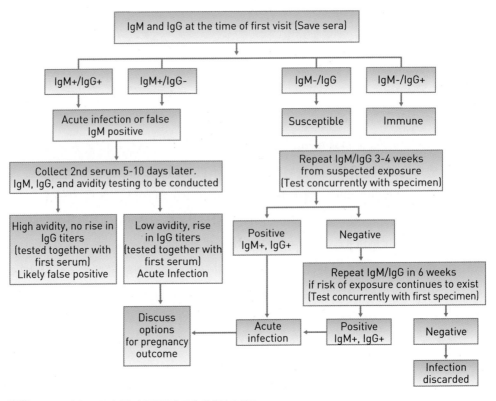

그림 30-4 임신 중 풍진감염의 혈청학적 검사 해석의 도식도

경과

임산부는 6개월 전에 MMR 예방접종을 받은 과거력이 있었다. 임신 8주에 시행한 혈액검사 결과는 다음과 같았다.

풍진–특이 IgG 153 IU/mL (참고치, 음성; <5, 경계성; 5–10, 양성; >10)

풍진–특이 IgM 1.26 IU/mL (참고치, 음성; <0.8, 경계성; 0.8–1.2, 양성; >1.2)

풍진–특이 IgG 항체결합능 88.3%

VDRL; 음성

톡소플라즈마 IgM: 음성

거대세포바이러스 IgM: 음성

단순포진바이러스 IgM: 음성

수두–대상포진 IgM: 음성

항핵항체(antinuclear antibody): 음성

류마티스인자: 음성

항중성구세포질항체(antineutrophil cystoplasmic antibody): 음성

질문 2-2. 상기 검사 결과의 해석 및 임산부에 대한 상담은?

해설 2-2. 풍진–특이 IgG 항체역가가 2주 전에 비해 큰 변화가 없고, 높은 항체결합능을 보이며, 교차반응검사에서 특이 소견이 없었다. 6개월 전 MMR 예방접종을 받은 적이 있으므로 지속적인 IgM으로 진단할 수 있으며, 급성 초회감염의 가능성은 배제할 수 있다. 자가항체검사나 다른 바이러스 항체검사는 필수적이지는 않지만, 교차반응으로 인한 위양성을 진단하는 데 도움이 된다.

02 풍진 감염(심화)-2

임신 7주인 28세 미분만부가 개인병원에서 2주 전에 시행한 산전검사에서 풍진-특이 IgM 항체가 양성으로 나와서 전원되었다. 혈압 120/80 mmHg, 맥박 70회/분, 호흡 20 회/분, 체온 37.0℃였다. 2주 전 임신 5주에는 발진이 생긴 후 다음 날에 개인병원을 방 문하였고 당시 시행한 혈액검사 결과는 다음과 같았다. 초음파검사에서 태아 머리-엉 덩길이는 임신 7주 크기였고, 태아심박동은 정상이었다.

> 풍진-특이 IgG: 227 IU/mL (참고치, 음성; <5, 경계성; 5-10, 양성; >10)
> 풍진-특이 IgM: 1.6 IU/mL (참고치, 음성; <0.8, 경계성; 0.8-1.2, 양성; >1.2)
> 수두-대상포진 IgG: 음성
> 수두-대상포진 IgM: 음성

2주 후인 임신 7주에 본원에서 시행한 혈액검사 결과는 다음과 같았다.

> 풍풍진-특이 IgG 210 IU/mL (참고치, 음성; <5, 경계성; 5-10, 양성; >10)
> 풍진-특이 IgM 1.7 IU/mL (참고치, 음성; <0.8, 경계성; 0.8-1.2, 양성; >1.2)
> 풍진-특이 IgG 항체결합능: 90.3%
> 수두-대상포진 IgG: 양성
> 수두-대상포진 IgM: 양성
> VDRL: 양성
> 매독트레포네마혈구응집반응(treponema pallidum hemagglutinin assay, TPHA): 음성
> 형광매독항체흡수검사(fluorescent treponemal antibody absorption tets, FTA-ABS) IgG: 음성
> 형광매독항체흡수검사내가 저번에 물어봤(fluorescent treponemal antibody absorption tets, FTA-ABS) IgM: 음성

질문 2-2. 상기 검사 결과의 해석 및 임산부에 대한 상담은?

해설 2-2. 발진이 생긴 후 2일 째에 시행한 첫 번째 검사결과에서 풍진-특이 IgG 양성과

IgM 양성 소견을 보였고, 수두-대상포진 IgG 및 IgM 항체 검사는 둘 다 음성으로 나와서, 수두감염보다는 풍진감염 가능성이 높다고 판단되어 전원되었던 증례이다. 2주 후 시행한 두 번째 검사결과에서는 풍진-특이 IgG와 IgM에서 여전히 양성으로 나왔지만, 풍진-특이 IgG 항체결합능 결과가 90.3%로 높은 항체결합능을 보이므로 풍진 급성 초회감염 가능성은 없으며, 수두-대상포진 IgG 및 IgM 항체 검사는 둘 다 양성으로 혈청변환(seroconversion)을 보였다. 이 같은 결과는 수두-대상포진 항체검사가 발진 2일째에 시행되어 아직 IgG와 IgM 항체가 생성되기 전에 일찍 검사가 이루어졌기 때문이며, 2주 후 검체에서 둘 다 양성 결과를 보였기 때문에 급성 수두감염으로 진단되었다. VDRL 역시 양성으로 나왔지만, TPHA 및 FTA-ABS IgG와 IgM이 음성이므로 매독감염 역시 배제할 수 있다. 풍진-특이 IgM과 VDRL이 양성으로 나온 것은 수두감염의 교차반응에 의한 위양성으로 판단할 수 있다.

02

풍진 감염(심화)-3

임신 9주인 35세 다분만부가 개인병원에서 시행한 산전검사에서 풍진-특이 IgM 항체가 양성으로 나와서 전원되었다. 혈압 110/70 mmHg, 맥박 70회/분, 호흡 20회/분, 체온 36.9℃였다. 최근 몇 주 이내에 발열, 관절통, 콧물, 임파절 종창 등의 증상은 없었고, 발진도 없었다고 하였다. 초음파검사에서 태아 머리-엉덩길이는 임신 9주 크기였고, 태아심박동은 정상이었다. 개인병원에서 2주 전 임신 7주에 시행한 혈액검사 결과는 다음과 같았다.

풍진-특이 IgG >500 IU/mL (참고치, 음성; <5, 경계성; 5-10, 양성; >10)
풍진-특이 IgM 1.32 IU/mL (참고치, 음성; <0.8, 경계성; 0.8-1.2, 양성; >12)

2주 후인 임신 9주에 본원에서 시행한 혈액검사 결과는 다음과 같았다.

풍진-특이 IgG >500 IU/mL (참고치, 음성; ⟨5, 불확정(indeterminate); 5–10, 양성; >10)

풍진-특이 IgM 1.38 IU/mL (참고치, 음성; ⟨0.8, 불확정(indeterminate); 0.8–1.2, 양성; >1.2)

풍진-특이 IgG 항체결합능: 97.3%

VDRL; 음성

톡소플라즈마 IgM: 음성

거대세포바이러스 IgM: 음성

단순포진바이러스 IgM: 음성

수두-대상포진 IgM: 음성

항핵항체: 음성

류마티스인자: 음성

항중성구세포질항체: 음성

다분만부로 이전 임신 때의 풍진 항체검사를 확인한 결과는 다음과 같았다.

풍진-특이 IgG >500 IU/mL (참고치, 음성; <5, 경계성; 5–10, 양성; >10)

풍진-특이 IgM 1.4 IU/mL (참고치, 음성; <0.8, 경계성; 0.8–1.2, 양성; >1.2)

질문 2-3. 상기 검사 결과의 해석 및 임산부에 대한 상담은?

해설 2-3. 과거 임신에서 풍진-특이 IgG 역가가 181 IU/mL로 양성, IgM 역가는 0.03 IU/mL로 음성이므로 풍진에 대한 면역을 가지고 있음을 확인할 수 있다. 이번 임신에 시행한 풍진-특이 IgG 역가는 >500 IU/mL로 과거 임신 때보다 증가되어 있다. 과거 임신에서 음성이었던 IgM은 양성으로 혈청전환 되었고, 높은 IgG항체결합능을 보이므로 풍진 재감염의 가능성을 배제할 수 없는 상태이다. 교차반응에 대한 검사 결과에서는 음성이므로 위양성을 완전히 배제할 수는 없지만 가능성은 높지 않다.

풍진 재감염의 경우는 초회감염에 비해 선천성 풍진증후군(congenital Rubella syndrome, CRS)의 발생률은 5% 정도로 높지 않으며, 임신 12주 이후에서는 보고된 적이 없다. 초회 감염과 비교하여 CRS의 증상이나 태아결손도 경미하다고 알려져 있다.

추적 초음파검사를 시행하면서 임신 20주 이후에 양수천자를 통한 풍진 RT-PCR 검사를 시행하는 것이 태아감염을 진단하는 데 도움을 줄 수 있다. 태아감염을 산전 진단하는 방법에는 양수천자와 탯줄천자가 있는데, 어느 방법이 가장 정확한지에 대해서는 이견이 있다. Mace 등은 양수천자를 통한 풍진 RT-PCR의 민감도와 특이도를 각각 83-95%, 100%로 보고하였다. 하지만 양수천자를 통한 풍진 RT-PCR 검사가 탯줄천자에 비해 더 쉽고, 합병증이 적어 더 많이 이용되고 있다. 양수천자의 시기는 모체감염 후 6-8주가 경과하고, 임신 20-21주 이후에 시행하는 것이 가장 정확도가 높다.

임산부와 상담 후 임신을 지속하기로 결정하였으며, 임신 21주에 시행한 양수천자를 통한 풍진 RT-PCR 검사 결과는 음성이었다. 만삭에 분만하였으며, 신생아에서는 CRS의 증상이나 징후가 관찰되지 않았고, 풍진-특이 IgM도 음성이었다.

02

Maternal-fetal medicine

풍진 감염(심화)-4

쌍둥이 임신인 베트남인 25세 미분만부가 임신 19주에 개인병원에서 시행한 산전검사에서 풍진-특이 IgM 항체가 양성으로 나와서 임신 20주에 전원되었다. 혈압 120/70 mmHg, 맥박 70회/분, 호흡 20회/분, 체온 36.8℃였다. 최근 몇 주 이내에 발열, 관절통, 콧물, 임파절 종창 등의 증상은 없었고, 발진도 없었다고 하였다. 과거 MMR 예방접종 여부나 풍진-특이 항체 검사 시행 여부는 알 수 없었다.

초음파검사에서 태아 크기는 임신 주수에 합당하였고, 태아심박동은 정상이었다. 개인병원에서 임신 19주에 시행한 혈액검사 결과는 다음과 같았다.

풍진-특이 IgG >500 IU/mL (참고치, 음성; <5, 경계성; 5-10, 양성; >10)
풍진-특이 IgM 1.4 IU/mL (참고치, 음성; <0.8, 경계성; 0.8-1.2, 양성; >1.2)

임신 20주에 본원에서 시행한 혈액검사 결과는 다음과 같았다.

풍진-특이 IgG 300 IU/mL (참고치, 음성; <5, 불확정(indeterminate); 5–10, 양성; >10)

풍진-특이 IgM 0.88 IU/mL (참고치, 음성; <0.8, 불확정(indeterminate); 0.8–1.2, 양성; >1.2)

풍진-특이 IgG 항체결합능: 98.9%

VDRL; 음성

톡소플라즈마 IgM: 음성

거대세포바이러스 IgM: 음성

단순포진바이러스 IgM: 음성

수두-대상포진 IgM: 음성

항핵항체: 음성

류마티스인자: 음성

항중성구세포질항체: 음성

질문 2-4. 상기 검사 결과의 해석 및 임산부에 대한 상담은?

해설 2-4. 본 증례와 같은 경우는 비교적 늦은 임신 주수에 검사가 시행되어 검사 결과 해석이 매우 어려울 수 있다. 높은 IgG 항체결합능(98.9%)을 보이므로 초회 감염 가능성을 배제할 수 있는 것처럼 보이지만, 이러한 높은 항체결합능은 모체감염 후 13주가 지나야 나타날 수 있는 것으로 알려져 있고, 검사 시기가 임신 19주이므로 임신 6주 이전의 모체감염 가능성을 완전히 배제할 수는 없다. MMR 예방접종 여부도 확실하지 않으므로 초회 감염과 재감염을 정확하게 감별하기도 쉽지 않다. 본 증례에서 보듯이 풍진-특이 항체검사는 될 수 있으면 임신 초기에 시행하는 것이 결과 해석에 도움을 줄 수 있다.

임신 21주에 양수천자술을 통한 풍진 RT-PCR 검사에서 음성을 보였고, 출생 후에도 신생아의 풍진감염은 없었다.

03

수두-대상포진 감염(기본)

32세의 다분만부가 임신 주수 36주 5일에 1일 전부터 목, 가슴, 등, 팔의 수포가 생겨서 병원에 왔다(그림 30-5). 2일 전부터 미열 및 근육통이 있었고, 10일 전에 첫째 아이가 수두를 진단받았다. 혈압 110/70 mmHg 맥박 90회/분, 호흡 20회/분, 체온 37.0℃였고, 산소 포화도는 99%였다. 초음파검사에서 태아 예상몸무게는 2,700 g (20백분위수), 양수지수 13 cm였고, 특이소견은 없었다. 혈액검사 결과는 다음과 같았고, 가슴 X선 촬영검사 결과는 정상이었다.

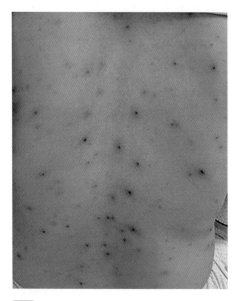

그림 30-5 등에 보이는 수두 병변

백혈구 5,300/㎣, 혈색소 11.9 g/dL, 혈소판 320,000/㎣
수두-대상포진 IgM 10.0 IU/mL (참고치, 음성; <0.80, 경계성; 0.80-1.20, 양성; >1.20)
수두-대상포진 IgG 7.78 IU/mL (참고치, 음성; <0.80, 경계성; 0.80-1.20, 양성; >1.20)
수두-대상포진 역전사 중합효소 연쇄반응(Reverse Transcription Polymerase Chain Reaction, RT-PCR): 양성

질문 3-1. 진단 및 진단 방법은?

해설 3-1. 수두는 열과 얼굴, 두피 및 몸통에 소양증을 동반하는 발진, 수포 등의 임상증상으로 진단할 수 있다. 가려움을 동반한 피부 병변은 붉은 반점이 나타난 후 맑은 액체로 찬 물집이 나타난 뒤 딱지가 앉는 과정을 거치게 된다. 수두바이러스 특이 항체 검사 및 환부의 검체를 통한 RT-PCR을 이용한 진단 검사가 도움이 된다.

질문 3-2. 이후 산모의 경과와 출산 및 신생아에 미치는 영향에 대한 상담내용은?

해설 3-2. 대부분 대증적 치료만으로 회복이 되지만, 폐렴 등의 전신 증상을 보이는 경우에는 입원하여 아시클로버 정맥 투여와 호흡보조 등의 치료를 시행한다.

임신 20주 이후의 수두 감염 시 그에 따른 태아의 선천성 기형 위험, 선천성 수두 증후군(congenital varicella syndrome)의 발생은 드물다. 하지만 임신 기간 마지막 4주 이내에 산모가 수두에 감염 시 신생아 감염의 위험도가 증가한다. 산모가 분만 5일 전부터 분만 후 2일 사이에 수두에 걸리면 신생아는 생후 5-10일 사이에 중증 수두에 걸릴 위험성이 있기 때문에, 가능하다면 산모 감염이 있은 후 7일이 지난 후에 분만을 하도록 하여 보호 항체(수두바이러스 특이 IgG 항체)가 태아에게 전파되어 면역 능력을 갖게 하는 것이 중요하다. 분만 연기가 불가능하다면 신생아에게 수두-대상포진 면역 글로불린(Varicella zoster immune globulin)을 투여하여야 한다.

모유를 통해서는 바이러스가 분비되지 않으므로 모유 수유는 수유 부위에 병변이 없으면 가능하다.

04

Maternal–fetal medicine

거대세포바이러스 감염(기본)

20세 미분만부가 임신 37주에 자궁내 태아성장제한과 양수과소증이 의심되어 왔다. 산전진찰은 정상적으로 받았고 내과력 및 가족력은 특이 소견이 없었다.

태아 초음파검사에서 양쪽마루뼈지름 7.9 cm (<5백분위수), 머리둘레 31.3 cm (<5백분위수)이고 태아 예상몸무게는 2,634 g였다. 태아 왼쪽 측뇌실너비(lateral ventricular atrial width)는 12 mm로 뇌실확장증 소견을 보였고, 뇌실 주위 석회화가 의심되었다 (그림 30-6). 태아복부에서 간 내 석회화가 확인되었다. 양수지수는 7 cm이고, 태반은 정상 소견이었다.

임신 38주에 시행한 추적 초음파검사에서 양수과소증(양수지수 2.5 cm)이 발생하고 태동이 줄어 분만을 결정하였다. 유도분만 중 전자식 태아심박동–자궁수축감시검사에서 반복적인 다양성 심박동 감속이 나타나 응급제왕절개술을 시행하였다. 출생 몸무게는 2,530 g(5백분위수), 1분과 5분 아프가점수는 7점, 8점이었고, 출생 후부터 전신에 황달 및 점상출혈(petechia) 소견을 보였다(그림 30-7, 8).

태반조직검사에서 융모와 내피세포에서 거대세포바이러스 감염에 의한 핵 내 봉입체(intranuclear inclusion body)가 관찰되었으며 면역조직염색에서 CMV 특이 항체에 양성으로 확인되었다(그림 30-9).

신생아 검사소견: 출생 1일 혈액검사에서 혈소판감소증(97,000/mm^3), 고빌리루빈혈증(7.71 mg/dL) 및 간효소치 상승(AST/ALT 70/17 IU/L)을 보였다. 혈청 CMV IgG와 IgM 항체는 모두 양성이었고, 소변검사에서 CMV RT-PCR도 양성이었다. 뇌컴퓨터단층촬영 및 뇌자기공명영상촬영검사에서 뇌실주위 다발성 석회화와 뇌실확장증(그림 30-10), 복부초음파와 간스캔에서는 간비종대가 확인되었다. 신생아의 안과검사와 청력검사는 정상 소견이었다.

산모의 모유에서 거대세포바이러스 RT-PCR은 양성을 보였고 혈청 내 항거대세포바이러스 항체는 IgM형 음성 및 IgG형 양성이었다.

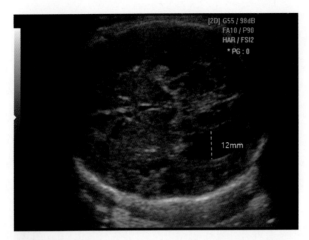

그림 30-6 태아머리 경뇌실단면; 뇌실확장증 소견

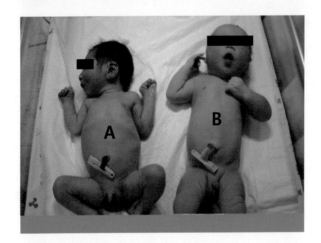

그림 30-7 신생아의 전신성 황달. A. 환아, B. 정상아

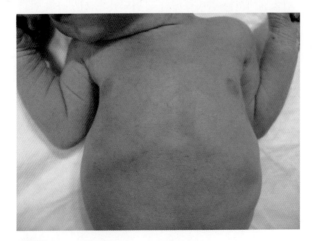

그림 30-8 신생아의 전신성 점상출혈(petechiae)

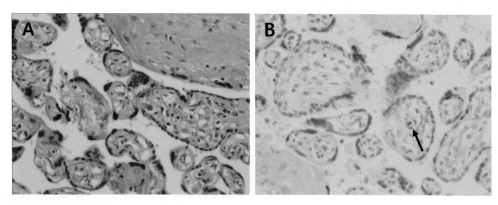

그림 30-9 태반조직검사에서 확인된 핵내 봉입체(Intranuclear inculsion body)
A. H&E 염색, B. CMV monoclonal antibody를 이용한 면역화학조직염색

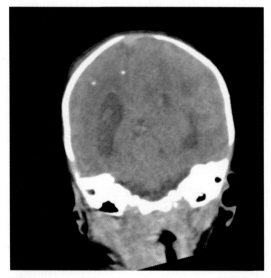

그림 30-10 신생아 뇌컴퓨터단층촬영: 뇌실주위 다발성 석회화 결절

질문 4-1. 선천성 거대세포바이러스 감염의 산전 초음파 소견은?

해설 4-1. 산전 초음파에서 에코성 장, 뇌실확장증, 뇌석회화, 태아성장제한, 간석회화, 뇌실막밑낭종(subependymal cyst) 및 소두증이 보일 때 의심할 수 있다.

질문 4-2. 태아에서 거대세포바이러스 감염의 진단 방법은?

해설 4-2. 태아감염의 진단은 RT-PCR 검사로 양수 내 CMV-DNA를 검출하는 방법이 추천된다. 검사의 민감도는 45-80%로, 임신 21주 이후이면서 모체감염 6-7주 이후에 양수를 얻는 경우 민감도가 높아지고 특이도 역시 97-100%까지 보고되었다. 탯줄천자를 통한 RT-PCR 검사로 CMV-DNA를 검출하는 방법은 양수천자와 민감도와 특이도가 비슷함에도 불구하고 비교적 높은 합병증을 보여 추천되지 않는다.

초음파검사를 통한 선천성 CMV 감염의 진단은 제한적이나, 초음파소견과 검체 내 바이러스 검출이 동시에 확인될 때 생후 증상을 보일 위험은 75%로 알려졌다.

최종 경과

신생아는 유증상 선천성 거대세포바이러스 감염으로 진단되어 항바이러스제인 간시클로버(gancyclovir)를 6개월간 투여하였다. 이후 CMV RT-PCR과 배양검사를 시행하여 바이러스 분비가 중지되었음을 확인 후 치료를 종결하였다. 생후 6개월의 시력 및 청력 검사는 정상이었으나 추적 관찰에서 왼쪽 팔과 오른쪽 다리의 운동 장애가 확인되었다.

05

Maternal-fetal medicine

파르보바이러스 감염(심화)

35세 미분만부가 임신 20주 1일에 개인병원에서 시행한 태아초음파검사에서 태아복수가 관찰되어 전되었다. 혈압 120/80 mmHg, 맥박 70회/분, 호흡 20회/분, 체온 36.8℃였다. 과거력과 가족력에서 특이 소견은 없었다. 임신 제1삼분기 초음파검사에서 태아 목투명대(nuchal translucency)는 1.2 mm로 정상이었다. 태아초음파검사에서 태아계측결과는 다음과 같았다.

양쪽마루뼈지름(BPD) 4.76 cm (20주 3일)

복부둘레(AC) 17.12 cm (22주 1일)

대퇴골길이(FL) 2.79 cm (18주 4일)

예상태아몸무게 362 g (20주 3일)

양수지수 12 cm

태반: 자궁바닥에 위치, 태반비대는 없음

태아초음파검사에서 태아 심낭삼출(pericardial effusion)과 복수가 관찰되었다(그림 30-11).

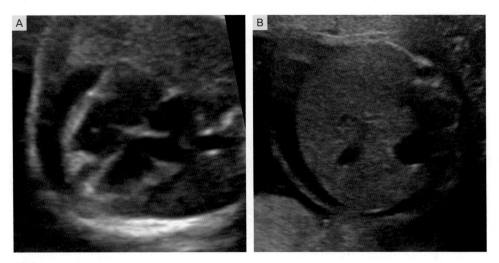

그림 30-11 태아 심낭삼출(A)과 복수(B)

질문 5-1. 태아 심낭삼출 또는 복수가 관찰될 때 추가적인 검사와 감별진단은?

해설 5-1. 태아 심낭삼출 또는 복수는 단독으로 나타날 수도 있지만, 동시에 관찰될 때는 태아수종(hydrops fetalis)을 고려하여야 한다.

태아수종은 태아초음파검사에서 태아의 연조직과 체강에서 두 군데 이상의 비정상적인 액체저류가 관찰될 때로 정의된다. 이러한 소견에는 복수(ascites), 흉수(hydrothorax), 심낭삼출과 피하부종(skin edema)이 있으며, 피하부종은 피부두께가 5 mm 이상일 때로 정의된다. 그 밖에 태반비대와 양수과다증이 동반되기도 한다.

태아수종이 관찰될 때는 먼저 면역학적 태아수종(immune hydrops fetalis)과 비면역학적 태아수종(nonimmune hydrops fetalis)을 감별하여야 한다. 면역학적 원인에는 대표적으로 ABO 혈액형부적합성과 Rh (D) 혈액형부적합성으로 인한 적혈구 동종면역(isoimmunization)이 있다. 항 D 면역글로불린의 사용으로 인해 면역학적 태아수종은 감소하는 추세이다. 상대적으로 비면역학적 태아수종이 더 흔하게 발생하며, 태아수종의 약 90% 정도를 차지한다.

태아수종이 있을 때 추가적인 검사와 처치는 태아수종의 원인에 대한 검사를 시행하고 그 원인에 따라 처치가 이루어진다. 태아수종의 원인은 매우 다양하며 산전에 원인을 알 수 없는 경우가 많지만, 최근에는 약 60% 정도에서 산전에 원인을 발견할 수 있으며, 출생 후까지 포함하면 약 80% 정도에서 원인을 밝힐 수 있다. 비면역성 태아수종의 원인은 다음과 같다 (표 30-3).

비면역성 태아수종의 원인을 알기 위해서는 태아 심장기형을 포함한 구조적 이상이나 기형이 동반되어 있지 않은지 태아심초음파검사와 정밀초음파검사를 시행해야 한다. 태아흉수 또는 피하부종 등의 다른 태아수종의 소견이 동반되어 있는지도 확인해야 한다. 초음파검사를 할 때는 태아는 물론 태반, 탯줄 및 양수량 이상에 대해서도 살펴보아야 한다. 태아심초음파에서는 심부전을 일으킬 수 있는 구조적 심장기형은 물론 부정맥이 있는지도 확인해야 한다. 태아심부전을 일으킬 수 있는 대표적인 태아부정맥은 심방조동(atrial flutter), 상심실성빈맥(supraventricular tachycardia), 방실전도차단(atrioventricular block) 등이 있다. 태아초음파검사를 시행할 때는 태아빈혈을 감별하기 위해 도플러초음파검사를 함께 시행해야 하며 태아중대뇌동맥(middle cerebral artery, MCA) 최대수축기속도(peak systolic velocity, PSV)를 측정하는 것이 태아빈혈의 예측에 도움이 된다. 태아 MCA–PSV가 임신 주수의 중앙값의 1.5 MoM 이상이면 태아빈혈의 가능성이 있다. 임신 주수에 따른 태아 MCA–PSV의 참고치는 다음과 같다(표 30–3).

염색체 이상이나 유전자 이상을 알기 위해 태아초음파검사에서 구조적 이상 유무와 관계없이 양수천자를 통해 염색체검사와 미세결실검사(microarray)를 시행한다. 이 때 태아감염에 대한 검사를 위해 TORCH 및 파르보바이러스 B19에 대한 RT–PCR 검사를 함께 시행하는 것이 좋다. 태아빈혈이 의심되거나 태아수혈이 필요하다고 예상되는 경우에는 탯줄천자를 시행할 수도 있다.

■표■ **30-3** 비면역성 태아수종의 원인

Causes	Cases	Mechanism
cardiovascular	17–35%	increased central venous pressure
chromosomal	7–16%	cardiac anomalies, lymphatic dysplasia, abnormal myelopoiesis
hematologic	4–12%	anemia, high output cardiac failure; hypoxia (alpha thalassemia)
infections	5–7%	anemia, anoxia, endothelial cell damage, and increased capillary permeability
thoracic	6%	vena caval obstruction or increased intrathoracic pressure with impaired venous return
twin-to-twin transfusion	3–10%	hypervolemia and increased central venous pressure
urinary tract abnormalities	2–3%	urinary ascites; nephrotic syndrome with hyponatremia
gastrointestinal	0.5–4%	obstruction of venous return; gastrointestinal obstruction and infarction with protein loss and decreased colloid oncotic pressure
lymphatic	5–6%	impaired venous return
tumors, including chorioangiomas	2–3%	anemia, high output cardiac failure, hyponatremia
skeletal dysplasias	3–4%	hepatomegaly, hyponatremia, impaired venous return
syndromic	3–4%	various
inborn errors of metabolism	1–2%	visceromegaly and obstruction of venous return, decreased erythropoiesis and anemia, and/or hyponatremia
miscellaneous	3–15%	
unknown	15–25%	

표 **30-4** 임신 주수에 따른 중대뇌동맥 최대수축기속도 참고치

GA (weeks)	MCA-PSV (cm/s)	
	Mediam	1.5 MoM
14	19.3	28.9
15	20.2	30.3
16	21.1	31.7
17	22.1	33.2
18	23.2	34.8
19	24.3	36.5
20	25.5	38.2
21	26.7	40.0
22	27.9	41.9
23	29.3	43.9
24	30.7	46.0
25	32.1	48.2
26	33.6	50.4
27	35.2	52.8
28	36.9	55.4
29	38.7	58.0
30	40.5	60.7
31	42.4	63.6
32	44.4	66.6
33	46.5	69.8
34	48.7	73.1
35	51.1	76.6
36	53.5	80.2
37	56.0	84.0
38	58.7	88.0
39	61.5	92.2
40	64.4	96.6

임산부의 혈액검사로는 우선적으로 태아수종의 면역학적 원인인 동종면역 가능성을 확인하기 위해 ABO 항체와 Rh 혈액형 및 간접 쿰즈검사(indirect Coombs test) 또는 항적혈구 항체검사(RBC antibody screening)를 시행한다. 지중해성빈혈(thalassemia) 같은 이상혈색소증(hemoglobinopathy)을 확인하기 위해 전혈구검사(complete blood counts)를 시행하며, 혈청학적 진단을 위해 VDRL, TORCH IgG와 IgM 및 파르보바이러스 IgG, IgM 또는 RT-

PCR 검사를 한다.

태아수종의 도식적인 진단적 접근방법은 다음과 같다(그림 30-12).

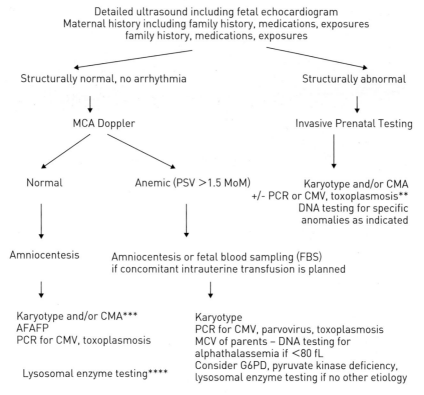

Detailed ultrasound including fetal echocardiogram
Maternal history including family history, medications, exposures
family history, medications, exposures

Structurally normal, no arrhythmia → MCA Doppler

Structurally abnormal → Invasive Prenatal Testing

Normal → Amniocentesis

Anemic (PSV >1.5 MoM) → Amniocentesis or fetal blood sampling (FBS) if concomitant intrauterine transfusion is planned

Karyotype and/or CMA
+/- PCR or CMV, toxoplasmosis**
DNA testing for specific
anomalies as indicated

Karyotype and/or CMA***
AFAFP
PCR for CMV, toxoplasmosis

Lysosomal enzyme testing****

Karyotype
PCR for CMV, parvovirus, toxoplasmosis
MCV of parents – DNA testing for
alphathalassemia if <80 fL
Consider G6PD, pyruvate kinase deficiency,
lysosomal enzyme testing if no other etiology

그림 30-12 비면역성 태아수종의 진단적 접근 방법 모식도. CMA: chromosomal microarray analysis

경과

태아정밀초음파검사와 태아심초음파검사에서 심낭삼출과 복수 이외에 다른 구조적 이상이나 기형은 발견되지 않았고, 태아심장의 이상 소견도 보이지 않았다. 임산부의 혈액검사 결과는 다음과 같았다.

ABO 혈액형: B형, Rh 혈액형: (+)

적혈구 항체 선별검사: 음성

간접쿰즈검사 : 음성

백혈구 16,200/mm^3, 혈색소 14.8 g/dL, 혈소판 330,000/mm^3

VDRL : 음성

태아도플러초음파검사에서 태아 MCA-PSV는 40.0 cm/s(1.57 MOM)으로 증가되어 있었고, 정맥관 도플러는 정상이었다(그림 30-13).

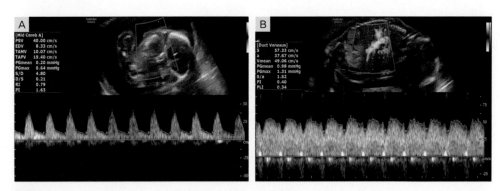

그림 30-13 A. 태아 중대뇌동맥 최대수축기속도 40.0 cm/s (1.58 MoM), B. 정상 정맥관도플러

다음 날 탯줄천자와 양수천자를 시행하였고, 태아빈혈이 진단되어 동시에 태아수혈을 시행하였다. 태아 검사결과는 다음과 같다.

태아혈액: 혈색소 8.4 g/dL, 태아적혈구용적율(hematocrit) 19.6%

태아수혈: Rh 음성 O형 혈액 15 mL

태아수혈 후 태아혈액: 혈색소 16.4 g/dL, 태아적혈구용적율 50.4%

양수: 파르보바이러스 B19 RT-PCR 양성

　　거대세포바이러스 RT-PCR 음성

　　톡소플라즈마 RT-PCR 음성

　　풍진 RT-PCR 음성

　　단순포진바이러스 RT-PCR 음성

핵형: 46,XX

질문 5-2. 태아 중대뇌동맥 도플러 초음파검사에서 태아빈혈이 의심될 때 추가적인 검사와 처치는?

해설 5-2. 태아빈혈의 산전진단은 탯줄천자를 통해 이루어질 수 있지만 침습적이므로 우선 태아 중대뇌동맥 도플러 초음파검사를 먼저 시행하고, 반드시 필요하다고 판단될 경우에 한해 탯줄천자를 시행하는 것이 바람직하다. 태아빈혈의 원인은 Rh (D) 또는 ABO 혈액형부적합으로 인한 동종면역, 지중해성빈혈 같은 이상혈색소증, 모체-태아출혈(feto-maternal hemorrhage), 태아감염 등이 있으며, 드물게 포도당-6-인산탈수효소(glucose-6-phosphate dehydrogenase) 결핍, 피루빈산키나아제(pyruvate kinase) 결핍 같은 선천성대사이상도 있다. 태아감염은 톡소플라즈마, 거대세포바이러스 감염, 파르보바이러스, 콕사키바이러스(Coxsackie virus), 대상포진-수두바이러스, 렙토스피라(leptospirosis) 감염 등이 태아빈혈을 일으킬 수 있지만, 이 중에서 가장 많은 것은 파르보바이러스 감염이다.

파르보바이러스의 태아감염은 모체 감염 중 33%에서 발생하는 것으로 알려져 있다. 태아감염의 예후 인자 중 가장 중요한 것은 발생 임신 주수와 태아수종의 동반 유무이다. 특히 임신 20주 이전에 감염이 일어났을 때 예후가 불량한데, 임신 20주 이후에 모체감염이 일어난 경우 태아사망률이 2-6%이지만, 임신 20주 이전에 감염되었을 경우 태아 사망률은 8-17% 정도로 보고된다.

태아수종이 동반된 경우 태아 사망률이 매우 높지만 태아수혈이 예후를 향상시키는 데 많은 도움이 된다. 하지만, 감염된 임산부의 1% 정도에서만 태아수종이 발생하는 것으로 알려져 있다. 태아수종의 80% 정도가 임신 제2삼분기에 발생하는데, 임신 22-23주가 가장 흔하다.

모체감염이 진단되었거나 태아감염이 진단된 경우의 처치와 예후는 임신 주수와 태아수종의 동반 유무에 따라 결정된다. 태아수종과 관련된 모체감염의 가장 중요한 시기는 태아의 간내 혈구생성이 가장 활발한 임신 13-16주이다. 대부분 태아빈혈은 일시적이며 특별한 치료를 하지 않아도 33% 정도에서는 호전이 된다. 하지만 태아수종이 동반된 경우에는 태아사망을 일으킬 수 있고, 예후가 불량하므로 태아수혈이 도움이 된다

태아수종의 대부분은 모체감염 후 10주 이내에 발생하기 때문에 모체감염이 진단된 후 8-10주까지 태아수종의 발생 유무를 확인하기 위해 태아 중대뇌동맥 도플러 초음파검사를 포함하여 1-2주 간격의 주기적인 초음파검사를 시행하는 것이 추천되며, 이 기간 이후 태아수종이 발생하지 않으면 추가적인 검사를 시행하지 않아도 된다. 하지만, 중대뇌동맥 도플러 초음파 검사에서 MCA-PSV가 1.5 MoM 이상으로 증가되고 태아수종이 발생하였다면 탯줄천자를 통해 태아빈혈의 유무를 판단하고, 필요하다면 태아수혈을 시행하는 것이 예후를 향상시킬 수 있다.

태아수종이 동반된 경우의 처치에 대해서는 아직 명확한 결론은 없지만, 만삭이나 만삭에 가까운 임신 주수라면 분만 후 처치를 하는 것이 추천된다. 임신 34주 이전이거나 태아 폐성숙 시기 이전이라면 태아수혈을 시행하거나 기대요법을 시행할 수도 있다. 하지만, Rodis 등의 연구에서 태아수종이 동반되었을 때 기대요법을 시행한 경우 태아사망률이 30%인 반면, 태아수혈을 시행한 경우에는 태아사망률이 6%로 보고하였다. 또한 기대요법의 경우 태아사망을 예측할 수 있는 인자가 없으므로 태아수종이 동반된 경우 태아수혈이 권고된다. 태아수혈은 임신 18주부터 시행할 수 있지만, 임신 22주 이후에 주로 시행되며, 임신 몇 주까지 시행할 수 있는지에 대해서는 정확한 지침은 없지만, 태아의 상태나 시행기관에 따라 차이가 있을 수 있다. 본 증례의 경우 임신 20주이며 MCA-PSV가 40.0 cm/s (1.57 MoM)로 1.5 MoM 이상으로 증가되어 있고, 태아수종이 동반되어 있어 탯줄천자와 양수천자와 함께 태아수혈을 시행하였다.

경과

태아수혈을 시행하고 2일 째 MCA-PSV는 21.3 cm/s (0.84 MoM)으로 감소하였고, 1주일 후 추적검사에서 MCA-PSV가 22.0 cm/s (0.86 MoM)로 유지되었고, 태아 심낭삼출과 복수도 소실되었다. 추적 관찰에서 MCA-PSV는 정상 범위 내에서 유지되었고, 태아 심낭삼출이나 복수 등의 태아수종도 다시 발생하지 않았다. 임신 40주에 자연진통으로 여아 3,090 g을 질식분만하였고, 1분 및 5분 아프가 점수는 각각 8점, 10점이었다. 출생 후 신생아의 상태는 양호하였고, 혈액검사 결과는 다음과 같았다.

백혈구 16,200/mm^3, 혈색소 14.8 g/dL, 혈소판 330,000/mm^3

질문 5-3. 태아수혈 후의 태아의 경과와 추적관찰은?

해설 5-3. 태아수종이 자연 소실되거나 태아수혈을 통해 호전되었다면, 임신 중에 다시 태아수종이 발생하는 경우는 흔하지 않다. 태아수혈 후에 태아수종이 소실되는 데까지 걸리는 시간은 다양하지만, Rodis 등은 94% 정도에서 6주 이내에 소실된다고 보고하였다. 태아수종이 동반된 경우 태아수혈의 횟수에 대해서는 Bascietto 등은 63.2%에서 한 번의 태아수혈이 필요하였고, 36.8%에서는 2번 이상의 태아수혈이 필요하였다고 보고하였다.

참고 문헌

1. 대한산부인과학회. 산과학. 제6판. 파주: 군자출판사; 2019.

2. ACOG Committee Opinion Summary, No.797: Prevention of Group B Streptococcal Early-Onset Disease in Newborns. Obstet Gynecol 2020;135:489-92.

3. Bascietto F, Liberati M, Murgano D, Buca D, Iacovelli A, Flacco ME, et al. Outcome of fetuses with congenital parvovirus B19 infection: systematic review and meta-analysis. Ultrasound Obstet Gynecol 2018; 52:569-76.

4. Bellini C, Hennekam RC, Fulcheri E, Rutigliani M, Morcaldi G, Boccardo F, et al. Etiology of nonimmune hydrops fetalis: a systematic review. Am J Med Genet A 2009;149A: 844-51.

5. Bottiger B, Jensen IP. Maturation of rubella IgG avidity over time after acute rubella infection. Clin Diagn Virol 1997;8:105-11.

6. Boyer KM, Gotoff SP. Prevention of early-onset neonatal group B streptococcal disease with selective intrapartum chemoprophylaxis. N Engl J Med 1986;314:1665-9.

7. Schrag S, Gorwitz R, Fultz-Butts K, Schuchat A. Prevention of perinatal group B streptococcal disease. Revised guidelines from CDC. MMWR Recomm Rep 2002;51:1-22.

8. Enders G, Bader U, Lindemann L, Schalasta G, Daiminger A. Prenatal diagnosis of congenital cytomegalovirus infection in 189 pregnancies with known outcome. Prenat Diagn 2001;21:362-77.

9. Macé M, Cointe D, Six C, Levy-Bruhl D, Parent du Châtelet I, Ingrand D, Grangeot-Keros L. Diagnostic value of reverse transcription-PCR of amniotic fluid for prenatal diagnosis of congenital rubella infection in pregnant women with confirmed primary rubella infection. J Clin Microbiol 2004;42:4818-20.

10. Mari G. Middle cerebral artery peak systolic velocity for the diagnosis of fetal anemia: the untold story. Ultrasound Obstet Gynecol 2005;25:323-30.

11. Lazzarotto T, Guerra B, Gabrielli L, Lanari M, Landini MP. Update on the prevention, diagnosis and management of cytomegalovirus infection during pregnancy. Clin Microbiol Infect 2011;17:1285-93.

12. Liesnard C, Donner C, Brancart F, Gosselin F, Delforge ML, Rodesch F. Prenatal diagnosis of congenital cytomegalovirus infection: prospective study of 237 pregnancies at risk. Obstet Gynecol 2000;95:881-8.

13. Picone O, Teissier N, Cordier AG, Vauloup-Fellous C, Adle-Biassette H, Martinovic J, Senat MV, Ayoubi JM, Benachi A. Detailed in utero ultrasound description of 30 cases of congenital cytomegalovirus infection. Prenat Diagn 2014;34:518-24.

14. Practice bulletin no. 151: Cytomegalovirus, parvovirus B19, varicella zoster, and toxoplasmosis in pregnancy. Obstet Gynecol 2015;125:1510-25

15. Rodis JF, Borgida AF, Wilson M, Egan JF, Leo MV, Odibo AO, campbell WA. Management of parvovirus infection in pregnancy and outcomes of hydrops: a survey of members of the Society of Perinatal Obstetricians. Am J Obstet Gynecol 1998;179:985-8.

16. Santo S, Mansour S, Thilaganathan B, Homfray T, Papageorghiou A, Calvert S, Bhide A. Prenatal diagnosis of non-immune hydrops fetalis: what do we tell the parents? Prenat Diagn 2011;31:186-95.

17. Santolaya J, Alley D, Jaffe R, Warsof SL. Antenatal classification of hydrops fetalis. Obstet Gynecol 1992;79:256-9.

18. Shrim A, Koren G, Yudin MH, Farine D. No. 274-Management of Varicella Infection (Chickenpox) in Pregnancy. J Obstet Gynaecol Can 2018;40:e652-e7.

19. Society for Maternal-Fetal M, Norton ME, Chauhan SP, Dashe JS. Society for maternal-fetal medicine (SMFM) clinical guideline #7: nonimmune hydrops fetalis. Am J Obstet Gynecol 2015;212:127-39.

20. Vauloup-Fellous C, Grangeot-Keros L. Humoral immune response after primary rubella virus infection and after vaccination. Clin Vaccine Immunol 2007;14:644-7.

hapter31

성매개 질환

모체태아의학

31

성매개 질환

이정헌(전북의대)
정영주(전북의대)

Maternal-fetal medicine

01

뾰족콘딜로마(기본)

16세 임신부가 임신 36주 6일에 분만진통이 발생하여 산부인과에 왔다. 산모는 산전진찰을 한 번도 받은 적이 없었으며, 양측 대음순 부위에 15×10 cm 크기의 뾰족콘딜로마가 양배추 모양으로 돌출되어 자라고 있었으나 인지하지 못하고 있었다. 골반진찰에서 양막은 이미 파열되어 있었고, 자궁경부는 완전개대 되었으며, 자궁은 규칙적으로 강하게 수축하고 있었다. 분만 후 회음부봉합이 완료된 모습이다(그림 31-1).

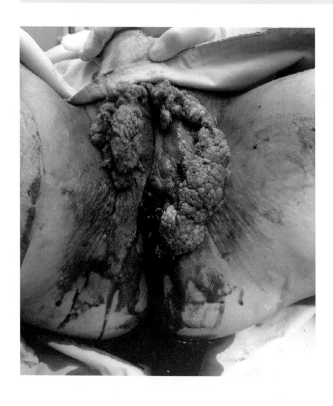

그림 31-1 양측 외음부의 거대 뾰족콘딜로마와 회음부봉합 부위(여의도 성모병원 환자 증례)

질문 1-1. 산모가 외음부에 뾰족콘딜로마가 있을 때 어떤 분만 방식을 선택해야 하는가?

해설 1-1. 뾰족콘딜로마가 있는 상태로 질식분만 시 발생할 수 있는 드문 합병증으로 소아기에 발견되는 후두유두종증을 생각할 수 있다. 이는 분만 당시 신생아가 주로 HPV 6, 11형에 감염된 물질을 흡입하여 발생할 수 있다. Smith 등은 부모와 신생아의 HPV 유형 일치성에 대한 연구를 통해 신생아 수직전파는 매우 드물다고 보고한 반면, Hahn 등은 수직전파율이 21%정도 된다고 보고하였다. 현재로서는 제왕절개분만이 수직감염을 낮추는지 확실하지 않다. 뾰족콘딜로마 부위로 회음절개를 시행했을 때 회음절개 벌어짐의 원인이 될 수 있지만 이것은 향후 교정 가능하다. 뾰족콘딜로마가 산도를 완전히 막아 질식분만이 불가능한 경우를 제외하고는 HPV 신생아전파를 예방하기 위해 제왕절개를 시행하는 것은 추천되지 않는다.

질문 1-2. 분만 전 산모의 뾰족콘딜로마의 치료는?

해설 1-2. 임신 중 뾰족콘딜로마의 치료 목표는 모체와 태아에 해를 주지 않으면서 눈으로 보이는 사마귀 덩어리를 제거하는 것이지 HPV를 완전히 박멸하기 위한 것은 아니다. 임신 중 뾰족콘딜로마의 치료법 중 약물치료로는 삼염화 또는 이염화 아세트산(trichloroacetic or bichloroacetic acid) 80–90% 용액을 일주일에 한 번 국소도포 하거나, 물리적 치료법으로는 냉동치료, 전기지짐, 레이저절제술, 수술적 절제법 등이 있다. 전기지짐이나 레이저절제술 시 발생하는 연기에 HPV 입자가 포함되어 있어 시술자에게 후두유두종증이 발생할 수 있다고 알려져 있으므로 이런 시술을 시행할 때는 필터를 갖춘 연기흡입 장치를 사용하고, 시술자는 특수 마스크를 착용하여야 한다. 포도필린, 포도필록스, 5-플루로우라실, 인터페론, 이미퀴모드, 사인카테킨(sinecatechins)은 모체와 태아에 대한 독성 때문에 임신 중에는 사용하지 않는다.

경과
분만 방식은 질식분만으로 결정하고 회음부절개를 시행한 후 2,450 g 신생아를 분만하였다. 분만 후 2개월에 거대 뾰족콘딜로마를 수술적으로 절제하여 제거하였다(그림 31-2).

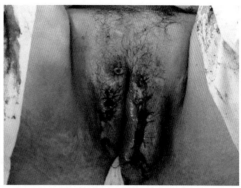

그림 31-2 절제된 뾰족콘딜로마 덩이리들(A)과 봉합과 지혈이 완료된 양측 외음부 모습(B) (여의도 성모병원 환자 증례)

02

Maternal-fetal medicine

단순포진(기본)

30세 다분만부가 임신 23주 6일에 외음부가 가렵고 따끔거린다고 병원에 왔다. 이 여성은 평상시 건강했으며, 혈압 120/80 mmHg, 맥박 80회/분, 호흡수 20회/분, 체온 36.9℃ 이었다. 일년 전에도 현재와 유사한 증상을 경험하였고, 당시 병변에서 채취한 샘플의 유전자증폭검사(PCR)에서 herpes simplex virus-2(HSV-2)가 검출된 적이 있었다. 골반진찰 결과 우측 대음순 안쪽 피부가 붉은색을 띠며 약간 부어있었고 군데군데 통증이 동반된 물집과 궤양이 관찰되었다. 태아 초음파를 시행하였을 때 기형은 없었으며 성장 정도는 임신 주수에 합당하였고, 태반과 양수에 특이한 사항은 없었다.

질문 2-1. 진단과 치료는?

해설 2-1. 산모의 약 22%는 HSV-2에 감염되어 있고, 임신 중 HSV의 음성에서 양성으로 혈청변환은 3.7%라고 보고되었다. 이 증례의 여성은 과거에 성기에서 이미 HSV-2가 검출되었고 다시 동일부위에 단순포진 병변이 발생한 것으로 보아 재발감염이 의심된다. 재발감염이란 이미 존재하는 동종항체를 가진 사람의 신경절에 잠복해 있던 바이러스들이 재활성화 되어 증상이 나타나는 경우이다. 재발감염은 원발성감염보다 통증이 약하고 병변의 개수가 적고 국소적이다. 전신증상이 발생하는 경우는 드물며 바이러스의 확산 시간(2-5일)과 임상경과 기간(평균 10일)도 짧다. 재발감염은 평생 동안 반복적으로 나타나고 나이가 들면서 발생 빈도는 감소한다.

병변이 비전형적이어서 임상증상만으로 진단을 내리기 어려울 때는 혈청학적 검사를 시행한다. ELISA를 이용하여 HSV의 당단백질인 G1, G2에 대한 항체를 검출하는데 민감도와 특이도가 매우 높다. PCR은 민감도가 가장 높은 검사로 바이러스의 아형확인도 가능하다.

치료의 근간은 항바이러스제 사용이며 분만 전후 바이러스흘림을 최소화하여 신생아 감염을 예방하는 데 중점을 두어야 한다. 임신 중 HSV 감염이 있던 산모에게 분만 전후에 재발을 줄이기 위해 임신 36주부터 분만 시까지 항바이러스제를 치료하는 억제요법을 시행하기도 한다. 임상적 진단만으로 치료를 시작할 수 있으며 증상 발생 후 가급적 빨리 항바이러스 요법을 시작해야 효과적이다. 국소적으로 바르는 항바이러스요법은 효과가 증명되지 않아 권장되지 않는다. 임신 중 단순포진에 대한 치료지침을 정리하면 다음과 같다(표 31-1).

표 31-1 임신 중 HSV 감염 치료

원발감염, 첫발현감염	
아시클로버	400 mg 3회/일 경구(7-10일)
발라시클로버	1 g 2회/일 경구(7-10일)
재발감염	
아시클로버	400 mg 3회/일 경구(5일) 또는 800 mg 2회/일 경구(5일) 또는 800 mg 3회/일 경구(2일)
발라시클로버	500 mg 2회/일 경구(3일) 또는 1 g 1회/일 경구(5일)
억제요법(임신 36주부터 분만할 때까지 치료)	
아시클로버	400 mg 3회/일 경구
발라시클로버	500 mg 2회/일 경구

질문 2-2. 임신 중 단순포진이 성공적으로 치료된 경우 분만 방식은?

해설 2-2. 전에 HSV에 감염되었던 산모가 분만에 임박하면 가렵고 따끔거리는 전구증상이 있는지 확인하고, 외음부, 질, 자궁경부를 주의 깊게 관찰하여 의심 병변이 발견되면 바이러스 검사를 시행한다. 생식기 활성 병변이 없거나, 활성 병변이라도 생식기와 멀리 떨어져 있을 때에는 병소를 잘 밀폐한 상태로 질식분만을 시행할 수 있다. 생식기에 활성 병변이 있거나 전구증상이 있는 산모는 제왕절개술을 시행한다.

경과

산모는 임신 23주 6일부터 24주 4일까지 5일간 아시클로버 400 mg을 하루 3회 복용하였고, 이후 외음부 증상과 병변은 소실되었다. 억제요법은 시행하지 않았다. 임신 40주 2일에 자발적인 분만진통 발생하였고, 그 당시 생식기에 활성 병변은 없었고 질식분만을 시행하여 3,200 g 신생아를 분만하였다. 신생아의 HSV 감염은 없었다.

03

Maternal-fetal medicine

클라미디아(기본)

평상 시 생리가 규칙적이던 23세 여성이 무월경 5주째 질 분비물 양이 증가하고 노랗게 나온다고 병원에 왔다. 혈압 120/80 mmHg, 맥박 82회/분, 호흡수 20회/분, 체온 37.1℃ 이었다. 질경을 통해 자궁경부를 관찰했을 때 전체적으로 붉은색을 띠고 있었으며 입구에서 노란색의 끈적한 분비물이 나오고 있었다. 소변 임신반응 검사는 양성이었고 질식초음파 검사에서는 자궁 내부에 한 개의 임신낭과 난황낭이 보였다. 정규 실험실 검사는 모두 정상이었으나 클라미디아 선별검사는 양성으로 나왔다.

질문 3-1. 임신 첫 방문 시 클라미디아 선별검사를 꼭 시행해야 하나?

해설 3-1. 현재 우리나라는 모든 임신부를 대상으로 클라미디아 선별검사를 시행하는 것에 대해 권장하고 있지는 않다. 하지만 클라미디아는 우리나라에서 성매개감염 중 가장 흔하게 보고되는 질환으로 해마다 꾸준히 증가하고 있다. 클라미디아에 감염된 산모의 질식분만 과정 중 수직감염은 30-50%이며 이로 인해 신생아 결막염이 발생할 수 있고 생후 6개월 이내 영아 폐렴의 원인이 되기도 한다. 임신 중 클라미디아에 감염된 경우 저체중출생아의 발생이 2배 높다는 보고도 있어 임신 중 치료의 중요성이 대두된다. 또한 최근에 미국 산부인과학회/소아과학회에서는 모든 임신부는 첫 방문 시 클라미디아 선별검사를 시행하고, 임신 제1삼분기에 치료를 했어도 25세 이하이거나, 감염 위험 요소가 지속되는 임신부의 경우 임신 제3삼분기에 재검사를 권고하고 있다. 따라서 우리나라에서도 증가하는 클라미디아 유병율 추세에 맞춰 임신 초기 선별검사로 지정될 가능성이 높으며 아직은 권장되는 않는다 할지라도 이 증례의 산모처럼 클라미디아 감염이 의심되는 환자의 경우는 클라미디아 PCR 검사를 시행하는 것이 바람직하다.

진단법은 주로 상업적으로 제품화된 PCR 등의 핵산증폭검사(nucleic acid amplification test, NAAT)를 이용하고 대부분은 클라미디아와 임균을 하나의 검체로 동시에 진단한다. 배양법은 NAAT보다 특이도는 높지만, 민감도가 낮고 가격이 더 비싸다.

질문 3-2. 임신 중 클라미디아 감염 치료는?

해설 3-2. 아지스로마이신 1 g을 1회 경구 투여하는 방법이 가장 선호되고, 아목시실린 500 mg을 하루 3회 7일간 복용하는 방법도 있다. 대체약제로는 에리스로마이신 베이스(erythromycin base) 500 mg을 하루 4회 7일간 복용하거나, 에칠호박산 에리스로마이신(erythromycin ethylsuccinate) 800 mg을 하루 4회 7일간 복용하는 방법이 있다. 퀴놀론, 독시사이클린, 에리스로마이신 에스톨레이트(erythromycin estolate)는 임신 중에는 사용을 피한다. 여성에서 클라미디아 감염 치료 후 재감염율은 13.9%로 보고되기 때문에 치료가 끝나고 한달 뒤에 반복검사를 시행한다. 임신 중 성병림프육아종(lymphogranuloma venereum, LGV)의 치료를 위해서는 에리스로마이신 베이스(erythromycin base) 500 mg을 하루 4회 21일간 복용한다.

성매개 질환의 전파를 막기 위하여 성적 파트너에게도 치료를 권장한다. 현재 성병이 진단된 환자의 성적 파트너에 대한 의학적 진단이나 전문적인 상담 없이 현재 환자에게 성적 파트너에 대한 처방까지 제공하는 것을 신속한 파트너 치료(expedited partner therapy, EPT)라고 한다. EPT는 특히 클라미디아 또는 임질에 감염된 여성 환자의 남성 파트너를 치료하는 데 유용하다. EPT는 매독에는 추천되지 않는다.

경과

산모는 아지스로마이신 1 g을 1회 경구 투여하였고 남편에 대해서도 EPT를 시행하였다. 산모는 임신 9주에 클라미디아 PCR을 시행하였고 결과는 음성이었다. 25세 이하의 젊은 산모이기에 임신 제3삼분기에 재검사를 받도록 권고하였다.

04

인간면역결핍바이러스 감염증(심화)

32세 미분만부가 임신 38주에 개인병원에서 시행한 인간면역결핍바이러스(HIV) 항체검사에서 양성이 나와 본원에 전원되었다. 태아초음파 검사에서 예상태아체중 2,715 g(10백분위수 2,709 g), 양수량은 충분하였고 태반은 자궁저부에 위치하였다. 태아장기에 이상소견은 없었고 탯줄동맥의 수축기/이완기 혈류속도비(S/D ratio)는 2.3이었다. 다음은 감염질환에 대한 혈청학적, 세포면역표현형, 간기능 검사결과이다. 흉부 X선 검사에서 특이소견은 없었다.

Anti HIV 양성, HIV RNA copy 8,500 copies/mL, RPR 비반응성, 매독 특이항원검사 음성

B형간염항원 음성, Anti HCV 음성

HSV IgG 양성, HSV IgM 음성, CMV IgG 양성, CMV IgM 음성

toxoplasmosis IgG 음성, toxoplasmosis IgM 음성

Helper T cell(CD4) 87 cells/μL (정상, 404–1,612), Suppressor T cell 721 cells/μL (정상, 220–1,129)

AST 28 (22–33 IU/L) ALT 30 (5–35 IU/L)

질문 4-1. 산모의 처치와 수직감염을 줄이기 위한 적절한 분만 방법은?

해설 4-1. 초음파를 이용하여 정확한 임신 주수를 확인한다. 필요에 따라 폐렴구균, 인플루엔자, B형간염, A형간염, 백일해에 대한 예방접종을 시행할 수 있다. AIDS 확진 검사 결과가 나오기 전이라도 산모와 신생아의 HIV 감염가능성을 설명하고 동시에 검사의 위양성 가능성도 있으니 확진을 위한 웨스턴블롯(western blot)이나 면역형광분석(IFA)을 시행한다. 임신중인 산모가 HIV 양성일 때 바이러스 부하량과 CD4+ 림프구에 상관없이 즉시 치료를 시작한다. 임신부에 선호되는 항바이러스제로서 뉴클레오시드 역전사효소 길항제(nucleoside reverse transcriptase inhibitor, NRTI), 단백분해효소 길항제(protease inhibitor, PI), 통합효소길항제(intergrase inhibitor, INI)가 있다. 수직감염을 막기 위해서는 최소 3개의 항 바이러스 약제를 사용한다.

분만방법은 HIV RNA 부하량이 1,000 copies/mL 이상인 경우에는 자발적인 진통이나 양수파수가 되기 전에 임신 38주에 계획된 제왕절개 분만이 권장된다.

질식분만을 시도하는 경우에는 산전에 사용하였던 경구 항바이러스약을 복용한다. 분만에 임박하여 HIV RNA 부하량이 1,000 copies/mL 이상 또는 부하량에 상관없이 zidovudine 2 mg/kg을 1시간 이상 정맥부하 후 분만이 끝날 때까지 1 mg/kg/hr 투여를 유지한다.

제왕절개분만을 하는 경우에는 Zidovudine 2 mg/kg을 1시간 이상 정맥부하 후, 2시간 이상 지속적으로 유지하여 총 3시간 이상 투여한다.

질문 4-2. 분만 후에 신생아의 HIV 감염 진단 방법 및 신생아 처치는?

해설 4-2. 신생아 HIV 감염 진단 방법은 다음과 같다. ① HIV DNA PCR – 민감도가 좋고 빠른 진단에 좋고 비용이 덜 들기 때문에 권장되는 방법이다. 출생 후 1달이 넘으면 모든 신생아에서 진단이 가능하다. 출생, 생후 2주, 생후 4-8주, 생후 4개월에 측정하는데 이중 2회 음성이면(이중 한 번은 생후 4개월 측정) 선천감염을 배제할 수 있다. 출생 때 검사에서 음성이면 생후 12-18개월까지 주기적으로 추적검사가 필요하다. ② p24 antigen test – HIV DNA PCR 방법보다 이전에 사용된 방법으로, 민감도가 낮다. ③ HIV 배양 – 비용이 많이 들고, 노동력도 많이 필요하며, 결과도 4주 정도 걸린다. 조기진단의 유용성에 제한이 있다. 분만 후 신생아의 처지는 산모가 HIV 양성 일 때 출생 때부터 zidobudine 2mg/kg 매 6시간마다 6주 동안 경구 투여한다. 경구 투여가 어려우면 1.6 mg/kg 매 6시간마다 정맥 주사한다. 기회감염인 Pneumocystis carinii 폐렴을 막기 위해 trimethoprim–sulfamethoxazole를 출생 4-6주 후부터 HIV 감염이 완전히 배제 될 때까지 정기적으로 투여한다. 검사실 검사는 톡소플라스마, 거대세포바이러스, 매독 검사를 실시한다.

경과

임신 39주에 제왕절개술을 시행하여 2,885 g 남아를 분만하였고 산모의 상태는 양호하여 수술 후 5일째 퇴원하였다. 이후 지속적으로 감염내과 진료 중이고 Kivexa Tab (GSK) (NRTI: lamivudine 300 mg + abacavir 600 mg), Kaletra 200/50 mg/tab를 투여하였다. 최근에는 Genvoya Tab(길리어드)을 지속적으로 투여하고 있다. 추적검사결과는 CD4+ T 세포수 407 cells/μL, HIV RNA 부하는 20 copies/mL 이하로 유지되고 있다.

신생아의 선천 HIV 감염 검사는 2회 간격으로 측정하여 음성을 확인하였다. 신생아 중환아실에 입원하여 zidobudine을 경구투여 하였고, 비교적 전신상태가 좋아 생후 6일째 퇴원하였고 zidobudine 치료를 6주간 유지하였다.

매독(심화)

33세 초산부가 임신 31주 4일에 질출혈과 하복통이 있어 병원에 왔다. 첫 아이는 3년 전 분만하였으나 특별한 이상은 없었다고 한다. 가족력에서 남편이 2년 전에 매독으로 진단받고 벤자틴(Benzathine) 페니실린으로 3회 치료한 적이 있었다. 활력징후는 정상 범위였다. 초음파 검사에서 태아 예상체중 1,574 g, 양수량은 적당하였고, 태반은 자궁 저부, 탯줄동맥 수축기/이완기 혈류속도비(S/D ratio) 2.19였다. 골반검사에서 자궁목은 2 cm 확장, 60% 소실되었고 자궁수축은 3분 간격으로 20초 정도 측정되었다. 자궁 수축억제제 사용에도 자궁수축 지속되어 내원 22시간 후 분만이 진행되어 1,425 g 남아를 분만하였다(그림 31-3). 아프가점수는 1분 5분 각각 7점 9점이었다.

CRP 66.40(mg/L), RPR 1:64, TPPA 양성(1:2560), FTA-ABS IgM minimal reactive, FTA-ABS IgG reactive, HSV IgG 양성, HSV IgM 음성, AntiHIV 음성, HBs Ag 음성, AntiHBs 음성

WBC 30.95 (X10³/μl), Hb 8.2 g/dl, platelet 30 (X10³/μl)

Serum - RPR 1:64, TPPA 1:2560

CSF 검사 protein 162 (15-45 mg/dL), glucose 28 (50-75 mg/dL), RPR reactive 1:16, FTA-ABS IgM : Reactive

CMV IgM 음성, HSV IgM 음성, VZV IgM 음성

LGP 초음파 검사 - 특이소견 없음

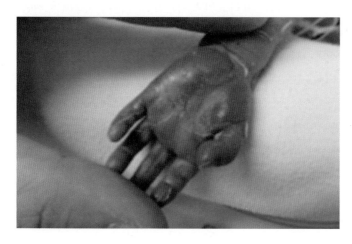

그림 31-3 신생아의 손사진. 손의 피부가 벗겨진 것이 보인다.

질문 5-1. 임산부 매독에 대한 치료방법과 추적검사 방법은?

해설 5-1. 임신부의 매독치료에서 에리스로마이신, 아지스로마이신은 선천매독치료가 불량하고, 테트라사이클린은 태아 뼈와 치아발달에 영향을 주기 때문에 금기이다. 따라서 페니실린이 유일한 치료제이다.

조기매독(1년 이하)인 경우에는 벤자틴 페니실린 G 240만 단위를 1회 근육주사한다. 약물 역동학의 변화가 예상되는 임신 20주 이상에서 치료실패와 태아에 대한 감염가능성 때문에 1주 후에 한번 더 투여하는 것을 추천한다. 만기매독(1년 이상), 혹은 매독의 경과기간을 모르는 경우에는 벤자틴 페니실린 G 240만 단위를 1주 간격으로 3회 근육주사한다. 신경매독은 수용성 크리스탈린 페니실린(aqueous crystalline penicilline) G 300-400만 단위를 4시간 간격으로 정맥주사하여 10-14일간 투여한다. 치료판정과 추적검사는 VDRL, 또는 RPR 검사 결과를 따른다. 조기매독은 치료 후 1, 3, 6개월에 추적검사를 시행하고, 치료 후 2년까지 6개월 간격으로 검사한다. 1기와 2기 매독은 치료 3-4개월 후에 역가가 4배 이상(2회 희석) 감소된다. 만약 치료가 잠복기에 시행되었거나, 만기매독, 재감염 되었다면 역가가 훨씬 천천히 감소된다. 예상대로 떨어지지 않는다면 재평가가 필요하고 뇌척수액검사를 하여 신경매독이 진단되면 이에 대한 치료를 시행한다.

질문 5-2. 신생아의 선천매독 감염의 판정과 치료방법은?

해설 5-2. 선천매독 진단은 모체검사, 모체 치료병력, 신생아의 임상증상, 신생아의 검사실 검사로 진단할 수 있다. 특징적인 임상증상은 미숙아와 저체중출생아(10-40%), 간비대(33-100%), 물집이 있는 피부발진(40%), 뼈 변화(75-100%)이다. 하지만 60% 정도가 출생 때 무증상이고 영아기에 감염증상이 모호하고 비특이적이기 때문에 선천매독 진단이 쉽지는 않다. RPR 양성 산모에서 태어난 영아의 56-66%는 비특이적매독검사에서 양성을 보인다. 비특이적매독검사로 진단하기 위해서는 출생 때 모체 역가에 비해 최소 4배 이상이어야 한다. 그러나 민감도가 매우 낮기 때문에 제한적인 진단 방법이다. 선천매독진단의 매우 신뢰할 만한 검사는 매독특이항체 IgM 검사이다. 이 진단법에는 FTA-ABS 19S IgM, IgM immunoblot, IgM ELISAs 방법이 있다. 선천매독에 감염된 영아에서 임상증상이 있는 경우 60% 정도에서 신경매독이 발생한다. 뇌척수액내의 비특이적 매독검사, 세포증가증, 단백증가로 신경매독을 판정한다. 매독에 감염된 산모가 임신 중 치료받지 않았거나 혹은 적절하게 치료받지 않은 경우라면 신생아 뇌척수액검사 실시가 추천된다. 치료는 선천매독으로 진단된 경우 수용성 크리스탈린 페니실린(aqueous crystalline penicilline) G 100,000~150,000 units/kg/day를 첫 1주간은 12시간 간격으로 2번 나누어 정맥주사, 다음 1주간은 8시간 간격으로 3번 나누어 정맥주사한다.

경과

분만 후에 산모 상태는 비교적 양호하며 특이소견은 없었다. 출혈 및 환자상태 확인 후 출산 후 2일째 퇴원하였다. 매독 치료는 외래 추적검사하면서 벤자틴 페니실린 G 240만 단위를 7일 간격으로 3회 주사하였다. 6개월 후 RPR 추적 검사에서 1:16, 9개월 후 1:8로 의미 있게 감소하였다. 신생아는 출생 후 실시한 RPR검사에서 반응성이 확인되었고, 뇌척수액검사에서 단백질증가, RPR 역가 1:16으로 선천신경매독으로 진단되었다. 치료는 수용성 크리스탈린 페니실린 G를 정맥내 3주간 투여하였으며, 빈혈과 혈소판감소증은 수혈을 시행하여 교정을 하였다. RPR 추적 검사에서 3개월마다 시행하였고, 의미 있게 감소하였다.

참고 문헌 ···

1. 대한산부인과학회. 산과학. 제6판. 파주: 군자출판사; 2019.

2. 질병관리본부. 감염병감시 웹통계. 표본감시 통계; 2019. Available from: http://stat.cdc.go.kr/

3. 질병관리본부. 대한민국 성매개감염병 진료지침; 2016.

4. American Academy of Pediatrics and American College of Obstetricians and Gynecologists. Guidelines for Perinatal Care. 8th ed. Washington; 2017.

5. American College of Obstetricians and Gynecologists. Committee opinion no 632: Expedited partner thera-py in the management of gonorrhea and chlamydial infection. Obstet Gynecol 2015;125:1526-8.

6. American College of Obstetricians and Gynecologists. Committee Opinion No. 234: Scheduled cesarean delivery and the prevention of vertical transmission of HIV infection. Int J Gynaecol Obstet 2001;73:279-81.

7. American College of Obstetricians and Gynecologists. Practice Bulletin No. 82: Management of herpes in pregnancy. Obstet Gynecol 2007;109:1489-98.

8. Arnold SR, Ford-Jones EL. Congenital syphilis: A guide to diagnosis and management. Paediatr Child Health 2000;5:463-9.

9. Brown ZA, Selke S, Zeh J, Kopelman J, Maslow A, Ashley RL, Watts DH, Berry S, Herd M, Corey L. The acquisition of herpes simplex virus during pregnancy. N Engl J Med 1997;337:509-15.

10. Centers for Disease Control and Prevention. 1995 revised guidelines for prophylaxis against Pneumocystis carinii pneumonia for children infected with or perinatally exposed to human immunodeficiency virus. MMWR Morb Mortal Wkly Rep 1995;44:1-11.

11. Centers for Disease Control and Prevention. Public Health Service Task Force recommendations for the use of antiretroviral drugs in pregnant women infected with HIV-1 for maternal health and for reducing perinatal HIV-1 transmission in the United States. MMWR Morb Mortal Wkly Rep 1998;47:1-30.

12. Centers for Disease Control and Prevention: Expedited part-ner therapy in the management of sexually transmitted diseases. Atlanta. U.S. Department of Health and Human Services, 2006a.

13. Centers for Disease Control and Prevention: Sexually trans-mitted disease treatment guidelines, MMWR 2010;59:12.

14. French P, Gomberg M, Janier M, Schmidt B, van Voorst Vader P, Young H (2009) IUSTI: 2008 European Guidelines on the Management of syphilis. Int J STD AIDS 2009;20:300-309.

15. Herremans T, Kortbeek L, Notermans DW. A review of diagnostic tests for congenital syphilis in newborns. Eur J Clin Microbiol Infect Dis 2010;29:495-501.

16. Hosenfeld CB, Workowski KA, Berman S, Zaidi A, Dyson J, Mosure D, Bolan G, Bauer HM. Repeat infec-tion with Chlamydia and gonorrhea among females: a systematic review of the literature. Sex Transm Dis 2009;36:478-89.

17. Mascola L, Pelosi R, Blount JH, Alexander CE, Cates W Jr. Congenita syphilis revisited. Am J Dis Child. 1985;139:575-580.

18. Panel on treatment of pregnant women with HIV infection and prevention of perinatal transmission. A work-ing group of the office of AIDS Research Advisory Council (OARAC).Recommendations for use of antiret-

roviral drugs in pregnant HIV-1-infected women for maternal health and interventions to reduce perinatal HIV transmission in the United States. 2016. Available from: http://aidsinfo.nih.gov/contentfiles/lvguidelines/PerinatalGL.pdf

19. Smith EM, Ritchie JM, Yankowitz J, Swarnavel S, Wang D, Haugen TH, Turek LP. Human papillomavirus prevalence and types in newborns and parents: concordance and modes of transmission. Sex Transm Dis 2004;31:57-62.

chapter 32

악성 신생물

모체태아의학

3 2

악성 신생물

김용범(서울의대)
김미선(차의과학대)
이마리아(서울의대)

01

자궁경부암(기본)

28세 여자가 임신 7주에 산전진료를 위하여 병원에 왔다. 질식초음파검사에서 태아 심박동(그림 32-1A)을 확인하였고 산전검사로서 시행한 자궁경부질세포진검사(Pap smear)가 고등급편평상피내병변(high grade squamous intraepithelial lesion, HSIL)이 었다. 이후 시행한 인유두종바이러스검사에서 16번 인유두종바이러스 감염이 확인되었고, 동시에 시행한 질확대경 검사에서 acetowhite 병변이 관찰되었으며 뚜렷한 종양성 병변은 보이지 않았다(그림 32-1B). 이어서 시행한 질확대경하 자궁경부조직검사에서 침윤성 편평상피세포암(invasive squamous cell carcinoma, unknown depth of invasion)이 확인되었다. 골반자기공명영상 결과에서는 1.3 cm 크기의 고음영 부분이 의심되고 다른 골반장기 침범이나 림프절 전이는 없다(그림 32-1C).

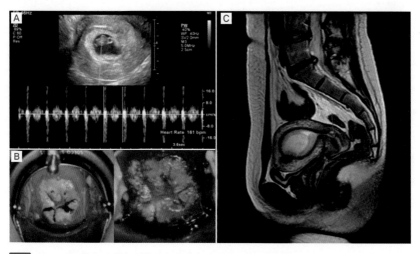

그림 32-1 질초음파 검사(A), 질확대경 검사(B) 및 골반자기공명영상(C)

질문 1-1. 현재까지 검사결과를 토대로 하였을 때, 상기 산모의 적절한 다음 치료계획은?

해설 1-1. 임신 제2삼분기에 자궁경부원추절제술

이와 같이 병기가 정확하지 않는 경우에는 정확한 병기설정을 위해 자궁경부원추절제술을 먼저 고려하는 것이 임상적으로 가장 합당하다. 이전 2014 FIGO 병기설정법과는 달리, 2018년 개정된 최신 FIGO 병기설정법에서는 내진을 통한 임상적 병기설정(clinical staging) 뿐만 아니라 조직검사와 영상검사를 모두 종합하여 병기설정을 하도록 권고하고 있다. 상기 산모의 경우에는 골반 자기공명영상에서 1.3 cm 크기의 종양이 의심되는 부분이 보이므로 FIGO 병기 IB1 (Invasive carcinoma ≥5 mm depth of stromal invasion, and <2 cm in greatest dimension)을 의심하는 것이 합당하며, 이때에는 영상검사를 통하여 병기설정을 하였기 때문에 IB1r이라고 할 수 있다. 그러나 주치의가 골반자기공명영상 결과에 따른 병기설정이 불확실하다 판단하면, 내진결과를 토대로 병기설정이 가능하며 이때에는 질확대경 검사에서 뚜렷한 종양성 병변을 관찰하지 못하였으므로 FIGO 병기 IA1 혹은 병기 IA2의 진단이 가능하다.

임신 중에 시행하는 자궁경부원추절제술의 시행 시기에는 아직 논란이 있지만, 제1삼분기에 시행했을 때 태아소실율이 약 25%까지 보고된 바 있고 임신 제2삼분기 이후에는 10% 미만의 태아소실율이 일관되게 보고되고 있다. 따라서 상기 증례의 경우에는 정확한 병기설정을 위해 임신 중에도 비교적 안전하게 시행할 수 있는 임신 제2삼분기 이후에 자궁경부원추절제술을 시행하는 것이 타당하다고 할 수 있겠다.

경과

상기 산모는 임신 14주 5일째 자궁경부원추절제술을 시행하였고, 조직병리결과는 아래와 같았다.

A. Uterus, exocervix, LEEP conization:

Squamous cell carcinoma in situ

No residual invasive carcinoma, post biopsy status

Resection margin, endocervical: Free from tumor

Resection margins, exocervical and lateral: Free from tumor

B. Uterus, endocervix, LEEP conization: Free from tumor

질문 1-2. 상기 산모의 적절한 다음 치료계획은?

해설 1-2. 추가적인 치료 없이 만삭까지 임신을 유지

자궁경부원추절제술 결과 절단면 침범이 없다면 만삭까지 추적관찰 후 질식분만을 시도할 수 있으며, 그 이외의 경우에는 모두 제왕절개를 권장하고 있다. FIGO 병기 IA2 (Measured stromal invasion ≥3mm and <5mm in depth)에서 IB2 (Invasive carcinoma ≥2cm and <4cm in greatest dimension)까지는 정확한 병기와 진단 시기에 따라 치료방법이 달라진다. 임신 22–25주 이전에 진단된 경우 치료의 지연 없이 적극적인 치료가 권장되는 반면, 이후에 진단되었다면 환자가 원할 경우 태아 생존 가능성이 높아지는 시점까지 치료를 지연시킬 수도 있다. 상기 증례의 경우에는 최종 FIGO 병기 IA1으로 진단하고, 추가적인 치료 없이 만삭까지 임신을 유지하는 것이 타당하다고 할 수 있겠다.

경과

산모는 임신 39주에 3.33 kg의 여아를 질식분만 하였다. 이후 재발의 증거 없이 추적검사하며 지내다가(그림 32-2A), 2년 뒤 임신 40주에 둘째를 질식분만 하였다. 둘째를 분만하고 1년 후에는 복강경하 전자궁절제술과 양측 난관절제술을 받았다(그림 32-2B).

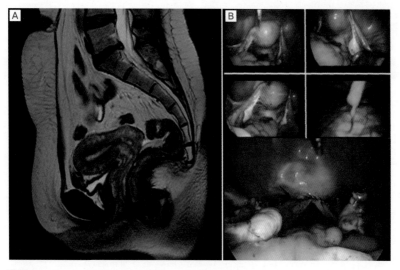

그림 32-2 두 번째 분만 1년 뒤 골반자기공명영상(A)과 복강경 수술사진(B)

02

난소암(심화)

26세 여자가 임신 11주에 산전진료를 위하여 병원에 왔다. 질식초음파검사에서 태아심박동이 보이고(그림 32-3A), 좌측 골반에서 8 cm 크기의 혼합에코음영을 가진 종양이 보인다. 악성종양 여부를 감별하기 위하여 시행한 골반자기공명영상에서 좌측 난소의 생식세포종양(germ cell tumor)이 의심되고, 다른 골반장기 침범이나 림프절 전이는 보이지 않는다(그림 32-3B). 혈중 종양표지자 검사는 다음과 같다.

AFP: >1,000.0 ng/mL, CEA: 0.03 ng/mL, CA 19-9: 11.07 U/mL, CA 125: 60.2 U/mL

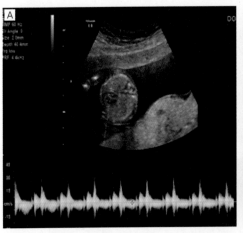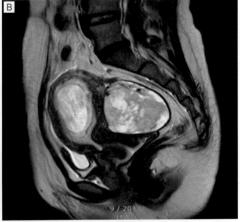

그림 32-3 질식초음파 검사(A)와 골반자기공명영상(B)

질문 2-1. 상기 산모에서 적절한 치료 계획은?

해설 2-1. 임신 제2삼분기에 병기설정수술

해설 임신 중 난소암이 의심되는 경우에는 수술을 통하여 진단하고 각각의 병기와 조직학적 유형에 따른 치료를 결정해야 한다. 병기설정수술의 범위는 조직학적 유형에 따라 난소난관절제술과 대망절제술, 의심부위의 조직검사, 또는 림프절절제술을 포함할 수 있다. 생식세포종양이 의심되는 경우에도 병변부위의 난소난관절제술과 의심부위의 조직검사로 병기설정수술을 시행할 수 있다. 병기설정수술은 복강경수술과 개복수술이 모두 가능하지만, 태아의 재태기간과 수술자의 경험, 수술 범위에 따라 결정해야 한다. 개복수술은 수술 시간이 길고

조기진통 비율이 높아진다는 불리한 점이 있지만, 복강경수술도 고탄산혈증(hypercapnia), 자궁천공, 복강압 증가로 인한 혈류량 감소, 이산화탄소 가스 사용 등에 따른 부작용이 있으므로, 수술시간은 90-120분 이내로 해야 하고, 복강압은 10-13 mmHg로 낮추어야 하며, 경험 있는 전문의가 담당할 것이 권고된다.

임신 중의 난소에 대한 수술은 임신 제2삼분기로 미루는 것이 좋은데, 제1삼분기에는 수술 후에 자연유산율이 10%까지 높아진다고 보고되고 있기 때문이다. 만약 난소종양이 3분기에 발견되어 수술할 경우에는 조기진통이 나타날 확률이 높기 때문에 가능하다면 태아 폐성숙을 확인하고 수술을 시행하는 것을 고려하는 것이 좋다.

경과

상기 산모는 임신 14주에 복강경을 이용한 좌측 난소난관절제술을 받았고, 조직병리결과는 아래와 같았다.

Ovary and salpinx, "left", salpingo-oophorectomy: yolk sac tumor

- Site of tumor: ovary, left
 - Size of tumor: up to 12.0 x 10.0 x 2.5 cm
 - Extension of tumor:
  - ovarian surface involvement: involved focally
  - capsular rupture: cannot be assessed
 - Salpinx involvement: cannot be assessed
 - Uterus involvement: cannot be assessed - Lymph node: cannot be assessed
 - Lymphatic invasion: not identified
 - Venous invasion: not identified
 - Perineural invasion: not identified
 - Alpha-Fetoprotein : Positive

질문 2-2. 상기 환자에서 수술 후 적절한 항암화학요법 치료 계획은?

해설 2-2. 제2삼분기에 3-4 주기의 bleomycin, etoposide, cisplatin (BEP)를 이용한 보조항암화학요법.

환자의 경우 조직학적 검사가 내배엽동종양 또는 난황낭종양(endodermal sinus tumor or

yolk sac tumor) FIGO 병기 1C2이고, 임신 중이지 않은 환자와 마찬가지로 BEP를 이용한 3–4주기의 수술 후 보조항암화학요법을 시행하는 것이 권고된다. 일반적으로 항암화학요법은 임신 제1삼분기에는 금기이며, 임신 제2삼분기부터는 taxanes, platinum, anthracyclines, etoposide, bleomycin 등은 비교적 안전하게 투여가 가능하다고 보고되었다.

항암화학요법은 35주를 넘어서까지는 권고되지 않으며, 마지막 항암화학요법 주기와 분만 사이에 적어도 3주의 휴약기를 가져야 한다고 권고된다.

임신 중에 항암화학요법을 시행하는 경우, 자궁내성장지연, 조기양막파수와 조기진통의 위험도가 증가하는 것으로 보고되고, 특히 platinum을 기본으로 하는 항암제를 사용한 경우 저체중출생아와 연관성이 있다는 보고가 있어, 2–4주 간격으로 태아 성장을 모니터하는 것이 권고된다. Anti VEGF나 다른 antiangiogenic 약제는 임신 중 금기이며, 다른 타겟약제도 안정성 데이터가 확보되지 않았기 때문에 사용하지 않는다. Metoclopramide, 5HT3 antagonists, ranitidine, proton pump inhibitors, methylprednisolone, prednisolone 또는 hydrocortisone은 필요에 따라 사용 가능하다. 하지만 임신 중 항암화학요법을 시행 받고 태어난 태아에 대한 장기간 추적관찰 연구가 부족하기 때문에 이에 대한 연구가 추가적으로 진행되어야 한다.

임신 1분기에 진행성 상피성난소암이 의심되는 경우에는 임신을 종결을 고려하는 것이 좋고, 강력하게 임신 유지를 원하는 경우에는 일측 난소난관절제술로 확진하고 platinum 기본의 항암화학요법을 시행한다. 분만 이후에 종양감축수술을 계획한다.

경과

상기 환자는 3주기의 BEP 보조항암화학치료를 받았고 만삭까지 임신을 유지하며 경과 관찰 중이다.

Maternal-fetal medicine

자궁경부암(심화)

32세 미분만부가 cervical punch biopsy 결과 자궁경부의 invasive squamous cell carci-noma이어서 임신 22주2일에 병원에 왔다. 골반진찰에서 자궁경부는 닫혀 있었고 종괴가 전체 자궁 경부 표면을 침범하고 있었으며 주변 조직 침범은 없었다. 정밀 초음파검사에서 태아의 이상은 없었다. 조영증강 없이 골반자기공명영상 검사를 시행하였고 그 결과 7.2 cm의 자궁경부암으로 의심되는 병변이 자궁경부에 국한되어 있었고 임파선 전이는 관찰되지 않았다(그림 32-4).

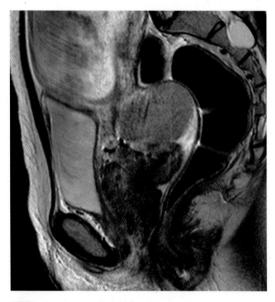

그림 32-4 골반자기공명영상

질문 3-1. 향후 적절한 처치는?

해설 3-1. 선행항암화학치료 후 고전적인 제왕절개와 전자궁절제술 및 골반 림프절절제

임신 중 자궁경부암의 치료는 임신 주수와 환자의 희망에 따라 달라진다. 치료를 시작하기 전에 임신부는 물론 가족과 함께 위험성과 선택 옵션에 대해서 충분한 논의를 가져야 한다. 치료 시작의 시기에 대해서는 논란이 있지만, 원칙적으로 명확한 침윤성 자궁경부암인 경우에는 즉시 치료를 시작해야 하며, 치료를 4주 이상 미루는 것은 권하지 않는다.

임신 제2삼분기인 경우에는, 태아의 생존 가능성을 높이기 위해서 치료를 늦출 수도 있다. 치

료 연기를 원하는 경우, 출산 전에 태아의 폐성숙을 확인하는 것이 중요하다. 최근에는 임신 13주 이후 neoadjuvant chemotherapy를 시행하기도 하는데 태아에게 뚜렷한 단기적인 해는 없었으나, 장기적인 임상 추적은 필요하다. 권고적인 치료는 태아의 폐 성숙을 확인한 후 고전적인 제왕절개 후 전자궁절제술과 골반 림프절절제를 하는 것이다. 병기 II에서 IV까지는 방사선 치료가 반드시 이루어져야 한다.

상기 환자의 경우 미분만부이고 임신 23주에 해당하며 골반자기공명영상 검사에서 병변이 자궁경부에 국한되어 있었으므로 폐성숙을 기다린 후 고전적인 제왕절개 후 전자궁절제술과 골반 림프절절제를 시행할 수 있겠다. 종양의 크기를 줄이고자 하는 경우에는 cisplatin과 paclitaxel을 3주마다 투여하는 것을 고려할 수 있다.

경과

환자 및 보호자와 추후 치료 방법에 대해 상의하였고 임신유지를 강력이 원하였다. 환자는 임신 23주부터 3주 간격으로 총 3차례의 Paclitaxel과 Cisplatin 항암화학치료를 받았고, 각각의 항암화학치료 후 태아 안녕평가 및 초음파검사를 시행하였다.

질문 3-2. 임신 중 항암화학치료의 안전성 및 주의점은 무엇인가?

해설 3-2. 임신 제1삼분기 이후의 항암화학치료는 비교적 안전하고 분만은 마지막 항암화학치료 후 적어도 3주가 경과해야 한다.

임신 중 화학항암요법의 안전성에 대한 데이터는 별로 없다. 항암치료가 태아에 미치는 영향은 치료 당시의 임신주수, 사용한 약제 및 용량 등에 따라 달라진다. 임신 17주에서 33주 사이인 자궁경부암 환자의 치료를 위해 백금 계열의 화학약품에 노출된 48명에 대한 systematic review에서 67.4%는 건강한 신생아를 출산하였으며, 그렇지 못한 군에서 대부분의 문제는 조산과 관련된 것이었다.

임신 중 자궁경부암이 진단되어 cisplatin 투여를 받은 21명의 여성에 관한 연구에서, 출산 시 양수 검사에서 백금의 농도는 산모의 혈중 농도의 11–41%이었다. 임신 시의 낮은 알부민 레벨 때문에 산모나 태아의 유리 cisplatin 레벨이 높아질 수 있고 이로 인해 이독성을 포함한 독성 위험이 증가할 수 있다. Taxane의 경우는 동물 실험에서 모체 혈청 농도의 2% 미만으로 발견이 되었다. 그리고 bevacizumab 등의 표적치료제는 약품의 작용기전이나 동물 연구에서 태아에게 해를 가할 위험이 발견되어 임신 중에는 사용하지 않는다.

이상적인 출산 시기는 항암치료를 완료하고 적어도 3주가 지난 후에 출산을 하는 것을 권고하고있다. 이렇게 함으로써 산모의 골수기능이 회복되고, 태반의 대사작용으로 항암제에 의한 태아의 세포독성을 제거 할 수 있다.

경과

환자는 29주에 3차 Paclitaxel과 Cisplatin 항암화학치료를 받았고, 32주에 시행한 골반자기공명영상이다(그림 32-5). 환자는 32주에 고전적인 제왕절개 후 전자궁절제술과 골반 림프절 절제술을 받았다.

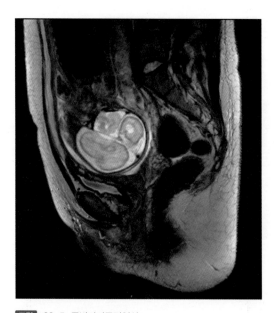

그림 32-5 골반자기공명영상

04

Maternal-fetal medicine

자궁경부암(심화)

25세 여자가 정기검진으로 시행한 자궁경부질세포진검사가 고등급편평상피내병변이고 16번, 51번 인유두종바이러스 감염이 확인되었다. 질확대경 검사에서 경증의 미란이 확인되었고(그림 32-6A), 자궁경부 조직검사에서 침윤성 편평상피세포암(invasive squamous cell carcinoma)으로 확인되었다. 조영증강 골반 자기공명영상에서 1.7 cm 크기의 자궁경부 종양성 병변이 보이고, 다른 골반장기 침범이나 림프절 전이는 없었다(그림 32-6B). 환자는 가임력 보존을 원하고 있다.

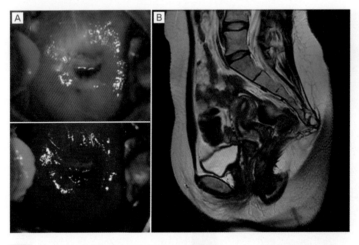

그림 32-6 질 확대경 검사(A)와 골반자기공명영상(B)

질문 4-1. 상기 여성의 적절한 치료는은?

해설 4-1. 자궁경부원추절제술 또는 근치 자궁경부절제술(radical trachelectomy)

상기 여성의 2018 FIGO 병기는 임상적 병기 1A 또는 영상학적 병기 IB1r로 진단 가능하다. 즉, 상기 증례처럼 임상적 병기의 판단이 어려울 경우에는 각 판단에 따라 치료 방법이 달라질 수 있다. FIGO 병기 IA로 판단된다면 정확한 병기설정을 위해 진단적으로 자궁경부원추절제술을 시행할 수 있고, 일반적으로 자궁경부 원추절제술의 결과가 절단면 침범이 없는 IA1인 경우에는 원추절제술만으로도 적절한 치료가 완료될 수 있다. FIGO 병기 IB1으로 판단된다면 가임력 보존여부에 따라 치료방법이 달라질 수 있다. 증례의 여성은 가임력 보존이 필요한 상황으로, 근치 자궁경부절제술이 치료방법으로 고려될 수 있다. 종양의 크기가 2 cm 이하인 경우에 근치 자궁경부절제술을 고려할 것이 권고되며, 그 이상의 크기에서는 근치 자궁절제술이 권장된다. 근치 자궁경부절제술은 자궁방(parametrium)과 함께 자궁경부를 절제하고, 자궁체부와 질 말단부위를 연결시켜주게 되는데, 복식, 질식, 또는 복강경식 접근법이 모두 적용 가능하다.

경과

환자는 복강경하 골반 림프절 절제술 시행하여 동결 조직검사에서 전이가 없음을 확인한 후, 근치 자궁경부절제술 및 자궁경부원형결찰(cerclage)를 시행 받았다. 최종 조직병리 결과는 아래와 같았다. 최종 FIGO 병기 IB1으로 진단하고, 분만 계획이 생길 때까지 자궁내장치(device)를 거치하여 자궁경부 입구가 협착되지 않도록 유지하며 추적검사 하였다(그림 32-7). 환자는 3년 뒤에 자궁내장치 제거 후 체외 수정(In Vitro Fertilization, IVF) 시술을 통하여 임신하였고, 현재 임신 24주 6일째이다.

Uterus, radical trachelectomy

: Cervix: INVASIVE SQUAMOUS CELL CARCINOMA

  1) Invasion depth: 8 mm from the surface

  2) Horizontal spread: 14 mm

  3) Lymphovascular invasion: PRESENT

    Vaginal cuff (exocervical resection margin): Free from tumor

    Lateral resection margin (lateral surface of the cervix): Free from tumor

    Parametrium, right: Free from tumor

    Parametrium, left: Free from tumor

Lymph nodes, frozen, pelvic, right (frozen) (0 / 6), left (frozen) (0 / 9)

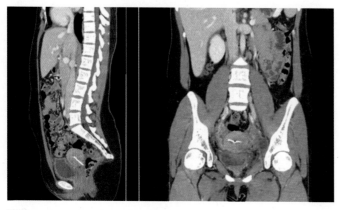

그림 32-7 수술 후 복부골반 전산화단층촬영 소견

질문 4-2. 상기 여성의 적절한 분만계획은?

해설 4-2. 임신 34-37주에 제왕절개술

자궁경부절제술과 자궁경부원형결찰(cerclage)을 받은 산모에게는 제왕절개술이 권장되며, 질식분만은 자궁파열 및 과다출혈의 위험으로 권장되지 않는다. 고전적으로는 자궁의 세로 절개가 안전하다 여겼으나, 최근에는 가로절개 역시 크게 합병증을 증가시키지 않는 것으로 보고되고 있다. 분만의 시기는 자연진통으로 인한 응급수술을 피하기 위해 37주 이전이 안전하며, 제거된 태반의 조직병리 결과를 반드시 하는 것을 권장한다.

참고 문헌 ···

1. Bhatla N, Aoki D, Sharma DN, Sankaranarayanan R. Cancer of the cervix uteri. Int J Gynecol Obstet 2018; 143 (Suppl. 2): 22–36.

2. Averette HE, Nasser N, Yankow SL, Little WA. Cervical conization in pregnancy. Analysis of 180 operations. Am J Gynecol 1970;106:543–9.

3. Beharee N, Shi Z, Wu D, Wang J. Diagnosis and treatment of cervical cancer in pregnant women. Cancer Med 2019;8:5425–30.

4. Abu-Rustum NR, Sonoda Y, Black D, Levine DA, Chi DS, Barakat RR. Fertility-sparing radical abdominal trachelectomy for cervical carcinoma: Technique and review of the literature. Gynecol Oncol 2006;103:807–13.

5. Knight LJ, Acheson N, Kay TA, Renninson JN, Shepherd JH, Taylor MJ. Obstetric management following fertility-sparing radical vaginal trachelectomy for cervical cancer. J Obstet Gynaecol 2010;30:784–9.

6. Bader AA, Petru E, Winter R. Long-term follow-up after neoadjuvant chemotherapy for high-risk cervical cancer during pregnancy. Gynecolo Oncol 2007;105:269–72.

7. Cardonick E, Iacobucci A. Use of chemotherapy during human pregnancy. Lancet Oncol 2004; 5:283–91.

8. Agarwal N, Parul, Kriplani A, Bhatla N, Gupta A. Management and outcome of pregnancies complicated with adnexal masses. Arch Gynecol Obstet. 2003;267:148–52.

9. Shigemi D, Aso S, Matsui H et al. Safety of laparoscopic surgery for benign diseases during pregnancy: a nationwide retrospective cohort study. J Minim Invasive Gynecol 2019;26:501–6.

10. Webb K, Sakhel K, Chauhan S, Abuhamad A. Adnexal mass during pregnancy: a review. Am J Perinatol 2015;32:1010–6.

11. Ye P, Zhao N, Shu J et al. Laparoscopy versus open surgery for adnexal masses in pregnancy: a meta-analytic review. Arch Gynecol Obstet 2019;299:625–34.

12. de Haan J, Verheecke M, Van Calsteren K et al. Oncological management and obstetric and neonatal outcomes for women diagnosed with cancer during pregnancy: a 20-year international cohort study of 1170 patients. Lancet Oncol 2018;19:337–46.

13. F Amant, P Berveiller, I A Boere, et al. Gynecologic Cancers in Pregnancy: Guidelines Based on a Third International Consensus Meeting. Ann Oncol 2019;30:1601–12.

찾아보기

기호

번호

영문

A

B

C

D

E

INDEX

INDEX

INDEX

INDEX

INDEX

INDEX